동유럽사

동유럽사

제국의 일원에서 민족의 자각으로, 민족 운동에서 국가의 탄생까지

존 코넬리 지음 | 허승철 옮김

책과함께

차례

제1권 | 차례

서론 ... 9

1부 민족 운동의 부상

1장 중동부 유럽 사람들 ... 53

2장 소멸의 위기에 처한 민족 ... 97

3장 언어 민족주의 ... 123

4장 민족 투쟁: 사상에서 운동으로 ... 167

5장 반란에 나선 민족주의: 세르비아와 폴란드 ... 201

2부 제국의 쇠퇴와 근대 정치의 부상

6장 저주받은 평화주의자들: 1848년 중동부 유럽 ... 241

7장 제국 군주정을 개혁할 수 없게 만든 개혁: 1867년 타협 ... 285

8장 1878년 베를린회의: 유럽의 새로운 인종-민족 국가들 ... 319

9장 민족사회주의의 기원: 세기말 헝가리와 보헤미아 ... 367

10장 자유주의의 상속자들과 적들: 사회주의 대 민족주의 ... 405

11장 농민 유토피아: 어제의 농촌과 내일의 사회 ... 453

3부 동유럽의 독립

12장 1919년: 새로운 유럽과 오래된 문제들 ... 497

13장 민족자결주의의 실패 ... 549

14장 뿌리내리는 파시즘: 철위부대와 화살십자군 ... 591

15장 동유럽의 반파시즘 ... 619

제2권 | 차례

4부 나치제국과 소련제국의 일부가 된 동유럽

16장 히틀러의 전쟁과 독일의 적 동유럽 ... 659

17장 단테가 예상하지 못한 것: 동유럽의 홀로코스트 ... 705

18장 인민민주주의: 전후 초기 동유럽 ... 759

19장 냉전과 스탈린주의 ... 807

20장 탈스탈린화: 헝가리 혁명 ... 849

21장 각국의 공산주의로의 여정: 1960년대 ... 891

22장 1968년과 소비에트 블록: 개혁적 공산주의 ... 941

23장 실제 존재하는 사회주의: 소련 블록의 생활 ... 981

5부 공산주의에서 반자유주의로

24장 공산주의의 해체 ... 1037

25장 1989년 ... 1083

26장 폭발하는 동유럽: 유고슬라비아의 국가 승계 전쟁 ... 1121

27장 유럽과 통합된 동유럽 ... 1155

결론 ... 1191

감사의 말 ... 1213

옮긴이의 말 ... 1217

부록권 | 차례

부록: 표 1-6 ... 1223

주 ... 1229

도판 출처 ... 1391

찾아보기 ... 1394

지도 목록

중동부 유럽(1818년경) ... 19

보헤미아왕국(1860년경) ... 25

중동부 유럽(1921-1939) ... 30

중동부 유럽(1949-1990) ... 35

중동부 유럽(1795년경) ... 55

중동부 유럽의 인종언어 집단(1880년경) ... 58

슬라브족의 정착 지역 ... 60

방언 연속체 ... 61

서방 기독교와 동방 기독교 ... 64

1000년경의 유럽 ... 70

독일 언어 경계의 동쪽 이동 ... 72

유대인의 추방과 재정착 ... 75

오스만 세력의 전진 ... 79

세르보-크로아티아 지역에서 슈토카비아 방언 사용 영역 ... 231

중동부 유럽(1848-1849년경) ... 252

남동부 유럽(1878) ... 333

전간기의 체코슬로바키아 ... 536

나치 치하의 중동부 유럽 ... 670

동방 종합계획 ... 675

중동부 유럽(1999-현재) ... 1176

일러두기

• 이 책은 John Connelly의 *From Peoples into Nations: A History of Eastern Europe*(Princeton University Press, 2020)을 우리말로 옮긴 것이다.

• 각주는 모두 옮긴이 주이며, 짧은 옮긴이 설명은 본문에 〔 〕로 표시했다.

• 헝가리 인명은 성-이름순으로 쓰는 것이 원칙이나 다른 유럽 국가와의 혼동을 피하기 위해 이름-성순으로 표기했다.

4부

나치제국과 소련제국의
일부가 된 동유럽

16장

히틀러의 전쟁과 독일의 적 동유럽

아돌프 히틀러가 태어난 세상은 그보다 오래 살아남은 세계와는 훨씬 달랐다. 첫 번째 세계에는 많은 종족 집단에 속하는 주민들이 지속적으로, 대부분은 평화롭게 그러나 자주 어지러운 상호작용을 하는 오스트리아-헝가리제국 군주정이 존재했다. 두 번째 세계에는 수백만 명의 주민이 희생된 다음 여러 종족 집단을 분리시킨 요새화된 국경을 가진 냉전 상태의 중부 유럽이 있었다. 히틀러는 상황이 복잡한 합스부르크제국의 변경 지역에서 자라면서 편견과 집착을 키웠다. 보헤미아에서 멀지 않은 그가 자란 지역은 비스마르크의 제2제국 밖에 방치된 독일인들 사이에 민족주의 운동이 일어난 곳이었다. 이 지역 독일인들은 슬라브제국이 자신들을 아무 의미 없는 존재로 깔아뭉갤 가능성을 두려워했다. 히틀러와 마찬가지로 이 지역 독일인 극단주의자들은 혐오의 대상인 슬라브인뿐만 아니라 유대인과 가톨릭교회도 무섭게 증오했다.

히틀러는 그중에서도 독특했다. 히틀러의 사상은 그의 성장과정에 대한 고려 없이는 이해될 수 없기는 하지만, 그의 궁극적 비전은 1890년대 오스트리아–독일 하위문화 환경에 있는 사람이 생각하는 것을 훨씬 뛰어넘었다. 히틀러는 독일이 독일 인종이 살고 있는 지역을 훨씬 넘어서 우크라이나와 러시아까지 확장하여 거대한 식민 공간을 차지하기를 원했다. 열등한 인종은 노예가 되어야 했고, 위험한 인종들, 무엇보다도 유대인은 사라져야 했다. 히틀러는 아서 드 고비노, 죄르크 란츠 폰 리벤펠스, 휴스턴 스튜어트 체임벌린 같은 인종주의자들의 사상과 꿈을 혼란스럽게 혼합했다. 히틀러는 민족은 강해지거나 시들어버리게 되어 있고, 강한 민족들은 지리학자 프리드리히 라첼에게서 차용해온 생활권역Lebensraum이라는 넓은 공간 차원으로 확장되어야 했다.[1]

히틀러는 중부와 동부 유럽의 민족들이 독일을 유럽의 제국으로 만드는 격렬한 이 과업을 지원하는 역할을 하기 원했다. 초기에 그는 단 한 국가, 즉 체코슬로바키아는 파괴되어야 한다고 확고하게 생각했다. 좀 더 정확하게 말한다면, 그는 슬로바키아를 소국가로 만들고, 주민 추방과 동화를 통해 체코 땅을 독일화하기를 바랐다. 보헤미아는 실제로 수세기 동안 독일의 일부였다. 그다음으로 폴란드와 유고슬라비아는 헝가리, 루마니아, 불가리아와 함께 자원과 노동을 제공하고, 소련을 공격하는 경우 병사까지 제공하는 동맹국으로 행동해야 했다. 그는 이러한 과정에서 해양 세력인 영국은 간섭하지 않을 것이라고 믿었다. 히틀러가 생각하기에 유고슬라비아를 포함한 발칸반도는 이탈리아의 영향권이었고, 어떤 경우에도 독일군을 그곳으로 파견할 의도는 없었다.

유럽 역사에 대해 기본적 지식을 가진 사람은 당시 상황이 히틀러가 의도한 대로 진행되지 않았다는 것을 안다. 폴란드가 독일의 동맹국이 된 것이 아니라, 독일로부터의 기습적 육상·해상·공중 공격을 받으면서 1939년

9월 2차 세계대전이 시작되었다. 그리고 소련이 독일의 동맹국이 되었다. 2년 후인 1941년 봄 독일이 소련을 공격하기 몇 주 전 독일은 유고슬라비아를 파괴하고 정복했다. 이러한 침공으로 무차별 학살이 인종학살로 변한 새로운 전쟁 국면이 전개되었다. 히틀러의 생각과 의지가 없었다면 이전쟁은 시작되지 않았겠지만, 폴란드와 유고슬라비아가 히틀러의 각본대로 움직이지 않은 것이 큰 원인이 되어 전쟁은 히틀러가 원하던 구도대로 전개되지 않았다.

＊　＊　＊

1930년대 중반 우크라이나와 러시아의 광대한 지역을 점령하여 합병한다는 히틀러의 의도는 제대로 이해하기가 힘들었고, 관측자들은 각 단계마다 유럽이라는 체스판을 나치의 이익으로 바꾸는 히틀러의 도박을 놀라운 눈으로 바라보았다. 1935년 히틀러는 징병제를 다시 도입했고, 모든 신병은 히틀러에게 충성 선서를 해야 했다. 다음해 그는 1919년 베르사유조약에서 비무장화하기로 약속한 라인강 좌안을 재점령했다. 그때까지 프랑스 군대는 자연적 방어선인 라인강을 건너 단시간에 베를린에 다다를 수 있었다. 비무장화된 라인란트는 동유럽을 지키겠다는 프랑스의 약속을 믿을 수 있게 만들었다. 그러나 독일 병력이 라인강 양안에 배치된 지금, 프랑스는 내부만 들여다보며 독일과의 국경선을 따라 만들어진 소위 마지노선이라고 불리는 콘크리트 방어선 뒤에서 안전을 꾀했다. 1938년 동부 유럽과 중부 유럽에 대한 독일의 도전은 프랑스가 별다른 압력을 가할 의사가 없는 국가라는 것을 보여주었다. 3월 히틀러가 당시까지 가톨릭 전제적 독재 상태에 있었던 오스트리아를 병합했을 때 프랑스와 (영국의) 정치인들은 이를 외면했다.

이제 히틀러는 외로운 민주 국가이며 히틀러에게 완강한 적인 체코슬로바키아에 시선을 돌렸다. 그전 몇 해 동안 독일은 체코슬로바키아의 민주적 제도를 이용하여 콘라트 헨라인의 권력을 유지시켰고, 수데텐 지역 독일인들 사이에는 독일과의 '통일'에 대한 지원이 커졌다. 그래서 1938년 봄에 치러진 선거에서 이들의 90퍼센트가 헨라인의 당을 지지했다.[2] 이것은 모든 시기를 막론하고 파시스트 정당이 자유선거에서 거둔 가장 큰 승리였다. 특히 놀라운 것은 이 독일인들은 자신들의 민권, 문화적 권리를 보장해준 국가를 벗어나서 사법 살인, 강제수용소, 공개적인 인종주의를 내세우는 전체주의적 독재 정권에 가담하는 데 자신들의 투표권을 행사했다는 점이다. 이것은 민족주의, 특히 극단적 민족주의가 취하는 형태는 민족주의자들의 선동에 의존하는 바가 크다는 역사학계의 최근의 주장을 확인해준다. 강력한 나치 국가의 프로파간다의 적극적 간섭, 특히 증오에 가득 찬 방송이 없었더라면 자신들의 언어 사용권에 대한 독일인들의 대수롭지 않은 염려가 이들을 체코슬로바키아에 대한 전면적 거부로 이어지게 만들지는 못했을 것이다.[3]

이러는 사이 히틀러는 국경 지역에 군사력을 강화하면서 체코슬로바키아 지도자들을 위협했다. 그는 서방 국가들을 두려워할 필요가 없었다. 1937년 영국의 외무장관 핼리팩스는 히틀러에게 영국 정부는 오스트리아, 단치히 또는 체코슬로바키아에서 "현재의 현상 유지에 대해 꼭 우려할 필요는 없다"라고 말했다.[4] 히틀러는 체코슬로바키아 독일인들이 독일로 귀화하고자 하는 바람을 옹호하는 듯 했지만, 실제로는 독립국인 체코슬로바키아를 파괴하기를 원했다. 독일인들이 거주하는 지역인 '수데텐란트'는 언덕이 많아 자연적인 방어선을 이루고 있었다. 이 지역을 빼앗기면 체코슬로바키아는 독일의 괴뢰국가가 될 수밖에 없었다.

체코인들과 일부 슬로바키아인들의 광범위한 지지를 받고 있는 에드바르트 베네시 정권의 권력 기반은 견고했지만, 프랑스·영국은 전쟁의 위험 부담을 지려고 하지 않았다. 그 이유 중 일부는 민족자결주의를 일반 원칙으로 승화시킨 후 보헤미아 지역의 독일인들에게는 이 권리를 부정했던 파리강화회의의 허구성을 잘 알았고, 가장 큰 이유는 영국과 프랑스는 무슨 수를 써서라도 전쟁을 피하려고 했기 때문이다. 9월 영국 외교관들은 뮌헨회담에서 이탈리아, 독일, 영국, 프랑스는 수데텐을 일정에 맞추어 독일에 넘겨주기로 합의했다고 알려왔다. 단독으로 히틀러를 상대해야 할 가능성에 직면한 베네시는 이를 수용하기로 결정한 다음 체코슬로바키아를 떠나 파리와 런던을 방문한 후 런던에 망명정부를 설립했다. 10월 1일 독일군은 수데텐란트를 장악하기 시작했고, 보헤미아 독일인들의 열렬한 환영을 받았다. 이들을 환영하는 한 현수막에는 "당신의 민족이 모든 것이고, 당신은 아무것도 아니다"라고 적혀 있었다.[5]

남아 있는 지역(원 국토의 약 3분의 2 정도)에 '제2' 체코슬로바키아공화국이 태동했으나, 이 정부는 검열과 인종차별적 법률로 나치 독일에 협조했다. 히틀러는 만일 체코슬로바키아가 베네시의 정책을 계속 이어가면 8시간 안에 이 나라의 운명을 끝내버리겠다고 위협했다. 노동당 지도자인 루돌프 베란이 반동보수적인 정부를 구성했고, 여기에는 아주 세력이 약한 체코파시스트연합도 포함되었다. 의회는 반유대주의 법안들을 통과시켰고, 국수주의 물결이 나라를 뒤덮었다. 거리와 영화관 이름은 좀 더 '체코어'에 가깝게 바뀌었다. 주류 언론은 유대인을 민족적 굴욕에 대한 희생양으로 비하하고, 유대인들을 공적 생활에서 '추방하고', 유대인이 국가 경제를 통제했다고 주장했다. 한 우익 민족주의자는 유대인들을 '부정직하

독일군을 환영하는 수데텐 지역 여인들(1938년 10월)

고', '거지 근성을 가지고 있거나' 아니면 아무런 인격도 가지지 못할 뿐 아니라 '음모를 꾸미고 거짓을 퍼뜨리는' 인종이라는 고정관념을 설파했다. 그는 이들의 존재가 체코인들도 위험하게 만들었고, 유대인은 체코인들을 '전염시켰다'고 주장했다.[6]

이 새로운 '공화국'은 몇 달 전까지도 존재했고, 인종적 주장은 혐오의 대상이었으며, 공적으로 사용될 수 없었던 마사리크의 공화국이 아니었다. 정치적 조류는 급진적으로 우경화되었고, 체코슬로바키아 민족주의가 유대인에 극도로 일방적인 반감을 가지게 된 이유는 이것이 독일에 대항할 수는 없었기 때문이다. 제1공화국 시절의 존경받던 정치인들이 많이 참여한 새 체코 정부는 '유대인들'은 해결해야 할 문제라고 선언하기까지 했다.

나치의 언어를 그대로 답습하려는 시도는 아무 소용이 없었다. 1939년

3월 독일군은 나머지 체코슬로바키아 영토를 점령하고 '보헤미아, 모라비아 보호령'을 만들었다. 이것은 전 독일 외무장관 콘스탄틴 폰 노이라트가 직접 관할하는 제국보호부Reichsprotektor의 통제를 받는 정부와 각료들의 반半식민지 보호령이었다(보호령의 국경은 보헤미아왕국의 경계와 일치하지 않았다. 대신에 새 영역은 독일인이 주민 다수인 지역들을 떼어낸 나머지 부분이었다). 1939년 4월부터 총리는 체코슬로바키아군의 장군이고 에드바르트 베네시의 동료였던 알로이스 엘리아스가 맡았다. 엘리아스는 겉으로는 독일에 충성하는 척 했지만 비밀리에 베네시의 런던 망명정부와 연락을 유지하며 체코슬로바키아의 저항운동을 지원했다. 일례로 (부다페스트를 통해) 서방으로 탈출하려는 병사들과 조종사들을 도와주었고, 1941년 가을 프라하의 성에서 점심식사를 하던 친나치 체코슬로바키아 언론인들에게 독이 든 샌드위치를 내놓았다(여러 명이 고통을 당하고 한 명은 사망했다). 엘리아스는 체코슬로바키아의 주권을 되찾기 위해 할 수 있는 건 다 했지만, 그의 활동이 게슈타포에 알려지면서 1941년 체포되었고, 다음해 처형되었다. 마사리크의 정신을 공유한 그는 '진실이 지배한다'는 프리메이슨 집단에 속해 있었다.[7]

형식적으로는 엘리아스가 정부를 이끌었지만 독일 정복자들의 허락을 받지 않고는 자신의 각료들도 모을 수 없었다. 그리고 각료회의가 열릴 때는 헨라인의 하수인이 그 자리에 참석했다. 새로운 지배자들은 민족 지도부가 될 수 있는 지식인들을 철저히 통제했다. 이것은 1939년 11월 반나치 시위를 시도했다는 혐의로 학생 8명 중 한 명꼴로 학생들을 체포한 데도 잘 드러났다. 그러나 이들은 노동자들은 상대적으로 잘 대해주었다. 왜냐하면 체코인들이 생산하는 무기는 독일 군대에 아주 중요했기 때문이었다. 상대적으로 소수인 지식인 반대자들과 11만 8000명의 유대인을 제외하고는 체코슬로바키아는 전쟁의 영향을 크게 받지 않았다. 독일 지도부는 이곳으로 병사들이 휴식을 취하도록 보냈고, 체코인 인구는 늘어났다.[8] 나치 당국은 세력이 약한 토착 급진민족주의파vlajka를 허용하여 유대인을 공격대상으로 삼도록 했지만, 대부분의 주민들은 드러나지 않는 증오로 새 정권을 경멸했다. 이러한 증오감은 독일이 전쟁에서 패배한 1945년 5월이 되어서야 드러났다.

동부에서 나치 정권은 슬로바키아 '독립 국가' 창설을 지원했다. 이 정권은 가톨릭 사제인 요세프 티소가 이끄는 슬로바키아 노동당이 장악했다. 티소는 파시스트는 아니었지만 자신의 정권에 파시즘을 교사했고, 반유대주의적 인종차별 법안들을 지지했다. 1942년에는 5만 2000명의 유대인을 아우슈비츠 수용소로 보내는 작업을 감독했지만, 이것은 슬로바키아 정부가 제국은행Reichbank에 유대인 한 명당 500마르크를 지불하기로 동의한 다음에 진행되었다.[9]

＊　＊　＊

1938년 가을 체코슬로바키아의 국가 독립성을 박탈한 다음 히틀러는 폴란드에 주의를 집중했지만, 이번에는 그의 계획대로 진행되지 않았다. 히틀러와 다른 나치 지도자들은 1920년 볼셰비키군을 격퇴한 유제프 피우수트스키를 존경했다. 히틀러의 개인적 존경심도 커서 이로 인해 독일 우파가 가지고 있던 폴란드인들이 열등한 인종이라는 생각도 무뎌지게 만들었다. 1934년 히틀러는 폴란드의 군지도부를 회유하기 시작했고, 두 국가는 불가침조약을 체결하여 서유럽 국가들을 당황하게 만들었다. 그러나 폴란드 지도자들은 자국이 독자적 노선을 취할 권리와 의무가 있다고 생각했고, 독일과 소련 사이에서 균형을 취하려고 했으며, 프랑스가(이 문제에 대해서는 국제연맹도 동일) 폴란드의 안보를 보장할 수 있다고 믿지 않았다. 독일은 1925년 시작한 폴란드를 상대로 한 무역 전쟁도 중단했다. 1935년 6월 시온주의 청년연합Zionist Youth, 노동자, 가톨릭교회의 반대에도 불구하고 폴란드 정부는 최고의 의전을 갖추어 조셉 괴벨스의 방문을 환영했다. 그 후 전쟁이 발발할 때까지 헤르만 괴링은 매년 폴란드로 와서 늑대와 곰 사냥을 즐겼고, 이 사냥여행에는 카지미에즈 소슨코프스키 같은 폴란드의 최고 관료가 동행했다. 1938년 폴란드는 독일과 힘을 합쳐 리투아니아와 체코슬로바키아에 압력을 가하고, 폴란드인들이 다수 거주하지만 1919년 체코슬로바키아군이 점령한 테쉰 지역을 차지했다.[10]

히틀러는 폴란드 내의 반공산주의 경향을 감안하면 폴란드는 소련에 대항하는 자신의 노선에 당연히 동맹이 될 것이라고 생각했다. 히틀러는 일본과 이탈리아가 이미 가입한 반볼셰비키 동맹인 반코민테른조약에 폴란드가 가입하기를 원했다. 여기에다가 히틀러는 자신이 생각하기에 관대한 두 개의 조건을 추가했다. 하나는 독일이 그단스크/단치히를 통제하는 것에 동의하는 것이었다. 독일인 주민이 인구의 다수를 차지하는 이 지역은 국제연맹의 보호 아래 1920년 이래 자유시 국가Free State 지위를 유지하고 있었다(이것은 폴란드가 원한다고 해도 실행할 수 없는 조건이었다). 두 번째 요구는 폴란드의 '회랑'을 통과하는 동프로이센과 독일 본토를 연결하는 '치외법권적인 고속도로'를 독일이 건설하는 것에 동의하는 것이었다.

이것이 독일의 유일한 영토적 요구였지만 폴란드는 이를 거절했다. 1939년 봄에는 영국이 폴란드의 주권을 보장하면서 히틀러의 분노가 폭발했다. 프랑스는 폴란드가 공격을 당하는 경우 조약 의무로 인해 이미 폴란드를 돕게 되어 있었다. 히틀러는 폴란드에 대해 오판한 것이다. 폴란드 국민들은 국가 주권 보존이 다른 모든 문제에 우선했다. 독일과 동맹을 맺으면 폴란드는 가신국 지위로 전락할 가능성이 컸다. 이것은 1790년대부터 1918년까지 독립을 되찾기 위해 투쟁해온 폴란드로서는 참을 수 없는 모욕이었다. 영국이 폴란드를 보호하기 위해 '가능한 모든 일을 할 것'이라고 약속했다는 정보를 접한 히틀러는 폴란드의 제거를 계획하기 시작하며 '악마의 음모'를 만들겠다고 맹세했다.[11]

1939년 가을 분노에 찬 독일이 폴란드를 침공하고 인종학살적 정책을 취한 것은 오랜 계획의 결과가 아니라, 국민들의 지원을 받은 폴란드 정부가 히틀러의 동맹 제안을 거부한 결과라고 볼 수도 있다. 독일군이 저지른 잔혹행위는 유럽 역사에서 전례를 찾아보기 힘든 것이었다. 탱크와 야포가 사전 경고 없이 폴란드의 시골 마을과 도시에 포격을 퍼부었고, 독일 공군기는 피난을 가는 민간인들에게 기총사격을 가하고, 도시의 민간인 거주 지역을 폭격했다. 수만 명의 폴란드 민간인이 목숨을 잃었다. 9월 한 달 동안에만 1만 4000명의 민간인이 대량 학살로 사망한 것으로 추산되었다. 공격 초기 며칠 동안 독일군은 서부 지역 도시를 점령하며 수십 명의 폴란드인들, 특히 가톨릭 사제들을 애국적 단체에 가입해 있다는 이유로 처형했다.[12] 폴란드군은 용감하게 항전했으나, 슬로바키아를 포함한 세 방향에서 공격을 받아 고전했고, 기계화되지 않은 구식 군대는 전혀 힘을 쓰지 못했다.

폴란드인들에게는 설상가상으로, 히틀러는 폴란드를 공격하기 전에 소련과 불가침협정(일명 몰로토프-리벤트로프협정)을 체결했다. 이 조약에는 비밀조항으로 양국이 폴란드를 분할 점령하고 소련이 발트 3국과 루마니아 일부 지역을 차지한다는 내용이 들어 있었다. 폴란드군이 서쪽, 북쪽, 남쪽에서 침입해오는 적군赤軍과 힘겨운 싸움을 벌이고 있던 9월 17일 소

가족을 위해 폐허에서 식량을 찾고 있는 소년(바르샤바, 1939년 9월)

런군이 갑자기 동쪽에서 공격해 들어왔다. 폴란드의 서방 동맹국인 프랑스와 영국은 서쪽에서 독일을 공격하여 폴란드가 처한 역경을 구해주기보다는 뒷짐을 지고 가만히 앉아 있었다.

독일군은 공격 개시 2주 만에 바르샤바를 포위하고, 맹렬한 포격을 퍼부었다. 폴란드 정부와 시민들은 시내에 방어벽을 구축했다. 결국 9월 25일 바르샤바 시장 스테판 스타르진스키가 항복하자, 독일군은 폴란드에 괴뢰정부를 수립하지 않고, 도시를 둘로 나누어 직접 통제했다. 서쪽 지역은 독일제국에 통합시켰고, 동쪽 지역에는 식민 지배를 의미하는 프랑스 단어를 사용해 폴란드 점령지역 통합정부를 수립했다.[13]

두 지역에서 독일 점령 당국은 두 개의 시간표를 가지고 폴란드 국민들에게 인종학살적 통치를 펼쳤다. 독일 영토가 된 서쪽 지역에서는 신속한

나치 치하의 중동부 유럽

말살 정책을 취했고, 통합정부 지역은 한 세대 안에 완전히 독일화한다는 계획을 세웠다. 이에 따라 서쪽 지역에서는 폴란드어 학교를 모두 폐쇄하고, 공적 장소에서 폴란드어를 쓰는 것을 범죄로 규정했으며, 남자는 14세부터, 여자는 16세부터 강제노동을 실시했다. 교육을 받은 계층을 특별한 적으로 간주한 점령 당국은 수천 명을 대량 학살했고, 수십만 명의 주민들은 재산을 약탈한 다음 통합정부 지역으로 강제이주시켰다. 폴란드인 가톨릭 사제들은 총살하거나 체포하거나 강제이주시켰다. 일례로 포즈난 교구의 681명의 사제 중 461명이 집단수용소로 보내졌고, 나머지는 통합정부 지역으로 강제이주시켰다.[14]

독일이 점령한 서유럽 지역과 체코슬로바키아와 대비되게 독일 점령 당국은 통합정부 지역에서는 마을 단위 이상에서 주민들의 통제를 허용하지 않았다. 하인리히 힘러의 말을 빌리면, 이 지역은 독일제국 내에서의 생활에 적합하지 않은 인종들, 특히 유대인, 폴란드인, 집시들의 '쓰레기통'이 되어야 하고, 독일인들이 와서 완전히 정착하기 전까지 짧은 기간 동안에는 경제적 약탈의 대상이 되었다. 5년이란 긴 점령 기간 동안 130만 명의 폴란드인이 독일에 강제노동자로 보내졌고, 매년 약 10만 명의 주민이 절도 같은 가벼운 범죄 혐의로 집단수용소와 기타 감옥으로 사라졌다. 이 지역에는 폴란드인들을 위한 중고등학교와 대학교는 없었다. 하인리히 힘러의 말에 따르면 폴란드인들은 "500까지 수만 세고, 자기 이름을 쓸 수 있고, 독일인들에게 복종하는 것이 신의 십계명이라는 것을 알 수 있으면 되었다". 폴란드인들은 글을 읽을 필요가 없었다.[15]

주민들은 조롱조로 통합정부를 '갱 식민지'라고 불렀다. 모든 농담과 마찬가지로 이것은 진실을 담고 있었다. 이곳은 비독일계 주민들이 법의 통제 밖에서 갱과 유사한 지방 관리들의 학대를 받는 장소였다. 이곳에서 행정을 맡은 사람들을 가리키는 말로 '동방 패배자들'이라는 말도 사용되었다. 이 사람들은 '행정가'라는 말이 무색한, 독일제국 내에서는 써먹을 데가 없는 비굴하지만 야망이 있는 나치 아첨꾼들이었다. 이들은 갈취나 살인 같은 범죄세계에 어울리는 인간들이었다. 협동조합Spotem 등 일부 폴란드 경제 기구들과 우체국, 은행 등은 남았고, 폴란드인들은 철도와 우체국, 일선 행정기관, 세무서 등에서 계속 일을 했다. 독일 당국은 치안 보조를 돕는 푸른 완장을 두른 경찰이라고 불리는 약 1만 1000~1만 2000명의 폴란드인 경찰을 유지했다.[16]

동부 폴란드는 소련이 지배했고, 거의 2년 동안 소련 관리들은 사실상 나치의 동맹처럼 행동하며 폴란드에 토착 지도부가 배제된 식민 정책을 실시했다. 이 시기 가장 참혹한 일은 1940년 3월 소련 정치국이 그 전해에 체포된 2만 2000명의 폴란드 장교들을 처형하기로 결정한 것이다. 소련 비밀경찰NKVD 수장인 라브렌티 베리야는 이들이 '논란의 여지가 없는 소비에트 국가의 불구대천의 원수'라고 선언했다. 포로들은 대부분 예비군 장교들이었고, 민간 생활에서는 법관, 작가, 교수, 의사, 교사, 사업가 등으로 활동하고 있던 사람들이었다. 소련 비밀경찰은 전쟁포로 수용소 인근의 숲에서 이들의 머리 뒤통수에 사격을 하는 방법으로 처형을 했고, 서부 러시아의 카틴 숲이 가장 악명 높은 처형 장소가 되었다.[17]

폴란드 인구의 약 3분의 1이 소련의 영토가 된 지역에 살았지만(1320만 명, 독일 점령 지역에는 2180만 명 거주), 이 중 약 40퍼센트만이 인종적으로 폴란드인이었다. 1939년 10월 소련 당국은 부정으로 얼룩진 주민투표를 실시해 주민들의 90퍼센트가 자발적으로 벨라루스공화국과 우크라이나공화국에 합병하기를 원한다는 결과를 발표했다(발트 지역 주민들에게도 1940년 여름 같은 투표를 실시했다). 이렇게 해서 스탈린은 러시아가 1917년 상실했던 영토 대부분을 되찾았다.

이후 몇 달 동안 이 지역은 소련의 다른 지역이 20년 동안 통과해온 사회적·정치적 변형 과정을 겪었다. 당국이 정당, 신문, 민간조직(일례로 상공회의소 설립 금지), 스포츠와 기타 동호회를 해산시키면서 시민사회는 완전히 사라졌다. 소련 당국은 산업, 상업 자산을 탈취하고 은행 예금을 몰수했으며 국영기업과 집단농장을 만들었다. 소련의 일부가 된 리비우에 거주하던 시인 알렉산더 와트는 새 정권의 가장 큰 특징은 모든 것을 진흙 벽돌을 찍어내듯이 인위적으로 만든 것이라고 지적했다. 학교 교육은 폴란드어에서 우크라이나어, 벨라루스어, 러시아어로 바뀌었고, 교회는 문을 닫았으며, 사제와 다른 의심분자들은 체포되었다.

그러나 이러한 목조르기 정책만으로 충분하지 않았다. 소련 당국은 네 번에 걸친 강제이주로 수십만 명의 폴란드 주민들을 가축수송 열차에 실어 시베리아와 중앙아시아에 강제이주시킨 다음, 이들을 집단농장이나 강제노동수용소, 마을 등에서 중노동을 하며(일례로 벌목공) 살아가게 만들었다. 정부 관리, 교사, 은행가 등 사회적으로 '위험분자'들이 강제이주의 대상이 되었다. 한 겨울에 진행된 첫 강제이주 과정에서 최소한 5000명이 사망했다.[18] 약 8만 명이 이주된 세 번째 강제이주는 유대인이 주 대상이었다(전체의 80퍼센트). 이들 중 상당수는 독일 점령 지역을 탈출해온 사람들이었다.[19] 강제이주 과정은 당시에는 생각할 수 없는 비극이었지만, 이들은 사실상 이 이주로 목숨을 구했다. 독일군은 1941년 6월 22일 소련 공격 후 자신들의 점령 구역 안에 있던 유대인들을 대량으로 학살했다.

독일로 보내는 소련의 식량과 기타 물자를 실은 마지막 기차가 독일 방향으로 통과한 직후인 6월 22일 새벽 독일군은 양측 경계선을 넘어 동부 폴란드 지역으로 진격해 들어왔다. 일주일 만에 독일은 갈리시아(리비우 포함)를 통합정부에 통합시켰다. 이 지역에서 폴란드인 지식인들을 대상으로 한 잔혹행위가 집중적으로 자행되었다. 1939년 11월 독일 당국은 크라쿠프 지역의 교수들을 사흐젠하우젠의 집단수용소로 보냈으나 국제적인 항의를 받고 이들 대부분을 석방했다. 그러나 외국 기자들이 없는 리비우 지역에서 독일 게슈타포 처형대Einsatzgruppen는 27명의 교수들을 납치해 총살했다. 소위 '렘베르게르 교수처형Lemberger Professorenmord'(렘베르크는 리비우, 르비프의 독일식 명칭) 사건에서 45명이 처형되었다. 나치는 롱샹 드 베리에르 총장과 그의 세 아들을 처형했고, 전 폴란드 총리였던 카지미에즈 바르텔 교수도 처형했다. 이 특별 게슈타포 처형대는 진격하는 독일군을 뒤따라갔고, 볼셰비키 정치위원들을 총살하라는 명령도 받았다. 여름 후반 이 부대는 유대인 남녀노소를 처형하며 유럽에서 유대인 대량 학살의 시작을 알렸다.

독일 게슈타포는 '동방 종합계획'이라고 불리는 폴란드와 서부 소련을 위한 장기적 계획을 작성했다. 폴란드인의 약 80-85퍼센트, 벨라루스인 75퍼센트, 우크라이나인 65퍼센트를 이 지역에서 제거하거나 독일화시키는 것이 이 계획의 목표였다. 독일 당국은 건전한 의식을 가진 독일인을 이 지역에 정착시키고, 제대병들이 전투력 있는 강한 개척자의 종種의 선구자 역할을 하도록 했다. 그러나 전쟁 중 단 세 지역에서만 식민지 설립 시도가 진행되었다. 발트 지역과 우크라이나의 지토미르 지역, 동부 폴란드 자모시치의 르네상스 마을 인근이 그 세 지역이었다. 이곳에서 독일 당국은 약 300개 마을의 주민들을 강제이주시키려고 했으나 주민들이 완강히 저항하자 실행 계획을 늦추었다. 게슈타포 계획 작성자들은 부유한 지역인 서부 독일 주민들이 이 동부 지역으로 이주할 의사가 있는지에 의구심을 가졌던 것이 분명하다.[20]

스웨덴

스톡홀름

핀란드

헬싱키 · 레닌그라드

레발

잉게르만란드

프스코프

리가

동방 제국정부

메멜

다우가프필스

모스크바

메멜-나레프
지역

단치히

쾨니히스베르크

빌니우스

툴라

민스크

바르샤바

루블린

우크라이나
제국정부

통합정부

크라쿠프

지토미르

키예프

하르키우

렘베르크

슬로바키아

드니프로

부다페스트

헝가리

코트 지역

오데사

헤르손

루마니아

━━━ 1942년 독일군 진격 경계

    정착 계획 지역

세바스토폴

0   100   200   300   400 km

0   50   100   150   200 miles

흑   해

동방 종합계획

결국 폴란드 동부의 '하위인간'에 대한 나치 정권의 폭력은 결국 실패한 이상이 되었다. 독일군은 1941년 가을 러시아의 혹한을 만났고 소련군의 저항을 무력화시키는 목표에 크게 미치지 못했다. 12월 초 독일군의 바르바로사 작전은 기온이 영하 35도로 떨어지면서 모스크바 서쪽 25킬로미터 지점에서 멈춰버렸다(독일군 전방 관측병은 망원경으로 크렘린 탑을 볼 수 있었다).[21] 스탈린은 새로운 시베리아 사단들을 전투에 투입했고, 이들은 독일군과 다르게 겨울 전쟁을 치를 준비가 잘 되어 있었다. 일부 독일군 병사들은 땅에서 동사해 죽었다. 이 시점 이후 히틀러는 3년이 넘는 필사적 전투를 통해 소련군에 막대한 피해를 입혔지만, 소련의 국가 기반을 흔드는 데까지는 다가가지 못했다.

히틀러의 원래 소련 공격 시점은 6월 말이 아니라 5월 1일이었기 때문에 독일군은 겨울 전투를 준비하지 않았다. 원래는 가을비와 겨울 서리가 내리기 전인 여름에 모스크바를 점령할 계획이었다.[22] 그러나 발칸반도에서 예상치 않았던 사태가 발생하면서 독일군은 공격 시점을 늦출 수밖에 없었다.

✳ ✳ ✳

1940년 10일 베니토 무솔리니는 동지중해에 이탈리아의 지배권을 확립하기 위해 그리스를 침공했다. 그러나 이탈리아군은 제대로 전투를 치르지 못해 그리스군은 이탈리아군을 알바니아로 격퇴시켰다. 히틀러 입장에서 보면 이러한 대실패는 단순히 자신의 주요 동맹국의 굴욕적 타격이기보다 훨씬 더 나쁜 전망을 제기했다. 영국은 그리스의 주권을 보호할 의무를 지고 있었고, 히틀러가 볼 때 영국이 그리스에 비행장을 건설하게 되면 독일이 루마니아 유전을 장악하는 것을 막을 수 있었다. 또한 영국군이 동지중해에 진출하게 되면 이곳으로부터 독일의 소련 공격을 위협할 수 있었다. 이러한 이유로 인해 그리스를 점령해야만 했다. 이를 실행하기 전에 독일은 그리스 인근의 발칸 국가들로부터 보장을 확보해야 했다. 이를 위해 히틀러는 이 국가들이 두 달 전에 베를린에서 결성된 이탈리아, 독일, 일본 삼국동맹에 가입하는 것을 허용했다. 헝가리와 루마니아는 1940년 11월, 불가리아는 1941년 3월 1일 이 동맹에 가입했다.[23] 이제 유고슬라비아만 남은 상태였다.

독일 정부의 긴급한 요청에도 불구하고 유고슬라비아의 드라기샤 츠베트코비치 총리와 섭정인 파벨 공은 많은 세르비아인들이 숙적이라고 생각하는 국가와 유고슬라비아가 동맹을 맺는 것을 거부했다. 그러나 3월 25일 두 사람은 굴복을 하고, 외부에서 보기에는 온전한 조건을 내세운 동맹 조약에 서명했다. 유고슬라비아는 동맹국들이 그리스나 소련을 공격하는 경우 이에 참여하지 않고, 그리스의 살로니카 항구 접근권을 얻게 되었다. 또한 그리스를 공격하는 독일군 병력은 유고슬라비아를 통과할 수 없고, 독일과 유고슬라비아의 밀접한 교역 관계는 계속 유지하되 영국은 배제하기로 했다.[24] 이렇게 해서 독일은 유고슬라비아로부터 우호적인 중립을 확보하게 되었다.[25]

파벨은 독일과 그 동맹국들에 의해 유고슬라비아가 해체될 것을 두려워했다. 이 모든 국가들은 유고슬라비아에 대한 나름의 계략이 있었다. 그는 서방 국가들이 자신을 도울 것이라는 아무런 암시도 받지 못했다. 프랑스와 영국이 폴란드를 지원하지 않은 것은 객관적인 교훈이 되었다. 그는 3월 20일 미국 대사 아서 블리스 레인과 저녁식사를 하면서 "당신들 강대국은 경직되어 있다. 당신들은 명예에 대해 얘기하지만 너무 멀리 있다"라고 말했다.[26] 세르비아인들은 파벨의 고고한 귀족적 행태를 좋아하지는 않았지만, 그는 적대적 환경에서 약소국의 생존을 위한 합리적인 기반을 만들어냈다.

그러나 이것은 유고슬라비아 국민들의 인식은 아니었다. 그들이 보기에 파벨은 히틀러의 비위를 맞춘 것이었다. 유고슬라비아가 3국 동맹에 가입한다는 발표가 나오자 군중이 시내 중심가에 모여들었다. 3월 26일 저녁 보라 미르코비치 장군이 이끄는 육군, 공군 장교들이 쿠데타를 일으켰다. 이들은 독일군이 이에 대해 보복을 할 것이란 생각은 하지 못했다. 이들은 지식인, 좌파 학생들부터 육군, 공군 장교와 정교회 사제들이 가지고 있던 한 가지 생각, 즉 조약을 체결하는 것은 이전 동맹을 배신하는 것이고, 유고슬라비아를 불명예의 자리로 추락시킨다는 생각을 대표한 것이었다.[27] 쿠데타는 거의 유혈사태 없이 성공했고, 오전 10시 유고슬라비아, 영국, 프랑스 국기가 높은 건물들에 내걸렸다. 거대한 군중이 모여 노래를 부르며 "조약보다는 전쟁을, 세르비아인이 참여하지 않은 전쟁은 있을 수 없다. 노예로 살기보다는 무덤을!"이라고 외쳤다. 이 쿠데타는 '세르비아인들의 감정, 역사적 기억과 전통에 반하는 동맹에 대한 분노의 폭발이고, 세르비아의 역사와 심리의 핵심'을 표현한 것이라고 역사학자인 알렉사 질라스는 평가했다. 이 암울한 2차 세계대전 초기 시점에도 세르비아 엘리트는 히틀러가 전쟁에서 패배할 것이라고 확신했기 때문에 후에 잘못된 편에 선 것에 대한 징벌을 받는 것을 원하지 않았다.[28]

미르코비치는 아마도 영국 정보부의 지원을 받고 쿠데타를 계획하고 이를 실행에 옮겼지만, 쿠데타에 대한 지지가 세르비아 사회에 확산되었다.[29] 많은 사람들이 보기에 파벨은 대중적 감정에 대한 이해가 없는 전제적 지도자였다. 그가 사라지자 정치적 지형이 다시 살아나기 시작했다. 불법화

독일과의 조약 체결에 반대하는 시위(베오그라드, 1941년 3월)

된 공산당을 제외하고 크로아티아 농민당을 비롯한 모든 정당이 새 정부 구성에 참여했다. 국가적 명예를 넘어서서 대중을 동원하는 힘은 군중의 구호에 나타난 것처럼 자치의 회복이었다.

그러나 쿠데타는 계속 지속될 수 없는 정치 상황을 만들어냈고, 쿠데타 주도자들도 이를 잘 알았다. '유고슬라비아로 하여금 영혼을 찾게 만든' 사건이라고 처칠이 평가한 파벨이 하야하자 새 지도자들은 독일에 파벨이 서명한 조약을 준수할 의도가 있다는 것을 알렸다. 유고슬라비아는 독일을 위협하지 않을 것이라는 것이 이들의 메시지였다. 3월 27일 이른 오후 유고슬라비아 외무장관은 독일 대사 헤렌에게 자국이 '추축국, 특히 독일과 협력을 계속 이어나갈 것'이라고 알렸다. 축출된 정부는 빈약한 대중 지지로 어려움을 겪었지만, 새 정부는 "국민 모두의 지지를 받게 될 것이다"

라고 주장했다. 이제 문제는 이러한 상황에 독일이 어떻게 반응할 것인가였다. 세르비아 장교들의 쿠데타가 세르비아 정치문화를 적나라하게 드러냈다면, 다시 말해 폴란드에서와 같이 국가 주권의 양도 불가, 파시즘에 대한 혐오, 서방 동맹국에 대한 기본적인 충성을 드러낸 데 반해, 이것은 히틀러가 타국의 공개적 저항에 당면했을 때 합리적 계산을 할 능력이 없다는 것도 보여주었다.[30]

히틀러는 유고슬라비아 새 정부의 충성 의도를 무시했다. 히틀러는 유고슬라비아의 '민족문제' 때문에 이 나라의 안정 가능성에 대해 회의적이었고, 언제라도 또 쿠데타가 일어날 수 있다고 말했다. 그는 독일 주재 불가리아 공사 드라가노프에게 쿠데타로 사태가 진정되었고, "늘 지속되어 왔던 그곳의 불확실성이 끝났다"라고 말했다.[31] 그러나 독일은 무솔리니를 지원하기 위해 그리스를 공격하는 경우는 물론, 그 이후 독일이 소련을 침공할 때 영국군이 유고슬라비아에 들어올 가능성을 배제할 수 없었다. 3월 27일 히틀러는 육상과 공중으로 유고슬라비아를 공격할 것을 명령하고, 친독일적 성향을 보인 적이 없는 세르비아인과 슬로베니아인과 다르게 크로아티아인들은 "우리 편에 설 것이다"라고 예측했다. 그는 또한 세계에 이 쿠데타 중요성을 인정하고, 독일군 장군들에게 소련 공격을 4주 연기한다고 통보했다.[32]

1년 반 전 바르샤바를 폭격한 것과 마찬가지로 4월 6일 독일 공군 폭격기들이 유고슬라비아의 수도 베오그라드를 폭격했고, 수천 명의 민간인이 목숨을 잃었다. 유고슬라비아 점령 작전은 폴란드 공격과 마찬가지로 금방 끝났다. 1938년 체코슬로바키아에서와 마찬가지로 유고슬라비아 인접 국가들이 노획물을 챙겼다. 헝가리, 이탈리아, 불가리아와 독일 자신도 유고슬라비아 영토를 차지했다. 그러나 11일간 지속된 이 전투는 전쟁이 한 달간 지속된 폴란드와 다르게 훨씬 적은 사상자를 냈다. 약 3000명의 유고슬라비아인과 약 200명의 독일군이 전사한 게 다였다.[33]

폴란드 경우와 달랐고, 좋은 지리적 방어망이 있었던(유고슬라비아는 산악이 많았고, 폴란드는 평지였다) 유고슬라비아가 쉽게 패배한 이유를 설명하자면 폴란드는 국민의 단합된 저항 의지가 있었기 때문이다. 크로아티아 군대는 일부 부대가 이탈하기는 했지만 대부분 충실히 싸웠다. 그러나 크로아티아 주민들은 유고슬라비아가 무너진 것을 환영했다. 독일군이 크로아티아의 수도인 자그레브에 입성하자 주민들은 연도에 나와 이를 환영했고, 일부는 팔을 올려 나치식으로 경례를 하기도 했다. 같은 날 전 합스부르크왕국의 참모 장교였던 슬라브코 크바테르니크가 독일과 이탈리아의 압력을 받고 독립 크로아티아 국가 설립을 선언했다. 독일은 주민들의 존경을 받고 있는 크로아티아 농민당수 블라드코 마체크를 회유하는 데 실패했지만, 마체크는 크로아티아 주민들에게 새로 설립된 우스타샤당이 이끄는 국가를 지지하도록 촉구했다. 새 국가는 영역이 대체로 크로아티아와 비슷했다. 이탈리아가 달마티아 해안 지역을 장악했지만, 새 국가에는 보스니아와 헤르체고비나가 포함되었다. 새 국가는 독립국이라고 불리기는 했지만, 독일군과 이탈리아군이 점령한 지역이 있었다. 마케도니아와 헝가리 주민들이 사는 바나트 지역이 제외되어 영토가 크게 축소된 세르비아는 전 유고슬라비아 총참모장이었던 밀란 네디치 장군의 괴뢰 정부가 이끌었지만 실질적으로는 독일군 통제 아래 있었다.[34] 슬로베니아는 독일과 이탈리아가 분할 점령했다.

크로아티아에게 큰 자치권을 부여한 1939년의 합의안에도 불구하고 유고슬라비아의 다른 인종과 다르게 크로아티아인들은 자신들의 앞날을 낙관하지 않았다. 세르비아인들이 1941년 3월 쿠데타를 정치자유화의 문을 열어준 사건으로 본 반면, 크로아티아인들은 중앙통제의 강화를 염려했다. 크로아티아인들은 자유롭게 새로운 '독립' 국가를 구성하는 선택권이 없었지만, 많은 사람들은 새로운 상황을 크로아티아 민족 운동의 기본적 요구를 달성한 기반으로 생각했다. 많은 크로아티아인들은 독일을 '질서'를 가져온 세력으로 생각한 반면 세르비아인들은 독일은 자신들의 주권을 파괴할 의도를 가진 국가로 생각했다.[35]

저항

유고슬라비아와 폴란드는 히틀러에 저항을 하다가 독일군의 엄청난 육상, 공중 공격을 불러왔지만, 이것은 오랜 봉기의 역사를 가진 두 국가에서 무장 반란을 촉발했다. 독일의 초기 침공 후 두 지역에서 유혈 사태가 악화되었고, 주민들에게 생존을 위한 합리적인 계산을 잊도록 만들어서 수만 명의 남녀노소 주민들이 광범위한 지하저항 운동에 돌입했다.[36] 독일이 보기에 폴란드와 세르비아의 정치인들이 독일의 접근을 반대하도록 만든 것은 독립을 향한 이들의 '광신적' 열망이었다. 전투 패배 후 제압된 두 나라의 주민들은 직접 자신들의 무기를 만들었을 뿐만 아니라, 수십 년 동안 사용하지 않던 무기를 꺼내들었다. 유고슬라비아 점령이 너무 신속히 진행되었기 때문에 독일군은 모든 왕정 군대를 무장해제시키지 못했고, 이로 인해 아직 포획되지 않은 무기고에 있던 경화기들을 지하저항 세력이 사용할 수 있었다.

유고슬라비아와 폴란드 모두에서 독일 점령군은 보복 조치를 취해 지하저항 작전에 타격을 주려고 시도했다. 그러나 독일군 한 명이 살상된 데 대해 100명의 현지 주민을 처형하는 식으로 보복이 자행되었다. 1941년 독일군이 이런 처형을 자행하자 세르비아인들은 큰 충격을 받아 자신들의 저항 방법을 재고하게 되었다. 1941년 10월 21-22일 독일군 9명이 사망하고 27명이 부상을 입은 공격에 대한 보복으로 독일 당국은 산업도시인 크라구예바츠에서 2800명의 남자 주민들을 총살했다. 공장과 사무실에서 충분한 숫자의 남자들을 찾아내지 못한 독일군은 학교에서 소년들을 끌고 나와 처형했다. 며칠 후 독일군은 남부 세르비아의 크랄레보 마을에서 약 1700명의 인질을 처형했다. 세르비아인들은 발칸전쟁과 1차 세계대전 당시 세르비아 인구 25퍼센트가 전투, 질병, 재산 몰수, 대량 학살로 사망한 후 점점 더 커지는 유령인 인종말살을 염려했다.[37] 이러한 조치에 대한 대응으로 전 왕정군대 장교들이 이끄는 세르비아 지하저항군 체트니크Chetniks는 시간을 버는 전략을 택했다(이들은 헛되게 기대한 서쪽으로부터의 연합군의 공격 직전까지 기다렸다가 봉기를 일으키되, 그동안 무기를 모으며 파괴공작을 벌이기로 했다). 그러나 독일군만이 세르비아인들이 당면한 유일한 위협은 아니었다.

독립 크로아티아가 된 영토에서는 민병대인 우스타샤가 1941년 4월 권력을 잡은 지 불과 며칠 후 세르비아인에 대한 인종청소 작전을 시작했다. 이들이 자행한 잔혹행위에 대한 서술은 그 잔학성을 서로 경쟁할 정도였다. 일부 지역의 세르비아인들은 교회와 헛간에서 산 채로 불에 태워졌으며, 다른 곳에서는 가축처럼 살육을 당한 다음 강물이나 계곡에 시신이 던져졌다. 크로아티아 정부의 목표는 독립 크로아티아 국가NDH를 인종적으로 깨끗한 영토로 만드는 것이었다(이들은 보스니아인들을 이슬람을 신봉하는 크로아티아인으로 보았다). 그 방법으로는 세르비아인들을 세르비아로 추방하고, 로마가톨릭으로 개종시키고 이유 없이 살상하는 것이었다. 추방

처형장으로 끌려가는 남자들(크라구예바츠, 1941년 10월 21일)

된 세르비아인 숫자는 약 30만 명으로 추산되었고, 강제적으로 개종당한 세르비아인은 10만 명에서 30만 명까지 추산되고, 살해당한 사람은 32만 명에서 34만 명으로 추산되었다.[38]

크로아티아에 거주하는 세르비아인과 크로아티아인 사이에는 뿌리 깊은 적대감이 없었기 때문에 크로아티아 땅에서 발생한 폭력은 큰 충격이었다. 세르비아 국가가 크로아티아인을 지배한 역사는 20년이 되었다. 그러나 살인자들을 자극한 것은 세르비아인들이 크로아티아 사회에 평화롭게 깊이 통합되었다는 사실이었다. 폭력의 목표가 된 세르비아인들은 완전히 동화된 사람들이었고, 지역 지도자들 중 대표적인 예가 변호사인 밀란 부이치치였다. 그는 카를로바츠 지방의 유명한 크로아티아 가문의 딸과 결혼하여 그 도시의 엘리트 계급에 들어갔고, 유고슬라비아 알렉산드르 왕의 '세르비아인' 주도 독재에 용감하게 반대했다. 크로아티아 총독인 이반 슈바시치는 부이치치의 이러한 명성 때문에 1939년 협의안 실행 운동이 시작된 후 그를 부총독으로 임명하려고 했다. 2년 후 이러한 이유로 인해 그에게 사형 선고가 내려졌고, 5월 3일 부이치치와 다른 두 저명한 카를로바츠의 세르비아인은 납치되어 다음날 얕게 묻은 무덤에서 이들은 시신으로 발견되었다. 이 사건이 주는 메시지는 분명했다. 그것은 우스타샤 정권에서는 타협이란 있을 수 없고, 특히 의심의 대상이 되고 위협으로 느껴지는 세르비아인들에 대해서는 더욱 그랬다. 부이치치는 아버지와 조상들과 마찬가지로 크로아티아 토박이였고, 크로아티아인들과 같은 언어인 세르보-크로아티아어를 사용했을 뿐만 아니라 같은 지역 방언을 말했다. 그의 종교적 유산은 크로아티아인들과 다르게 동방 정교회였지만, 이것은 그와 친구들이 살고 성공했던 세속적 도시 환경에서는 크게 주의를 끄는 문제가 아니었다. 그와 다른 두 세르비아인은 이들의 생활이 순수한 크로아티아 정체성이라는 허구에 도전했다는 이유로 살해당한 것이었다.[39]

살해자들은 카를로바츠 출신이 아니었다. 이들은 외부에서 트럭을 타고 이 도시에 들어왔고, 크로아티아인들을 세르비아인들과 무차별적으로 분리시키겠다는 이러한 아이디어와 우려는 그 지역 주민들과 대부분의 크로아티아인들에게는 생소한 것이었다. 이러한 인종청소 작업에 나선 사람들은 민족 급진주의자들과 범죄자들로 구성된 지역의 지하세계에서 모집한 사람들이었다. 한 독일 정보 장교는 이러한 상황을 파악하여 7월에 "우스타샤 운동은 많은 신봉자를 끌어모았고, 도덕적 자질은 문제가 되지 않았기 때문에 가장 질이 나쁜 폭도들이 그 지도부에 포진해 있다"라는 보고서를 작성했다.[40]

우스타샤 운동가들은 대부분 크로아티아어보다는 이탈리아어를 잘 구사했는데, 앞으로 크로아티아인, 세르비아인, 세르비안 이슬람 주민들 사이의 관계에 큰 변수가 되는 소규모 극단주의자 집단이었다. 그러나 독일 당국이 파악한 바와 같이 이들의 폭력적 경향은 초기에 크로아티아 사회에서 인기를 감소시켰다.[41] 독일의 나치당과는 다르게 우스타샤는 민주주의 정치 시기에 선거에서 보잘것없는 성과를 거둔 아주 주변적인 국외인이었다. 1925년 선거에서 이들의 득표율은 0.5퍼센트에 불과했고, 나치당과 다르게 당 조직이 너무 작아서 정부 직책을 차지할 수 없었다. 독일과 이탈리아 당국이 이들을 권력층에 끌어올리기 직전은 1941년 4월 이탈리아 포로수용소에는 단지 700여 명의 무장 세력이 수감되어 있었다. 유고슬라비아의 지하에는 단지 900여 명의 우스타샤 지지자들이 있었다.[42]

따라서 이러한 학살의 기원은 소규모 크로아티아 파시스트 집단을 자극시킨 아이디어에서 찾아야만 한다. 이것은 아마도 2차 세계대전 중의 다른 어느 대량 학살보다도 크로아티아 독립 국가는 기본적 이념적 충동에서 연유한 것이다. 우스타샤는 자신들이 세력이 약하다는 것을 너무 잘 알았기 때문에 이러한 충동은 더 강하게 작용했다. 이들은 1941년 4월 이탈리아에서 만든 군복을 입고 자그레브에 도착했다. 이들은 무솔리니와 히틀러 덕분에 얻은 영토를 정당화하는 어떤 논리도 만들어내지 않았다. 과거 어떠한 역사적 크로아티아 영토도 크로아티아 독립 국가와 비슷하지 않고, 인종적 주장도 우스타샤가 보스니아-헤르체고비나 전역을 통치하는 것을 정당화시켜주지 않았다. 언어(이 지역 주민들은 세르비아와 같은 언어 사용), 종교(크로아티아의 전통적 종교인 가톨릭은 세계적 종교였다)도 이를 합리화시켜주지 못했다.[43] 그래서 우스타샤 정권은 19세기에 안테 스타르체비치가 만들어놓은 세르비아에 대한 증오에 의존했고, 여기에 파시즘의 허무주의와 생물학적 인종주의의 엉성한 이론을 첨가했다.

그러나 방어력이 없는 세르비아 마을 주민과 도시인들에 대한 살해는 우스타샤의 통제 범위를 넘어선 사태를 발생시켰고, 크로아티아 독립 국가 영토 내에 무장 저항운동을 고착화시켰다. 먼저 체트니크 중 보스니아인 부대와 크로아티아인 부대가 무장 저항 운동을 시작했고, 공산주의 저항 전사들은 스스로를 '파르티잔'이라고 부르며 무장투쟁에 나섰다. 두 집단은 숲과 산악 지대의 농촌 지역의 상당 부분을 장악했다. 1942년까지 우스타샤의 통치는 크로아티아군과 독일군 병영이 있는 큰 도시에서만 확고했다.[44]

체트니크 무장집단은 우스타샤 공격자들로부터 세르비아 마을들을 보호하는 것뿐만 아니라, 크로아티아 독립 국가 군복을 입고 있는 이슬람 군인을 상대로도 전투를 벌였다(파시스트들은 이슬람은 인종적으로 소중한 자원으로 생각해서 나치 정권은 이슬람 요원들로만 구성된 친위대 부대를 구성하기도 했다).[45] 체트니크가 반격을 가했다는 이야기는 우스타샤가 먼저 세르비아인들을 공격했다는 이야기와 비슷하게 보인다. 1941-1942년 겨울과 1942년 여름 체트니크 전사들은 동부와 남동부 보스니아에서 여성과 아동을 포함한 수천 명의 이슬람 민간인들을 살해했다. 1942년 8월 포차라는 마을에서만 2000명의 이슬람 주민이 살해되었다.[46]

우스타샤나 나치와 마찬가지로 체트니크도 민족 순수성의 이념이 주된 사상이 되었다. 이들은 세르비아 주도하에 유고슬라비아를 재건하는 것을 목표로 했고, 인종청소는 이 목표 달성에 도움을 주었다.[47] 체트니크 중앙민족위원회의 멤버인 보스니아 세르비아인인 스테반 몰제비치는 유고슬라비아 내에 인종적으로 단일한 정치제들을 만들 것을 제안했고, 그중 하나인 '인종적으로 단일한 세르비아'는 보스니아-헤르체고비나와 달마티아 지방 대부분과 기타 크로아티아 지방을 포함해야 한다고 주장했다. 체트니크 이념은 우스타샤보다도 더 역사적 기억을 강조했고, 이슬람 주민들은 고대의 '튀르키예'의 압제의 수행자로 낙인찍었다. 이와 대조적으로 우스타샤 이념은 반세르비아 이미지를 투사했다. 세르비아인들은 노예이고, 질서가 없고, 깊이 부패한 인종으로 묘사했다. 이러한 선전은 일반 크로아티아인들 사이에 큰 영향을 주지 않았지만, 스타르체비치와 동료인 요시프 프란크가 주도하는 급진적 민족주의 정파와 관련이 많았다.[48]

그러나 체트니크와 우스타샤의 적들은 단지 인종적인 대상만 아니었다. 1941년 말이 되자 양 집단은 공산주의자 파르티잔도 탄압했다. 파르티잔은 독일이 소련을 침공한 1941년 6월 22일 반파시스트 운동을 시작했다. 파르티잔은 처음에는 수천 명에 불과했고, 군사적 훈련을 받은 인원은 더 적었으나, 1944년이 되자 인구 1800만 명의 유고슬라비아를 통치할 정도로 강력한 세력으로 성장했다. 왕정 정부가 공산주의자들을 불법화했기 때문에 이들은 처음에는 세력이 약했지만, 유고슬라비아에는 주민 10만 명 이상의 도시가 세 곳밖에 없었기 때문에 마르크스 정당에 매력을 느끼는 산업노동 계층이 없었다.[49]

그러나 공산주의자들은 유고슬라비아 사회에 잠재한 다른 지지 세력을 찾아냈다. 공산주의자들은 1921년 불법화되기 전에 새로 출범한 국가 총선에서 12.4퍼센트를 득점하여 네 번째로 큰 정당이자 단일 종족 집단을 넘어서는 지지를 받는 유일한 정당이 되었다. 공산당은 이렇게 자그레브의 소외된 공장 노동자들, 보스니아의 무농지 농민들이나 베오그라드의 급진화된 지식인들 사이에서 성공적인 선동 공작을 할 수 있었다. 민족적 불만이나 경제적 궁핍이 상호 영향을 주는 지역 주민들 사이에서 큰 지지를 받았다. 그러한 예로는 보이보디나의 헝가리인들, 몬테네그로의 알바니아인들, 마케도니아의 마케도니아인들(이들은 불가리아나 유고슬라비아 모두 종족 집단으로 인정하지 않았다)을 들 수 있다.[50] 유고슬라비아 정부가 반대파를 공산당에 의해 선동을 당한 집단으로 몰아갈수록, 왕정에 불만을 가진 사람들, 특히 젊은 지식인들은 지하 공산당 운동에 동조했다. 공산당 지도자인 카리스마가 넘치는 요시프 브로즈 티토는 크로아티아와 슬로베니아 피가 섞여 있었다. 공산당의 주요 이론가인 에드바르트 카르델리는 슬로베니아인이었고, 또 다른 이론가인 밀로반 질라스는 몬테네그로인이었으며, 보안기구 책임자인 알렉산드르 란코비치는 세르비아인이었다.

처음에 파르티잔들은 세르비아 저항군과 협력을 꾀했다. 이를 위해 티토는 체트니크 지도자인 유고슬라비아 왕정 군대 대령 드라자 미하일로비치를 1941년 여름과 가을 두 번 만났다. 그러나 양측의 이견이 곧 드러났다. 독일군의 보복으로 체트니크는 세르비아 주민들의 생존에 대해 우려한 반면, 파르티잔들은 사망자나 시골 지역으로 피신한 생존자에 큰 신경을 쓰지 않았고, 더 이상 잃을 것이 없고 복수의 열망에 불탄 주민들이 파르티잔 부대에 가담하면서 세력이 커졌다. 여기에다가 공산주의자인 파르티잔은 국제주의자였기 때문에 한 민족의 사멸에 큰 신경을 쓰기보다는 목숨을 걸고 투쟁하는 사회주의 조국인 소련을 강화하는 데 더 집중했다. 유고슬라비아에 발이 묶인 독일군은 소련 전선에 투입될 수 없었다.

1941년 이후 체트니크와 파르티잔의 운명은 놀라울 정도로 달라졌다. 체트니크는 무기를 갖추고 훈련도 받은 상태에서 자기 생존을 위해 투쟁을 했지만, 세력은 점점 약해졌다. 이와 대조적으로 전쟁에 대해 잘 모르면서 소련이 대표하는 사회주의라는 이상을 위해 싸우는 파르티잔은 계속 세력이 성장했다.

투쟁 초기에 독일군과 독일군 부역자들에게 추격을 당한 티토와 파르티잔 지도부는 동부 보스니아로 피신했지만, 우스타샤와 체트니크에 의해 인종청소를 당한 이 지역에서 주민들의 큰 지지를 받았다. 파르티잔의 작전은 보잘것없었지만, 레닌주의식 규율과 엄격한 위계질서를 유지했다. 지도부는 처음부터 중간 관리들을 숙청하면서 세력이 확장되는 동안 철저히 통제했다. 여기에다가 파르티잔은 인종적·계급적 개방성의 장점을 가지고 있었다. 파르티잔은 모든 민족과 계급, 즉 노동자, 농민, 지식인에 문이 열려 있었고, 수천 명의 여성이 작전에 동참했다.[51] 파르티잔은 항상 이동하며 투쟁을 했기 때문에 유고슬라비아 전역을 확고하게 통제하기 전까지는 한 장소에 하루나 이틀 이상을 머물지 않았다. 이들은 독일군의 추격을 피하기 위해 험준한 지형을 끊임없이 이동하며 신출귀몰했다. 독일군은 더 잘 무장을 했지만 유고슬라비아 농촌 지역 지리에 대한 지식은 거의 없었다.

파르티잔과 대조적으로 체트니크는 통합된 지휘 구조를 가지고 있지 못했고, 교수 같은 인상의 드라자 미하일로비치는 보스니아나 몬테네그로의 체트니크 부대들을 통제하지 못했다. 특히 문제가 된 것은 부역이었다. 이탈리아군이 장악한 보스니아 지역에서 체트니크 부대들은 파시스트군 지휘관들과 자주 정전을 했고, 때로 파르티잔 추격 작전에 협조하기도 했다. 체트니크는 장기적으로 파르티잔이 자신들의 가장 큰 정치적 적이 될 것으로 생각했다. 이와 대조적으로 국제주의적 이념으로 무장한 파르티잔은 적과의 타협을 피했고, 이 덕분에 점차적으로 소련뿐만 아니라 영국의 신임도 받게 되었다.[52]

전쟁의 실상과 엄청난 피해로 인해 유럽 전역의 주민들은 전쟁 후 새로운 상황이 전개될 것이라고 예상한 반면, 체트니크는 이러한 생각을 하지 못했다. 사회주의 질서가 왕정이었던 유고슬라비아의 많은 제약을 뛰어넘을 것이라는 희망을 제시한 파르티잔과 대조적으로 체트니크는 세르비아가 지배하는 구질서의 연장을 내세웠다. 체트니크는 여성뿐만 아니라 농민, 노동자를 끌어들이는 파르티잔의 진보적인 사회적 목표를 전혀 보여주지 못했다. 파르티잔은 전쟁 중에서 변화에 대한 장기적 비전을 보여주었다. 티토와 그 추종자들은 파시스트와 영토 통제를 위한 전투를 벌이면서도 교육과 토지 개혁, 자체 방어를 담당할 위원회를 조직했다. 보스니아처럼 문맹률이 50퍼센트가 넘는 지역에서는 이러한 진보적 조치는 큰 인기를 끌었다. 파르티잔은 종종 동굴과 은신처에 부상자를 치료하는 야전병원을 만들었다.

이러한 배려는 파르티잔 전쟁과 관련된 자기희생 정신을 잘 보여주었다. 부상자들은 자신들을 포기하라고 청원했지만, 파르티잔 지도부는 부상자를 끝까지 돌보는 정책을 취했다(티토는 "무슨 대가를 치르더라도 부상자를 구하라"는 명령을 내렸다). 일부 파르티잔 부대는 수백 명의 부상병을 이끌고 적군의 전선을 돌파하여 안전지대로 이동했다. 1943년 파르티잔에 대한 독일군과 동맹국 군대의 5차 공세 때 약 30명의 의사와 200명의 간호사가 이동할 수 없는 부상자들 곁을 지키다가 같은 운명을 맞았다. 이들은 전원 독일군과 체트니크에게 처형당했다.[53] 파시스트들의 이러한 행동은 전사들의 형제애를 강조한 발칸 게릴라 전쟁의 규범을 완전히 파괴하는 것이었다. 그러나 파르티잔도 때로는 포로를 처형하면서 이러한 상황에 스스로를 적응시키기도 했다.[54]

파르티잔이 승리한 이유를 다양하게 나열해도, 이들의 승리에는 숨이 막히고 설명하기 힘든 요소가 있었다. 1941년 확고한 이념 외에는 가진 것이 없었던 수천 명의 남녀가 3년 뒤 권력을 장악하고, 독일, 이탈리아, 크로아티아 파시스트와 세르비아 민족주의자들을 격파하고, 3년 뒤 스탈린에 대항할 수 있는 기반이 된 대중운동을 조직한 데에는 가장 중요한 이유가 있었다. 2차 세계대전 중 다른 어떤 정치, 군사 조직보다 월등하게 유고슬라비아 파르티잔들은 자신들의 이상을 도덕적 이상으로 보았다. 이들은 유럽 전체를 통틀어 잔인한 성격이 강한, 인종에 기반한 민족주의를 누르고 초월한 최초의 다민족 집단이었다. 그런 다음 세르비아인, 크로아티아인, 슬로베니아인과 기타 민족들을 한 국가 안에 통합시켜서 합스부르크 제국이 해내지 못한 일을 성취한 듯이 보였다.

그러나 파르티잔도 완전히 반민족주의적이지는 않았다. 오히려 이들은 '민족'이라는 애매한 용어를 사용했다. 파르티잔이 1943년 세운 첫 정부의 명칭은 '유고슬라비아 민족해방 반파시스트위원회'였고, 이것은 일리이아인들의 오래된 남슬라브족 이상을 모방한 것이었다. 그러나 세르비아인, 크로아티아인 또는 슬로베니아인의 인종적 정체성을 억누르는 대신, 이것이 유고슬라비아 정체성에 부차적인 것이 되게 만들었다. 결국 전쟁은 이 모든 인종들이 상호 단합 없이는 살아남을 수 없다는 것을 보여주었다. 이것이 바로 파르티잔의 가장 중요한 가치였다. 즉, 세르비아인이나 이슬람 주민들이 완전히 멸절하는 것을 보호하는 것이 그들의 가장 중요한 목표였다. 유고슬라비아 파르티잔은 유럽 최초의 반인종학살 군대로서 인종적 순수성을 추구하는 군대와 싸웠다. 이와 동시에 파르티잔은 공산주의였기 때문에 '민족'이라는 용어는 항시 사회적 의미를 띠었다. 이들에게 민족 국가 건설은 유고슬라비아 주민들에게 더 나은 교육, 보건, 사회 복지를 제공하는 것이었다.[55]

주민을 광범위하게 끌어들이는 힘이 있는 파르티잔은 혁명적 성격이 있다고 판단되면 각 지역의 '민족적' 전통도 자신의 것으로 만들었다. 세르비아와 몬테네그로 주민들의 반란 경향이 그중 하나였다. 국제주의적인 공산주의 파르티잔은 외국 정복자들에 대항한 코소보의 영웅적 자기희생의 역사를 주저 없이 다시 상기시키며, 반파시즘 투쟁을 외국 압제자에 대항한 이전의 모든 투쟁과 연계시켰다.[56] 수십 년 후 밀로반 질라스는 1942년 봄 몬테네그로에서 만난 약 400명의 농민에 대해 다음과 같이 회고했다.

나는 이들의 영웅주의와 자기희생을 조상들의 영웅주의와 자기희생보다 더 위대하다고 칭송했다. 우리는 튀르키예군에 대항한 과거의 반란군보다 더 나은 무장을 하지도 않은 상태에서 비행기와 탱크로 공격해오는 적군을 상대해야 했다. 나는 우리가 그들의 자신이라고 말하고, 살해당한 이들의 친인척, 형제자매, 아들딸과 이웃들을 상기시켰다. 우리의 피와 생명은 분리될 수 없었다.[57]

질라스는 자신이 공산주의로 가게 된 길도 회고했다. "당 이념은 전통적인 몬테네그로의 감정에 대한 상징물과 표현에 불과했다."[58] 그러나 그와 그의 동지들은 당시의 필요에 부응해 '민족'이라는 용어를 사용한 기회주의자는 아니었다. 이들이 '인민narod'이라는 용어의 정확한 의미를 제시하지 못한 것은 이들은 민족성이나 인종이 혁명을 추진시키는 범위에서만 유용한 것이라고 생각하는 마르크스주의자였기 때문이다. 당시 가장 중요한 것은 파시즘에 대항하고 사회주의를 건설하는 데 필요한 단합이었다. 이들은 언어와 인종의 문제는 배경으로 물러나고 모든 인간이 평화와 안전 속에서 공동의 노동의 열매를 동등하게 향유할 수 있는 세상을 건설하는 것이 우선이었다.

질라스는 회고록에서 전쟁 중 투쟁을 군사적 투쟁으로만 묘사하지 않았다. 이것은 군사적 측면을 가진 민중 봉기였다. 이것이 군사·정치 지도부로부터 아래로 또한 유고슬라비아 전체로 확신이 그렇게 빠르게 확산된 주된 이유였다. "혁명은 고유의 군대를 가지고 있어야 했다"라고 질라스는 썼다. 혁명은 단지 정치 무대에서의 대결로 진행된 것이 아니라 정치적 경쟁자가 포기한, 전란이 휩쓸고 간 땅에서 진행되어야 했다. 농민당 정치인들은 조직을 하지 못했기 때문에 파르티잔은 사실상 모든 사람을 받아들였고, 배교적인 우스타사와 체트니크도 예외가 아니었다. "내전이 나라 구석구석에서 진행되었기 때문에 반대 진영 추종자를 제외하고서 인력을 보충할 방법이 없었다"라고 질라스는 썼다. 파르티잔 운동에 가담하는 사람들은 '다른 모든 문제에 대한 염려 때문에 모든 사람들을 통제하려는 욕구를 드러내지 않은' 사람들을 만나게 되었다. 파르티잔 장교들은 모든 사람의 의견에 귀를 기울이고, 교조적으로 행동하지 않았다.[59] 티토의 실용주의적 영도하에 파르티잔 운동은 혁명의 최종적 목표와 이것이 소련에서 실제로 어떻게 구현되고 있는지에 대해 미리 떠벌이지 않는 지혜를 보였다.

혁명의 이야기는 동시에 참회의 이야기가 되었다. 체트니크나 우스타사에 속했다가 파르티잔에 가담한 간부들은 이제 새로운 과거를 갖게 되었다. 형제끼리 살육을 하고, 여성·아동들도 무차별적인 기관총 사격의 희생양이 되는 치열한 전투에서, 유고슬라비아는 단순히 도덕적 우위를 보여주는 장소가 아니라, 전쟁이 끝난 각 사람이 목격하거나 저지른 범죄를 떠나서 어떻게 저항했는지를 평가받는 곳이 될 터였다. 1943년 말 파르티잔 세력이 커지면서 이러한 경향은 분명해졌고, 특히 보스니아에서 더욱 그랬다. 세르비아에서조차 보수 세력들이 독일군과 협력하는 것을 여겼던 독일군 점령 당국은 이들이 '점령 당국보다 볼셰비즘을 더 선호하는 것'을 보고 크게 놀랐다.[60]

카리스마가 넘치는 지도자인 티토가 없었더라면, 파르티잔이 주도하는 대중적 혁명은 처음부터 불가능했다. 티토는 자신의 인생 역정 자체가 유고슬라비아인들을 단합시키는 힘이 있었다. 티토와 상대했던 영국 군사고문단 장교는 티토가 '엄격한 교조주의자이고, 광신적이고, 지하운동 생활로 거칠고, 시각이 좁을 것'으로 예상했었다. 그러나 실제 드러난 것은 정반대였다. 티토는 '망명과 투옥 생활로 마음이 넓어지고, 토론에서 유연한 입장을 취하며, 날카로운 유머 감각을 소유하고, 많은 호기심을 지닌' 인물이었다. 그는 어떤 면에서 폴란드의 피우수트스키와 닮은 점이 있었다. 피우수트스키는 사회에서 얻은 지지보다 정치적 경쟁자인 민족주의자 로만 드모프스키의 지지를 더 받았지만, '전술적 우위'를 차지하고 새로운 상황을 만들기 위해 기꺼이 행동하고, 특히 군사적 행동을 취한 정치인이었다.[61] 그러나 티토는 레닌과 닮은 점도 있었다. 궁극적으로 그는 이념의 틀에 갇히지 않고, 원칙을 저버리지 않으면서 필요한 일을 기꺼이 수행하는 면이 레닌과 비슷했다.

✳ ✳ ✳

폴란드에서도 저항 세력 간의 경쟁과 알력이 있었다. 조국군대AK the Home Army(런던의 망명정부와 밀접하게 연계되었음)는 독일군뿐만 아니라 공산당 주도 인민군, 급진적인 민족무장군National Armed Forces과도 싸웠다. 인민군은 유고슬라비아의 파르티잔과 같은 지지를 받지는 못했다. 왜냐하면 폴란드인들은 공산주의자들을 여하한 종류의 약속을 구현하는 집단이 아니라 국가 존립 자체를 위협하는 존재로 보았기 때문이다. 그래서 유고슬라비아에서와 마찬가지로 폴란드에서 공산주의자가 된 사람들은 압제 받은 소수민족 출신이 많았다. 여기에서 우리는 중요하면서도 예측할 수 없는 민족주의의 힘을 다시 보게 된다. 유고슬라비아에서는 공산주의자들의 국제주의가 소수민족들의 대량 학살을 막는 유용성이 큰 트럼프 카드였지만, 폴란드에서는 부담으로 작용했다. 지하운동 공산주의자들이 장악한 폴란드 공산당의 구호 중 하나는 "소비에트 폴란드 공화국 만세!"였다. 대부분의 폴란드 사람들이 보기에 이러한 용어는 외국 지배의 '노예화'로 되돌아가는 것을 의미했다. 이와 대조적으로 지하운동 세력 중 가장 세력이 강한 주류 세력인 조국군대는 폴란드의 민족적 해방뿐만 아니라 사회적 해방의 이상을 대표했으며, 좌우 급진파들을 부수적 집단으로 만들었다. 이 집단들의 상대적 세력을 비교하면, 1944년 7월 조국군대는 바르샤바 내에 약 4만 명의 전사를 보유한 반면, 민족무장군 세력은 약 1000명, 공산당은 800명의 전투원을 보유했다.[62]

조국군대는 자원을 아끼며 체트니크처럼 파괴공작을 수행하고, 드물게 나치의 압제에 부역한 지도급 인사들에 대해 이목을 끄는 복수를 했다. 그 목표는 민간인에 대한 잔혹행위를 명령하는 경우 일어날 일을 분명히 보여주는 것이었다. 조국군대의 공격 목표가 된 사람 중에는 친위대 지대장인 프리드리히 빌헬름 크뤼거, 경찰국장 프란츠 쿠체라, 친위대 대장인 빌헬름 코페가 포함되었다.[63] 또한 조국군대는 수감자들을 해방시켰다. 1943년 조국군대의 한 부대는 게슈타포 수용소에서 다른 수용소로 이송 중이던 23명의 정치범을 탈출시켰다. 그러나 때로 조국군대는 폴란드 주민들을 보호하기 위한 대규모 작전을 전개하기도 했다. 일례로 1943년 루블린 지역에서 독일 점령 당국이 독일 정착자를 위해 10만 명 이상의 폴란드인들을 강제이주시키자 조국군대는 전투를 시작했다. 이 전투는 수개월 간 지속되었고, 독일 정착자뿐만 아니라 독일군과 우크라이나 군부대에 대한 공격이 이루어졌다. 조국군대를 평정하기 위한 잔혹한 수단도 이 축소된 인종학살에 대한 항거 의지를 파괴하지 못했다. 특히 수천 명의 아동들이 '독일화'를 위해 점령 당국에 끌려갔다는 소문이 돌자 저항은 거세졌다. 결국 독일군 사령부는 이 작전을 전쟁에서 승리를 거둔 후로 연기했다.[64]

파르티잔과 마찬가지로 폴란드 지하저항군은 단순히 전투부대가 아니라 정치 조직이었다. 그러나 파르티잔과 대조적으로 폴란드 조국군대는 급진적 좌파가 아니라 중도파였고, 런던의 망명정부 지시 아래 움직이는 '비밀 국가'였다. 이 조직은 1940년부터 게슈타포에게 조심스럽게 은폐된 채 폴란드 영토에서 기능하고 있었다. 이 조직은 12개의 부서를 가지고 있었고, 이 중 내부는 점차적으로 새로운 폴란드 행정을 구축하고, 맹아 상태의 폴란드 경찰 조직도 만들었다. 이 조직들은 폴란드가 해방된 후 폴란드의 국가 업무를 수행할 예정이었다.[65]

폴란드 공산주의자들로부터 비난을 받기는 했지만, 이 비밀 국가는 실제로는 진보적 성격이 강했고, 전후 권력을 잡은 공산당 정권이 추진한 것과 유사한 개혁을 도입했다. 산업 국유화, 토지 재분배(50헥타르 이상의 농지는 국가가 소유), 성장을 촉진하고 실업을 줄이기 위해 국가 경제 계획을 강화하는 것 등이 그 내용이었다. 급진 좌파와 다르게 이 정부는 민주적 통치를 통해 이 목표들을 달성하겠다고 약속했다. 젊은 마르크스의 갈망을 닮은 사회 정책은 이들의 '노동 의욕, 애착, 욕구'를 강화하고, 노동자들 자체를 강화함으로써 노동자들을 해방하는 것을 목표로 했다. 또한 노동자들이 노동조합과 자율경영을 통해 생산을 감독할 수 있도록 목표했다. 새 정부는 교육·문화 자율경영을 계획했고, 공산주의자들과 대비되게 주류 지하저항 세력은 '동쪽으로부터의 정부 모델을 우리에게 강요하려는 모든 시도'를 거부했다. "천 년의 역사를 가지 자유 전통과 기독교 문화로 우리는 러시아의 동방과 독일 야만성과 구별된다."[66]

민족적 이익에 대해 충분한 주의를 기울이지 않는다고 우파에 의해 비판을 받은 이 주류 폴란드 저항 세력은 몰로토프-리벤트로프 비밀 협약에 의해 결정된 국경을 거부했다. 그러나 1943-1944년 전선이 서부로 이동하면서 조국군대는 히틀러가 1939년 스탈린에게 넘겨준 폴란드 영토를 방어하는 데 아무 힘도 쓰지 못했다. 1944년 7월 조국군대는 소련군과 협력하여 빌노를 해방시킨다는 희망을 가지고 봉기를 일으켰지만, 전투가 끝나자 소련군에 의해 무장해제를 당했다. 일부 조국군대 병사들은 지그문트 베를링 장군이 지휘하는 소련군 내 폴란드 부대에 편입되었고, 다른 병사들은 체포되어 대부분 시베리아에 있는 정치범 수용소로 보내졌다.[67]

그러나 조군군대에 대한 소련군의 적대감은 폴란드의 동부 국경에 대한 분쟁에만 한정된 것이 아니었다. 소련 당국은 중부 폴란드에서 조국군대와 같이 싸우는 것을 거부했고, 1944년 8월과 9월에 일어난 바르샤바 봉기가 가장 대표적인 예였다. 바르샤바가 곧 소련군에 의해 해방될 것을 기대한 조국군대 지도자들은 지하저항군 부대들이 봉기를 일으켜 독일 지배를 벗어나 바르샤바를 해방하도록 7월 말 결정했다. 이 작전의 목표는 소련군이 바르샤바에 진입하기 전에 바르샤바의 통제권을 확보하는 것이었다.

아마도 우크라이나 지역 깊숙이 신속히 진격하느라 지친 소련군은 바르샤바 바로 앞에서 진격을 멈추고, 바르샤바 동쪽 구역인 비스와강 반대편에서 작전을 중지한 채 머물렀다. 이 사이에 나치 독일군은 전력을 재정비하여 봉기를 진압하기 시작했다. 대부분 범죄자로 구성된 독일 부대와 소련군 포로들로 구성된 부대(독일군 사이에서도 악명이 높았다)는 8월 초에만 약 3만-4만 명의 바르샤바 시민을 학살했다. 천 명 이상의 민간인이 성라자루스 병원을 피난처로 택했으나 병원 진료진과 환자와 함께 집단학살당했다. 한 독일군 장교는 자신이 이들을 죽이는 데 사용할 총알보다 더 많은 남녀노소 포로들이 있는 것을 불평하기도 했다.[68]

노동력을 상실할 것을 우려한 독일군 사령부는 전면적 살육전을 중단하고, 체포된 주민들을 임시수용소를 거쳐 강제노동수용소로 보냈다. 독일군의 탱크와 폭격기의 공격에 맞서 기관총이 가장 큰 무기였던 조국군대 병사들이 연이어 기반을 잃었지만, 10월 1일까지 이들은 항복하지 않았다. 바르샤바 봉기로 총 20만 명이 넘는 바르샤바 주민들이 목숨을 잃었고, 이들 대부분이 민간인이었다. 봉기 진압 후 독일군 공병대는 남아 있는 대부분의 건물에 폭약을 설치한 후 체계적으로 건물을 파괴했다. 이렇게 해서 바르샤바 건물의 85퍼센트가 폐허로 변했다. 이러는 동안 독일 당국은 시내에 남아 있던 대부분의 주민을 집단수용소로 보냈다.

일부 관측자들은 조국군대가 도시 지역에서 전투를 벌여서 수십만 명의 주민들이 탈출을 하지 못하고 죽게 만들었다고 비판했다. 그러나 대부분의 폴란드인들은 여성과 청소년도 같이 싸운 조국군대의 영웅적 투쟁에 대한 기억을 소중히 간직하고 있다. 이에 반해 소련군은 도시 밖에서 참상을 방관하여 독일군이 폴란드의 군사, 지식인 엘리트뿐만 아니라 비무장 민간인을 살육하는 것을 지켜보았다. 소련 지도부는 영국과 미국 비행기들이 바르샤바 저항군에 보급품을 공급하기 위해 소련이 장악한 지역에 임시 착륙하는 것도 허용하지 않았다. 스탈린이 보기에 조국군대의 가장 큰 문제는, 진보적이건 보수적이건 떠나서 독립을 주장하고 있다는 사실이었다.

폴란드 지하저항 세력은 방대한 출판 네트워크를 통해 전후 질서에 대한 아이디어를 선전했다. 다양한 정치 노선을 반영한 1500종 이상의 신문

과 잡지가 발행되었다. 바르샤바와 다른 지역 게토의 인종학살 상황에서
도 유대인 지하운동도 10여 종의 잡지를 발행했다. 가장 널리 배포된 조국
군대 출판물인《정보소식지Information Bulletin》는 매주 4만 부를 발행했다.[69]
지하저항 세력은 높은 수준의 인쇄술로 수백 권의 책과 소책자를 발행했
다. 이것은 독일 선전 자료와 도색적 내용을 담은 몇 개의 대중 일간지를
제외하고는 폴란드 출판물을 봉쇄한 점령 당국의 문화적 파괴에 대항하
기 위한 것이었다.

　6학년 이후 교육과정이 파괴된 상태에서 독일 교육자, 교수, 학생들은
점령 당국의 눈을 피한 아파트와 가정집에서 사적 교육을 진행했다. 이러
한 운동은 1939년 자발적으로 시작되었지만, 시간이 지나면서 조국군대
정부의 교육문화부에 의해 조직되고 재정지원을 받게 되었고, 수천 종의
과정 수료증도 발급되었다. 1944년이 되자 바르샤바의 불법 학교 학생 수
는 1939년 합법적 학생 수와 비슷해졌다.[70] 1942년 지하 정부는 약 40만
파운드의 예산을 민간 행정에 사용했다. 이 중 18퍼센트는 비밀 학교에,
30퍼센트는 사회복지에, 15퍼센트는 민간 저항운동 조직에, 5퍼센트는 게
슈타포의 침투에 대응하는 수단에 사용되었다. 1942년부터 1944년까지
지하운동 정부는 외국에서 들어온 2700만 달러의 약 3분의 2을 받아 사용
했다.[71]

　전체 통계를 내면, 약 50만 명의 폴란드인이 다양한 형태의 저항운동에
참여했고, 가끔 저항운동에 참여하거나 일부 시간에만 참여한 사람 수는
훨씬 컸다. 지하저항 운동의 효과에 대한 의견은 다양하다. 일부는 대부분
의 폴란드인이 수동적이라고 평가했다. 가장 저항운동 세력이 밀집한 바
르샤바에서도 주민의 약 3분의 2는 저항운동에 참여하지 않았다. 그러나
다른 관측자들은 최소한 바르샤바 주민 네 명 중 한 명은 적극적으로 저항

운동에 참여하여 나치가 점령한 유럽에서 '예외적으로 높은 수준의 동원과 저항 의지'를 보였다고 평가했다.[72] 폴란드 지하저항군의 존재는 모든 곳에서 느낄 수 있었고, 심지어 집단수용소에서도 조국군대 요원들은 정보 수집 활동을 하고 상호 지원하는 세포 조직을 만들었다. 강제징용 노동자로 독일로 이송된 수백만 명의 폴란드인들과 폴란드 내 경찰과 행정 조직 관리들 사이에서도 저항 세포조직이 크게 퍼져나갔고, "모든 사회 집단과 계층은 체계적인 저항운동에 참여했고, 도시는 이를 위한 가장 좋은 환경을 제공했다"고 역사가인 안드제이 파츠코프스키가 평가했다.[73]

＊ ＊ ＊

1941년이 되자 나치가 점령한 중동부 유럽에는 세 종류의 점령지역이 생겼다. 첫 번째 점령지역은 나치 독일이 기존의 국가를 파괴하고, 현지 토착 행정조직을 남겨두지 않고, 직접 통치를 담당한 경우이다. 두 번째는 나치가 국가를 파괴하고 이것은 자신들의 정치 조직으로 대체한 경우이다. 이러한 조직은 '독립 국가'라는 잘못된 명칭이 붙여졌다. 세 번째 지역은 국가 행정은 현지 정치 엘리트들의 손에 맡겨졌지만, 이들은 나치 독일군의 동맹이 되어야 한다는 저항할 수 없는 압력을 받았다. 동유럽에서 폴란드만이 첫 번째 유형에 해당되었다.

보헤미아 피보호국과 모라비아 피보호국은 첫 번째 유형과 두 번째 유형 사이에 들어간다. 이 지역은 나치 독일에 점령당하고 독일에 흡수될 운명에 처했지만, 고급 상품을 생산하는 지역으로 가치를 가지고 있었다. 이 지역 주민들은 인종으로도 가치가 높다는 평가를 받았다(50퍼센트의 체코 주민들은 동화시킬 수 있을 것으로 보았고, 폴란드인은 10퍼센트만 동화시킬 수 있을 것으로 예상했다). 이 지역에서는 체코의 내각과 부처를 가진 정부가 엄격한 관리감독 속에 존재했고, 아주 작은 군대도 허용되었다. 세르비아도 비슷한 상황에 처해 세르비아인들이 전혀 자랑스러워 할 수 없는 지위로 떨어졌고, 왕족 출신 유고슬라비아 장군이 명목적인 국가수반이 되었지만, 나치의 엄격한 통제를 받았다. 앞에서 본 바와 같이 보헤미아와 대조되게 세르비아에서는 필사적인 저항운동이 전개되어서 세르비아를 넘어 유고슬라비아 전역으로 확산되었고, 독일, 이탈리아, 크로아티아 세력과 세르비아 민족주의자와 공산주의 국제주의자 사이의 투쟁이 전개되었다.

'독립적인' 슬로바키아 국가와 크로아티아 국가가 두 번째 점령지역에 해당되었다. 이 국가들은 나치 당국의 충성스럽고 동지적인 파시스트 정권이 될 것이라는 예상하에 만들었고, 기대한 대로 작동했다. 이 국가들의 초민족주의적인 지도자들은 국가보다 자신이 더 강한 인종주의자가 되어서 '민족'을 위한 개인적인 성취를 과시하려고 몸이 달았다. 1941년 슬로바키아 신문은 자국이 유럽에서 가장 엄격한 인종주의적 법률을 가지고 있다고 자랑했다. 이와 동시에 우스타샤의 반세르비아적 잔혹행위는 독일 친위대에게도 충격을 주었다.[74]

세 번째 점령지역은 명목적으로는 국제 사회의 주권적 국가로 남았지만, 이 국가의 지도자들은 유고슬라비아와 폴란드의 경우로부터 저항의 결과가 어떠한지를 잘 보았다. 그러나 크로아티아나 슬로바키아 같은 괴뢰 정부와는 다르게 헝가리, 불가리아, 루마니아는 국가 존립을 나치 독일에 의존한 것은 아니고, 독일은 협상을 통해 이들로부터 원하는 것을 얻었다.[75] 이 국가들의 순응을 이끌어내기 위해 독일이 사용한 지렛대는 영토였다. 나치 지도자들처럼 탐욕스럽지는 않았지만, 이 국가 지도자들도 '생활권역'을 원했다. 불가리아는 뇌이쉬르센조약에서 상실한 논란의 대상이 된 영토를 그리스와 유고슬라비아로부터 되찾기를 원했다. 헝가리는 트리아농조약에서 상실한 모든 것을 되찾기를 원했다. 루마니아도 2차 빈 할양(히틀러와 무솔리니의 주장에 의해)으로 북트란실바니아가 헝가리로 할양되고, 베사라비아와 북부코비나가 소련에 이전된 1940년에 상실한 영토를 되찾기를 원했다. 이 세 국가는 동유럽의 패권국이 된 나치 독일이 자신들이 원하는 것을 실현할 수 있다는 것을 알았다.

그러나 1941년부터 독일 지도자들은 중동부 유럽 정부들이 자신들 국가에서 가장 우선시되는 바람을 실행하기를 원했다. 그것은 유대인들을 찾아내어 분리시키고, 인종주의적 법률의 지배를 받게 하고, 이들은 독일이 통제하는 폴란드 영토로 보내 '동방에서의 작업'이라는 불분명한 명칭이 붙은 운명을 겪게 만드는 것이었다.

17장

단테가 예상하지 못한 것: 동유럽의 홀로코스트

히틀러의 정권은 역사상 가장 광신적인 인종주의 정권이었다. 문화 정책, 사회 정책, 교육, 과학, 전쟁을 막론하고 히틀러 정권이 한 모든 일은 인종적으로 해석한 독일 국민에 대한 염려가 동기가 되었다. 이와 동시에 히틀러의 정책들은 일관성 없이 진행되었다. 나치즘은 반슬라브주의를 지향한 듯이 보였지만, 히틀러는 슬로바키아와 크로아티아 같은 슬라브족 국가들과 동맹을 맺었고, 우크라이나인과 러시아인 같은 슬라브인들은 대량 학살 대상으로 삼았다. 히틀러가 마음속에 오랫동안 품어온 폴란드인에 대한 이념적 적대심을 찾아내는 것은 쉽지 않다.[1]

1939년까지만 해도 히틀러는 유제프 피우수트스키 정권을 존경하고, 소련에 대한 작전에 폴란드를 끌어들이려고 했다. 그가 슬라브 민족 중 경멸하는 대상이 있었다면, 그것은 체코인이었다. 그러나 2차 세계대전이 끝나자, 체코 인구는 사실상 늘어났고, 체코 도시들은 더할 나위 없이 아름다웠는데 이에 반해서, 폴란드인은 다섯 명 중 한 명이 사망했고, 많은 폴

란드 마을과 도시들은 폐허가 되었다.[2]

이 경우 서로 다른 정책을 편 것은 인종적 이념 때문이 아니라, 폴란드 정부는 히틀러에 대항했고 체코 정부는 순응했기 때문이다. 세르비아인 상당수가 대항한 것도 1941년 4월 베오그라드에 대한 독일군의 무자비한 공격을 설명해준다. 며칠 전 세르비아 장교들이 쿠데타를 일으키기 전까지 히틀러는 유고슬라비아를 공격하거나 폭격할 의사가 없었고, 100만 명 이상의 사상자를 낸 게릴라 전쟁을 일으킬 생각도 없었다.

히틀러는 소련을 적으로 삼은 독일의 정의를 너무 성스럽게 생각해서 포로가 된 소련 병사들이 전투에 참여하는 것을 허용하지 않았다. 그 대신에 다른 슬라브인들, 특히 우크라이나인들은 그렇게 하도록 허용했다. 그래서 그는 1941년 말 수백만 명의 소련군 병사들이 아사하거나 추위에 얼어 죽게 방관했다. 소련군 병사들은 독일에서 강제노동을 할 자격도 없다고 보았다. 1943년이 되자 전황이 바뀌어 포로가 된 소련군 병사들을 활용해야만 했다. 수십만 명의 소련군 포로들이 군복과 무기를 지급 받아서 제3제국을 위해 싸웠다. 이들 중 일부는 전쟁 막판에 독일군에 반기를 들어 1945년 5월 5일 프라하에서 일어난 체코 애국주의자들의 봉기가 성공하도록 도와주었다.

이러한 몇 가지 사례는 인종적 이념은 정치적으로 유용할 때만 나치 독일의 정책을 이끈 나침반이 되었다는 것을 보여준다. 슬라브인들이 필요할 때는 이들을 부역자로 동원했고, 이들이 반항하는 것으로 보일 때는 멸절시켜버렸다. 그러나 이것이 다가 아니었다. 나치 인종주의의 핵심 대상인 유대인을 보면 아주 다른 이야기가 나온다. 1941년 나치 지도부가 유럽에 있는 모든 유대인을 멸절시켜야 한다는 결정을 내린 후, 이 정책은 번복되거나 거의 흔들림 없이, 사실상 예외 없이 수행되었다. 유대인은 죽는

것 외에 다른 활용 용처가 없었다.[3]

히틀러 혼자만이 이 아이디어를 강행한 것은 아니다. 그는 독일 사회 안 팎에서 기꺼이 호응하는 부역자들을 찾아냈다. 그러나 이 기본적인 확고한 태도는 히틀러의 전유물이었다. 그가 생각하기에 유대인은 인간 집단이기는 하지만, 뭔가 악마적이고 사악한 것이 붙어 있어서 이들은 다른 인간 집단과 달랐다. 히틀러는 유대인을 죽임으로써 그의 정권은 '신의 뜻'을 수행하고 있다고 말했다. 그가 생각하기에 인종학살은 위대한 가치를 가진 행동이었다. 히틀러는 소수의 유대인이 일으킬 수 있는 문제는 끝이 없다고 생각했기 때문에 인종학살에는 예외가 있을 수 없었다. 나치 독일과 동맹국이 점령한 지역에서 유대인 대부분을 살상한 후에 1945년 4월 히틀러가 스스로 목숨을 끊기 전까지도 히틀러는 국제 유대인 공모가 독일 적군들의 운을 돕고 있다고 믿었다. 그는 자신의 비서인 마르틴 보르만에게 유대인은 '영적인 인종'이라고 말했다.[4]

유대인 인종학살은 2차 세계대전 발발과 함께 일어난 일이 아니었다. 이것은 독일의 투쟁의 중심부에 있었고, 히틀러 정부가 파괴의 기제를 만들어낸, 1933년 시작된 작전의 중앙 무대에 있었다. 처음에는 유대인에 대한 법적 규정을 하고, 다음에는 재산을 압수하고, 다음에는 격리하고, 1941년 소련을 공격한 후 물리적인 제거를 했다.[5] 이 기제는 독일이 새로운 영토를 획득한 모든 지역으로 확산되었고, 히틀러와 그의 정권에게는 동유럽의 다른 어떤 것, 예를 들어 루마니아의 석유, 헝가리의 곡물, 전선에 배치할 슬로바키아군보다도 유대인을 찾아내고, 격리시키고, 멸절하는 것이 더 중요했다. 이 과업은 다른 모든 과제를 압도했고, 빈과 베를린에 소련군의 로켓 포탄이 쏟아져서 전쟁을 포기하는 순간까지 계속 진행되었다.

단 세 동맹국에서만 지배 엘리트의 사고방식이 나치의 과제와 잘 맞아떨어졌다. 그 세 나라는 루마니아, 크로아티아, 슬로바키아였다. 우연의 일치가 아니게 이 나라들은 민족주의자들이 내세운 민족주의가 가장 불안했던 곳이었다. 루마니아와 슬로바키아 엘리트들이 맞부딪친 난제들은 우리가 크로아티아에서 본 것과 비슷했다. 민족주의 시대가 도래하기 전 국가 역사가 거의 없었고, 독일이 정한 국경 내에서는 아무 역사도 없었다. 이뿐만 아니라 이 국가들은 자신들의 영토에 대한 권리를 주장하는 여러 나라에 둘러싸였다. 그래서 이 국가의 지도자들은 민족적 영토에 대한 가장 강력한 주장에 의존해야 했고, 그것은 인종주의적 주장이었다. 언어와 문화를 강조하는 19세기 민족주의 이론은 이미 유행이 지난 호기심의 대상이 되었고, 자신의 인종을 위한 영토를 요구하는 사람들 일부는 과학적이고, 일부는 신비주의적인 수상을 시용했다. 정확한 루마니아 '혈통'이나 크로아티아의 '혈통'은 영토를 획득하는 것을 정당화하고 그 영토와 그 위에 거주하는 모든 사람을 '순수하게' 만들었다.

이 국가 지도자들에게 2차 세계대전은 영토를 확고하게 장악할 수 있는 다시 올 수 없는 기회를 마련해준 것처럼 보였다. 1941년 7월 루마니아의 안토네스쿠 장군은 이 전쟁이 "영혼에 이질적인 요소를 지닌 모든 주민들을 청소할 수 있는 … 우리 역사에서 가장 좋은 기회를 마련해주었다. 그래서 어떤 형식이나 완전한 자유 없이 내가 모든 법적 책임을 지고 당신들에게 말하건대, 법에 구애받을 필요가 없다"라고 말했다.[6] 몇 달 전 히틀러는 크로아티아의 안테 파벨리치에게 이렇게 말했다. "이것이 당신들에게 온 기회다." 파벨리치는 감언이설이 필요 없었다. 밀로반 질라스에 의하면 우스타샤 살인자들은 소련이 유고슬라비아를 해방할 것이라고 세르비아인들이 말할 때 조용히 듣기만 했다. "그들이 올 수도 있다. 그러나 그렇게

되면 당신도 죽게 될 것이다"라고 그들은 대답했다.[7]

그러나 이 국가들과 독일 사이에는 차이가 있었다. 아무리 인종차별적이었다 하더라도 동유럽 정권들은 민족을 강화한다는 전반적 목표에 적응시키는 방향으로 자신들의 반유대주의를 수정했다. 이 국가들은 기회주의적 입장을 취하며 민족 영토, 특히 경쟁국이 장악한 영토에 대한 자신들의 통제를 확고히 할 수 있을 때, 반유대인 입법을 하거나 유대인들을 독일로 송환시켰다. 그러나 전쟁 후반부에 독일이 패전할 가능성이 높아지고, 승전국이 인류에 대한 범죄를 징벌할 것으로 보이자 독일이 억류하고 있던 유대인들을 되찾아 오기도 했다. 그리고 이 국가 중 어느 곳도 아돌프 히틀러가 가지고 있던 신념과 같이 유대인이 반형이상학적 악을 표상한다고 생각하지 않았다.

간결하게 표현하면 이것이 루마니아의 상황이었다. 루마니아는 독일이 위임을 하지 않은 상태에서도 유대인을 학살했고, 후에 독일이 긴급하게 원했을 때는 유대인을 죽음의 수용소로 보내는 것을 보류했다. 크로아티아 파시스트들은 반세르비아주의가 반유대주의보다 강했다. 이와 대조적으로 나치 지도자들에게는 유대인 문제는 다른 것으로 대체할 수 없는 것이었다. 폭력을 사용한 유대인 문제 '해결'에는 다른 목표가 없었고, 전쟁 중 다른 기회에 대한 어떠한 고려나 전후 징벌에 대한 두려움도 일단 수립된 유대인 멸절 계획을 변경시키지 못했다. 독일 관리들은 동맹이라고 자처하면서도 자신들 사이에서나 다른 곳에서 유대인들이 제기하는 '위험'을 간과하는 것처럼 보이는 불가리아 민족주의나 헝가리 민족주의자들에 대해 불만이 많았다.

✳ ✳ ✳

2차 세계대전 중 동유럽 주민들은 자신들이 어디에 살고 있었는가에 따라 다른 세계에 속하게 되었다. 고유의 국가(헝가리나 불가리아)인가 아니면 독일이 간접적으로 지배하는 국가(점령된 폴란드), 아니면 반직접적으로 지배되는 국가(보헤미아-모라비아 피보호국, 세르비아)인가가 큰 차이를 만들어냈다. 점령 국가 폴란드는 끊임없는 공포의 장소가 되었기 때문에, 비독일인 현지 주민은 누구라도 의심은 물론 별도의 기소 없이 체포되고 처형될 수 있었다. 시인인 체스와프 미워시는 한번은 아이들 데리고 걷고 있는 부부를 보았다. 그때 독일 차가 다가와서 차 안에 있던 사람이 아버지를 향해 총을 발사한 후 자리를 떠나는 것을 보았다. 그 남자는 아마도 행복해 보였다는 것 외에는 독일 관리를 기분 나쁘게 할 만한 아무 행동도 하지 않았다.

그러나 지하저항 운동이 거세게 일어난 유고슬라비아 일부 지역을 제외한 모든 지역에서는 비유대인 주민들의 생활은 거의 평온하게 진행되었다. 헝가리, 불가리아, 체코 또는 슬로바키아 도시나 마을에서는 결혼식이 열리고, 학생들은 학교에 가고 장례가 치러졌다. 파종을 하고 추수를 하고, 일상적인 희로애락이 있었다. 일부 젊은이들은 군에 들어가서 독일을 위해 싸웠지만, 인명 손실이 너무 커지자 다시 귀환했다. 1944년 8월 루마니아 병사들은 갑자기 총구를 독일군에게로 돌렸다. 대부분의 동유럽 주민들에게 전쟁은 일간지를 통해 자신들의 생활로 밀고 들어온 그런 사건이었다.

그러나 이것은 동유럽 유대인들이 히틀러가 저지른 전쟁 중에 겪은 일이 아니었다. 유대인들은 어디에 살건 동유럽의 유일 패권국가인 나치 국가는 이들을 멸절시키기를 원했다. 나치 국가가 점령하자마자 유대인들의 운명은 바뀌었고, 공포가 이들의 깨어 있는 순간뿐만 꿈속도 지배했다.

슬로바키아 농민, 루마니아 농민이나 체코 공장 노동자의 삶은 계속된 반면, 유대인들의 삶은 어떤 형태로건 생활이 정지되어야 했고, 1941년 후반 이후에는 어느 순간에라도 그렇게 될 수 있었다. 우리는 죽음으로 이끄는 운명을 뜻하는 '문 두드리는 소리'가 주는 악몽 같은 현대적 공포를 알고 있다.

이제 이것은 나치건 유대인들이 도움을 주어서 지탱한 다른 정권에 의해서건 유대인이란 사실이 드러난 모든 사람에게는 피할 수 없는 현실이 되었다. 아버지 보이테치, 어머니 마르가레타, 두 아들인 11세의 필리프와 9살의 알프레드 네 식구인 리히텐슈타인게 가족은 보헤미아−모라비아 피보호국의 올로모우츠에 살고 있었다. 이들은 1939년 9월 나치가 내부를 파괴한 동유럽 중소도시 중 가장 아름다운 시나고그에서 얼마 떨어지지 않은 곳에 살았다. 나치가 들어오면서 차별이 시작되고 유대인 살해와 동방의 집단수용소에 대한 소문이 들어왔고, 결국 짐가방을 싸라는 말을 들었다. 1942년 7월 문 두드리는 소리가 들린 후, 올로모우츠를 떠나라는 명령이 내려졌고 몇 달 전만 해도 설명은커녕 상상도 할 수 없는 이유로 처음에는 테레시엔슈타트로 그다음에는 '동방' 지역으로 이송되었다.

일부 유대인들은 강제이송을 피해 지하로 숨어들었지만, 이들은 어떠한 권리도 없는 인간인 '법의 보호 밖에 놓인 사람들vogelfrei'이 되었다. 이들은 노예보다 못한 신분이자 발견되는 대로 총살을 당하는 존재였다.[8] 만일 유대인이 맑은 공기를 마시기 위해 은신처에서 나오면 이들이 만나는 어떤 시민이라도 스스로 검문관이 되어 이들에게 아리안족이라는 증명을 보이라고 요구할 수 있었다. 폴란드에 거주하던 유대인 작가 아냐나 바우만은 무뢰한들이 전차 안에서 어떻게 자신의 친구를 발가벗겼는지를 서술했다. 그녀는 '유대인별'을 달고 있지 않았지만 사람들은 그녀가 유대인

체코 올로모우츠의 유대인 시나고그(1897년에 설립되었다가 1939년에 파괴되었다).

이란 것을 '알아차렸다'. 그날은 화창한 봄날이었다. 몇 달을 다락방에서 숨어 지낸 그녀는 단지 세상을 다시 보고 느끼고 싶었다.[9] 우리는 그녀의 친구가 전차 종착지에서 총살을 당했는지, 죽음의 수용소로 보내졌는지 알지 못한다.

유대인이 사라지기를 바란 급진적인 민족주의는 새로운 것이 아니지만 이러한 공포의 경험은 새로운 것이었다. 이러한 전례가 없었고, 이렇게 명확하게 유대인만을 목표로 한 적도 없었다. 리히텐슈타인계 가족이 살던 올로모우츠의 아파트 위층이나 아래층 주민과 필리프와 알프레드의 급우들에게는 아무 일도 일어나지 않았다. 이 학생들은 아무 일도 일어나지 않은 것처럼 수업을 계속 들었고 온전한 생활을 할 기회를 가졌다.

홀로코스트가 특별했던 것은 그 객관적 차원에서 일어난 일, 즉 한 민족을 멸절하기 위해 한 국가 모든 행정력과 기술적 무력을 사용한 것이 아니라, 이러한 주관적 차원에서 일어난 일, 즉 나치 당국과 이들을 도운 부역자들의 힘이 야기한 공포와 극도의 낙담, 외로움, 가장 비참한 실패, 자신의 아이들도 구할 수 있는 힘이 없다는 감정이었다.

유대인들이 겪게 된 이러한 공포는 아주 구체적이었지만, 다른 동유럽 주민들도 공포를 체험했다. 지하에서 정권에 대항하기로 한 공산주의자나 사회민주주의자들도 이를 느꼈다. 나치 게슈타포가 음모를 찾아내면 여기에 관련된 사람들의 문을 두드리는 공포가 찾아왔다. 때로 이 집단들의 운명이 서로 얽히기도 했다. 공산주의에 가담해 음모를 꾸민 사람 중 많은 수가 유대인이었다. 일례로 서로 친구이자 동지였던 베를린의 젊은 유대인 집단 전체가 체포되어 처형당했다. 유고슬라비아에서 공산당 파르티잔에 참여한 유대인들은 그것이 안전한 길이라고 생각해서 그런 경우가 많았다. 우리가 본 바와 같이 1939년 9월부터 국가를 상실한 폴란드인들도 유대인과 같이 모든 깨어 있는 순간에 그렇게 큰 두려움을 느끼지는 않더라도 공포가 일상이 되었다.

독일 지배하의 동유럽

폴란드는 동유럽에서 가장 많은 유대인 인구가 살던 국가였기 때문에 나치는 신속히 '유대인 문제'를 해결하기 위한 행동을 취했고, 폴란드를 점령한 지 수주 만에 독일에서는 몇 년에 걸쳐 발전된 정책을 바로 수행했다. 1939년 11월 나치 당국은 유대인들을 비유대인들로부터 분리하는 첫 단계로 파란 다비드별이 그려진 완장을 차도록 명령했다. 다음으로 유대인들이 밖으로 나오지 못하는 구역을 설정하고, 이 구역을 떠나는 경우 사형

선고를 받는다고 경고했다. 이 지역은 벽돌이나 철조망으로 봉쇄를 했다. 그런 다음 이들은 이 '게토'를 유대인들이 머물며 그대로 죽어야 하는 장소로 만들었다. 비위생적 환경, 보건 혜택 부재, 기아에 이르는 배급제, 강제노동대 조직, 견디기 어려운 과밀 환경으로 유대인들은 고통을 받았다. 일례로 크라쿠프의 게토는 그 도시의 유대인뿐만 아니라 인근 지역의 작은 유대인 공동체의 유대인들도 강제로 끌고 와서 격리시켰다. 두 가족이 한 아파트에 사는 것이 아니라 한 방에 살게 만들었다. 바르샤바 인구의 3분의 1에 해당하는 33만 8000명의 유대인은 시 면적의 2.4퍼센트에 해당되는 공간에 밀집되게 격리시켰다. 점령 당국이 유대인들에게 강요한 궁핍으로 참혹하고 고통스런 세계가 만들어졌고, 이 모습을 영상으로 담아 독일 국민들에게 보여줌으로써 기존에 비유대인Gentile 주민들에게 존재하던 유대인에 대한 혐오와 경멸을 강화시켰다.[10]

유대인 집단학살은 1941년 여름 독일군의 소련 공격이 시작되면서 새로운 단계에 접어들었다. 이 전쟁은 '유대인 볼셰비즘'의 파괴를 목적으로 하는 절멸 전쟁이었다. 독일 정규군의 뒤를 따라 4개의 친위대 살상 기동부대Einsatzgruppen가 진격을 했다. 총 3000명의 병력으로 구성된 이 부대들은 소련군 포로 중에 정치장교를 분리하여 이들을 '특별 조치', 즉 총살하라는 명령을 받았다. 곧 특별 조치의 대상으로 유대인 병사와 유대인 성인 남자도 포함되었다. 여름 후반에 접어들면서 남자뿐만 아니라 유대인 여성과 아동도 함께 체포되어 대량 처형 대상이 되었다.[11]

독일 당국은 이 작업에 각 지역의 비유대인 주민을 동원했고, 폭력에 대한 이들의 조력이 자발적인 것처럼 보이게 만들려고 노력했다. 북동부 폴란드의 예드바브네 마을에서는 독일군의 감독 없이 폴란드 주민들이 유대인 살상을 저질렀다. 이곳에서는 헛간에 유대인 주민들을 가둔 다음 불을 질러 죽인 유대인 학살이 하루 만에 벌어졌다. 이 학살로 1000명 이상의 유대인이 사망했다.[12] 리비우에서는 독일군복을 입은 우크라이나인들이 유대인을 동원해 소련 비밀경찰이 남기고 간 수감자들을 처형하도록 만들었다. 이들은 독일군이 시내에 진입하기 직전 4000명의 정치범을 살해했고, 후에 우크라이나인들은 수백 명의 유대인을 살상했다.[13] 1942년 초까지 친위대와 각 지역의 부역자들이 수행한 유대인 살상 작전으로 발트해 국가들과 루마니아에 이르는 전 지역에서 최소한 50만 명의 유대인이 살해되었다.[14]

나치 친위대로서는 소총 화력만으로 유대인을 살상하는 것은 충분히 체계적이지 않았기 때문에 여름 후반부터 독가스를 실험했다. 동부 실레지아, 폴란드의 오시비엥침, 독일의 아우슈비츠-비르케나우(폴란드 영토였으나 독일 영토로 편입되었음) 집단수용소의 소련군 포로들이 실험대상이 되었다. 이들은 상업용 살균제인 지클론 B$_{Zyklon\ B}$를 택했다. 이것은 알갱이로 만들어져서 섭씨 27도가 되면 독가스로 기화되는 살균제였다. 그해 가을 독일군은 아우슈비츠와 동부 폴란드의 마이다네크 집단수용소에 가스실과 화장실을 만들고, 1943년 폴란드 트레블린카, 벨제치, 소비보르 마을 인근에 추가적으로 살육장을 만들었다.[15]

이 수용소는 유럽 전역에서 기차로 수송되어온 유대인들을 살상하는 장소가 되었다. 유대인 살상은 1942년 1월 베를린 인근 반세에서 진행된 회의에서 친위대와 관련 독일 부처 관리들이 작성한 기본 계획에 따라 수행되었다. 이 시점에 독일이 장악한 영토 어디에서든지 독일 당국은 한 명의 예외도 없이 모든 유대인을 색출하고, 격리하고, 강제이송한 다음 살육했다. 이것은 프랑스의 영불해협의 섬에서부터 독일이 단지 몇 주 점령한 코카서스의 좁은 지역까지, 또한 그리스 섬들로부터 북극원 북쪽의 노르

웨이 마을까지 예외가 없었다. 독일 당국은 신속하게 계획을 실행에 옮겼다. 1942년 3월까지는 홀로코스트로 살해당한 유대인의 75-80퍼센트가 아직 살아 있었지만, 1943년 2월 중순까지 홀로코스트 희생자의 75-80퍼센트가 살해되었고, 유대인 학살의 대부분은 폴란드 영토 내에 있는 수용소에서 진행되었다.[16]

폴란드 거주 유대인 학살은 1942년 여름 가속화되었다. 우크라이나인과 발트 국가 주민 부역자들의 도움을 받은 독일 경찰은 대규모 게토 지역 거주자들을 화물열차에 실어 '동방'으로 노동을 하러 간다고 속인 다음, 실제로는 인근 죽음의 수용소로 이송시켰다. 동부 폴란드의 마을과 소도시에 거주하는 유대인들은 강제이송되기보다는 단지 마을에서 걸어 나와 대량 학살당했다. 학살을 피한 사람이나 집에 있다가 발견된 사람은 폴란드인들이 보는 앞에서나 종종 이들이 조력한 가운데 현장에서 사살되었다.

이 지역에 살던 유대인들이 경험한 것은 이 '행동'이 시작되기 전과 진행되는 동안의 극도의 공포였다. 일례로 1942년 봄과 여름 동부 폴란드의 작은 도시 슈체브레진에 사는 수백 명은 매일 무서운 뉴스를 접했다. 보헤미아와 인근 지역에서 유대인을 가득 채운 열차가 인근 수용소로 갔다가 빈 열차로 돌아온다는 소식, 인근 도시 거리에서 공개적으로 유대인을 체포하고 살해한다는 소식을 매일 접했다. 5월 8일 트럭에 찬 헌병들이 들이닥쳐서 유대인 주민들을 집에서 몰아낸 후 걸어서 도시 외곽의 구덩이로 가게 만든 다음 그곳에서 모두를 처형했다. 일부 유대인은 피난처를 찾았지만, 무기를 든 침입자들이 이들을 수색하고, 어린이를 포함해 모두를 '오리처럼' 살해했다. 한 폴란드 의사는 살인자들이 도착하기 전 낮과 밤 동안 점점 커가는 공포를 자신의 일기에 적었다. "지옥이 시작되었다. 여자들은 통곡하며 자신의 옷을 찢었다."[17]

폴란드 거주 유대인의 약 10퍼센트인 25만 명의 유대인들은 이 같은 강제이주와 처형을 피하고, 소련군이 1944년 1월부터 1945년 1월까지 해방군으로 올 때까지 '아리안족' 폴란드인 사이에 숨어 살아남으려고 노력한 것으로 추정된다. 그러나 이들 중 상당수는 살아남지 못했다. 그 이유는 지역 폴란드 주민들이 은신하고 있는 이런 유대인들을 색출하는 데 도움을 주었기 때문이다.[18] 이런 일은 몇 가지 방법으로 이루어졌다.

가장 직접적인 방법은 독일 경찰이 폴란드 마을 지도자들의 협조를 얻어 같이 수색을 할 폴란드 농민 수색대를 조직한 후 숲속을 샅샅이 수색하는 것이었다. 몇 주 만에 게토를 벗어나 은신처를 찾은 유대인들이 대부분 색출되었다. 유대인들은 발견되는 즉시 그 자리에서 독일 경찰에 의해 즉결 처형되었는데, 때로는 폴란드인 부역자인 '푸른 완장을 찬' 폴란드 경찰에 의해 처형되었다. 그런 다음 여러 달에 걸쳐 폴란드와 독일 경찰은 산림 지대를 수시로 수색했고, 유대인들이 벙커나 동굴에 숨어 있다는 보고가 올라오면 바로 수색에 나섰다. 남부 폴란드의 한 지역에서는 게토와 강제수송에서 탈출한 유대인 비율이 약 15퍼센트가 되었다. 이렇게 유대인이 탈출하기 어려운 이유는 독일군이 도처에 있어서가 아니라 폴란드 이웃들의 감시의 눈초리 때문이었다. 이들은 숨어 있는 유대인들에게 전달될까 봐 한 가족이 배급 받은 빵 덩어리 수까지 눈여겨보았다. 유대인들에게 공급하는 식품을 보관한 비밀 식품 창고를 운영하는 폴란드인 가족을 폴란드 이웃들이 독일 경찰에게 신고해서 이 가족 전체가 목숨을 잃은 경우도 있었다.

독일 경찰이 이 가족 전체를 처형한 것은 유대인을 보호한 죄에 대한 처벌 규정에 따른 것이었다. 유대인을 보호한 사람뿐만 아니라 그 가족도 처형 대상이 되었다.[19] 서유럽이나 피보호국에서는 적용되지 않은 극단적으로 엄격한 징벌이 적용된 것이 홀로코스트 기간 동안 폴란드 거주 유대인의 높은 사망률(90퍼센트 이상)을 설명해주는 근거가 된다. 최근 연구에서 역사학자들은 독일군은 폴란드 지하저항군을 돕는 사람도 사형시킨다고 위협했지만, 폴란드인들은 이웃들에 의해 밀고당하는 것을 두려워하지 않고 조국군대 요원들을 보호했다. 바르샤바에서 '아리안 인종'으로 행세하며 거주했던 한 유대인은 다른 폴란드인을 신고하는 것은 금기였지만, 유대인을 신고하는 것은 그렇지 않았던 이 차이에 대해 후에 아래와 같이 회고했다.

독일군에 점령된 폴란드에서 아리아인인 것처럼 위장하며 살면서 나는 내 아버지가 지하저항군을 위해 일한다거나 그가 독일 군수공장 파괴 공작에 관여하고 있다는 것을 낯선 사람에게 거리낌 없이 말할 수 있었다. 이 낯선 사람이 나를 독일군에게 신고할 가능성은 아주 낮았다. 그러나 낯선 사람이나 심지어 아는 사람에게(즉 정보를 누출할 사람) 내가 아리아인 증명서를 가진 위장한 유대인이라고 말하는 것은 자살행위나 다름없었다.[20]

그럼에도 불구하고 유대인을 도운 폴란드인들의 영웅적 행위는 점령자들에 대한 반항이라기보다 이들이 폴란드 이웃들에 의해 배신당할 수 있다는 공포를 눌렀기 때문이다.

이렇게 한 사회가 폭력적으로 분열된 경우는 거의 없었다. 유대인들이 폴란드인들로부터 분리되고, 폴란드인들이 다른 폴란드인들로부터 분리되었다. 야니나 바우만은 어머니와 여동생과 함께 게토를 탈출해 폴란드인들 사이에서 2년을 살았다. 그녀는 그 시기를 이렇게 회고했다.

우리를 보호해준 사람들에게 우리가 그들과 함께 있는 것은 대단한 위험이고, 성가신 일이나 추가적 수입보다 훨씬 많은 것을 의미한다는 것을 이해하기까지 어느 정도 시간과 몇 번의 피난처 이동이 필요했다. 어떤 방법으로건 이것은 그들에게도 영향을 미쳤다. 이것은 그들 안에 있는 고상한 인격이나 비열한 면을 강화시켰다. 어떤 때는 이것이 가족을 분열시켰고, 어떤 때는 남을 돕고 살아남게 한다는 공동의 노력 속에 가족들을 단합시켰다.[21]

그러나 이것이 전부가 아니었다. 나치가 정복한 도덕적으로 왜곡된 세계에서 복수에 대한 공포는 엄청나게 커졌다. 유대인을 구하는 사람들은 폴란드인들의 생명을 위험하게 만들었기 때문에 많은 폴란드인이 보기에 유대인을 구하려는 자기희생적 노력은 이기적인 것으로 보기도 했다. 한 마을의 주민들은 유대인을 보호하던 한 여인이 두 유대인 아이를 익사하게 만들었다는 소식을 듣고 안도의 한숨을 쉬기도 했다(그녀는 실제로는 그러지 않았다). 그녀의 유대인 보호 행동은 독일군의 보복으로 마을 전체를 위험하게 할 수도 있었다.[22] 이와 더불어 마약, 절도, 갈취 등 범죄행위를 하는 사람들은 스스로의 행위를 자랑하기도 했다. 조국군대는 폴란드인의 명예를 걸고 이런 범죄자들을 응징했다. 그러나 유대인을 보호하는 폴란드인들을 갈취하는 행위는 완전히 척결할 수 없는 지하 조직 밑의 지하 범죄였다.

공포와 궁핍은 수백만 명의 폴란드인이 경험하는 일반적 일이었지만, 더 동쪽에서는 굶어 죽을 정도의 배급을 받고 있던 수백만 명의 우크라이나인들과 러시아인들이 자신들의 정부가 없어서 법의 규율 밖에 방치되었다. 이들의 고통과 유대인의 고난의 차이는 지옥에서의 순환 같았다. 유대인들은 단테가 방문하지 않은 곳까지 간 셈이다. 나치의 점령을 받으며 발견되는 즉시 죽임을 당하는 운명이었다. 폴란드인들도 자신이 점령 기간 중 어느 날이라도 체포되어 멀리 추방되거나 인질로 잡힐 수 있다는 것을 알았지만, 꼭 죽음만이 징벌은 아니었다.[23] 바르샤바 거리에서 독일 경찰에 의해 '체포된' 사람들은 인질로 처형될 수 있었지만, 독일에 강제노동자로 보내질 수도 있었다. 그곳의 여건도 공포였기는 했지만, 살아남을 수는 있었다.

살아남은 유대인들도 비유대인이 상상할 수 없는 절망의 절벽에 다다랐다. 이들은 밤이면 쥐들이 얼굴 위를 돌아다니는 헛간이나 다락방에 숨어 있어야 했고, 자신은 살아남을 수 있지만 가족은 그렇지 못할 것이라는 것을 알았다. 유대인들의 고난을 표현하는 다른 말은 유례를 찾을 수 없는 고독과 방치, 타인에의 완전한 의존이었다. 지옥이 내려와서 유대인은 그 속에 갇혔고, 이웃들은 그들을 동료 시민으로 보기보다는 이방인으로 보았으며, 이들의 감정은 적대감에서부터 무관심에 이르기까지 다양했다. 한 은신처에 숨어 있던 유대인은 폴란드인 '친구'가 30명의 부유한 유대인에게 피난처를 제공하지 않은 것을 후회한다는 말을 하는 것을 엿들었다. 그 사람은 이 유대인들을 한 번에 죽게 만들고 그들의 재산을 빼앗을 기회를 잃은 것을 아쉬워했다.[24] 이것이 1943년경 동유럽의 사회생활을 독으로 물들인 인종차별주의적 민족주의와 반유대주의가 치명적으로 결합된 상황을 가장 고통스럽게 보여주는 장면이다. 사람들은 가장 기본적인 인간적 유대 수준에서 동료 시민들을 배척할 수 있었고, 이것이 하나도 이상하게 보이지 않았다.

이와 대조적으로 폴란드인들은 아무리 많은 고통을 당해도 나름대로 희망을 가질 수 있었다. 이들은 최소한 체포되거나 처형되기 전까지 독일군에 저항하는 음모를 꾸밀 수 있었다. 우리는 11세 소년이 지하저항군에 가담하여 위험에도 불구하고 자유를 느끼며 활동한 이야기를 읽었다. 유대인들은 일반적으로 지하저항군에 들어오는 것이 거부되었다. 이것이 1942-1943년 바르샤바 게토에 감금된 젊은 유대인들이 스스로 전투부대를 조직한 이유이다. 이들은 한 달간 중무장한 독일군의 공격을 버텨내기는 했지만, 1943년 4월 완전히 소탕되었다. 이들은 소총, 권총, 직접 만든 폭약을 가지고 싸웠다. 이들은 죽음 앞에서 변화되었다. 이들은 더 이상 앉아서 죽기를 기다리는 저주받은 사람들이 아니라 자신의 운명을 스스로 선택한 인간이었다. 독일군 친위대는 이들과 직접 전투를 벌이기보다는 게토에 불을 질러 이들을 질식사시키는 방법을 택했다. 여기서 살아남은 소수의 유대인은 1944년 여름 바르샤바 봉기 때 무기를 들고 싸웠다.

✳ ✳ ✳

체코슬로바키아 대통령 에드바르트 베네시가 해외로 망명하여 런던에 임시정부를 수립하자 체코 땅에 남은 옛 정당들은 두 개로 축소되었다. 하나는 우파인 민족단합당이었고, 다른 하나는 노동자당이었다. 새 관리들이 정부 부처를 장악했다. 그러나 뮌헨회담 이전에 활동하던 대부분의 정치인들이 계속 활동을 했다. 새 정부는 반유대인 법률을 통과시키기 시작했다. 독일이 이것을 요구해서가 아니라 이들 스스로 독일의 호의를 구하고자 이런 조치를 취한 것이다. 다른 곳에서와 마찬가지로 유대인들이 그간 지역 발전에 아무리 공헌을 했더라도 유대인들은 동료 시민이 아니라 '선의'의 표시로 독일군에게 희생시킬 수 있는 대상에 불과했다. 자신들의 인종 공동체의 이익을 보호하기 위한다는 명분 아래 그렇게 할 수 있었다.

그래서 그동안 주변적이고 눌려 있었던 힘이 제시간을 만났다. 반유대주의가 마지막으로 크게 나타났던 1899년 힐스너 사건 때와 마찬가지로, 뮌헨회담으로 인한 국권 상실의 희생양을 찾아서 일반 대중의 담론도 바뀌었다. 유대인 의사와 변호사들을 비난하는 제보가 신문사에 쏟아져 들어왔고, 뮌헨회담 불과 2주 후인 10월 14일 의사, 변호사 직업동맹은 유대인들의 직업 활동을 금할 것을 요구했다. '수정의 밤'(11월 초 독일에서 유대인 대상 학살이 자행된 것) 후 제2 체코슬로바키아공화국은 유대인들을 보호하지 않기로 결정했고, 이것은 불과 수주 전만 해도 체코슬로바키아 영토였던 수데텐 지역의 유대인에게도 적용되었다. 1939년 1월 루돌프 베란이 이끄는 새 정부는 모든 유대인 공무원을 해임했다. 언론에서는 이류 지식인들이 예전의 고정관념을 다시 자극하고, 경제와 정치에서 유대인의 권력에 대한 다양한 '설명'을 하며, 유대인들은 제대로 체코어를 구사할 줄 모른다며 유럽 전체를 휩쓴 유대인 공격에 가담했다.[25] 강력한 자유주의 신봉자들도 뮌헨회담으로 상실한 영토에 대해 보헤미아 유대인을 비난했다. 프라하의 독일계 대학, 독일어와 체코어를 쓰는 문화 기관, 체코 스포츠클럽은 모두 유대인을 추방했다.[26] 서방 은행으로부터 계속 차입을 할 수 없을지도 모른다는 우려만이 이러한 운동이 더 확대되는 것을 막았다.

1939년 3월 독일군은 체코 땅 대부분을 점령하고 보헤미아-모라비아 피보호국을 만들었다. 알로이스 엘리아스 장군이 이끄는 피보호국 정부는 가능한 빨리 유대인의 자산을 체코인들에게 옮겼다. 여러 달에 걸친 결론 없는 회담 끝에 독일 총독 콘스탄틴 폰 노이라트가 나서서 피보호국 내에서도 뉘른베르크 인종차별 법률이 유효하다고 선언하고, 합법적 방법으로 유대인으로부터 압류한 약 200억 크라운의 재산이 체코가 아니라 독일 손에 들어오도록 만들었다.[27]

체코 주민들의 반응은 다양했다. 체코의 파시스트들은 지흘라바의 시나고그를 불태우고, 유대인 학살을 시작하여 프르지브람과 브루노의 유대인을 공격했다. 많은 일반 체코인들은 반유대인 정책을 혐오했다. 그러나 동유럽 전 지역에서와 마찬가지로 체코인들의 일반적인 태도는 무관심이었지만, 비유대인 주민들이 다음 공격대상이 될 수 있다는 막연한 우려도 커졌다. 이것은 주민들의 순종을 이끌어내고 유대인과의 유대를 축소하는 데 기여했다.[28] 아리안화, 즉 강제로 유대인 재산을 몰수하는 것에 대해 체코인들이 가장 불편하게 느낀 것은 이것이 독일인들 수중에 들어가고, 보헤미아의 독일화를 촉진한 것이다.[29]

독일 본토 내에서는 유대인의 국외 추방을 추진했는데, 이제 이 정책은 보헤미아-모라비아 피보호국으로 확산되었고, 자신의 빈 사무실 지부를 프라하에 설치한 친위대 중령인 아돌프 아이히만이 이 작업을 지휘했다.[30] 나치 당국은 피보호국에 있는 유대인들에게 독일과 오스트리아의 유대인과 똑같은 격리와 파괴 일정을 적용했다. 1941년 가을 독일과 오스트리아 거주 유대인의 외부 이주가 금지되었을 때 피보호국에도 같은 조치가 시행되었다. 약 3만 명의 유대인이 보헤미아-모라비아 피보호국을 벗어난 것으로 추정되지만, 대부분 나이가 많은 8만 명의 유대인은 뒤에 남았다.

독일제국에서 행한 것과 마찬가지로 독일 당국은 유대인을 등록시키고 이들의 권리를 축소했다. 1939년 가을부터 체코의 유대인들은 공원과 주요 공공장소를 방문하는 것이 금지되고, 밤 8시 이후에는 집 밖에 머물 수 없었다. 1940년 11월 이후 이 제약은 극장, 카페, 도서관, 수영장, 체육관, 기차의 침대와 식당 칸(유대인들은 기차 최하등 칸을 이용해야 했다)에도 적용되었다. 유대인들은 하루에 두 시간만 물건을 사러 다닐 수 있으며, 라디오와 애완동물을 소유하는 것이 금지되었다. 1939년 9월부터 유대인은 아무 경고 없이 일자리에서 해고될 수 있었고, 본인 동의 없이 강제노동에 동원될 수 있었다. 1939년 유대인들은 독일 학교에 출석할 수 없었고, 이 조치는 1941년 프라하에도 적용되었으며, 1941년에는 유대인들이 운영하는 직업학교에도 다닐 수 없었다. 1941년 9월 오스트리아와 독일에서와 마찬가지로 피보호국 내의 유대인은 가운데 '유다'라는 글자가 새겨진 노란별을 달고 다녀야 했다.

나치 당국은 점차적으로 체코 유대인이 숨 쉬는 공기를 차단했다. 1941년 여름 동부 폴란드와 소련 일부 지역에서 전면적 유대인 살해가 시작된 후 나치 친위대와 행정 당국은 독일제국(피보호국도 포함)을 '유대인 없는 지역'으로 만들기 시작했다. 10월부터 유대인들을 보헤미아의 한 장소로 집결시키는 계획을 세운 후 프라하 북구 테레지엔슈타트/테레진에 있는 오래된 합스부르크제국 요새를 이 장소로 사용했다. 1941년 10월 수백 명의 유대인이 새로운 정착지로 위장된 이 장소로 이송되었다.

테레지엔슈타트가 선택된 것은 이곳이 점령된 폴란드에 있는 처형 장소로 가는 중간 지점이었기 때문이다. 체코의 도시에서 유대인들을 테레지엔슈타트로 이송하는 작업은 1942년 봄과 여름에 진행되었다. 올로모우츠에서 나치 당국은 유대인들을 집결시켰고, 여기에는 리히텐슈타인 가족의 부모와 두 아들도 포함되었다. 이들은 40파운드의 짐만 가져올 수 있었다. 이들은 기차에 태워져 테레지엔슈타트 요새에서 몇 마일 떨어진 지점에서 내려 짐을 들고 걸어야 했다. 이송된 660명의 유대인 중 상당수가 은퇴 연령이 지난 사람들이었고, 이송 과정 자체가 이들의 육체적 한계를 넘어서는 것이었다. 몇 주간 영양실조, 과밀, 헛된 희망에 시달린 끝에 10월 8일 올로모우츠 유대인들은 다시 1000명을 수송하는 기차를 타고 폴란드의 트레블링카로 이송되었다. 나치는 이곳에 죽음의 수용소를 만들어놓은 상태였다. 마르가레타 리히텐슈타이노바는 남편과 두 아들과 갈라졌고,

그녀를 제외한 가족 모두는 즉시 일산화탄소로 살해되었다.

슬로바키아에서 1938년 10월 6일 상대적인 '자치'를 확보한 직후 반유대인 조치가 바로 시행되었다. 슬로바키아 정부는 사제 요세프 티소가 이끄는 흘린카 인민당의 민족주의자들이 장악했다. 티소는 슬로바키아 민족주의 정치인이었고, 사제 흘린카의 참모였다.[31] 이 정부의 반유대주의는 가톨릭 반유대주의에 뿌리를 두고 있었고, 특히 유대인들은 신을 살해했기 때문에 저주를 받았다는 오랜 믿음에 바탕을 두고 있지만, 이와 동시에 민족주의적·사회-경제적 주장을 근거로 했다. 이 주장의 기본 메시지는 단순했다. 유대인은 슬로바키아 국민의 영원한 적이라는 것이었다. 1938년 11월 독일은 헝가리 주민이 많이 거주하는 슬로바키아 남부 지역을 헝가리에 넘겨주었고, 이것은 슬로바키아인들을 위한 '자유'를 성취했다고 주장한 정권에 대단한 타격이었다. 슬로바키아 정부는 이 참사의 책임을 유대인에게 돌리는 것으로 대응했고, 약 7500명의 유대인을 헝가리에 할양된 지역으로 추방했다. 슬로바키아의 유대인 인구는 13만 6737명이었지만, 1938년 11월 이후 8만 9000명만이 남게 되었다.

1939년 슬로바키아가 독일 괴뢰국가로 명목적으로만 독립국이 되자, 정부는 신속하게 반유대인 입법을 진행했다. 이 작업은 슬로바키아에 유대인 문제 고문관으로 파견된 나치친위대 장교 디에테르 비슬레체니가 주도했다. 4월에 유대인에 대한 첫 정의가 내려지고, 이것은 유대인을 의학, 언론, 법률 분야와 대학에서 몰아내는 기초로 사용되었다. 첫 아리안화법인 113/1940 규정에 의해 유대인 재산을 압류하여 비유대인에게 넘겨주는 조치가 시행되었다.[32] 1941년 통과된 유대인 규정 198호는 유럽에서 가장 무자비한 것이었다. 이것은 인종적으로 유대인을 정의하고, 유대인 학생들을 중고등학교에서 퇴학시키며, 유대인들을 사회, 문화, 스포츠에서도 배제했다. 유대인에게 새벽, 밤 통금을 적용하고, 유대인들의 모임과 여행도 금지시키며, 육각형의 별을 달고 다니도록 만들었다.

1942년 초 독일은 2만 명의 슬로바키아 유대인을 '동방' 지역으로 보낼 것을 요구했다. 티소 정부는 이에 순응하고, 유대인 인구 대부분을 강제이송시킬 것을 제안했다. 젊은 유대인 남녀를 노동자로 8편의 기차에 태워 보낸 다음, 4월에 유대인 가족들 전체를 집결시켜 기차에 태워 이송시켰다. 6월까지 5만 2000명의 유대인이 강제이송되었고, 그 이후 이 작업은 좀 더 느리게 진행되었다. 흘린카당 요원들의 잔인한 행동은 슬로바키아 주민 일부의 반발을 샀고, 정권 내에서도 강경파 인종차별주의자와 온건파 인사들 사이에 분열이 일어났다(티소 사제는 그 중간에 있었다). 당시 슬로바키아는 독일군에 의해 직접 지배를 받지 않은 상태에서 토착 관리들이 유대인을 색출해서 강제이송시킨 유일한 국가였다.[33]

약 3만 명의 유대인은 기술자나 수의사 등 쓸모 있는 인력으로 분류되어 이송되지 않고 남았고, 이들 중 상당수는 헝가리로 탈주하거나 은신했다. 1944년 8월 슬로바키아군의 지원을 받은 반나치 봉기를 진압하기 위해 독일군이 슬로바키아를 점령했을 때, 독일군은 1만 3000명의 유대인을 다시 한 번 강제이송했고, 나치친위대는 1000명의 유대인을 살해했다. 지속적인 물품 공급 문제가 있기는 했지만, 독일군 점령 시기 내내 비유대인 슬로바키아 주민들은 높은 생활수준을 유지했다.[34]

크로아티아에서 진행된 일도 지역적으로 다소 차이는 있었지만, 전체적으로는 다른 국가들과 비슷했다. 1941년 권력을 잡은 안테 파벨리치 정권은 유대인들에게 표식 배지를 달고 다니도록 의무화했다(6각 별에 유대인을 뜻하는 židov의 첫 글자인 Ž가 들어 있었다). 또한 유대인 재산 등록을 의무화하고 별도의 세금을 내게 만들었다. 새 정권은 유대인들을 강제노동으로 내몰았고, 1941년 6월과 11월에 통과된 법령으로 유대인 대규모 체포의 '법적' 기반을 만들었다. 당국은 악명 높은 야세노바츠 수용소를 비롯한 집단 수용시설을 만들었고, 우스타샤는 20만 명 이상의 세르비아인과, 크로아티아와 보스니아-헤르체고비나에 거주하고 있던 3만 명의 유대인 대부분을 살해했다. 1942년 여름 크로아티아 정부는 4927명의 유대인을 아우슈비츠 수용소로 이송했고, 거기서 이들은 거의 예외 없이 죽음을 맞았다. 불특정 숫자의 유대인이 이탈리아군이 점령한 크로아티아 지역에서 보호를 받았는데, 이탈리아가 1943년 전쟁에서 이탈하자 독일군이 이 지역에 진주하여 이 유대인들을 체포했다.[35]

우스타샤 정권으로서는 반유대인 정책은 반세르비아주의보다는 중요하지 않은 부수적 문제였다. 우스타샤에 이념적 영감을 준 요시프 프랑크(1844-1911)는 유대인이었고, 두 명의 유명한 우스타샤 처형자의 장인이자 할아버지였다. 그러나 이탈리아 파시스트 집단처럼 우스타샤가 일단 반유대 정책으로 돌아서자, 이들은 철두철미하게 잔인했다. 1943년 우스타샤의 가장 카리스마적인 청년 지도자이며 세르비아인을 극도로 증오하는 블라드코 싱어는 유대인이라는 것이 한 원인이 되어 살해당했다.

독일은 세르비아에 거주하는 상대적으로 수가 적은 유대인 주민들(약 1만 2000명)에게 직접 접근할 수 있었다. 1941년 4월 세르비아 수도 베오그라드를 점령한 지 불과 몇 주 만에 나치 당국은 유대인들을 등록시키고, 5월에 유대인 배지를 달게 만들었다. 괴뢰 정부 지도자인 네디치 장군은 5월 31일 반유대인 법령을 공포하고, 유대인들로 하여금 재산을 등록하게 만들며, 경제활동 참여를 금지시켰다. 나치가 소련을 공격한 후 유대인에 대한 억압적 조치는 강화되었다. 나치 당국은 유대인 공동체가 매일 40명의 인질을 제공하도록 요구했고, 이들은 독일군에 대한 파르티잔 공격에 대한 보복으로 거의 매일 처형당했다. 7월 당국은 유대인 재산에 대한 '아리안화' 조치를 시작하고, 8월에는 유대인 성인 남성들을 감금한 다음, 이후 몇 달 동안 이들 중 5000명을 총살했다. 이들을 처형한 이유는 독일군에 대한 공격에 대한 대응이었다. 12월 독일 당국은 유대인 여성과 아동도 감금하고, 다음해 봄 이들을 소위 '가스 트럭'에서 질식사시키는 방법으로 살해했다. 독일군의 보복 행위는 세르비아인과 집시들에게까지 확산되었다 (세르비아에 있는 10만 명의 집시 중 약 1000명이 처형당했다).[36]

발칸 동맹국가들에서의 유대인의 운명

동유럽 지역에서 나름대로 유대인을 잘 보호한 국가로 불가리아가 칭송을 받았다. 불가리아는 부적절하지만 유대인을 적극 보호한 덴마크에 비유되었다. 덴마크에서는 주민들의 지원을 받은 저항세력이 1943년 약 8000명의 유대인을 스웨덴으로 탈출시켰다. 그해 불가리아 사회의 일부 정파는 불가리아의 유대인 주민을 보호하기 위해 나섰다. 그러나 이것은 불가리아 정부가 수년에 걸쳐 유대인들의 지위를 격하시키고, 트라키아와 마케도니아 지역 유대인을 독일의 죽음의 수용소로 보낸 다음에 시작되었다. 유대인을 강제이송시킨 것은 암묵적 거래의 일환이었다. 불가리아는 독일의 인종 정책을 지지한다는 조건으로 트라스 지역을 그리스로부터, 마케도니아 지역을 유고슬라비아로부터 얻었다. 불가리아가 독일과 달랐던 것은 유대인 파괴의 연쇄 과정, 즉 인종차별법에 의한 유대인 정의, 재산 압류, 게토 감금, 죽음의 수용소로의 이송을 최종 단계에 이르기 전에 중단했다는 것이었다.[37] 그러나 불가리아 국왕과 정부가 유대인 파괴의 초기 단계를 시행하는 동안 이들은 체계가 없이 이런 작업을 진행해서 독일 당국을 당황시켰다.

불가리아는 1930년대 나치의 궤도에 들어갔다. 독일은 불가리아의 수출에서 점점 큰 비중을 차지했다. 1932년 32퍼센트였던 독일 수출 비중은 1939년 67.8퍼센트까지 높아졌다.[38] 독일은 경제 상태가 절망적이고 공황에 빠진 루마니아, 유고슬라비아, 헝가리로부터도 곡물을 수입했지만, 불가리아만큼 독일에 교역을 의지한 동유럽 국가는 없었다. 불가리아의 보리스 국왕은 실지회복주의자였지만 독일이 슬로바키아 영토 일부를 헝가리에 넘긴 다음 독일과 협력하는 것이 이익이라는 것을 안 다음에도 영토를 회복하겠다는 욕망으로 인해 자신의 모든 운명을 독일에 걸지는 않았다. 그는 전쟁으로 치닫는 것이 분명한 나치 정권의 동맹으로 끌려들어가는 것을 두려워했고, 불가리아의 이익은 중립을 통해 가장 잘 지켜질 수 있다고 믿었다. 그는 1939년 9월 전쟁이 발발한 다음에도 소련이나 발칸 동맹국과 동맹을 맺는 것을 거부하며 유혹을 이겨냈다.[39]

보리스 국왕이 나치 독일과 일정한 거리를 유지하려고 하자 독일은 1940년 9월 그를 회유하려고 나서서, 루마니아와 불가리아의 협정을 주선하고 불가리아의 주요 실지회복 목표를 달성하도록 도와주며 불가리아가 소련 궤도로 들어가지 않도록 신경을 썼다. 루마니아는 남도브루자를 불가리아에 양도해야 했다. 이러한 영토 획득은 불가리아 국민에게 큰 기쁨을 안겨주었고, 이듬해 봄 그리스와 유고슬라비아로부터 트라스와 마케도니아가 불가리아에 할양되었다. 당시 독일-소련 동맹 덕분에 불가리아는 독일과 밀접한 관계를 유지하며 소련과의 관계도 강화할 수 있었다. 1940년 소련과의 무역 협정으로 소련으로부터 책, 신문, 영화가 수입되었고, 1940년 8월 소련 축구팀이 불가리아에서 순회경기를 하며 많은 관중

을 끌어모았다.[40]

이와 동시에 불가리아는 파시스트적 질서를 확립해나가기 시작했다. 제복을 입은 청년 단체가 조직되고, 노동 봉사가 의무화되고 인기가 높은 프리메이슨 여관들이 폐쇄되고, 유대인에 대한 제약이 강화되었다. 1940년 2월 불가리아 정부 내에서 강하게 반유대인 목소리를 내던 페타르 가브로프스키가 총리에 임명되었다.

1940년 11월 불가리아는 의회 내의 반대 의견에도 불구하고 첫 반유대 법안을 마련했다. 그러나 독일과 다르게 세례를 받은 유대인이나 비유대인과 결혼한 유대인은 유대인으로 분류하지 않았다. 이 법은 또한 한 명이나 두 명의 친외조부모를 가진 사람도 유대인으로 분류하지 않았다.[41] 독일과는 다르게 불가리아는 유대인 인구의 10분의 1을 차지하는 전쟁 참전 용사와 가족, 장애인, 고아에 대해서는 특별한 규정을 만들었다. 이것은 슬로바키아와 루마니아의 경우와 유사했다. 그러나 이것을 제외하고는 이 법은 유대인을 불가리아의 생활로부터 배제하는 것을 목표로 했고, 고용, 재산 소유, 교육을 제한했고, 유대인이 불가리아인과 결혼하는 것과 불가리아 이름을 쓰는 것을 금지했다. 이 법은 유대인들로 하여금 노동집단legion에서 일하도록 만들었고, 유대인 재산을 국가가 압류하는 것을 목적으로 한 '특별세'를 납부하게 만들었다.[42] 이 법은 유대인을 불가리아 생활에서 배제하는 데 그친 것이 아니라 광의의 목적은 민족적 인종청소의 일부가 되었다. 기독교인과 이슬람 주민 사이의 결혼도 금지되었다.[43]

유고슬라비아와 마찬가지로 불가리아도 1941년 초 독일, 이탈리아, 일본의 3국 동맹에 가담했다. 그러나 불가리아는 1차 세계대전 때 독일의 동맹국이었기 때문에 세르비아인들과 다르게 불가리아인들은 이 정책을 배신적으로 보지 않았다. 동맹 조약이 체결되기 전에 30여 명의 독일 장교들이 비밀 협의를 위해 소피아에 도착했고, 두 달 후 불가리아는 독일군이 그리스로 진격하는 것을 돕기 위해 도나우강에 부교를 건설하는 것에 동의했다. 그러나 불가리아는 1941년 12월 일본이 진주만을 공격할 때까지 기다리고 있다가 서방 동맹국에 선전포고를 했다. 보리스 국왕은 이를 막기 위해 맹렬히 저항했다. 결국 선전포고에 동의한 다음 그는 사람들 시야에서 사라졌고, 몇 시간 후 알렉산드르 네프스키 수도원 구석에서 기도하고 있는 모습이 발견되었다.[44]

그리스와 유고슬라비아가 독일에 의해 주권을 상실한 가운데 불가리아가 트라스와 마케도니아를 노획물로 얻자, 독일 당국자들은 유대인에 대한 추가적인 압제 조치를 요구했고, 불가리아 정부는 이에 순응했다. 1942년 불가리아 정부는 유대인 문제 전담 인민위원회를 만들어서 유대인을 소피아와 다른 주요 도시에서 추방하고, 유대인들은 다비드의 별을 달도록 명령했다. 2인 유대인 가족은 한 방에서, 4인 가족은 방 2개에서 생활해야 했다.[45] 추가적인 20퍼센트의 세금이 유대인 재산에 부과되었고, 대부분의 유대인 기관은 해체되었고, 유대인들은 사업체를 팔아야 했다.

이러한 조치들은 전혀 인기가 없어서 언론은 이 조치들을 보고하지 말라는 명령을 받았다. 소피아의 독일 집정관(전 돌격부대장이었던 아돌프 베케를레)과 불가리아 의회는 1942년 8월 '새 영토'인 트라스와 마케도니아의 유대인들의 불가리아 시민권을 박탈하는 법안을 통과시켰다.[46] 이 시점에 불가리아는 유대인 문제에 있어서 독일에 가장 적극적으로 협조하는 국가로 보였다. 이탈리아, 루마니아, 헝가리, 심지어 프랑스의 비시 정권도 불가리아보다는 반대를 했고, 독일 당국이 크로아티아와 슬로바키아와 대화를 하는 과정에서는 불가리아를 모델로 언급할 정도였다.[47] 1942-1943년 친위대의 정보총국은 불가리아 유대인 문제 인민위원과 접촉하여 불가리아의 유대인을 독일로 이송할 것을 요구했다. 그 결과 1943년 3월 불가리아 당국은 약 1만 1000명의 유대인을 트라스와 마케도니아에서 죽음의 수용소로 이송시켰다. 그러나 인민위원회가 그해 여름 구舊불가리아 영토에서 유대인을 강제추방할 계획을 세우자 저항이 일어났다.

그 시점까지 불가리아의 최고 지도자들은 자신들의 선택의 입지를 유지하며 독일에 협력했지만, 이제 점점 더 국가 기관, 특히 헌법 규정을 인용하며 독일을 기만하고 독일의 요구를 집행하는 것을 미루었다.[48] 이러한 전략은 전쟁 전반에 적용되었고, 특히 나치가 '유대인 문제의 최종 해결'이라고 부른 정책에 적용되었다. 소련으로 군대를 파병하라는 요청을 받았을 때 보리스 국왕은 자신의 나라는 독일의 전격작전Blitzkrieg에 맞는 무기를 가지고 있지 못하고 러시아에 대한 불가리아인들의 전통적 우애가 소련에 대항한 협력을 제한하고 있다고 핑계를 댔다. 그는 불가리아의 자원군이 소련을 상대로 싸우는 것도 허용하지 않았다.[49]

보리스 국왕은 유대인 탄압 정책 시행을 다양한 방법으로 가로막았다. 1942년 말 독일 외교관들은 이러한 불가리아 정책에 불만을 표현했다. 불가리아 유대인의 20퍼센트만이 6각형 배지를 수령했고, 이를 달고 다니는 것을 거부하고 있으며, 불가리안 정부는 유대인 배지를 만드는 공장에 전기를 제대로 공급하고 있지 않고, 노동 대대의 유대인들은 배지가 없는 일반 작업복을 입고 있다는 것을 지적했다.[50] 나치친위대 정보국은 이러한 주저가 스페인, 이탈리아, 헝가리, 루마니아, 심지어 프랑스 비시 정권 같은 외국의 압력으로 인해 일어난 것으로 보았다. 그러나 좀 더 중요한 요인은 불가리아 사회에서 이러한 인종차별에 대한 거부감이 강했다는 점이었고, 이것은 엘리트층과 정교회 공의회도 마찬가지였다. 교회 지도자들은 모든 인간은 신 앞에 동등하다는 기독교 교리를 인용하기도 했다.

트라스와 마케도니아에서 유대인 추방이 아무 저항 없이 일어난 것은 그 지역의 유대인은 불가리아 국민으로 생각하지 않았기 때문이다. 그러나 이들이 폴란드로 이송되는 과정에서 잠시 불가리아에 머문 것이 알려지면서 일반 국민은 양심에 충격을 받았다. 이송되는 유대인들은 음식, 물, 보건 혜택이 전혀 제공되지 않고 수시로 폭력에 시달렸다. 이제 불가리아 시민들은 더 이상 유대인을 이송하는 것이 어떤 결과를 가져온다는 것을 알게 되었다. 이것은 유대인 완전 절멸의 첫 단계였다. 불가리아 의회 부의장 디미타르 페셰프는 40명의 의원의 지원을 얻어 정부 정책을 비판했고, '최고위층으로부터의 암시'(보리스 국왕으로 추정됨)를 받고 구舊불가리아 영토에서 유대인을 강제이송하는 것을 중단하라는 명령을 내렸다.

그러나 독일은 계속 압력을 가했다. 독일 외무장관 리벤트로프는 1943년 4월 보리스 국왕이 베를린을 방문하자 국왕에게 1월에 합의된 6000명의 유대인 이송이 진행되지 않는 것에 대해 불평을 토로했다. 보리스는 이 유대인들은 자국 내 도로 건설 공사에 필요하다고 변명했다. 현지의 독일 감독자들은 다른 방식의 기만에 대해 보고했다. 불가리아 당국은 폴란드로 유대인들을 추방하는 대신에 이들을 시골 지역에 보내려고 한다고 보고했다.[51] 광신적인 베케를레도 불가리아가 행동에 나서게 할 추가적 방법이 없다고 느꼈다. 불가리아인들은 아주 오랜 기간 동안 아르메니아인, 그리스인, 집시 같은 타민족과 같이 살았기 때문에 불가리아인들은 유대인을 특별한 적으로 보지 않는다고 그는 독일 외무부에 보고했다. 실제로 불가리아 사회 내에서 유대인을 강제추방하는 계획은 위협이자 폭정으로 간주되었고, 조치가 시행되기 전에 가두시위가 벌어지고, 정교회 공의회를 비롯하여 두노비스트 종파Dunovist Christian sect[*]의 유대인과 친분이 있는 기독교인들이 이를 가로막고 나섰다. 자신들의 기독교 신앙에 떠오르는 해에 대한 숭배를 포함시킨 두노비스트 종파는 왕실에서 영향력이 컸는데, 유독시아 공주, 국왕의 자문관들과 아마도 보리스 국왕도 이 종파에 속했다. 신비주의적이고 비교 종교학자인 다니엘 치손이라는 랍비는 신으로부터의 경고라며 유대인을 압제하는 것을 반대하는 건의문을 보리스 국왕에서 전달하기도 했다.[52]

유대인을 구하려는 불가리아 정치인들과 교회 지도자들의 비범한 노력에도 불구하고, 이러한 저항에는 한계가 있었다. 보리스 국왕은 유대인 문제가 처리가 되어야 할 심각한 문제라고 여전히 생각했다. 1943년 4월 그는 정교회 공의회 멤버들에게 유대인과 이들의 '이익을 편취하는 정신'이 현재의 '지구적 대재앙'에 큰 책임이 있다고 말했다.[53] 동유럽 지역의 다른 정치 지도자들과 마찬가지로 그는 민족 국가를 강화하는 데 우선적 관심이 있었고, 그것이 그가 유대인과 다른 비불가리아계 소수민족들의 지위를 격하시키고 시민권을 박탈한 이유가 되었다. 만일 독일이 소련과의 전쟁에서 승리를 했다면 보리스 국왕은 유대인들을 죽음의 수용소로 이송하는 데 동의했을 가능성이 컸다. 만일 그랬다면 다른 거의 모든 유럽 국가에서 유대인들이 목숨을 잃지 않은 대신 불가리아는 유대인의 지옥으로 기억되었을 가능성이 컸다.

그러나 보리스 국왕과 다른 영향력 있는 불가리아 지도자들은 독일이 전쟁에서 지고 있다는 사실을 무시할 수 없었고, 연합국의 보복을 두려워

• 1918년 불가리아의 페타르 둔노프가 만든 종파로 일명 '하얀 형제회(White Brotherhood)'라고도 불린다. 기독교 교리, 신지학(神智學), 대중과학이 신비주의, 비술과 결합되었다. 둔노프는 몇 세기에 한 번씩 주군(Master)이 나타나 인간이 '우주적 양심'과 하나가 되게 돕고, 그리스도나 마호메트가 그런 존재라고 주장했다.

했다.[54] 미군 폭격기들이 루마니아의 플로이에슈티 유전을 폭격했을 때 보리스 국왕은 이들을 격퇴하는 데 협조하라는 독일의 요청을 거부했다. 그는 소련을 적대시하는 것을 거부해서 다른 곳에서는 일상적으로 진행되는 반소련 선전이 불가리아 언론에 실리는 것을 허용하지 않았다. 소련군이 베를린을 향해 진격하자 불가리아의 반독일 세력은 크게 고무되어 우익 지도자들을 무차별 공격했다. 1943년 2월 흐리스토 루코프가 반독일 세력에 의해 살해되었다. 이러한 암살 시도는 다음해 봄까지 이어져서 전쟁이 소피아 시내까지 '다가오고 있다'는 것을 보여주었다. 8월 보리스 국왕은 동프로이센에서 그해만 세 번째로 히틀러를 만난 직후 심장마비로 사망했다. 그가 독살을 당했을 가능성도 제기되었지만, 수용할 수 없는 여러 요구에 시달리며 정신적 스트레스를 받은 것이 사망 원인이었을 가능성이 컸다.[55]

1943년 7월 연합군은 시칠리아에 상륙하여 독일의 남동부 유럽 장악력을 위협하고, 발칸 지역에 추가적으로 상륙할 수 있다는 추측이 나왔다. 1943년 9월 이탈리아 정부는 연합국에 항복을 했고, 불가리아, 루마니아, 헝가리는 재빨리 동맹을 바꾸어 독일과의 연계를 끊으려고 노력했다. 이 국가들은 기회주의적 행동으로 독일제국과 동맹을 맺었지만 이러한 행동이 이제 큰 부담이 되었다.

＊　＊　＊

불가리아와 마찬가지로 루마니아도 1930년 교역 관계를 통해 독일에 밀접히 의존하게 되었다. 그러나 1940년 독일의 중재로 인해 루마니아는 소련, 헝가리, 불가리아에 영토의 상당 부분을 잃게 되었다.[56] 이러한 영토 상실은 큰 타격이 되어 1940년 9월 카롤 국왕은 아들인 미하일에게 제위를 물려주고 멕시코로 탈출했다. 이렇게 되면서 군총사령관인 이온 안토네스쿠의 독재가 시작되었으나, 철위부대의 영향력이 아주 커졌다.[57] 안토네스쿠는 1940년 11월 23일 3국 동맹에 가담하면서 독일 편에 섰다. 그러나 그의 정부는 급진파와 극우 민족주의자들 사이의 긴장으로 인해 출발부터 불안했고, 1941년 1월 철위부대가 안토네스쿠의 독재적 통치에 대한 항의로 쿠데타를 시도하면서 정부는 와해되었다. 안토네스쿠는 영도자Condukcător를 자처하면서 반파시스트 방식으로 사태를 해결했다.

이틀 동안 진행된 군사 반란(1941년 1월 21-22일)에서 유대인 학살이 자행되어 '철위부대'는 125명의 유대인을 살해하고, 유대인 재산을 약탈하며, 두 개의 시나고그를 불태웠다. 도축장에서 벌어진 범죄와 같은 이러한 만행은 너무 끔찍해서 독일 기자들도 이를 보도하는 것을 꺼렸다.[58] 안토네스쿠는 곧 전위대를 제압하고 상황을 통제했고, 독일은 부헨발트 집단수용소의 한 구역에 철위부대 지도자들의 피난처를 제공했다. 이들은 히틀러가 필요할 때 써먹을 수 있는 볼모가 되었다. 잠시 독일은 반파시스트 독재자인 안토네스쿠가 파시스트인 철위부대에 의존하고 있는 것을 긍정적으로 평가했다. 안토네스쿠는 1940년 상실한 영토를 되찾기 위해 독일의 비위를 맞추는 데 힘을 쏟았다.

안토네스쿠는 불가리아나 헝가리를 통치하는 권위주의적 지도자들보다 더 인종차별주의자였다. 1941년 6월 독일과 동맹국이 소련을 공격한 지 불과 며칠 만에 그는 몰도바의 수도인 "이아시의 유대인 인구를 청소하라"는 명령을 내렸다.[59] 전년도에 소련에 양도한 베사라비아와 인접해 있는 이 도시는 루마니아군이 소련에 대한 공격을 시작한 후 루마니아군이 탈환한 상태였다. 이 도시의 유대인들을 소련군의 부역자로 몰아세운 안토네스쿠는 소련과 전투를 치르는 루마니아 병사들의 작전을 위험하게 만드는 사람은 모두 처형하겠다고 위협했다. 6월 25일 루마니아 특수정보국은 소련 공수부대가 후방인 이아시에 투하되었다는 소문을 퍼뜨린 후 지역의 폭력배, 범죄자, 하층민들을 이용해 유대인 학살을 시작했다. 법의 지배는 정지되었고, 유대인들에게 폭력을 행사하고 이들의 재산을 약탈하고자 하는 사람들은 마음대로 그렇게 할 수 있었다. 이러한 학살에서 살아남은 일부 유대인들은 기차에 실려 추방된 다음, 음식과 물도 제공되지 않은 상태에서 시골 지역 이곳저곳을 이동했다. 유대인을 실은 가축 칸에는 '공산주의자 유대인들', '독일군과 루마니아군 살인자들'이라는 글자가 쓰였고, 가끔씩 정차하여 이동 중 죽은 유대인 시신을 기차 칸에서 하역했다.[60] 이아시 거주 유대인(약 4만 5000명) 중 1만 4000명 이상이 이 학살로 사망했다.

이것은 독일을 제외하고 유럽 전체에서 정권이 자국의 국적을 가진 유대인들을 자국 내에서 처형한 유일한 사례였다. 안보에 대한 우려는 인종 전쟁을 가리는 위장막에 불과했다. 안토네스쿠는 공개적으로 여성과 아동들의 체포도 지시했다.[61] 독일군과 루마니아군이 소련 영토로 신속하게 진격하면서 자신들이 장악한 영토를 인종적으로 순수한 영토를 만든다는 초민족주의적 목표가 실현될 수 있는 새로운 길이 열렸다. 안토네스쿠가 '우리의 핵심적 공간'이라고 부른 곳에서 '지역을 청소'하라고 압박을 가했다.

안토네스쿠는 1940년 10월 독일군이 루마니아 영토 내로 진입하는 것을 허락했고, 일부 독일군은 이아시 유대인 학살에 참여했다. 이들은 이 만행을 '자의적인 대중 폭력을 통제하는' 임무라고 불렀다. 독일 장교들은 유대인 살해를 담당한 루마니아 부대와 협력을 했고, 양측은 하나의 작전하에 움직였다. 이것은 우연히 이루어진 일이 아니었다. 6월 히틀러는 안토네스쿠에게 '동방의 유대인을 처리하는 지침'을 전달했다.[62] 이제 하인리히 힘러의 친위대 장고들이 부쿠레슈티로 와서 '유대인 문제'의 자문관이 되었다. 루마니아 정치인들은 출신 배경을 떠나서 독일이 전쟁에서 승리하는 동안 충실한 종복이 된 것처럼 보였다.

부총리인 미하이 안토네스쿠(안토네스쿠 장군과 혈연적 관계는 없음)가 대표적인 예였다. 1930년대 그는 극우파와 반유대주의를 비판하는 민족자유당에 소속된 비교적 온건파 성향의 정치인이었다.[63] 그러나 1941년 7월 그는 "우리 영혼에 이질적인 요소를 가진 사람들을 청소할 수 있는 … 우리 역사에 가장 좋은 기회가 왔다. … 잡초처럼 자란 이들은 우리의 미래를 어둡게 만들었다"라고 주장했다.[64] 그의 발언은 베를린과 자그레브에서 유대인을 겨냥하여 나온 말을 그대로 본 딴 것이었다. 미하일 안토네스쿠는 최근에 '해방된' 부코비나와 베사라비아에서 폭력을 행사할 것을 약속했다. 그는 7월 8일 내각에 이렇게 지시했다.

나는 베사라비아와 부코비나에서 모든 유대인을 강제로 이주시킬 것을 지시한다. … 당신들은 인정사정 보지 말아야 한다. 나는 루마니아 국민들이 이렇게 완전한 행동의 자유를 누리기 위해서 몇 세기를 기다려야 할지 알 수 없다. … 이 기회를 이용해야 한다. 만일 필요하다면 기관총을 사용하라. 나는 역사가 우리를 야만인으로 기억해도 큰 신경을 쓰지 않는다. … 나는 공식 책임을 질 것이고, 법은 필요 없다고 당신들에게 강조한다.[65]

이어서 자행된 유대인 살해는 세심하게 진행되었다. 루마니아군은 베사라비아와 부코비나에 선발부대를 구성하여 "마을들에서 유대인들에 대한 비우호적인 분위기를 조성한 후 주민들로 하여금 … 스스로 이것을 제거하도록 하라"는 지시를 내렸다. 루마니아군이 도착한 다음에는 "이러한 감정을 조성해야 하고, 행동에 옮겨져야 한다"는 지시가 이어졌다.[66] 이러한 명령은 독일 본토에서 내려진 명령과 거의 비슷했다. 이 기간에 독일에서는 친위대 처형부대가 독일국방군 사단들을 따라 폴란드, 리투아니아, 우크라이나로 진입하고 있었다.

7월 초 지역 주민들의 도움을 받은 루마니아군은 남부 부코비나 마을의 유대인 주민들을 처형했고 동쪽 지역으로 만행을 확대했다. 최근까지 합스부르크제국 유대인 문화 중심지였던 체르노비치/체르나우치/체르닙치에서 나치 친위대뿐만 아니라 독일 정규군 병사들이 루마니아군과 합세하여 유대인 인구 대부분을 색출하여 살해했다. 독일군 부대는 루마니아군의 잔인함에 충격을 받았다고 주장했고, 친위대 처형부대는 루마니아인들이 '이 작전에서 좀 더 계획적인 절차를 따르도록' 설득하라는 명령을 받았다.[67] 독일군은 루마니아군이 시체를 매장하지 않고, 뇌물을 받고, 강간과 약탈을 일삼는 것을 반대했다(일례로 시신으로부터 귀금속을 탈취하는 것).

살아남은 유대인들은 드네스트르강으로 끌려가서 총살당한 다음 강물에 버려졌으며, 나머지 유대인들은 베사라비아의 '게토'의 이루 말로 할 수 없는 환경에 감금되었다. 다음으로 '트랜스니스트리아'라고 불리는 드네스트르강 너머 우크라이나 소비에트공화국 영토를 점령하고 합병한 다음 루마니아군은 이곳에도 수용소를 만들었고, 숫자 미상의 유대인을 살해했다.[68] 루마니아군은 수감자들에게 정기적으로 음식을 배분하지 않았고, 일부 수감자는 풀로 연명했다. 악명 높은 보드가놉카 수용소에서는 빵 공장이 금을 받고 빵을 팔았고, 금이 다 떨어지자 수용소장은 유대인 대량학살을 명령했다. 루마니아군은 부크강 언덕에서 약 4만 명의 유대인을 총살했고, 크리스마스 축일 중에는 잠시 휴식을 취했다.[69] 1941년 10월 루마니아군은 강력한 저항을 물리치고 우크라이나 남부 지역 중심지인 오데사를 점령했다. 은닉된 폭탄이 폭발하여 루마니아군 장교들이 죽자, 안토네스쿠는 보복을 명령했고, 홀로코스트 역사상 가장 잔인한 살해로 1만 8000명의 유대인이 목숨을 잃었다. 1942년 봄까지 인간이 만든 지옥은 최소한 10만 명의 유대인 목숨을 빼앗아갔다.[70]

독일은 유대인에 대한 잔인한 루마니아 정책에 충격을 받았지만, 루마니아가 통치하는 우크라이나 지역의 외형적 평화와 번영에 큰 인상을 받았다. 1941년 가을 유대인 학살이 끝난 다음 오데사는 빠르게 일상을 회복했다. 새로 들어선 루마니아 행정 당국은 처음에는 위축되었으나 곧 자리를 잡고서 새로운 미용실, 카페, 상점, 여관, 영화관이 생겨나며 개인 사업장이 번영하는 것을 목격했다. 지역 주민들을 공포에 떨게 하는 대신 루마니아 당국은 트랜스니스트리아 마을 주민들이 자신의 아동들을 교육시키는 언어를 선택하는 투표를 하도록 허용하고, 우크라이나인으로 구성된 보조경찰대를 만들었다.[71]

안토네스쿠 정권이 베사라비아와 트랜스니스트리아 유대인들을 기꺼이 멸절하는 것을 본 독일 당국은 다음으로 루마니아 본토의 유대인도 완전히 제거할 수 있다는 확신을 갖게 되었다. 실제로 안토네스쿠는 루마니아 거주 유대인들을 베사라비아로 추방하기를 원했지만, 현지 친위대의 업무 과중을 염려한 독일은 1941년 8월 이를 중지시켰다. 루마니아 당국은 본토와 트란실바니아의 유대인의 권리를 제한하고, 재산을 압류하며, 이들을 노동대로 조직하고, 전문 직업에서 쫓아냈다.[72] 이 과정은 '루마니아화'라고 불렸다. 루마니아가 독일과 같이 행동을 했다면 다음 단계는 유대인 대량 학살이었고, 실제로 루마니아 유대인들을 폴란드의 죽음의 수용소로 이송하는 계획이 세워졌다. 독일 철로는 필요한 철도 차량을 준비하고 이송 경로에 대한 계획을 짰다.[73] 그러나 1942년 여름 루마니아는 독일에 협조하는 것을 중단했다.

이에 대한 설명은 다양하다. 유대인 문제 담당 루마니아 인민위원 라두 레카는 이미 유대인들로부터 받은 뇌물로 부를 쌓았는데, 1942년 8월 베를린 방문 때 무시를 당한 것에 모욕감을 느꼈다는 소문이 돌았다. 그와 동료들은 2류 국가 공무원으로 취급받는 것과 자국 내의 유대인들에 대해 이렇게 저렇게 하라는 지시를 받는 것에 이미 염증이 난 상태였다.[74] 그러나 변화를 가져올 수 있는 시간이 되었다. 루마니아는 다른 어느 나라보다 많은 병력을 동부 전선으로 보냈고, 독일제국의 패망이 다가오고 있다는 것을 가장 잘 깨달았다. 1942년 무장과 보급이 제대로 갖추어지지 않은 루마니아 2개 군이 스탈린그라드 인근에 포진했고, 안토네스쿠는 히틀러에게 신형 무기 공급을 요청했다. 그러나 이 요구와 다른 요구는 모두 거절당했다.

루마니아 지도부는 유대인에 대한 학정으로 인해 서방으로부터 오는 경고에 점점 더 극도로 예민해졌다. 프랭클린 루스벨트 미국 대통령은 뉴욕에서 열린 세계유대인대회World Jewish Congress에서 "유대인을 학살한 국가에 대한 징벌이 이번 전쟁의 목표 중 하나다"라고 선언하고, 추축국이 점령한 나라에서 민간인을 상대로 '야만적인 범죄'를 저지른 사람들에게 대한 '무서운 보복'을 약속했다.[75] 베르사유조약과 트리아농조약의 유산을 떠안은 루마니아 지도자들은 이 징벌이 영토 상실이라는 것을 알고 있었다.

같은 달 루마니아 교수, 작가, 교사들은 유대인 강제추방을 전후 영토 문제 해결과 연계시키라는 비망록을 국왕에게 전달했다. 이들은 "우리는 국제법을 준수해야 하고, 우리가 영유권을 주장하는 모든 영토에서 모든 유대인의 생존권과 법적 보호를 받을 권리를 보장해야 한다"라고 주장했다.[76] 이 선언에 함축된 내용은 인간 생존권, 특히 이방인들의 생존권에 대한 인종적 시각은 루마니아의 영토에 비하면 2차적 중요성밖에 갖고 있지 못했다. 그러나 영토를 상실할 수 있다는 우려는 이방인의 운명에 대한 우려와 일부 회개의 감정을 일으키는 데 일조했다. 유대인 강제추방은 사실상 '체계적이고 지속적인 멸절의 행동'이었다. 비망록 작성자들은 "우리는 유대인을 학살하는 국가들의 선두에 있어 왔다"는 사실을 인정했다. "우리는 유대인을 학대한 것에 대해 큰 대가를 치를 것이라고 나는 이미 얘기했지만 계속 얘기할 것이다"라고 1942년 9월 루마니아 농민당 지도자 율리우 마니우는 주장했다.[77]

유대인들을 폴란드로 강제이송한다는 소문이 그해 여름 나돌면서 트란실바니아 거주 유대인들은 공포에 휩싸였고, 마니우와 농민당 지도자들은 이것을 중지시키려고 적극 나섰다. 12월 루스벨트와 처칠이 다시 한 번 루마니아를 위협했다. "이러한 범죄에 책임이 있는 사람들은 보복을 피할 수 없을 것이다"라고 이들은 경고했다. 경고의 목소리는 국제적십자사, 튀르키예 정부, 트란실바니아 정교회 대주교, 로마 교황청, 루마니아 유대인 공동체(세계에서 가장 젊은 수석 랍비이며 왕실 가족과 안토네스쿠 부인과 밀접한 관계가 있는 알렉산드루 사프란이 이끌고 있음)로부터도 나왔다. 사회복지 분야에서 활동하는 몇몇 여인의 적극적 노력으로 트란스니스트리아 강제노동수용소에서 살아남은 약 2000명의 고아들이 구원되었다.[78]

인종차별주의자였던 미하이 안토네스쿠의 태도 변화는 특히 주목할 만했다. 10월, 그는 이러한 변화는 "국제 상황과 다른 나라에서 유대인들의 대우는 루마니아와 다르다"라는 사실에 연유한다고 설명했다.[79] 그는 전 세계가 루마니아를 주시하고 있는 것을 잘 알았다. "나는 가난한 사람들을 학살하거나 이들에게 적대적 행위를 하느니 차라리 부자들의 경제활동을 목표로 하겠다", "헝가리인들이 유대인에 대한 소위 우리의 야만적 행위를 관찰하고, 사진을 찍고, 선전 자료로 이용하고 있다. 이러한 학대는 정부가 한 행위가 아니고, 나는 유대인들이 정상적인 대접을 받도록 이미 세 번이나 조치를 취했다. 일부 하위 기관들이 실책을 저질렀다"라고 그는 주장했다.[80] 그가 헝가리에 신경을 쓴 것은 트란실바니아 지역에 대한 영토 분쟁이 가장 큰 원인이었다. 독일과 이탈리아가 1940년 8월 트란실바니아의 북쪽 절반을 헝가리에 양도하도록 만든 후 두 나라는 독일의 비위를 맞추느라 서로 경쟁해왔다. 헝가리는 남쪽 절반도 마저 얻으려고 했고, 루마니아는 북쪽 절반을 회복하려고 노력했다.

✳ ✳ ✳

루마니아와 마찬가지로 헝가리도 점차적으로 독일 영향권 아래 들어왔다. 처음에는 경제적으로 다음은 정치적·군사적으로 종속되었다. 헝가리가 독일의 영향권에 직접 들어오지 않았더라면 헝가리 엘리트들은 서방 강대국, 특히 영국과 동맹을 맺는 것을 선호했을 것이다(루마니아 엘리트는 프랑스를 선호했고, 불가리아 지도부는 프랑스와 영국을 숭앙했다). 그러나 중유럽에 위치한 불리한 지리적 여건 말고도 인해 헝가리는 트리아농조약에서 상실한 영토를 찾을 수 있는 가능성 때문에 히틀러의 독일 영향권으로 끌려 들어가는 것에 저항하지 않았다.[81] 1938년 11월 이탈리아와 독일은 헝가리에 헝가리인들이 많이 거주하는 남부 슬로바키아 지역을 할양해주었다. 이렇게 되자 헝가리 극우주의자들은 추축국과 밀접한 관계를 맺는 것이 '헝가리의 부활을 가져오는 길'이라고 주장하게 되었다. 1939년 1월 우파 급진주의자인 벨라 임레디 총리가 이끄는 헝가리 정부는 반코민테른조약*에 가입했다.[82] 이에 불만을 품은 온건파 정파인 기독우파 반대파 Christian Right Opposition는 1939년 2월 임레디를 해임하고 대신 팔 텔레키 공작을 총리로 임명했다. 존경받는 명문 가문 출신인 텔레키는 보수주의 신념이 깊은 존경받는 지리학자였고, '명예'와 같은 오래된 덕목을 중시했다. 그는 당시 동유럽 정치를 지배하고 있던 인종차별주의적 반유대주의의 일부를 흡수했다.[83]

헝가리의 이러한 움직임은 불가리아와 루마니아와는 다른, 전쟁 중 헝가리의 중요한 면을 보여준다. 의회에는 활발한 좌파를 비롯한 진정한 야당이 존재했다. 정부는 민족주의적 급진주의자들과 보수주의자들이 불편하게 혼합되어 있었고, 보수주의자들은 자신들의 이익, 특히 사적 재산 보호에 능숙했다. 이런 상황은 헝가리 정치에서 상대적으로 자유주의적인 분위기를 만들어냈다. 일례로 1942년 12월 반나치 정치인 엔드레 바이치-질린스키는 의회에서 세르비아에 주둔 중인 헝가리 군대가 저지른 잔혹행위를 고발했다. 이로 인해 관련된 고위 장교들이 군법회의에 회부되었다. "구체제의 가장 뛰어난 업적은 일당 독재를 실현하려는 극우주의자들의 반복된 시도에 맞서 일정 수준의 정치적 자유와 다원주의를 보존한 것이다"라고 안드루 야노스는 썼다.[84]

1939년 9월 독일이 폴란드를 공격하자 헝가리는 중립을 지켰고, 독일군이 자국 영토를 통과하게 허용하지 않았으며, 약 15만 명의 폴란드 정치, 민간 난민을 위해 국경을 개방했다. 그러나 1940년 6월 프랑스가 독일

---

* 반코민테른조약은 1936년 11월 독일과 일본이 체결했고, 1937년 11월 이탈리아도 추가로 가담했다. 외형적으로는 코민테른을 반대한 이 조약은 사실상 소련에 반대하는 동맹이었다.

군에 패배한 후 텔레키는 독일과 좀 더 밀접한 관계를 맺을 것을 요구하는 화살십자군의 압박에 시달렸다. 발칸 지역 국가에서와 마찬가지로 프랑스가 함락된 것은 독일이 영토 문제에 대한 불만을 해결해줄 수 있을 것이라고 생각하는 지역 정치인들의 입지를 강화시켜주었다. 그러나 여기에는 다른 회의도 있었다. 독일은 최종적으로 전쟁에서 승리할 수 있을 것인가? 헝가리는 최소한의 위험부담을 짊어지고 최대의 이익을 얻는 데 도박을 걸었다.[85]

상류 귀족층, 대자본가, 많은 작가와 학자로 구성된 구舊엘리트들의 세속적 회의에 대항하여 젊은 지식인, 군 장교들, 공무원, 산업 노동자들은 낙관론을 내세우며 독일이 전쟁에서 승리하고 독일의 '생활권역' 이념은 헝가리의 미래를 위한 길을 보여준다고 주장했다. 현대화 주창자들인 이들은 헝가리의 화석화된 농업적 사회 구조를 타파하고, 정치적 좌파와 유대인 부르주아의 세력을 약화시켜서 마자르족의 헝가리를 난공불락의 도나우강 강대국으로 만들기를 원했다. 젊은 혈기와 파시스트 열정에 넘치는 이들은 폭력에 대한 윤리적이고 종교적인 반대와 구舊마자르 엘리트의 전통적 문화 민족주의를 거부했다. 그 결과 정부는 이후 4년간 파시즘과 전통주의 사이에서 우왕좌왕하다가 결과적으로는 아무 노선도 정하지 못하고, 결국 검증되지 않은 대안인 극좌파에게 넓은 길을 내주었다.[86]

얼마 동안 좌파와 우파 정치인들은 체코슬로바키아로부터 얻은 영토로 식욕을 더 키웠다. 헝가리는 남부 슬로바키아를 할양받은 다음 1939년 3월에는 루테니아를 할양받았다. 다음 목표는 트란실바니아였다. 이 지역을 남과 북 둘로 나누는 것은 텔레키의 아이디어였다. 그는 1940년 루마니아 정부와 협상을 요구하고, 루마니아가 양보하지 않으면 무력을 사용하겠다고 위협했다. 협상이 실패로 돌아가자 독일과 이탈리아가 '중재'에 나서서 1940년 빈협약으로 헝가리에 북부 트란실바니아를 넘겨주었다. 이 시점에 루마니아 지도자 이온 안토네스쿠는 루마니아의 주권을 지켜주기로 한 영국의 보장을 아무 효용이 없는 것으로 비난하고 독일 '훈련' 부대 병력을 자국으로 불러들였다. 독일의 패권에 비위를 맞추는 데 뒤지지 않으려는 헝가리는 이 병력이 자국의 철도를 이용하여 이동하도록 도와주었다.[87]

그러나 텔레키는 자신이 얻는 것에 대한 보상을 했다. 그는 자국 내 나치 세력에 대한 압박을 완화해 카리스마적인 나치 지도자 페렌츠 살러시를 석방했다. 그러는 동안 우파 정치인인 임레디는 헝가리재건당을 창당했다. 이렇게 되자 텔레키는 의회 내에서 독일의 요구를 수용할 것을 압박하는 시끄러운 세력을 상대해야만 했다. 텔레키는 선제적으로 반유대인법을 제정하고, 나치가 원하는 헌법 개정을 하여 우파를 앞질러 나갔다.[88] 1940년 11월 텔레키는 3국 동맹에 가담하여 이러한 노선을 강화하고, 한 달 뒤에는 유고슬라비아와 항구적 우호조약을 체결했다.

그러나 곧 이러한 자기주장과 자발적 복종 사이의 갈등은 텔레키를 아무 정치적 특징이 없는 정치인으로 만들어버렸다. 1941년 호르티와 우파가 헝가리가 주권을 상실한 유고슬라비아의 영토를 공유할 것을 요구하자, 텔레키는 스스로 총을 쏘아 자살했다. 그는 '우왕좌왕하는 정책'을 이용하려는 악당들과 대결하는 것을 거부한 것이다.[89] 그러나 많은 헝가리인들은 독일과의 동맹이 좋은 결과를 가져왔다고 생각했다. 헝가리는 약 8만 평방킬로미터의 영토와 200만 명의 마자르 주민을 얻었다(추가적으로 거의 300만 명의 비마자르계 주민도 복속되었다). 그러나 헝가리 엘리트들은 합스부르크제국 시절 선배들의 잘못된 민족 정책에서 아무런 교훈을 얻지 못했다. 슬로바키아와 루마니아로부터 영토를 획득한 것은 헝가리 절대적

으로 필요로 하는 안정 대신에 반대파를 만들어내는 결과를 가져왔다.[90]

1941년 8월 새로 구성된 친독일 라즐로 바르도시 내각은 헝가리 국적이 없는 약 1만 2000-2만 명의 유대인들을 독일이 점령한 폴란드로 추방했다. 이들 대부분은 카르파티아-루테니아 지역 거주 유대인들이었지만, 폴란드로부터 피신 온 난민들도 포함되었다.[91] 헝가리 경찰은 부다페스트 거리에서 유대인들을 체포하여 카메네츠-포돌스키 근처 국경 너머로 추방했고, 이들은 이곳에서 친위대에 의해 대량으로 살상되었다. 이러한 조치가 취해진 원인은 현재의 자료로는 충분히 설명할 수 없지만, 이것이 나치의 유사볼셰비즘에 대한 탄압과 같은 시기에 일어난 것을 고려하면, 독일의 압박을 받고 일어난 일로 추정할 수 있다. 헝가리에서 추방된 약 1만 8000명 중 약 2000명의 유대인이 살아남았고, 이들 중 일부는 귀환하여 독일이 자행한 살인과 만행을 헝가리에 전했다. 이러한 이야기가 내무장관 귀에 들어가자 그는 더 이상의 유대인 추방을 중지시켰다.[92]

그러나 몇 달 뒤인 1942년 1월 헝가리 헌병은 유고슬라비아로부터 획득한 지역인 바츠카에서 3000명 이상의 유대인과 세르비아인들을 학살했다.[93] 이러한 만행을 주도한 사람은 악명 높은 반유대주의자인 페케테할미 자이슬러 장군이었다. 독일 당국은 1942년 3월 헝가리 정권이 친나치적인 바르도시에서 좀 더 유화적인 미클로스 칼라이로 바뀔 때 그를 헝가리 사법제도로부터 보호했었다. 오래된 귀족 가문 출신인 칼라이는 호르티와 유사한 합스부르크 시대 사고방식을 가지고 있었다. 그가 총리로 임명될 때까지 약 6000명의 세르비아인이 헝가리가 점령한 유고슬라비아 영토에서 파르티잔 활동에 대한 보복으로 살해되었다.[94]

동유럽 다른 지역에서와 마찬가지로 압제의 올가미가 서서히 유대인들의 목을 죄어왔다. 이것은 헝가리의 영토 욕심과 총리들의 변하는 개성에 따라 속도가 좌우되었다.[95] 첫 반유대인법이 1938년 제정되었고, 1년 뒤 더 엄격한 법이 뒤를 따랐으며, 1941년이 되자 유대인에 대한 정의는 독일보다 더 엄중해졌다. 헝가리 의회는 1942년 유대인 재산 몰수를 규정하는 법(공공법 XII)을 통과시켰고, 뒤를 이어 유대인은 정규군에 들어가는 것을 금지하는 법이 통과되었다.[96]

보수주의 엘리트들은 의회와 선거에서 반유대 입법을 반대해왔다. 이들은 법 제정 자체를 막을 수는 없었지만, 법의 가혹성은 완화하여 입법 결과는 헝가리 나치들이 원하는 것에 미치지 못하게 되었다.[97] 이웃 국가들의 상황과 비교할 때 헝가리 정권이 유대인들의 생명을 위협하지 않은 것은 이례적인 일이었다. 1944년까지 헝가리 거주 유대인들은 차별적인 표식을 달고 다니지 않았고, 이동과 주거지 선택의 자유를 제한받지 않았으며, 개인 재산을 압류당하지도 않았다.

나치 독일이 원하는 만큼 반유대인 조치를 취하지 않은 배경에는 헝가리 중산층과 전문 직업 계층에서 유대인이 수행한 역할과 유대인들이 갑자기 사라지면 사회생활이 마비될 것에 대한 두려움이 있었다. 유대인은 헝가리 전체 인구의 5.1퍼센트를 차지했지만, 1930년 기준으로 유대인은 의사의 절반 이상(54.5퍼센트), 변호사, 광업·산업 분야 화이트컬러 피고용자의 거의 절반(각각 49.2퍼센트와 47퍼센트)을 차지했고, 기술자의 3분의 1(30.4퍼센트)을 차지했다. 경제적 안정에 대한 우려도 있었다. 유대인들이 헝가리 산업의 5분의 4를 통제하고 있는 것으로 추정되었다.[98] 헝가리 정부가 '아리안화'에서 이룬 '진전'은 더 큰 경종을 울렸다. 헝가리 상류층은 비즈니스 활동에 대한 혐오가 있었기 때문에 마자르인들이 유대인들이 비운 자리를 대신하는 것은 어려웠고, 1944년까지도 무기 공업을 포함한 독일 생산자들은 유대인 생산자들이 만들어내는 부품에 의존하고 있었다.

그러나 정부의 전체적 목표는 유대인 비즈니스 종사자를 최소한 50퍼센트 줄이는 것이었다.[99]

유대인은 헝가리 정규군에 입대할 수 없게 만든 헝가리 당국은 이들은 노동대대에 징집했다. 제한 연령을 점차로 늘려서 1941년에는 25세였던 상한 연령이 1944년 10월에는 60세까지 높아졌다. 우파 급진주의자들이 일부 포진된 군 장교들은 노동징집병들을 가혹하게 다루었고, 이들을 요새와 도로 건설, 지뢰 제거, 동광산 노역 등 위험한 작업에 투입했다. 소련으로 파견된 노동자들은 겨울을 견딜 만한 의복을 지급받지 못했다. 이 노동부대에 징집된 13만 명의 유대인 중 약 3만-4만 명이 목숨을 잃었다.[100] 그러나 노동부대 징집은 후에 자행된 대량 학살을 피할 수 있는 행운으로 드러났다. 1944년 봄과 여름, 독일과 헝가리 관리들은 헝가리 유대인들을 아우슈비츠 수용소로 강제이송하기 시작했다.

그 시점까지 헝가리 정부는 '동방'에서의 노동을 위해 유대인들을 넘기라는 독일의 요구를 거부했다. 칼라이 총리는 '역사를 통해 (헝가리가) 유지해온 인종적·종교적 문제에서 인간에 대한 개념'을 근거로 이러한 저항을 설명했다. 1943년 섭정인 호르티는 히틀러에게 모든 유대인을 살해하는 것은 불가능하다고 말했다(독일 외무장관 리벤트로프는 이 말에 동의하지 않았다).[101] 헝가리 당국은 유대인을 살해하는 것에 순종함으로써 서방 국가들과 척지는 것을 우려했다. 헝가리 당국은 자국 영토에 추락한 연합국 조종사들을 보호했고, 1944년 칼라이 총리는 영미 연합군이 헝가리 국경에 도달하면 항복한다는 비밀 협정을 서방 연합국과 체결했다. 그러나 그러한 일은 일어나지 않았고, 칼라이나 호르티는 히틀러의 호의로 얻는 영토를 포기할 수 없었기 때문에 독일과의 관계를 단절하지 못했다.[102]

헝가리가 배신할 것을 우려한 독일은 1944년 3월 19일 헝가리를 침공했다. 독일 선전에 의하면 8개 독일 사단이 '헝가리 정부의 요청에 의해' 헝가리에 진입했고, 당시 호르티는 히틀러의 손님으로 오스트리아의 크레스하임성에 억류되어 있었다.[103] 독일은 호르티로 하여금 되메 슈토자이 중장을 수반으로 하는 정부를 구성하도록 만들었다. 독일 지도부와 밀접한 관련이 있는 슈토자이는 주요 정부 직책을 헝가리 나치당원들로 채웠다. 이제 모든 반나치 정당과 기관들이 해산된 상태에서 소지주당원과 사회민주당원, 언론인, 학자, 호르티의 동료들에 대한 대량 체포가 진행되었고, 이들 다수는 독일의 집단수용소로 보내졌다. 이러한 과정은 1933년 이후 독일에서 자리 잡은 전체주의적 지배를 그대로 답습한 것이었다.

독일에서 몇 년에 걸쳐 진행된 유대인 차별 조치는 헝가리에서 불과 수주 만에 압축적으로 진행되었다. 내무부의 반유대인 담당 차관 라즐로 바키와 라즐로 엔드레는 나치친위대 특수부대요원들과 협의하여 유대인들로 하여금 노란별을 달게 만들고, 여행을 금지하며, 전문 직업에서 유대인을 제거하는 법령을 만들고 유대인 문제 평의회를 구성했다.[104] 4월 7일 바키는 2년 전 루마니아에서 행해진 조치와 비슷한 내용의 포고령을 발했다. "헝가리 왕립 정부는 이 나라에서 유대인들을 청소할 것이다." 4월 28일 발표된 포고령에 따라 헝가리 당국은 185곳에 게토를 만들었다. 2주 후 헝가리 철도청이 사용하는 가축 운반용 화물차에 43만 7402명의 헝가리 유대인을 슬로바키아 국경 지역으로 이송한 후, 이들을 독일제국 열차에 태워 아우슈비츠-비르케나우 수용소로의 마지막 여정을 시작했다. 이송된 유대인 대부분은 수용소 도착 직후 하루 평균 1만 명씩 처형되었다.[105]

아우슈비츠 수용소를 탈출한 두 명의 젊은 유대인 덕분에 대량 살상 소식은 국제 언론에 알려졌고, 국제적십자사, 스위스·스웨덴·미국 정부와 바티칸 교황청의 항의가 잇따랐다.[106] 전 총리 이슈트반 베틀렌 같은 호르티의 측근들과 호르티의 아들은 유대인 강제이송을 막기 위해 압력을 가했다. 3월에 호르티는 모든 책임은 새 정부에 있다며 자신의 책임을 털어내려고 했지만 이제 그는 적극 관여하고 나섰고, 7월에는 더 이상의 유대인 강제이송을 막아서 부다페스트 거주 유대인들을 구했다. 6월 26일 열린 왕실 회의에서 호르티는 더 이상 "강제이송을 막아서 헝가리인들에게 더 이상 수치가 더해지지 않도록 하겠다"고 말했다. 바키와 엔드레는 6월 30일 '유대인 문제' 담당 직책에서 해임되었다.[107]

8월 말 소련군이 이미 루마니아로 진입하자 루마니아는 진영을 바꾸었다. 미하일 국왕은 안토네스쿠를 업무 협의를 이유로 불러서 그를 체포했다. 이제 루마니아는 독일군을 상대로 치열하게 전투를 벌여서 북부 트란실바니아를 수복하는 과정에서 5만 명의 전사자와 부상자가 발행했다.[108]

헝가리의 섭정 호르티는 미하일 국왕의 예를 따르려고 했다. 8월 24일 그는 슈토자이를 해임하고, 게자 라카토스를 수반으로 하는 정부를 조직했다. 라카토스는 서방 연합국과 접촉했고 연합국은 그에게 소련군을 상대해야 한다고 말했다.[109] 소련군은 9월 23일 헝가리 국경을 넘어 들어왔고, 헝가리는 10월 11일 소련과 휴전을 했다. 그러나 10월 15일 호르티가 헝가리군에게 전투를 중지하도록 명령하자 화살십자군과 독일군 점령부대는 이에 대항하는 조치를 취했다. 독일군 팬저 전차사단Panzerdivision이 부다페스트 왕궁을 점령하고 독일군은 호르티로 하여금(그의 아들을 살해한다고 위협해서) 화살십자군 지도자인 페렌츠 살러시를 총리로 임명하도록 만들었다. 독일군과 화살십자군은 부다페스트 주요 건물을 장악했지만 아무런 저항을 받지 않았다.[110]

부다페스트에 거주하는 유대인들에게는 악몽 같은 시간이 시작되었다. 12월이 되자 소련군은 부다페스트를 포위했고, 추축국은 전쟁에서 패배하는 것이 확실해졌다. 그러나 헝가리 나치들은 무자비한 유대인 살상을 계속했다. 유대인들을 도나우 강변에 일렬로 세워놓고 한 명씩 총살한 다음 시신을 얼어붙은 강으로 밀어 넣었다. 이런 방식으로 약 2만 명의 유대인이 사라진 것으로 추정된다. 그러나 부다페스트의 유대인 대부분은 외국 공관의 보호를 받아서 살아남을 수 있었다. 스웨덴, 스위스, 스페인, 이탈리아, 포르투갈, 가톨릭교회 공관이 유대인들에게 피난처를 제공했다. 스웨덴인 라울 발렌베르그와 스위스인 카를 루츠는 화살십자군이 인정하는 보호 증명서를 수천 명의 유대인에게 발부했다. 발렌베르그와 루츠는 독일 공사 게하르트 화이네로부터 받은 정보로 부다페스트 유대인을 강제이송하려는 화살십자군의 계획을 미리 알 수 있었다. 화이네와 루츠는 30개의 아파트 단지를 임대해서 약 3만 명의 유대인의 안전한 피난처를 만들어서 전쟁이 끝날 때까지 이들을 보호했다.[111]

헝가리 레지스탕스는 반나치주의자인 엔드레 바이치-질린스키의 지도 아래 형성되었다. 그는 민족주의 소자영농당의 주요 인물이었고, 우파·중도파·좌파를 단합시키고, 수세대에 걸친 상호 적대감을 제거하기 위해 전후 도나우강 연안국들의 협력을 위한 계획을 만들었다. 그러나 화살십자군은 바이치-질린스키를 체포하여 12월 교수형에 처했다.[112]

부다페스트는 1945년 2월 13일 소련군에 의해 함락되었다. 부다페스트의 유대인 인구는 소련군 포위 시작 당시 20만 명에서 12만 명으로 줄어들었다. 1944년 유대인으로 분류된 77만 명의 헝가리 국적자 중 약 25만 명이 2차 세계대전에서 살아남았다.[113]

루마니아에서는 약 29만 명의 유대인이 전쟁에서 살아남았고, 안토네스쿠 정권은 약 28만-38만 명의 유대인을 직접 살해했다.[114] 불가리아에서는 4만 8000명의 유대인이 전쟁이 끝날 때까지 살아남았지만, 불가리아 당국에 의해 독일로 이송된 트라스와 마케도니아 거주 유대인 1만 1000명은 그러지를 못했다.[115] 1938년 보헤미아와 모라비아에 거주했던 11만 8000명의 유대인 중 단 1만 4000명이 살아서 전쟁이 끝나는 것을 볼 수 있었다. 전쟁 전 38만 명이었던 체코슬로바키아 유대인 인구 중 26만 5000명이 목숨을 잃었다.[116] 전쟁 전 330만 명의 유대인 인구가 있었던 폴란드에서 전체 유대인의 약 90퍼센트가 홀로코스트로 사망했고, 살아 남은 유대인 대부분은 소련에서 생존했으나 '불확실 인자'로 낙인찍혀서 1940-1941년 동부 폴란드에서 시베리아나 중앙아시아로 이송되었다. 소련에서 귀환한 유대인들은 폴란드를 중간 도착지로 생각하고 대부분 팔레스타인으로 이주했다.

✲ ✲ ✲

불가리아와 루마니아에서와 마찬가지로 헝가리에서는 무고한 시민을 살해하는 첫 단계는 이방인으로 간주된 유대인으로 시작되었다. 이들은 독일군에 점령된 세르비아, 트라스, 마케도니아 또는 트란스니스트리아에 거주하는 유대인들이었다. 그러나 이 지역에서 유대인을 살해한 것은 '본토의' 유대인들에 대한 행동의 동기를 축적했다. 이것은 권리의 제한, 취업 제한 또는 별개의 주민증 발급을 통해서 진행되었고, 이 모두가 조상의 계보에 바탕을 둔 것이었다. 그러나 동유럽 어느 곳에서도 한 인종으로서 유대인에 대한 나치의 정의를 완전히 수용한 곳은 없었다. 일부 국가는 전쟁 참전 용사나 기독교로 개종한 사람은 예외로 만들었다. 각 국가에서는 독일 당국이 적극 개입하여 유대인 차별과 권리 제한을 넘어서서 '자국' 유대인을 멸절시키는 단계로 넘어가도록 요구하는 시간이 다가왔다. 불가리아와 루마니아는 이 절벽에서 몇 걸음 뒤로 물러섰지만, 1942년 중반 한때 오스트리아제국의 일부였던 부코비나나 트란스니스트리아의 유대인을 죽음의 수용소로 강제이송하는 일이 벌어졌다. 헝가리에서는 독일군이 헝가리를 점령한 후에야 죽음의 수용소로 유대인 강제이송이 진행되었지만, 헝가리 관리들은 이에 전적으로 협조했다(동유럽에서 크로아티아와 루마니아 당국만이 자국 내 죽음의 수용소를 만들었고, 크로아티아의 경우에는 세르비아인도 여기에 포함되었다).

헝가리, 루마니아, 불가리아와 크로아티아와 슬로바키아 괴뢰 정권에서 정의에 대한 최종적 감각은 인간에 대한 고려에서 땅, 즉 국가적 영토로 옮겨갔다. 나치 독일과의 거래가 가능했던 것은 널리 퍼진 실지회복주의 때문이었다. 이것은 민족, 즉 확장된 가족으로 볼 수 있는 집단이 정당한 영토 소유권을 부정당했다는 믿음이었다. 그래서 일어난 일은 사람을 주고 영토를 얻은 것이었다. 트란실바니아나 도브루자Dobrudja• 일부 지역은 유대인을 징벌하고 살해한다는 약속을 제공한 대가로 얻어졌다. 이 지역 유대인들은 먼저 시민권을 상실하고 다음으로 목숨을 잃었다.

독일군의 헝가리 침공(작전명 마르가레테 작전)에 앞서서 독일은 헝가리가 거래의 조건을 충족하지 않는다고 불평을 했다. 이제 악마는 경계를 넘어서서 약속한 생명들을 요구했다. 어떤 면에서 보면 헝가리 관리들은 1944년 봄 지방에 거주하는 유대인들을 처음으로 강제이송하는 데 협조함으로써 독일 행동의 정당성을 인정한 것이다. 섭정인 호르티 제독은 아무것도 보지 않은 척했지만, 곧 그는 세계 여러 곳에서 쏟아지는 비난과

• 도나우강 하구 흑해 연안 지역으로 불가리아와 루마니아의 영토 분쟁이 지속되었다. 1878년 이 지역은 러시아와 불가리아에 할양되었으나, 북부 도브루자 지역은 러시아가 남부 베사라비아를 얻은 대가로 루마니아에 넘겨주었다.

분노를 무시할 수 없었다. 이러한 분노는 희생자들, 헝가리 시민들, 기차 가축 칸에 실린 유대인들의 비명이 만들어낸 것이다.

이러한 비명이 더 많은 동유럽 사람들에게 들리지 않았다면, 그것은 이 거래에서 패권국인 독일의 언어가 효과를 발휘했기 때문이다. 한 국가의 영토가 '깨끗한' 것을 당연히 여기는 것은 세 가지 맥락에서 인종차별주의 자들에게 동일했다. 동유럽 모든 국가에서 '온건파' 정치인들은 극단주의 자들의 어휘가 통용되는 데 도움을 주었다. 물론 이러한 어휘는 진정으로 타자적인 것은 아니었다. 이것은 아주 손쉽게 인종민족주의의 토착적 버 전으로 옮겨질 수 있었다. 이것의 기원은 여러 세대를 거슬러 올라가고, 그 지역의 가장 존경받는 지식인들에게 거슬러 올라갔다.

전쟁과 혁명 상황에서 가장 극단적인(동시에 가장 일관된) 민족주의자들 은 도덕성에 의해 흔들리지 않는 한 가지 특정한 질문을 깊이 생각했다. 새로 얻는 영토가 '깨끗하지' 않다면 새 영토를 탐할 이유가 무엇인가? 인 종차별주의의 시대에는 상처받은 정의에 대한 '극도의 분노감'은 유대인 과 집시(루마니아), 이슬람 주민(불가리아)을 범죄적 인종으로 만들었고, 한 독일 장교가 우크라이나(빌라체르크바) 첫 집단학살에서 살아남은 유대인 아동을 지칭한 것처럼 '멸종되어야 할 벌레'로 만들었다. 더 많은 영토를 갈망하는 사람들은 제국주의적 이념에만 갇힌 것이 아니라 감정적인 책 략의 틀에도 갇혔다. 1944년 10월 호르티가 동맹 진영을 바꾸도록 명령했 을 때 그는 헝가리군 장교들이 이에 복종하지 않은 것을 발견했다. "많은 장교들은 독일에서 훈련받았고, 국가사회주의 가치로 무장되었다. 이들은 소련군과 공동의 이상을 찾을 준비가 되어 있지 않았다"라고 외르그 호엔 슈는 지적했다.[117]

인종차별 전쟁이 끝난 후 많은 유대인 생존자들은 유대인에게 일어난 일에서 어떤 결론에 이르렀다. 이들은 유대인들이 가장 오래 살아남은 헝가리에서조차 유대인들은, 사회학자 헬렌 파인이 '의무의 세계universe of obligation', 즉 '의무감을 진 사람들의 집단, 규칙이 적용되고, 부정은 교정되어야 하는 사람들의 집단'에서 가장 멀리 떨어진 집단이었다. 유대인들은 궁극적인 타자로 남았다. 얼마나 많은 유대인 조상세대가 해당 민족의 번영과 문화적 생활에 기여를 했는지는 전혀 고려 대상이 되지 않았다. 헝가리에서 유대인들은 1960년대부터 이러한 기여를 해왔다. 보헤미아 또는 보스니아 또는 갈리시아, 트란실바니아에서 유대인들이 사라질 때 지역 주민들은 그저 방관만 했고, 때로는 냉담했으며, 자신들의 일부가 사라진다는 느낌을 받지 못했다.[118]

훨씬 후에 나온 회고록에서 헝가리 반체제 인사 게오르게 콘라드는 1944년 6월 유대인들이 강제이송된 베레트요우팔루의 자신 주변의 비유대인 이웃들을 회고했다. 가족 중 유일한 생존자인 그와 남동생이 1945년 봄 부다페스트에서 돌아왔을 때 이웃들은 자신들 마을에 더 이상 남아 있지 않은 유대인들에 대해 '아무 말도 하지 않았다'.

> 이들이 기차에 실려 갈 때도 전선에서 온 소식이나 징집통치, 밝은 날 마을에 나타난 폭격기에 대한 것과 같은 무관심을 보였다. 이 모든 것은 한 사람이 통제할 수 없는 역사적 사건이었다. 이것은 공포와 아마도 안도감과 뒤섞인 운명에 대한 복종이었다.[119]

1944년 체코의 유대인 생존자인 헤다 마르골리우스 코발리는 아버지 고향인 프라하 남쪽 베레쇼프로 돌아왔지만 할머니의 사망을 알게 되었다. 할머니는 86년을 그 마을에 살았고, 모든 사람이 그녀를 좋아했다. 그러나 독일군이 들이닥쳐서 그녀를 무서운 죽음의 형장으로 데려갈 때 사람들이 그녀에게 해줄 수 있는 가장 좋은 말은 "블록 할머니, 무서워하지 마세요"였다. 일부 주민들은 마을에서 유대인들을 쫓아내는 것이 정당한 일이라고 생각했다. 이제 자신들이 가게 주인이 될 수 있고, 자신의 어린 딸이 유대인이 남기고 간 피아노를 칠 수 있게 된 것이다. 체코 지역에서는 '모든 소의 주인이 바뀐' 곳도 있었다.[120] 마을 주민들은 중산층 유대인을 부러워했다. 명절에 유대인들이 손에 끼는 장갑, 좋은 집, 언어를 유창하게 구사하는 것, 아니면 부다페스트, 아니면 좀 더 멀리 빈과 파리에 안락하게 잘사는 친척을 가진 것 등을 부러워했다.[121] 그러나 비유대인과 유대인은 '독일군이 들어와 만행을 저지르기 전까지 평화롭게 서로 이웃하며 살아온 것'은 사실이다.[122]

헝가리와 보헤미아에서 사실인 것은 폴란드, 슬로바키아, 루마니아에서도 사실이었다. 1944년과 1945년 독일군과 지역 조력자들이 폭력을 사용해 인종적으로 '깨끗하게' 만든 지역을 소련군이 점령했다. '만행'은 지워버릴 수 없었다. 유대인 생존자와 지역 주민이 다시 만났을 때 장면은 콘라드가 묘사한 것과 유사했다. 지역 주민은 유대인이 사라지는 것에 대해 무관심한 태도를 보였었고, 일부가 돌아온 것에 대해 짜증을 느꼈다. "당신이 죽었다는 말을 들었는데 …"가 종종 표현되는 절제된 위로의 말이었다.[123] 나치와 현지 괴뢰정권이 취한 조치는 나치 통치가 끝난 뒤에도 오랫동안 주민들의 인정을 받았다. 슬로바키아 정부는 티소 사제를 교수형에 처했지만, 그의 정권이 취한 유대인 재산의 '아리안화'는 계속 유지했다. 이웃들은 아무 거리낌 없이 유대인들의 생업과 재산을 나누어 가졌다. 많은 마을에서 주민들은 특정한 요일에 죽은 사람의 옷을 입었고, 이것을 돌려줄 생각을 하지 않았다.

중동부 유럽에서 벌어진 홀로코스트의 수치스러운 비밀은 지역 주민들은 나치 통치를 멸시했고, 자주 이에 저항을 했지만, 모든 곳에서 나치 통치의 핵심 내용에는 동의했다. 이것이 이 전쟁이 망각된 방법이고, 좀 더 정확히 말하면 잘못 기억된 방법이다.

18장

인민민주주의: 전후 초기 동유럽

동유럽이 소련 블록으로 바뀐 것은 많은 설명이 필요하지 않다. 다른 선택이 없었을 뿐이다. 소련 지도자들은 1944년과 1945년 소련군이 나치 지배에서 해방시킨 지역인 루마니아, 불가리아, 헝가리, 폴란드, 체코슬로바키아, 독일의 소련 점령지역에 자신들의 체제를 강요했다. 1948년에 공산주의자들이 이 지역을 통제했고, 이 나라들의 사회생활의 모든 양상을 형성하는 데 소련식 모델이 과연 맞는 것인지에 대해 의문을 제기하는 사람은 감옥에 가거나 더 험한 운명에 처해졌다. 소련은 단순히 강제적으로 이 지역에 자국의 체제를 이식시킨 것으로 보이기에 충분했다.

그러나 표면 아래를 들여다보면 동유럽이 공산주의로 흘러간 것에 대한 만족할 만한 설명을 쉽게 찾기는 어렵다. 1945년 소련 지도부는 미래에 대한 확실한 비전이 없었고, 동유럽이 짧은 시간 안에 공산주의화될 것이라는 상상을 하지 못했다. 이것은 소련이 가진 좀 더 큰 비전과 관련이 있다. 소련이 주도한 노동자 운동은 파시즘을 소멸시켰기 때문에 인류의 미래는 좌파 쪽으로 향할 것이라는 신호를 보여주었다. 그래서 소련군이 점령한 국가에서 공산주의 혁명을 강제할 필요가 없었다. 그 대신에 소련 지도부는 자신들의 안보에 필요한 최소한의 분명한 요구를 제기했다.

소련은 육상 공격으로부터 자국을 보호할 수 있는 완충지대를 서방에 강조했고, 1939년 몰로토프-리벤트로프협약으로 획득한 이전 차르 시대 영토였던 발트 3국, 베사라비아, 동부 폴란드를 다시 얻었다. 서방의 후원으로 폴란드는 독일 동부 영토로 상당한 보상을 받았다. 실레시아 거의 전체, 브란덴부르크 지방의 상당 부분과 포메라니아와 동프로이센 대부분을 얻었다. 폴란드의 새 정부 국경은 경계선을 이루는 두 강의 이름을 따서 '오데르-나이세' 라인으로 불렸다.[1] 소련 지도부는 폴란드와 루마니아 정부가 소련의 이익에 적대적이 않아야 한다고 요구했다. 이 요구는 이 두 국가의 국내정치에 대한 소련의 간섭을 의미했지만, 1948년 이루어진 것처럼 완전히 소련 체제를 복사한 정권을 만들 것을 요구한 것은 아니었다.[2]

잠시 동안 동유럽 나라들의 국내적 요인은 이러한 변형을 꿈꾸는 사람들에게 반대로 작용했다. 동유럽은 유럽대륙에서 반공산주의 성향이 가장 강했으며, 공산주의를 강요하면 더욱 반공산주의 경향이 강해질 수밖에 없었다. 동유럽 주민 대부분들이 생각하기에 러시아 혁명은 해방을 가져온 것이 아니라 유럽에서 볼 수 없었던 자유주의의 대재앙을 가져왔다. 헝가리 농민들과 폴란드 농민들에게 볼셰비즘은 자신들의 농토를 몰수하고 교회 문을 닫게 만든 체제를 만들었을 뿐이다. 여기에다가 많은 헝가리인들과 폴란드인들은 제정러시아에 대한 반감 속에 성장했으며, 1944년과 1945년에 마주친 소련군은 이러한 관념을 강화시켜주었다. 북부 세르비아와 중부 폴란드에서 소련군 병사들은 약탈하고, 강간하고, 술이란 술은 모두 마시며 취했다. 그리고 독일 제3제국에 속했던 지역에서는 더 악랄하게 행동했다. 중부 유럽을 극단적인 인종주의에서 해방시킨 사람들은 인종주의 신념의 공격대상이 되었다. 그들은 완전히 다른 종류의 인간 같아 보였다.[3]

여기에다가 동유럽의 대부분 지역에서 공산당은 규모가 보잘것없고, 도망 다니는 집단이었고, 당원들은 망명 생활이나 수감 상태에서 전쟁 시기를 넘겼다. 설사 소련이 계획을 했다고 하더라도 1945년 이 지역에 공산주의를 강제할 핵심 그룹은 없었다. 1600만 명이 조금 못 미치는 인구를 가진 루마니아에서 공산당원의 숫자는 1000명에 불과했다. 헝가리와 폴란드의 상황도 크게 다르지 않았다. 이러한 문제의 원인은 스탈린 스스로 만들어낸 면이 많았다. 1930년대 스탈린은 모스크바에 망명 중인 수십 명의 유럽 공산주의자들을 체포하고 처형했다. 1938년 그는 폴란드에서 공산당 최고위 지도부를 처형한 후 공산당을 해체해버렸다.

그러나 소련 지도부가 바로 그러한 결과를 의도하지는 않았지만, 1944년 이후 동유럽 국가들은 어느 정도 눈에 띄는 범위에서 소련의 통치 형태를 닮아가기 시작했다. 이것은 소련의 정치적 상상력에 힘입은 바 크고, 서방 지도자들이 전후 질서를 논의하기 위해 1943년과 1944년 소련 지도자를 만났을 때[*] 이것을 제대로 이해하지 못했기 때문이다. 이들이 가장 오해한 것은 '민주주의'라는 단어였다. 1945년 7월 열린 포츠담회담에서 소련 대표들은 민주적 규범을 지킬 것이라고 약속했지만, 이들은 자신들 체제에 대한 인식을 바탕으로 그런 말을 한 것이었다. 이들에게 민주주의란 어느

---

[*] 1943년 11월 열린 테헤란회담에서 처칠, 루스벨트, 스탈린 3거두가 회동했고, 1944년 처칠이 모스크바를 방문하여 스탈린과 회담을 가졌으며, 얄타회담(1945년 2월)에서 3거두는 다시 회동하고, 포츠담회담(1945년 7월)에는 서거한 루스벨트 후계자인 트루먼이 참석했고, 영국은 처칠의 총선 패배로 회담 중간 애틀리가 영국 대표가 되었다.

사회에서건 다수를 차지하고 있는 노동계급의 권력을 의미했다. 이후 기간 동안 소련 관리들이 동유럽을 '민주화시켰다'고 주장할 때, 노동계급을 가장 잘 대표하는 정당, 즉 공산당 권력을 증대시켰다는 것을 의미했다. 공산당 세력이 당시 실제 작은 것은 아무 문제가 되지 않았다.

소련과 서방 국가들이 이룬 전후 세계에 대한 합의에서 공통점은 파시즘을 뿌리 뽑는 것이었고, 독일에서 이 과정은 탈나치화denazification라고 알려졌다. 그러나 여기에서도 양측이 이해하는 바는 서로 달랐다. 공산주의자들은 파시즘을 허황된 약속, 침략 전력, 유사사회주의 정책을 내세우며 자본주의 정치가들이 대중에 대해 패권을 잡기 위한 전략이라고 보았기 때문에 자본주의를 유지하는 어떤 정치도 파시즘의 유산을 처리하는 데는 부족했다.

이런 상황으로 인해 전후 동유럽 국가들에는 처음부터 더 이상 자본주의는 아니지만 아직 사회주의는 아니라는 것을 의미하는 '인민민주주의'라는 명칭이 붙었고, 법의 지배에 대한 존중은 찾아볼 수 없는 폭력적 수단을 자주 사용했다. 가장 초기에 취해진 조치로는 대지주와 자본가들의 재산 몰수였다. 이들은 '파시스트'의 부역자들이었기 때문에 아무런 보상을 받지 못했다. 이것은 지극히 논리적 귀결이었다. 이들에게 토지, 광산, 공장의 상실에 대한 너그러운 보상을 해주는 것은 이들이 다시 사회적으로 힘이 있는 세력으로 등장하여 파시스트 통치를 위한 경제적 기반이 다시 살아나는 것을 허용하는 것이나 마찬가지였다. 이와 대조적으로 농민들에게 농지를 나누어주고, 거대 기업을 국가 통제 아래 두는 것은 권력의 가장 핵심 요소인 경제에 대한 통제를 노동자들과 '그들의' 국가에게 넘겨주는 것이 민주적인 조치였다.

공식으로 드러나지 않은 정책으로 인민민주주의 정권은 나치와 동맹

정부들이 전쟁 중 빼앗은 자산을 차지했다. 대표적인 예가 대량 학살당한 유대인들로부터 빼앗은 재산이었다. 행정 당국자들은 가장 가까운 가족들이 이렇게 강탈당한 재산에 대한 권리를 주장하는 것을 막았다.[4]

그러나 인민민주주의는 서서히 진행되는 무력의 적용으로만 수립된 것은 아니었다. 이것은 부자들이 재산을 박탈당하고 자신들에게 부분적으로나마 사회적 정의가 제공되는 것을 수용하고 열광한 수십만 아니, 수백만 명의 주민들의 지지에도 바탕을 두었다. 이 정권들은 오랫동안 기다려온 다양한 입법, 즉 노동자들에게 건강, 산재 보험을 제공하고, 고용을 보장하며, 무료 교육을 받을 수 있는 조치들을 내놓았다. 특히 교육 혜택은 특히 큰 인기를 끌었다. 구체제 아래에서는 인구의 5퍼센트 미만만이 고등교육의 혜택에 접근할 수 있었으며, 이러한 혜택을 받는 사람은 중류층이나 상류층에 속해야 했다. 새 정부들은 대중 교육을 크게 확장하여 문맹률을 급속히 낮추었고(부록 표 3), 교육제도를 정비해서 가능한 한 많은 아동들이 초등교육 과정에서 중등교육과정으로 진급할 수 있게 만들었다(이전에는 대다수가 6-8년 초등과정 이수 후 더 이상 교육을 받지 않았다). 소련의 모델을 바탕으로 새 정부는 속성과정을 만들어서 노동자와 농민 자녀들이 고등학교에 해당하는 교육을 1-2년 만에 이수할 수 있게 만들었다.[5]

자유방임주의적 자본주의와의 급진적인 결별을 선호하는 분위기는 절대 유럽의 한구석에만 국한되지 않았다. 영국에서부터 프랑스, 이탈리아, 발칸반도와 폴란드에 이르기까지 사람들은 새로운 정부가 단순히 1930년대의 경제적 부실경영과 거대한 사회적 불평등을 반복할 수는 없다고 생각했다. 1945년 7월 영국 유권자들은 윈스턴 처칠을 총리직에서 하야시키고 그 대신에 노동당의 클레멘트 애틀리를 총리로 선출했다. 영국은 곧 산업, 금융, 보건, 교통을 국유화했다. 헝가리에서는 반봉건적인 체제가 지속되기를 바란 것은 국민의 극히 일부였고, 국민 대다수는 현대적 정치·경제 구조를 원했다.[6] 자유주의자인 오스카 야지는 "독점적 지위를 이용해 무자비하게 착취하여 거대한 이윤을 쌓아온 기형적 자본주의를 위해 눈물을 흘릴 사람은 거의 없기 때문에 사회화 과정으로의 건설적 실험을 할 수 있는 길이 열렸다"라고 말했다.[7]

이렇게 해서 만일 가장 극단적인 형태로는 파시즘으로 발현된 '제국주의'에 의해 방해를 받지 않는다면 역사는 소련의 편이고, 사회주의 세력이 커질 것이라는 시각을 정당화시켜주는 많은 증거들이 넘쳤다. 마르크스주의는 2차 세계대전 전보다 더 많은 추종세력을 가지게 되었다. 이것은 초기 마르크스주의 사상가들이 자본주의의 모순이 가장 극명하게 드러날 것이라고 예측한 산업 지역에만 국한된 것이 아니었다. 헝가리는 아직 대부분이 농촌 사회였지만, 경제와 정치의 상관관계에 대한 마르크스의 가르침에 대한 객관적 교훈을 제공해주었다. 호르티 체제는 거대한 토지를 소유한 지주뿐만 아니라 도시 자본가와 금융 계급의 구미를 충족시켜주었다. 이 체제는 군대와 관료제의 지원을 받아 유지되었고, 선거를 조작하면서 헝가리 주민들에게 실지회복주의를 계속 주입시켰다. 대부분의 동유럽 주민들은 1945년 당시 자유민주주의가 진정으로 무엇을 의미하는지 몰랐기 때문에 이를 거부하지 않았다.

과거의 자유주의적 정권보다 강한 국가에 대한 요구는 실제적인 근거도 있었다. 전쟁으로 인한 파괴와 생활의 중단은 일괄적이고 강력한 지배를 요구했다. 일례로 부다페스트는 몇 달에 걸친 포위가 끝난 후 폐허가 되었다. 도나우강의 다리들은 파괴되고, 포격으로 파괴된 아파트 건물들이 사방에 있었다. 1946년 7월 말 시점에서 하루 인플레이션은 25만 8486퍼센트에 달했고, 1달러는 460억조 포린트로 교환되었다. 경제는 교환 경제

시대로 되돌아갔고, 암시장이 번성했으며 헝가리인들은 거의 기아 상태에서 생활했다. 1944-1945년 겨울 일부 주민들은 거리에 방치된 말 시체에서 얻은 고기로 연명했다. 2월 모든 농지를 이용하여 농작물을 재배하라는 명령이 내려졌다. 그러나 악천후로 인해 밀 수확은 전쟁 전의 3분의 1에 그쳤다. 헝가리는 심각한 석탄 부족을 겪었다. 그래서 이런 궁핍한 상황은 경제에 대한 국가의 적극적 관여를 요구했고, 1946년 2월 노동자의 66퍼센트는 산업국유화를 지지했다.[8] 당국은 경제 범죄에 대해 가혹한 벌을 내렸고, 모든 정당들 중 가장 극단적인 조치를 주장한 것은 공산당이었다.

그러나 각국 당국들은 이러한 초기 조치를 '공산주의'는 물론 '사회주의'라고 부르지도 않았다. 이러한 용어는 자칫 사회 개혁에 동조하는 세력을 소외시키고 '소련식'인 모든 것에 경계심을 불러일으킬 수 있었다. 부르주아 사회는 이미 과거의 일이 되어버렸고, 인민민주주의는 일당 지배나 독재를 의미하기보다는 당대의 새로운 구호가 된 '통합'을 의미했다. 민주주의와 반파시스트 정치를 선호하는 모든 세력들은 폭넓은 연정을 통해 종종 '민족전선National Fronts'이라고 불리는 정부 구성에 참여할 것을 독려받았다. 여기에는 공산주의자와 사회주의자뿐만 아니라 농민당, 자유주의자, 진보적 민족주의자와 가톨릭계 정파도 포함되었다. 이런 이유 때문에 우파인 체코슬로바키아의 농민당과 폴란드의 민족 민주주의자들은 재조직이 허용되지 않았다.

통합 개념은 공산주의자들에게는 자신들이 소수라는 것을 염려하지 않게 만들어주었다. 보통 공산주의자들은 사회민주주의자나 '진보적' 농민당의 지원을 기대할 수 있었다. 특히 진보적 변화를 원하는 대중적 감정으로 인해 이런 기대를 할 수 있었다(아래에서 보게 되듯이 공산주의자들은 동맹 세력을 설득할 수 없는 경우, 이들을 부패시키거나 파괴시켰다). 여기에다가 소련의 후원으로 공산주의자들은 연정 정부에서 가장 강력한 세력을 구축했고, 특히 보안기관인 내무부를 장악했다. 진보적 정치 세력 중 공산주의자들은 자신들이 가장 민주주의적이라고 주장했고, 그 근거로 자신들이 '인민'의 이익을 위한 가장 급진적 사회변화를 지지하고 있다는 것을 내세웠다.

소련 당국은 막후에서 식량과 기타 보급품으로 공산주의자들을 지원했지만, 때에 따라서는 사회주의로 빨리 나가기를 원하는 토박이 공산주의자들을 길들일 필요가 있었다. 소련 당국은 급진적인 수사나 공개적 폭력 사용은 동맹인 다른 정파를 소외시키고, 파시즘을 파괴한 주요 세력인 소련을 우호적으로 바라보는 서유럽인들도 소외시킬 수 있다는 것을 알았다. 모스크바에서 지시한 노선에 따라 동유럽의 공산주의자들은 자신들의 국가는 혁명이라는 사회적 단절을 거치지 않고도 사회주의에 도달할 수 있다고 주장했다. 많은 체코슬로바키아 주민들은 토박이 공산주의자들이 '상스러운' 유라시아의 동방 사람들과는 다르다고 생각했다. 1947년 체코슬로바키아 공산당 지도자 클레멘트 고트발트는 '소련 체제와 프롤레타리아 독재'만이 사회주의로 가는 유일한 길은 아니라고 설파했다.[9]

고트발트 같은 공산주의자들은 개혁을 바라면서도 비교적 온전한 정치적 동정심을 보이는 노동자들을 끌어들이기를 원했다. 시골 지역에서 이러한 접근에 대한 도전은 만만치 않았다. 1945년 11월 헝가리 유권자의 다수(57퍼센트)는 소자영농당을 지지하고 좌파 정파에 반대표를 던짐으로써 폭넓은 소유권, 법의 지배, 의회 민주주제도를 유지하는 단계적 변화를 선호했다. 비마르크스주의 정당의 대표 격인 소자영농당은 보수주의자, 자유주의적 지식인, 중산계급의 이익을 대변하는 반대파가 모두 모인 진영이 되었다.[10] 이와 유사하게 폴란드 농민당도 공산당에 대한 대안으로 여겨졌으며 독립과 서구 스타일의 정부를 원하는 폴란드인들의 지지를 받았다.

인민민주주의는 공산주의를 건설하는 것도 불가능하고, 그것을 비판하는 것도 불가능한 상황에서 불안정한 기반을 가지고 있었다. 그 결과 반쯤 감추어진 투쟁이 전개되어 정부 내에 포진한 공산주의자들은 날카로운 논쟁을 사용하며 반대파를 억누르기 위해 행정적 수단을 사용했다. 정직하고 선의를 가진 사람이 민주주의와 반파시즘과 진보를 반대할 수 있겠는가? 공산주의자뿐만 아니라 사회민주주의자들도 자신을 비난하는 사람들을 배반자로 몰아세웠다. 이들은 아직 회개하지 않은 비밀 파시스트들의 체제 전복적 활동에 대한 우려를 부추기고, 반역을 뿌리 뽑기 위해 새로운 조치가 필요하다고 주장했다. 모든 연합 정부에서 공산당은 내무부를 통해 경찰 통제권을 확보하고, 교과서를 발행하는 교육 부처와 언론을 감독하는 선전 부처를 장악했다. 이렇게 해서 공산주의 신문들은 발행부수를 늘리고, 모든 언론은 민족전선과 소련과의 동맹을 비롯한 외교정책에 대한 비판을 사실상 금지시켰다. 상대적으로 분위기가 온건한 체코슬로바키아에서도 정부 보안기관 지역 책임자들은 마르크스주의에 대한 비판을 처벌 대상이 되는 행위로 해석했다.[11]

사회와 국가

공산주의자들은 진정한 노동자들은 적에 대해 경계심을 품는 건전한 계급 본능을 가지고 있다고 주장했다. 그래서 노동자, 농민과 그들의 자녀는 고등교육 대상으로서만 아니라 공산당, 공산군, 경찰 요원으로 모집 대상이 되었고, 이런 인력들은 일반 국민보다 더 좋은 식품점과 휴양소를 이용할 권리를 제공받았다. 이러한 특혜의 궁극적 결과는 이중적이었다. 때로 산업 노동자들은 자신들이 지배 계급이라는 당의 말을 그대로 믿어서 위기 시에 자신들의 반대의견을 가장 먼저 내세웠다. 1953년 체코슬로바키아와 동독이 그러한 예였다.[12] 그러나 1968년 체코슬로바키아와 폴란드 경우처럼 산업 노동자는 정권의 수호자 역할을 하기도 했다. 인민민주주의를 지지한 노동자 또는 농민들은 자신들이 새 체제가 약속한 것을 지켰다는 증거가 되었다며 사회정의 실현에 도움을 주었다. 이들은 자신들이 부모들은 꿈도 꾸지 못했던 국가 행정과 경제 참여에의 길이 열린 것을 발견했다.

지식인들은 일반적으로 '부르주아' 배경을 가지고 있었고, 노동자와 농민의 국가에서 특권을 잃게 되어 있었지만, 많은 지식인들이 인민민주주의를 건설하는 데 협조했다. 가장 유명한 작가, 화가, 교수들이 시와 소설, 희곡, 영화와 음악작품으로 소련 스타일의 사회주의를 찬양하며 정권을 지지했다. 이들은 순박할 정도로 자신들이 숭배하는 대상에 대해 알지 못했다. 기자들은 소련 내의 주민 생활에 대한 취재가 전혀 허용되지 않았고, 소련 지도부 외에는 집단화와 1930년의 당 숙청에 대해 아는 사람이 거의 없었다. 수십만 명이 사라진 것이 사실이란 말인가? 아무도 대답을 할 수 없었다. 스탈린주의에 대한 아서 쾨스틀러, 빅토르 세르게, 보리스 수바린 같이 프랑스에서 공산주의에 동정적인 사람들에게 경고를 가한 스탈린주의자에 대한 좌익의 비판은 반소련적으로 간주되어 동유럽에서는 소개될 수 없었다. 소련에서 유형 생활을 하고, 대기근과 공포정치를 직접 목격한 후 귀국한 토박이 공산주의자들은 스탈린의 손길이 뻗칠 것을 두려워해서 이러한 정보를 자신만 간직했다.[13]

소련 현실의 공포와 빈곤을 체험한 지식인들도 새 정권에 기꺼이 협력했다. 소련군과 같이 전투를 치른 조국군대의 친구들이 소련 비밀경찰에 의해 체포되는 것을 본 폴란드 작가들도 공산주의를 지지했다. 소련의 강제수용소에서 살아남았거나 그런 사람을 가까운 친척으로 둔 사람들도 정권과 화해를 할 길을 찾았다.

이런 현상을 설명할 수 있는 한 가지 요인은 선택의 여지가 없었다는 것이었다. 1945년 크라쿠프나 바르샤바나 우쯔로 귀환하여 자신들이 경력을 계속 이어나가려고 한 지식인들은 '인민 폴란드공화국People's Poland'이라고 불리는 새로운 국가가 만들어지고 있는 것을 목격했고, 사회주의를 건설하는 것이 아니라(아직은 때가 되지 않았다), '국가를 재건하는 데' 소련과 손을 잡았다. 이런 상황에서 뒷짐 지고 가만히 있어야 할 이유가 있는가? 지식인들은 정권의 성격을 떠나 폴란드 문화에 대한 의무가 있지 않은가? 지하에서 수업을 진행하던 교수들과 교사들은 단지 다시 대학과 학교 건물로 돌아온 것이었다. 비근한 예로 19세기 후반부터 '유기적 작업organic work'을 실현해왔고, 공산주의자가 아니었던 카지미에즈 비카의 경우를 들 수 있다.[14] 단순한 협조도 종종 교묘한 형태의 부역이 될 수 있었다. 1953년 비카는 "변증법적 가설의 철칙을 확정한 스탈린의 천재성은 … 문학의 항구적인 가치를 이해하는 길을 보여준다"라고 썼다.[15]

그러나 폴란드인들 사이의 경계심은 수면에만 머물러 있지 않았다. 새 정부가 모든 고용을 독점했기 때문에 모든 사람이 새 국가에 협조할 수밖에 없기는 했지만 체코슬로바키아와 동독과 비교할 때 상대적으로 적은 수만 비밀경찰은 물론 공산당에 가입했다. 여기저기 흩어진 조국군대 부대들은 1945년 이후에도 계속 투쟁을 이어나갔으며 소련이 지원하는 정권의 앞잡이들을 공격했다. 이러한 부대들은 1946년 1월 해산하고 공개적인

민간 생활로 복귀하라는 조국군대 중앙 지도부의 명령에 복종하지 않았다.[16]

그러나 많은 지식인들에게 문제는 단순한 포기나 기회주의가 아니었다. 인민민주주의를 위해 일하기로 선택한 것은 불가피성을 논한 헤겔의 주장과 현재 일어나고 있는 일의 합법성에 대한 전반적 열정 속에 일어난 일이었다. 소련 군대는 인류를 자본주의와 '부르주아 민주주의' 너머 새 단계로 이동시켰다. 여기에 반대하는 것은 비이성적인 현실이었다. 실제로 일어난 일은 정당한 일이었다. 변증법적 비전은 최근의 역사를 설명하고 있기 때문에 좌파 이외의 추종자들을 끌어들였다. 하나의 역사적 단계가 이전 단계에 이어 새로 등장했고, 파시즘은 자유민주주의를 파괴한 것이 아니라 그 산물이었다. 체코슬로바키아 후스파 교회의 목사인 바츨라프 로렌츠는 1946년 이렇게 썼다.

역사적 과제를 수행하고, 이제 더 이상의 발전의 장해물이 된 자본주의적 질서는 멈출 수 없는 사회주의 질서의 도래를 막기 위해 마지막 투쟁을 벌이고 있다. 파시즘은 자본주의의 붕괴를 지연시키기 위해 의식적이고 의도적으로 소환된 것이다. … 우리는 아직 파시즘의 잔재가 제기하는 위험에 대해 대통령의 경고를 역사의 바퀴를 거꾸로 되돌리려는 사람들에 대항하기 위해 모든 도덕적 세력이 나서야 한다는 호소로 받아들여야 한다. 왜냐하면 이들은 자신들이 특권적이고, 착취적이고 죄악이 가득 찬 자리에서 제거될 것이라는 것을 알기 때문이다.[17]

여기에서는 헤겔의 변증법이 기독교 구원관과 결합되고, 죄악은 반공산주의 저항과 동일시되었다. 후스파 교회공의회는 파시즘은 자본주의 사회 내부의 모순에 기원하고 있고, 사회주의가 확립되기 전에는 어떤 안전

도 없다고 결의했다.[18]

또한 많은 동유럽인들은 치욕을 흡수할 수 있는 민족적 담론을 원했다. 치욕에는 1939년의 패배뿐만 아니라 이어 벌어진 외세의 점령도 포함되었다. 체코슬로바키아인들에게 공산당의 부상은 자신들 민족의 역사를 새로 쓰는 시도의 일부였다. 여기에서는 범슬라브주의와 토마시 마사리크가 이질적으로 여긴 소련과의 연계가 강조되었다. 그러나 이것은 중요한 연속성이었다. 1918년과 마찬가지로 현재 진행되고 있는 일, 즉 독일 정권에서 국가 기관을 탈환해서 체코슬로바키아 정권의 손에 다시 넘기는 것은 '민족 혁명'으로 불렸고, 6년간의 숨 막히는 외세 지배 후에 국민들이 다시 활동을 하고 있다고 느끼게 만들었다.

비판적 관측자들은 전쟁을 이해해보려고 노력하고, 안정적인 전통과의 연계를 상실한 사람들을 자극하는 혁명적 열정에 대해 언급했다.[19] 가톨릭 신자인 파벨 티그리드는 젊은 노동자들과 학생들이 광신자가 되었다고 말했다. 그러나 이들은 혁명의 영감을 얻기 위해 동쪽을 바라보면 민족적 구원이 자신들 편에 있다고 믿었다. 그 이유는 동쪽에서 온 군대가 없었다면 체코슬로바키아의 민족성은 존재하지 못했을 것이기 때문이었다.[20] 대통령이 되어 체코슬로바키아로 귀환한 에드바르트 베네시 같은 중도론자조차도 다른 대안이 없다고 보았다. 그는 자신의 조국을 '동방과 서방을 잇는 다리'로 보았지만, 1938년 뮌헨회담에서 당한 배신을 고려하여 동방에 대한 동정심이 훨씬 컸다.[21]

폴란드에서는 전쟁으로 인한 인종멸절적인 손실로 인해 중도와 우익의 정치인들조차도 소련과 좀 더 가까운 관계의 필요성을 인정했다. 1945년 12월 폴란드 야당 지도자인 농민당 정치인 스타니스와프 미코와이치크는 이탈리아 대사 에우제니오 레알레에게 "독립 폴란드 농민당은 폴란드 외교정책의 기초는 소련과 우호적인 관계를 맺는 것이고, 소련만이 독일과 독일의 위험으로부터 폴란드를 보호할 수 있다. 다른 식으로 생각하는 사람은 멍청하거나 미친 것이며 농민당 당원 중에는 그런 사람이 없다"라고 말했었다.[22] 폴란드가 오데르-나이세 경계선을 넘어 전쟁 전 독일 영토의 4분의 1을 장악하고, 이를 보호해줄 강대국의 보호를 필요로 하게 되자 이러한 주장은 더욱 힘을 얻었다(독일은 1990년까지 이 영토의 할양을 공식으로 인정하지 않았다).[23]

과거의 폴란드 저항군의 담론은 다 소진된 것처럼 보였고, 사람들은 1944년의 비극적 바르샤바 봉기에 대한 의문을 제기했다. 이것은 노예화된 주민들의 자발적 행동이 아니었고, 누구라고 말할 수 있는 군사지도자들이 자유롭게 내린 결정으로 수십만 명의 주민이 거주하는 도시를 학살의 장으로 만들어버린 행동이었다. 가톨릭 시인인 체스와프 미워시와 예지 안제예프스키는 1945년 봄 폐허 사이를 걸으며 어떠한 대가를 치르고라도 독립을 추구한 대가를 보여주는 수많은 흔적을 보았다. 미워시는 '자발적인 자기희생의 열기'에 아무 제약 없이 전투에 자신을 던진 수만 명의 봉기군 중 한 명이었던 '즈비셰크 중위'의 잘 가꾸어진 무덤을 회상했다. 이제 이들의 죽음은 '무관심한 세계에 던진 하나의 제스처'에 불과했던 것으로 보였다. 바르샤바는 너무나 철저히 파괴되어서 지도자들은 수도를 노동자 계급의 도시인 우쯔로 이전하는 계획을 심각하게 고려했었다(미워시는 바르샤바 폐허에서 죽은 친구들의 흔적을 찾던 그날 안제예프스키가 공산당으로 가는 길이 시작되었다고 후에 썼다).[24]

역사적 불가피성이라는 감각에는 1930년대의 재앙과 같은 정책 결정을 내린 구舊엘리트에 대한 분노가 결합되었다. 헝가리 지도자들은 트란실바니아의 영토에 눈독을 들이고자 자국을 나치의 궤도에 밀어 넣었고, 그 결과는 참혹했다. 독일이 한 약속과 반대로 전쟁은 6주 만에 끝나지 않았다. 1942-1943년 겨울 수천 명의 헝가리 병사들이 스탈린그라드에서 얼어 죽었다. 그런 다음 1월에 생존 병력들은 보로네쥐에서 소련군의 공격을 받아 4만 명이 전사하고 7만 명이 포로로 잡혔다. 헝가리 정부의 적극적 순응을 등에 업은 독일의 헝가리 점령으로 60만 명의 헝가리 거주 유대인들이 목숨을 잃었고, 1944-1945년 소련군의 공격으로 주요 도시들은 철저히 파괴되었다. 그러나 영토에 대한 욕심만이 헝가리 지도자들을 독일로 향하게 한 유일한 요인이 아니었다. 폴란드에서는 대부분의 사람들이 소련에 대한 경멸감을 가지고 있었고, 만일 지리가 허용했다면 서방의 편을 들었을 것이다. 루마니아인들은 반소련 감정이 너무 강해서 발칸 지역에 연합군이 상륙하기를 반복적으로 요청했었다.[25]

불가리아는 러시아에 대한 국민들의 전통적 호감에도 불구하고 당한 곤경은 크게 다르지 않았다. 불가리아는 독일과 소련이 맺은 1939년 동맹으로 인해 나치의 수중에 떨어지는 것이 수월했다. 1941년 3월 불가리아가 독일, 이탈리아와 3국 동맹을 맺은 것은 반소련적 행보로 보이지 않았고, 그래서 불가리아 국민의 감정을 악화시키는 위험은 피할 수 있었다. 두 전체주의적 국가는 연합된 힘과 유혹으로 불가리아를 자신들의 전철을 밟게 만들었지만, 헝가리, 루마니아에서는 볼셰비즘에 대한 역사적 반감으로 인해 이 두 국가는 독일에 더욱 가까이 연계되게 되었다. 법, 민주주의, 사회 보장에 대한 헌신의 장소인 유럽으로 들어가는 것을 방해한 지정학적 상황에 갇힌 것이 동유럽이 처한 곤경이었다.[26]

그러나 루마니아 엘리트들의 서방과의 연계는 비교적 최근의 일로, 겨우 1세기 전으로 거슬러 올라간다. 그전에는 동료 정교회 국가로서 러시아와의 형제적 연계에 대한 수사가 지배했다. 1947년 2월 페트루 그로자가 이끄는 순종적인 루마니아 정부가 헝가리로부터 트란실바니아를 할양하는 확인한 파리평화회담에 서명하자 반공산주의자인 콘스탄틴 라둘레스쿠-모트루는 강대국에 순종하는 전통을 지키고, '안정과 제도적 지속성'을 대가로 독립을 비난한 그로자를 칭송했다.[27]

그러나 구舊엘리트에 대한 경멸은 단순히 국제 정치에서의 대실수에서만 비롯된 것은 아니었다. 자신들의 국가를 무장이 잘 되고 탐욕스러운 이웃 국가의 대량 살상에서 보호하지 못한 것을 넘어서 2차 세계대전 전 지도자들은 심각한 사회문제 해결을 게을리하고, 대신에 자신들을 위한 특권을 독점하고 재생산했다. 이들은 현대 산업에 제한된 투자만 하고, 교육 개혁은 거의 실시하지 않아서 인구의 절대다수가 사회적 신분 상승의 희망에서 단절되었다. 이제 지도적인 지식인들은 전간기 정권의 광범위한 불공정에 대한 자신들의 죄를 속죄하기 위해 인민민주주의 편에 섰다. 이들은 자신들을 지배하는 사람들이 하층계급 배경에서 나왔기 때문에 이들은 지식계층만이 제공할 수 있는 교육적 상향을 통해 '문화적으로' 행동하는 것을 배워야 한다고 생각했다.[28]

이러한 결과를 마주할 전간기의 지도자들은 거의 존재하지 않았다. 1945년 미클로스 호르티 제독은 뉘른베르크 전범 재판에 회부되었고, 석방된 후 스위스와 포르투갈에서 망명 생활을 했다. 폴란드 외무장관 요제프 베크는 루마니아로 탈출해서 그곳에서 사망했다. 농민당수 스타니스와프 미코와이치크는 폴란드로 돌아왔지만, 런던 망명 정부의 나머지 인사들은 귀환하지 않았다. 유고슬라비아 국왕 페테르는 전쟁이 발발하자마자 피난한 후 고국으로 돌아오지 않았다. 불가리아의 보리스 3세는 1943년에 사망했고, 9살 된 그의 아들 시메온은 1946년 망명길에 올랐다. 1945년 2월 공산주의자들이 통제하는 '인민재판'에 의해 불가리아의 나머지 고위직 인사들은 전원 처형당했다. 3명의 섭정, 22명의 장관과 67명의 의원들이 처형당했다. 루마니아의 인기 높은 미하일 국왕은 1947년 총구의 위협 앞에 강제로 하야했고, 다음 달 스위스로 망명했다.[29]

전쟁으로 인한 참화로 지배 계급도 크게 약화되었고, 폴란드에서 더욱 그랬다. 폴란드에서 나치와 소련 정복자들은 공동 음모자가 되어 폴란드의 국가 엘리트들을 추방하고 살해하는 대량 학살을 저질렀다. 이 중 대표적인 사례는 1940년 초 카틴 인근에서 소련 비밀경찰이 2만 2000명이 넘는 예비역 장교들을 처형한 것이다. 이들은 민간인으로서 정치·문화·경제의 주도적 인물들이었다. 소련 당국은 1940-1941년 네 번에 걸쳐 100만 명이 넘는 폴란드 주민들을 동부 폴란드에서 중앙아시아와 시베리아로 강제이주시켰고, 이주 대상이 된 사람들은 높은 교육을 받고 재산이 있는 사람들이었다. 독일군이 폴란드 국경을 넘자 친위대 부대는 살해 대상 폴란드인 명단을 가지고 뒤따라 들어갔다.[30] 물리적·인적 파괴는 정치뿐만 아니라 문화·경제 권력의 중심지인 바르샤바에서 가장 극적으로 중첩되었다. 바르샤바의 120만 인구 중 약 80만 명이 전쟁 중 목숨을 잃은 것으로 역사가들은 추정했다. 바르샤바 시내는 1948년까지도 80퍼센트가 폐허 상태였다. 살아남은 엘리트는 이러한 타격에 큰 충격을 받아 인민민주주의에 저항할 수 없었다.

인종 혁명

동유럽에서 파시스트 적은 단순히 계급의 적인 부르주아일 뿐만 아니라 인종적 타자였고, 그 대부분이 독일인이었다(체코슬로바키아와 루마니아의 헝가리인도 마찬가지였다). 1944년부터 1947년까지 동유럽 정권들은 700만-900만 명의 독일인을 추방했다. 이들은 통상 40킬로그램으로 제한된 가지고 갈 수 있는 짐을 빼고는 모든 재산을 잃어버렸다. 이들 중 압도적 다수는 체코슬로바키아에 거주하던 독일인과 폴란드에 할양된 이전의 독일 영토에 살던 독일인들이었다. 그러나 헝가리와 유고슬라비아도 독일인을 추방했다. 독일인 가족 모두가 나치 독일이 저지른 범죄에 대한 책임을 져야 했고, 아무도 여기에서 제외되지 않았다. 전쟁 전 독일 국적을 택한 소수의 체코슬로바키아 거주 유대인들도 예외가 아니었다.

폴란드에서 공산주의자 정치인이나 비공산주의 정치인들 모두 독일인은 시민권과 폴란드에 잔류할 권리를 박탈해야 한다고 생각했다. 이 제한은 독일인 후손으로 폴란드 국민이 된 사람에게도 적용되었다. 바르샤바 봉기가 일어난 1944년 8월 1일 소련에 의혜 루블린에 세워진 폴란드 정부는 추방 대상자에 대한 기준을 명확히 했다. 집에서 독일어를 쓰는 사람, 독일 풍습을 지키는 사람이나 자녀들을 독일 정신에 따라 양육하는 사람들이 해당되었다.[31] 1946년 새 폴란드 정부는 '18세에 달한 후 행동을 통해 독일 정체성을 드러낸' 사람들의 시민권을 박탈했다.[32] 수세기 동안 대체적으로 평화롭게 공존해온 역사가 이제는 지속적인 대결의 역사로 재해석되었다. 실레시아나 포메라이나의 실제 주인은 독일인 '새 정착자'들에 의해 밀려나기 전에 이 지역에 정착한 슬라브인들이었다. 새 정착자들은 '정복 욕망'으로 폴란드 영토로 밀려들어온 것이다.[33]

불관용의 분위기는 독일인을 넘어 유대인에게까지 확대되었다. 일례로 폴란드에서 사람들은 은밀하게 히틀러가 폴란드의 유대인 문제를 해결했다고 말하기도 했다. 폴란드인들이 유대인 가옥으로 이사해 들어가고, 대학의 입학 정원을 놓고 더 이상 유대인과 경쟁할 필요가 없었다.[34] 1944년부터 시작하여 약 1940-1941년 소련으로 추방되었던 약 20만 명의 유대인이 귀환하기 시작했지만, 이들은 자신들이 환영받지 못하는 존재라는 것을 알았다.[35] 1944년부터 1945년까지 폴란드인들은 약 1200명의 폴란드 유대인을 살해했다. 주로 소도시와 시골에서 벌어진 이 살해 행위 중 가장 잔악한 행위는 키엘체에서 발생했다. 1946년 7월 한 소년이 유대인에게 납치되었다는 소문으로 인해 42명의 유대인이 잔인하게 살해되었다. 히틀러가 자살한 지 1년 지난 시점에서 살인자들은 나치의 규칙을 독일제국 밖에 사는 유대인들에게 적용한 셈이다. 이들은 2차 세계대전 전 극우주의자들이 적용한 '아리안족'과 유대인의 구별을 사실상 절대시했다.[36] 이제 유대인들은 목숨을 보전하기 위해 체코슬로바키아, 독일, 프랑스를 거쳐 팔레스타인으로 이주했고, 폴란드 내 유대인 수는 1946년 24만 명에서 다음 해 9만 명으로 줄었고, 1950년대는 6만 명으로 줄었다가 1968년에는 4만 명으로 줄었다.[37]

소련에 할양된 영토의 폴란드인들은 1943년과 1944년 우크라이나 파르티잔과 폴란드 파르티잔 사이의 치열한 인종청소 전쟁의 대상이 되었다. 마을 주민 전체가 살해당하는 일이 벌어졌고, 10만 명의 폴란드인과 2만 명의 우크라이나인이 목숨을 잃었다.[38] 인종 순화 과정은 전후 시기까지 이어져서 소련과 폴란드 정부는 서로 인구를 교환했다. 약 150만 명의 폴란드인들이 우크라이나에서 추방되고 50만 명의 우크라이나인이 폴란드에서 추방되었다. 폴란드 정부는 14만 명의 우크라이나인을 남동부 폴란드에서 독일인들이 떠난 서부와 북동부 폴란드로 강제이주시켰다. 이 이주의 명목은 반란의 불씨를 잠재운다는 것이었다.[39] 1940년대 말까지 원 거주지에 남아 있던 소수민족 주민은 너무 작고, 분산되어서 폴란드는 인종적으로 단일 국가라고 불리게 되었다(부록 표4).

프라하에서 추방 절차를 기다리는 독일인들(1945)

유대인은 주로 도시 지역에 거주했기 때문에 유대인 생존자들은 사업
이나 상업 같이 도시 생활을 추구하는 소수민족 인구 비율을 줄이려는 민
족화 조치에 의해 상대적으로 더 큰 고통을 받았다. 홀로코스트 이후 가장
큰 유대인 공동체(34만 5000명)가 있었던 루마니아에서는 약 40퍼센트의
유대인이 상업에 종사하고 있었지만, 이제 그들의 생업은 '투기'로 규정되
어 불법화되었다. 루마니아 정부는 사업을 잃은 사람들에게 육체노동 일
자리를 제공했고, 이 과정은 '재계층화'라고 알려졌다. 다른 적대적 행위와

결합된 이러한 조치로 인해 루마니아 거주 유대인의 3분의 1이 1952년까지 이스라엘로 떠났다.[40]

약 600만 명(루마니아 인구의 3분의 1)의 인구가 살고 있는 트란실바니아의 도시에는 주로 헝가리인들이 살았고, 약 50만 명의 독일인이 바나트 지역과 시비우에서 브라소프에 이르는 좁은 지역에 거주하고 있었다. 초기에 루마니아 정부의 정책은 헝가리인들은 차별 대우를 하지 않았지만 독일인들에게는 시민권을 부정했다. 그래서 현지 관리들은 헝가리 문화를 장려하고 경찰과 행정 인원 배정에 인종 비율을 적용했다.[41] 그러나 새로 출범한 사회주의 정권은 이전 정권의 인종적 순혈주의에 대한 우려를 계승했지만, 이러한 관용 정책은 일시적인 것으로 드러났다.

인종적 단일화의 예외는 유고슬라비아였다. 유고슬라비아 정부는 독일인들을 반역 가능성을 내세워 추방했지만 인종적 의미에서 '유고슬라비아인'이라는 개념은 포기했다. 소련에 대한 열광이 최고조에 달했을 때 파르티잔 지도부는 소련 법률의 기본 요소를 도입하여 유고슬라비아를 연방으로 만들었다. 1946년 헌법에 의하면 유고슬라비아는 6개의 주민peoples이 대표하는 6개의 공화국으로 구성된 연방국가였고, 각 구성체는 연방에서 이탈할 권리를 가졌다. 이 정책은 전간기 중 나타난 세르비아 민족의 주도권에 대한 우려를 반영한 것이었다. '주민'이란 애매한 단어의 적용은 1990년대 초반 유고슬라비아의 분열에 중요한 역할을 했다. 크로아티아 '주민'에는 그곳에 살고 있는 세르비아인도 포함되는 것인가 아니면 단순히 크로아티아인만을 의미하는 것인가? 다민족 공화국들에 대한 우려는 당분간 형제애와 단합에 가려졌다.

1948년 동유럽에 대한 소련의 장악이 확고해진 다음에 동유럽은 소련이 지배하는 사회주의 세계 체제의 일부가 되었고, '사회주의 국제주의'의 규칙에 따라 지배되었다. 그러나 일부 기본 원칙은 이미 분명했다. 새로 부상한 국가들은 영토를 통제하고 토착 민족의 이름으로 통치하는 민족 국가였다. 2차 세계대전 기간 중과 전후에 진행된 인종청소로 인해 새로 형성된 소련 블록 국가들은 전간기 간 이전 정부보다 민족 국가주의 원칙을 더 반영했다. 체코슬로바키아 대통령 베네시는 이러한 새로운 정신을 강제적으로 시행했다. 체코슬로바키아는 소수민족에 대한 조약들이 실패했기 때문에 더 이상 소수민족을 관용적으로 대하지 않는다고 그는 말했다. 독일인과 헝가리인들은 충성스런 체코슬로바키아 시민으로 행동할 능력이 없다고 말했다.

이렇게 해서 유럽은 자유주의적인 자본주의와 인민민주주의로 갈라졌을 뿐만 아니라 서방의 새로운 국제주의와 소련의 패권의 힘 아래 얼어붙은 동방의 민족 국가주의로 갈라졌다. 소련은 1947년부터 인민민주주의에 자신의 질서를 강요하기 시작했다.[42] 그러나 출발부터 소련 모델을 모방한 국가이자 인종적 민족주의를 초월한다고 주장한 '연방국가' 유고슬라비아는 1948년 민족주의의 기치를 내걸고 최초로 소련의 패권에 도전한 국가가 되었다. 소련 블록에서는 수십 건의 공개재판이 진행되었고, 슬로베니아와 크로아티아 혈통이 혼합된 유고슬라비아 지도자 요시프 티토도 민족공산주의의 '범죄'의 화신이 되었다.

＊ ＊ ＊

민족 혁명이건 사회 혁명이건 혁명은 공산주의자들이 국가 부처를 장악할 기회를 주었고, 이들은 이를 이용해 거대한 자원을 통제하며 권력 기반을 확립했다. 이 권력 기반은 광범위한 정치적 후원 네트워크로 자리 잡았다. 가장 눈에 띄는 사례는 전에 독일 영토였던 폴란드 서부 지역이었다. 이곳에서 '회복된 영토' 담당 공산주의 장관은 수천 평방킬로미터의 토지와 그 토지 위의 모든 자산의 분배를 통제했다. 가옥, 농장, 공장, 거대한 행정 조직, 심지어 교회도 그의 손안에 들어갔다. 이것은 거의 전례를 찾아볼 수 없는 부패와 후원주의clientalism의 근원이 되었다. 이와 유사한 현상이 체코슬로바키아 국경 지역에서도 벌어졌다. 이곳에서 공산주의자들이 통제하는 농업부는 '반역자'뿐만 아니라 독일인과 헝가리인으로부터 압수한 재산을 장악했다. 총 150만 헥타르의 농지가 17만 가족에게 분배되었고, 추가로 20만 헥타르의 농지가 농업협동체에 할당되었다. 재산을 분배하는 권한은 지역 민족주의 위원회가 가지고 있었고, 전에 독일 영토였던 지역에서 163석의 위원 중 128석을 공산주의자들이 차지했다.[43] 공산당원들은 노획물을 훨씬 많이 차지했고, 농지를 얻은 비공산주의자 농민은 선거에서 급진 좌파에게 투표하는 경향이 생겼다.[44]

공산주의가 장악한 체코슬로바키아 내무부는 독일인 추방과 이들을 혁명 정치를 후원할 뿐만 아니라 적극 참여하는 슬라브인으로 대체하는 작업을 관장했다. 전후 대중적 지지를 받고, 정치 스펙트럼에서 좌파 쪽으로 이동하면 대중 매체에서 더 날카로워지는 민족주의적 담론에 의하면, 슬라브 노동계급은 자상한 부르주아 정의에 크게 실망했다.

'배신자'와 '독일인'이라는 범주는 서로 구별할 수 없게 되었다. 모든 독일인은 배신자일 뿐만 아니라 '혁명적' 정의를 반대하는 모든 사람은 '독일인'이었다. 반체제적인 체코슬로바키아 자유주의자나 가톨릭 학생들이 독일인이나 헝가리인에 대한 공산주의자들의 폭력을 비판하자, 이들은 '부역자'라고 불렸고, 이들이 독일 인종과 밀접한 연관이 있다고 의심했다. 아마도 이들은 독일인 배우자나 할아버지를 두고 있을 수 있었다. 1946년 브르노에서, 1939년부터 1945년까지 아우슈비츠와 노르드하우젠을 비롯한 여러 나치 집단수용소에서 수감 생활을 한 체코군 소령이 체코슬로바키아 지식인들이 나치에 대항하는 아주 소규모의 체코슬로바키아 저항운동을 고무하고 인력을 공급한 것을 찬양하면서 한 사건이 일어났다. 이에 대비되게 노동자들은 배급을 조금 더 받고 맥주와 담배를 얻기 위해 잔업을 했었다. 아돌프 히틀러도 브르노 노동자들이 전쟁 노력에 기여한 것을 찬양한 바 있었다. 브르노 공산당 신문은 소령 출신인 이 강사를 해임할 것을 요구했고, 결국 그는 해임되었다(그는 '파시스트'라는 비난을 받았다). 200여 명의 학생들이 그 강사를 위해 시위를 벌이자, 공산당 기구는 이에 대응하여 수천 명의 노동자들을 거리로 나서게 만들었다. 경찰의 지원을 받은 노동자들은 "파시스트 학생들을 추방하라", "교수들은 광산으로 보내라"라는 구호를 외쳤다.[45]

이것이 2차 세계대전 후 체코슬로바키아의 과열된 정치적 분위기였다. 체코슬로바키아는 1948년 2월 공산주의자들이 정권을 잡을 때까지 동유럽 국가 중 가장 강한 민주주의와 법의 지배의 외양을 가진 나라였다.[46] 공산당의 승리는 작은 소수집단이 다수에 대해 자신들의 의지를 강요하는 데 성공했다는 이야기에서 끝나는 것이 아니었다. 타인종을 비난하고 희생양으로 만드는 것과 같은 공산당의 정치 노선은 1948년 큰 인기를 끌었다.[47] 공산주의자 대의원들은 1946년 5월 치러진 선거에서 40퍼센트의 득표를 했지만, 독일인과 유대인의 자산을 분배한 수데텐 지역에서는 75퍼센트의 득표를 했다. 이 정책은 1938년 뮌헨 비극 이후 '슬라브 세계'의 편을 드는 전체적 기도와 잘 맞았다. 이러한 선택은 단순히 정치적 선택이 아니라 문명의 선택이었다. 1945년 4월 체코와 슬로바키아의 모든 정당, 가톨릭 정당과 공산당 모두가 동의한 체코슬로바키아의 전후 프로그램(코시치

프로그램)은 다음과 같이 선언하고 있다.

우리는 모든 분야에서 반동적 요소를 가지고 있는 독일과 헝가리 문화에 대한 우리의 관계를 재검토할 것이다. 우리의 문화 정책에서 슬라브적 지향이 강화될 것이다. … 우리의 슬라브연구소는 살아 있는 정치·문화 기구로서 재건되고, 다른 슬라브 민족과 국가의 문화 기관들과 밀접한 관계를 유지할 것이다.[48]

1945년 여름 체코슬로바키아는 대통령의 포고령은 단지 '체코인, 슬로바키아인, 다른 슬라브 민족에 속한 사람들만'이 투표를 할 능동적·수동적 권리를 갖게 될 것이라고 선언했다.[49] 이 나라는 전에는 볼 수 없었던 슬라브인들의, 슬라브인을 위한 국가였다. 인종차별주의는 새로운 인종차별주의를 낳았고, 1938년의 대통령 토마시 마사리크의 측근이었던 에드바르트 베네시가 이 히스테리를 관장했다. 이 정부의 외무장관은 마사리크의 아들인 얀 마사리크였다. 그는 정당에 가입한 적은 없지만, 1948년 3월 석연치 않은 상황에서 죽을 때까지 인민민주주의를 지지했다.[50]

폴란드와 체코슬로바키아의 독일인들은 혁명적 정의를 위한 아주 만만한 목표물이 되었다. 그 이유는 독일인들은 법의 보호에서 제외시킬 수 있는 대상이었기 때문이다. 베네시 같은 자유주의자조차도 체코슬로바키아의 독일인들은 '제거'해야 한다고 여러 번 주장했다. 그러나 사법적 불공정은 독일인에서 끝날 수 없었다. 나치 정복자들은 많은 체코슬로바키아인들의 부역을 요구했었다. 이들은 공산당 일간지인《루데 프라보Rude Pravo》가 1945년 5월에 경고한 대로 체코슬로바키아의 적색, 흰색, 청색 3색기 아래서 자신들을 보호하고 있었다. 스스로 구성된 인민재판소가 나타나 나치 점령군의 하수인들을 '찾아내고 체포하는' 일을 시작했다. 이런 일의 일부는 공산당이 통제하는 '노동자민병대workers militias'와 '혁명전위대revolutionary guards'가 수행했다.[51]

동유럽 국가들이 민족주의 성격을 강화하는 데 소련도 일조했고, 스스로를 새로운 동맹국에 보호를 제공할 수 있는 역동적 국가로 내세웠다. 소련은 역사상 가장 공격적인 제국주의 정권을 분쇄했고, 전간기 중 국제 합의가 동유럽 국가들에게 제공하지 못한 보호를 제공했다고 주장했다. 소련은 (루마니아인이 대부분인) 베사라비아를 취한 다음 루마니아가 트란실바니아를 차지하도록 도와주었고, 폴란드가 서부에서 새 영토를 얻도록 만들어주었다. 1950년대 서독이 재무장을 하자, 소련은 독일의 '제국주의'의 부활에 맞서 동유럽 지역을 방어한다고 나섰다. 소련의 선전가들은 실레시아와 수데텐 지역의 회복을 요구하는 서독의 추방 이주민들의 시위를 강조하면서 이런 점을 선전에 이용했다.[52]

1945년부터 1949년까지 소련의 점령지역에서 탄생한 독일민주공화국German Democratic Republic은 독일의 절반도 되지 않는 인구를 가지고 민족적 정체성을 내세워야 하는 딜레마에 처했다. 그러나 실제로는 서독과의 경쟁 덕분에 동독은 더 독일적이 되었다. 동독 공산주의자들은 문학과 음악(괴테, 실러, 바흐 모두 이 지역 출신이었다)에서 독일 고전 전통의 수호자로 스스로를 내세우고, 프로이센 유산의 요소를 자신의 것으로 만들었다.[53] 1949년 동독은 베를린대학의 명칭을 프로이센의 개혁자인 알렉산더 폰 훔볼트와 빌헬름 폰 훔볼트의 이름을 따서 '훔볼트대학'으로 개명했다. 이어서 '진보적인' 장군인 샤른호르스트와 그나이제나우의 재발견(1956), 프로이센 군대 의식의 재도입(1962), 그리고 에리히 호네커의 정권에서는 폴란드 분할에 참여한 프리드리히 2세를 점차적으로 복권시켰다(1971).[54]

그러나 과거와의 연결은 프로이센에서 끝나지 않았다. 작센과 튀링겐은 독일 노동계급의 초기 소요가 일어난 곳이었고, 마르크스주의 사회민주당의 프로그램이 탄생한 모임의 장소를 제공했었고, 동독의 스탈린이라고 할 수 있는 발터 울브리히트의 탄생지였다.

소련의 보호 아래 독일 민족주의로 회귀하는 것은 심각한 도전에 직면했다. 대부분의 독일인들은 적군赤軍이 저지른 죄악을 잘 기억하고 있었다. 특히 여성들에 대한 성폭행(베를린에서만 10만 건 이상)에 대한 기억은 잊을 수 없었다. 수십 년 동안 이 문제를 언급하는 것은 금기였다. 그러는 동안 동독 공산당은 독일적인 것을 서방의 오염으로부터 보호하는 데 적극 나섰다. 1950년 말 서독에서 온 방문자들은 동독이 좀 더 독일적인 국가라고 묘사하기 시작했다. 동독이 좀 더 질서가 잡히고, 검소하고, 깨끗하고, 사회적으로 더 보수적이고, 전위대임을 선전하는 모든 포스터에도 불구하고 좀 더 전통적이라고 보았다.[55] 이와 대조적으로 서독과 서베를린은 미국화의 효과로 상점과 상품들이 가득 찬 화려한 시내 중심가를 무시할 수 없었다.

폴란드의 공산주의자들도 이와 마찬가지로 소련에 대한 이중적 감정을 가진 국민들에게 선량한 민족주의자로 보일 수 있는 전략을 만들어내야 했다. 이들은 소련만이 독일뿐만 아니라 현대 세계의 문화적 획일화로부터 폴란드를 보호할 수 있다고 주장하면서 자신들을 선량한 폴란드인으로 내세웠다. 이와 대조적으로 체코슬로바키아와 유고슬라비아에서는 깊은 친소련적 분위기가 소련식 모델을 매혹적으로 만들었기 때문에 공산주의자들은 소련의 그늘 아래 기꺼이 섰다. 이런 분위기는 최소한 스탈린과 티토 사이에 갈등이 생긴 1948년까지와 프라하의 봄이 소련에 의해 진압된 1968년까지는 이어졌다.

루마니아의 지도자들도 역시 인종적 불만을 자극했다. 처음에는 독일이 대상이었고, 훨씬 후에는 대담하게도 소련도 대상이 되었다. 2차 세계대전 직후에 소련과 루마니아 경찰은 수만 명의 독일인 '전쟁 범죄자'를 남녀를 가리지 않고 체포했고, 이들을 소련의 강제노동수용소로 보냈다. 4-5년 후 이들의 상당수는 육체적으로 망가진 상태로 귀환했다. 1945년 3월 루마니아의 토지 개혁은 독일인뿐만 아니라 파시스트라고 지목된 대지주를 대상으로 했다. 약 80만 명의 루마니아 농민들이 150만 헥타르의 농지를 분배받았다. 이러한 혜택을 받은 주된 대상은 전쟁미망인, 참전 용사, 루마니아인이 적은 남부 트란실바니아와 바나트 지역에 베사라비아와 부코비나의 난민들이었다.[56]

헝가리에서 사회적 편차는 아주 컸고, 농촌 지역에서 조성된 혁명적 열기는 인종적 이유가 아니라 계급적 이유가 컸다. 농업 분야에서 일하는 450만 명의 주민 중 300만 명은 농지가 전혀 없거나 아주 작은 농지를 보유했다(2.8헥타르 이내). 그 반대편에는 1만 가족이 루마니아 농지의 절반을 차지했다.[57] 호르티 정권 이후 정치적 지형은 1945년 1월 민족농민당이 제의한 대영지의 철폐와 농지 분배 제안을 거부했다. 이 제안을 지지하는 사람들은 소련이 이것을 강력히 바라고 있다는 것을 강조했고, 6주 만에 575헥타르가 넘는 모든 농장은 몰수되었다. 이런 혁명은 '비공산당' 정부에서 일어났다. 물론 소수파인 공산 세력도 이러한 혁명을 찬성했다.

헝가리의 830만 헥타르 경작지 중 322만 2000헥타르(38.8퍼센트)가 몰수되었다. 이 중 상당 부분(134만 8000헥타르)은 국유화되었다. 이 개혁은 농지 소유자의 수를 늘리기는 했지만 시장경제의 발전은 방해했다. 그 이유는 농민들은 경제적으로 경쟁력을 갖추기에는 부족한 작은 농지를 분배받았기 때문이다. 공산주의자들은 작은 농지는 생산성이 낮다는 것을

독일 대지주의 농지 소유권을 주장하며 시위하는 농민들(1945년 9월)

잘 알고 있었지만, 중요한 것은 지주계급을 파괴하고 감사하는 마음을 가진 농민들을 극좌파의 지원세력으로 만드는 것이었다. 자신에게 필요한 농산물 이상을 생산할 능력이 없는 새 농지 소유자들은 기존의 농부들을 적으로 간주하게 되었다(소련식 용어를 쓰면 '쿨라크'였다. 즉, 약탈자이자 계급의 적으로 간주한 것이다.[58]

이런 일이 발생하는 동안 헝가리인들과 폴란드인, 동독 주민들은 엄청나게 중요한 일이 일어나는 것을 보게 되었다. 그것은 수세기 동안 동유럽 지역을 후진적으로 만들었던 전근대적 계급제도가 파괴되는 것을 목격한 것이다. 1945년 이전 헝가리 인구의 3분의 2는 오래된 신봉건적 엘리트들의 지배 아래 농촌 지역에서 살고 있었다. 사회주의에 대해 강한 비판을 한 자유주의자 이슈트반 비보도 이것은 1514년 농노제가 법제화된 후 최초로 도래한 '해방'의 순간이라고 썼다. 그는 "엄격한 사회 체제가 움직이

기 시작했고, 좀 더 많은 자유를 향해 움직였다"라고 썼다.[59]

죄 없는 사람들을 배신자로 낙인찍고, 농지를 압류하며, 부적절하게 분배하는 데 대한 불만이 거세게 일어났지만, 헝가리 의회는 1946년 5월까지 이 과정이 완료되도록 결정했다.[60] 이 과정의 법적 정당성을 문제 삼는 사람은 진보를 가로막고 스스로를 배신자이자 파괴전복자로 내세우는 것과 마찬가지였다. 공산주의자들은 새로운 탈부르주아 현실이 시작되고 있다고 주장하고, 소멸하는 부르주아 계급에 대한 보상이나 정확한 압류 과정을 주장하는 사람들을 비난했다. 많은 경우 급진적인 농부들은 죄 없는 농부들은 파시스트나 반동분자라고 주장하며 이들의 농지를 몰수했다. 이들이 '농지 개혁에 필요한 것 이상으로 재산을 탈취하는 것'을 막을 방법이나 이를 저지할 사람은 없었다.[61]

스탈린주의로의 이행

1944년 나치 독일군을 분쇄한 소련군의 전광화석 같은 작전과 함께 반동의 경제력을 항구적으로 파괴하려는 의도를 가진 혁명은 전혀 거리낌 없이 진행되었다. 공산당 지도자들은 앞으로 달려 나가는 길에 차지한 입지에 대해 말하고 당원들에게 '심각한 실수의 위험에도 불구하고 지체 없이' 재분배위원회에 들어가서 자신들의 과업을 달성하도록 촉구했다. 다른 정당과의 협력 필요성을 강조한 것은 불가피한 권력 남용에 대한 책임을 단독으로 지는 것을 피하기 위해서였다. 그러나 혁명은 '깨끗하지' 않았다. 파시스트라고 지목된 사람들에게서 압류한 재산을 재분배하는 데 정실주의가 바로 개입되었다. 도시에서조차 공산당 지지자들은 슈바브Švab(독일

인을 지칭함) 재산에 대한 소유권을 주장하기 위해 연줄을 이용했다.[62]

그래서 2차 세계대전 종전 직후에 새롭게 자리 잡은 사회주의 질서에 협력한 공모자들이 생겨났고, 이 공모자들은 자신들이 하는 일을 정당화하기 위해 새로운 언어를 필요로 했다. 수백만 명의 동유럽 주민들은 헝가리의 슈바브, 수데텐 독일인 아니면 독일계 실레시아 주민을 방어하기 위해 어떤 어휘도 사용할 수 없었다. 부르주아와 마찬가지로 이들은 구제불능의 적이었고, 이들을 보호하기 위해 나선 사람들은 이 적들의 동지라고 정의했다. 헝가리의 유일한 독자 세력인 소규모 자작농들은 혁명 패배자들의 지지를 받았고, 그 결과 인종과 계급 모두의 배신자라는 낙인이 찍혔다. 이것은 태생적인 배경으로 여겨졌다.[63] 독일인들은 태생적으로 파시스트이고, 그들도 권리를 가졌다고 주장하는 사람들도 같은 취급을 받았다.

1948년 동유럽이 스탈린화되기 훨씬 이전부터 감히 논박할 수 없는 스탈린주의식 사상이 언어에 스며들어서 급진 좌파의 권력을 확대하는 것을 도와주었다. 소련에서 사용되는 '쿨라크kulak'라는 용어는 폴란드어에서는 현재 진행 중인 토지 개혁의 안전성에 대한 우려를 반영한 단어로 사용되었다. 쿨라크는 경계가 늦추어지면 인민의 재산을 도적질하는 '투기꾼들'의 동지로 그려졌다.[64] 선전 포스터는 적들에 대한 무자비한 징벌을 요구했고, 2차 세계대전 중 포스터에 그린 적군赤軍과 파시스트 이미지에 이들을 대체해 넣었다.

정치적·사회적 분위기는 비공산주의자들이 현재 진행 중인 혁명에 반대할 수 있는 어휘를 극히 제한시켰다.[65] 이런 상황은 '사회주의'와 '혁명'이라는 단어를 공산주의자들이 독점하고 현재 가장 중요한 어휘가 된 체코슬로바키아에서 특히 두드러졌다. 수십 년을 소련에서 보낸 후 프라하로 돌아온 공산주의자이자 철학자인 아르노슈트 콜만은 많은 세월이 흐른 후 망명지인 스위스에서 자신이 체코슬로바키아 문화를 스탈린주의화하는 데 수행한 역할을 후회했지만, 어느 정도의 자부심은 감추려고 하지 않았다. 그는 2차 세계대전 후 가장 신념이 강하고 능력이 있는 자유주의자와 가톨릭 신봉자들과 싸움을 벌인 끝에 "이 모든 말의 전투에서 승리자가 되어서 투우사처럼 기분이 좋았다"라고 말했다.[66]

그가 반대자를 제압한 무기는 자신의 우월한 지성이나 반대자의 부족한 수사 능력이 아니었다. 그는 그 시기, 그 장소에 가장 강력했던 정신으로 논쟁을 펼친 덕에 승리한 것이었다. 모든 정의는 '인민'에 의한, '인민'의 '인민'을 위한다는 것이 정의의 모든 것이 되었고, 공산당이 인민의 의지를 구현했다. 이와 대조적으로 자유주의는 광적인 지지를 자극하기에는 턱없이 부족한 법률적 주장의 무질서한 조합으로 보였다. 1950년대가 되어서야 서방에서만 자유주의는 '전체주의적 통치'에 대항할 수 있는 것으로 적극적 인정을 받았다.

수사적 도전에도 불구하고 민주주의와 법의 지배를 옹호하고 사회 개혁을 선호한 반대자들이 있었다. 1947년 말까지만 해도 체코 학생들은 공산당 후보에 압도적으로 반대하는 투표를 했었다. 학생들은 더 확대된 사회적 평등을 지원했지만, 이것을 성취하기 위해 극좌파가 취한 방법은 비난했다. 특별한 우려를 자아낸 것은 독일 주민들이 있는 지역에서 공산주의자들이 행한 무작위적인 폭력이었다. 1948년 2월 이 학생들 중 일부 약 2000명이 프라하성으로 행진하여 베네시 대통령에게 갑작스런 쿠데타로 국가 기관 통제력을 장악한 공산당 민병대에 강력히 대응할 것을 촉구했다.[67] 헝가리의 소규모 자영농들과 폴란드의 농민당도 자유선거와 자유가 제한된 선거에서 공산당에 대항해 투쟁했고, 점점 더 위태로워지는 상황에서 정치적 반대세력으로 행동하려고 노력했다. 폴란드에서는 무장한 지하저항군이 1950년대 초반까지 새 정권에 대항한 투쟁을 이어나 갔다.

1948년 이후 지속된 당대의 표징은 공산당 안팎의 관점과 동기의 다색 적 혼합이었다. 이것은 포스트-혁명 시기인 1960년대의 '발전된 사회주 의'라고 불린 좀 더 단조로운 정치적·문화적 생활과 대비되었다. 2차 세계 대전 직후에 파시스트 경력이 있는 인물들이 들어오기도 했지만, 공산당 의 국제주의와 인종주의, 국수주의와 단절하겠다는 급진적 약속을 믿고 공산주의를 받아들인 사람도 많았다. 홀로코스트에서 살아남은 일부 유대 인도 여기에 포함되었지만, 민족주의에 본능적으로 반대한 지식인들도 해 당되었다. 후자의 예로는 저명한 폴란드 마르크스주의 철학자인 레셰크 코와코프스키가 있었다. 그는 사상이 자유로운 집안 출신으로 폴란드 민 족민주주의의 편협성을 혐오했다. 또한 시인인 체스와프 미워시도 2차 세 계대전 전부터 빌노와 바르샤바에서 교분을 맺은 편협하고, 강박적이고 과거 지향적인 민족주의 주류를 멸시했다.

그러나 부상하는 전체주의 체제가 이전의 전체주의의 연장이라고 간주 하고 이에 반대한 자유주의자들도 있었다. 자본주의가 파시즘을 태동시 켰다는 시각에 반대하는 이 관측자들은 공산주의가 파시즘에서 나왔다고 보았다. 이들은 파시즘이 나치 점령의 유산인 대중의 기형화와 탈도덕화 를 이용한다고 보았다. 한때 초현실주의자였던 체코슬로바키아의 작가이 자 정신분석가인 보후슬라프 브로크는 2차 세계대전 후 공산주의를 공개 적으로 반대했던 몇 사람 안 되는 체코슬로바키아 지식인 중 한 사람이었 다. 그는 "많은 사람들이 공산당에 가입하고 거기에 잔류하는 이유는 이들 의 패배주의적이고, 피보호국 사고 때문이다. 이들은 단 하나의 정당밖에 없는 국가에서 점령 기간 동안에 정치적으로 조직화되지 않은 사람들이 겪게 되는 운명을 알게 되었다. … 슬프게도 나치의 폭정은 우리 국민 많은 사람들 영혼에 소심함을 심어놓았다"라고 말했다.[68]

비평가들은 압도적인 세력의 요구에 수동적으로 적응할 수밖에 없었던 나치 점령 기간 동안의 행동증후군behavioral syndrome을 지적했다. 체코슬로바키아 가톨릭 시민당의 사제 프란티셰크 할라도 이와 마찬가지로 '피보호국 사고방식'의 확산을 확인했다. 이 기간 동안 나치는 민족정신을 침해했고, 특히 이기적 이유로 자신의 확신을 팔아넘긴 사람들의 문제를 지적했다. 이런 사람들을 적으로 삼은 모든 공산주의파 반대자들은 자신들이 도덕적 우위를 가지고 있다고 주장했다. 그러나 대통령 베네시, 가톨릭 정치인 파벨 티그리드에서부터 공산주의자 지식인 즈데네크 네예들리에 이르기까지 모든 정치적 스펙트럼의 비평가들은 체코슬로바키아가 파시즘의 요소('우리 안의 파시즘')를 흡수했다는 데 동의했다. 베네시는 체코슬로바키아인들이 이를 떨쳐내는 데는 한 세대가 걸릴 것이라고 말했다.[69]

＊　＊　＊

공식적으로 전후 초기 시기 인민민주주의는 여전히 다원주의적이었고, 공산당은 다당제 정부에서 권력을 공유했다. 그러나 무대 뒤에서 공산당은 비공산주의 정당을 전복시키는 작업에 나섰다. 전복은 각 나라에서 각기 다른 속도로 진행되었다. 불가리아와 루마니아에서는 가장 빠르게 진행되었고, 체코슬로바키아에서는 가장 느리게 진행되었지만, 어느 곳에서나 방식은 똑같았다. 이 과정을 되돌아보며 분석한 정치학자 휴 세턴-왓슨은 연립 정부의 변화를 통해 소련 스타일의 통치를 확고하게 만드는 세 단계를 구분했다. 1단계로는 진정한 연정이 이루어지고, 다음으로 위장된 연정이 형성되면, 마지막 단계에는 비공산주의 정당이 이름만 남게 되는 단일 통치가 완성된다.

전복의 핵심 방법은 소련의 힘을 이용하여 독자적 입장을 유지하고 있는 비공산주의 정치인을 찾아내어 굴복시키는 것이었다. 이들은 배신자나 반동분자로 낙인찍혔다. 1950년의 권력 장악 과정을 회고하면서 헝가리의 공산당 지도자 마차시 라코시는 비공산주의 세력이 '살라미 전술'에 의해 단계적으로 소멸되었다고 말했다. 그는 살라미를 얇게 썰어내듯이 다른 정당 지도자들을 제거했다. 그의 칼은 두 날이 있었는데 하나는 부패고 다른 하나는 공포였다. 공산주의자들이 이 날카로운 도구를 사용할 수 있게 만들어준 것은 내무부를 장악함으로써 경찰을 통제한 것과 소련 정복자들의 힘을 빌린 것이었다. 소련 점령자들은 지역 경찰이 행하지 못하는 위협을 가했을 뿐만 아니라, 전후 초기 암울한 시기에 생활을 더 안락하게 해줄 수 있는 재화를 보유했다.

이 과정은 처음에는 민족의 단합, 민주주의, 반파시즘을 기치로 내걸고 아주 순진한 방법으로 시작되었다. 1944년 봄 헝가리 사회민주당, 민족농민당, 민주당, 공산당과 직업동맹은 세게드에 모여 헝가리 민족독립전선 Hungarian National Independence Front을 결성했다. 이 단체는 공공생활의 민주화, 급진적인 토지 개혁, 주요 산업과 은행의 국유화를 요구했다. 이런 조치들은 큰 지지를 받았기 때문에 모든 정당은 이에 동의했다. 새 정부는 1945년 1월 20일 모스크바에서 휴전협정에 서명하고 1937년 말 상태로 국경을 확정하여 트란실바니아를 할양했다. 1945년 11월 치러진 자유선거에서 공산당이 17퍼센트를 득표하고, 소자영농당은 57퍼센트를 획득하자 큰 분란이 일어났다.[70] 외부인들이 보기에 이 결과는 이해할 만했다. 헝가리 주민들은 대다수가 농민들이었기 때문에 농민당을 선택한 것이다.

그러나 공산당 지도부는 단순한 사회학적 분석에 만족할 수 없었다. 공산당은 농촌과 도시 모두에서 인민의 의지를 구현하고 있었다.[71] 처음에는 당황했지만 라코시는 곧 소자영농당 내의 반동분자들이 자신들의 당이 노동자들의 정당들에 대항하도록 선동하고 있다고 말했다. 그는 아무런 증거도 제시하지 않은 채 이 적들은 '카르텔, 은행, 대자본의 영향' 아래 행동하고 있다고 주장했다. "누가 누구를 제거해야 하는가Kto-Kovo"라는 레닌주의 사고틀에서 생각하는 그는 대부분의 주민이 적의 영향력 아래 떨어졌다고 주장했다.[72] 그러나 당분간 공산당은 스스로 적대 세력을 상대하기에는 너무 작았기 때문에 먼저 사회민주당, 민족농민당과 협력하기 위해 '좌파 블록'을 형성했다. 그러나 이 두 당은 이미 살라미 전술에 의해 세력이 약화된 상태였다.

헝가리 공산당은 위협이라는 회심의 카드를 사용했다. 1945년 말 소자영농당의 지도부는 우파 성향 정치인 데죄 술료크를 총리 후보로 밀었다. 그러나 술료크는 1919년 헝가리 소비에트공화국을 비판하는 연설을 했기 때문에 당 지도부는 그 대신에 중도 성향의 페렌츠 나지를 지명할 수밖에 없었다.[73] 그다음으로 소자영농당 지도자들도 꾸준한 공격을 받고 제거되었다. 1947년 초 공산당원인 내무장관 라즐로 라이크는 소자영농당 의원들이 사무총장 벨라 코바치를 수괴로 삼아 음모를 꾸미고 있다고 주장했다. 이에 대응해서 소자영농당 지도자들은 14명의 의원의 면책특권을 중지시킬 용의가 있다고 말했지만, 코바치는 희생하려고 하지 않았다. 소련 비밀경찰은 2월 코바치를 체포함으로써 교착 상태를 타개했다. 소련의 외교 대표인 게오르기 푸쉬킨은 페렌츠 나지에게 자신이 코바치에게 여러 번 당내 반동적 분자들을 제거하라고 요구했지만, 자신의 충고가 제대로 받아들여지지 않았다고 설명했다.[74] 코바치는 시베리아로 추방되었고,

1956년이 되어서야 헝가리로 돌아왔다.

1947년 3월 정부는 개각을 실시해 세 명의 순종적인 소자영농당 인물을 장관직에 임명하고, 페렌츠 나지는 총리직을 계속 유지했다. 5월 나지가 스위스를 여행 중일 때 코바치의 자백에 근거했다는 나지에 대한 고발이 제기되었고, 그에게 뒤집어씌운 혐의는 폭력을 이용한 정권 찬탈이었다. 그는 돌아오는 길에 불행을 당하지 않으려면 부다페스트로 귀환하지 말라는 전화를 받았다. 십여 명의 소자영농당 의원들은 당을 구하기 위해 그가 사임할 것을 촉구했다. 그러는 사이 나지는 공산당 보안경찰이 5살난 자신의 아들 라치를 데리고 갔다는 연락을 받았고, 그가 사임할 때까지 아들을 풀어주지 않을 것이라는 말을 들었다. 나지는 할 수 없이 요구에 굴복했고, 아들인 라치는 헝가리를 떠나는 것이 허용되어 나지 가족은 미국에 망명 신청을 했다.

도박 빚으로 고생을 하고 있던 러요시 딘네시가 나지의 뒤를 이어 총리가 되었고, 헝가리는 1947년 총선을 치르기로 했다. 유권자 수십만 명을 '파시스트'로 몰아 투표권을 몰수하고, 투표함에 불법 투표용지를 쏟아 넣은 끝에 22.3퍼센트를 득표한 공산당은 15.4퍼센트를 득표한 소자영농당을 앞섰다. 그럼에도 공산당은 스탈린주의 시기에 들어서기까지 소자영농당 인사를 허수아비 총리로 계속 유지시켰다. 1949년이 되자 공산당은 다른 독립 정당을 해산시키고 3년간 충실하게 선거에 참여해온 사회노동당과의 합당을 강제적으로 추진했다.[75]

루마니아에서 공산당원은 1000명에 불과했지만 공산당의 입지는 처음부터 확고했다. 1944년 전선의 상황이 악화되고, 소련군의 막강한 공격이 시작되기 직전 루마니아의 야당인 민족공산당Iuliu Maniu, 자유당, 사회민주당과 공산당은 민족민주정파National Democratic Bloc를 결성했다. 이 단체의 계획은 추축국Axis에서 이탈하는 것이었다.● 8월 23일 미하일 국왕은 이온 안토네스쿠와 외무장관 미하이 안토네스쿠를 면담에 초청하여 둘을 체포했다. 그는 이 쿠데타를 지지한 장군인 콘스탄틴 사나테스쿠를 수장으로 하는 새 정부를 구성했다. 새 내각은 여러 당 출신으로 구성되었다. 9월 12일 루마니아는 소련과 휴전협정을 체결하고 6년에 걸쳐 3억 달러의 전쟁배상금을 지불하기로 동의했다.[76]

사실상 소련이 통제하는 연합국 통제위원회는 루마니아 국내 안전을 책임지고, 공산당에 분명히 이익이 되는 방식으로 정부 인사들을 이동시켰다. 그 결과 공산당원 수는 수만 명 늘어났다. 1944년 8월이 되자 쿠데타도 국민들의 지지를 받았고, 루마니아 병력의 3분의 1을 잃은 추축국과의 동맹을 종식시켰다.[77]

처음에 루마니아 정부에는 4개 정당이 참여했지만, 10월이 되자 갈등의 조짐이 생겨났고, 공산당, 사회민주당, 농민전선Ploughmen's Front, 애국주의 자연맹, 직업동맹으로 구성된 민족민주전선National Democratic Front이 결성되었다. 전쟁이 끝나기도 전에 전간기 중 독자적 지위를 유지했던 농민전선은 공산당 통제하에 떨어졌고, 공산당이 민족민주전선의 주도세력이 되었다. 당원 수가 많지 않았던 공산당은 노동자들이 부쿠레슈티에서 시위를 일으키도록 만들 수 있었고, 안토네스쿠의 독재로 인해 정당들의 지방 조직이 와해되고 정치적인 백지상태tabula rasa●●가 된 상태에서 수도에서 일

● 추축국은 독일, 이탈리아, 일본이 중심이었고, 나중에 헝가리, 루마니아, 불가리아가 가담했다. 독일의 종속국으로는 슬로바키아공화국(티소 체제), 뵈멘-메렌 보호령, 세르비아 구국정부, 이탈리아 사회공화국(살로 공화국), 알바니아(독일 지배하), 헝가리(살러시 페렌츠 체제), 바르다르 마케도니아, 벨라루스 중앙라다 정부, 류블랴나 보호령, 노르웨이(크비슬링 체제)가 자의나 반강제적으로 추축국에 가담했다.

어나는 사건을 주도하는 공산당의 능력은 결정적인 힘을 가졌다.[78] 처음부터 소련 당국은 사태의 진전을 지켜보며, 2차 세계대전 중 나치 섭정 당국과 마찬가지로 자신들에게 유리한 방향으로 일을 진행시키기 위해 '지렛대'를 사용했다.[79]

불가리아와 헝가리에서와 마찬가지로 루마니아의 정부 행정 조직은 대체적으로 크게 손상되지 않았고, 루마니아는 처음에는 숙청이 거의 없었다. 이런 상황은 국가 보안기관에서도 크게 다르지 않아서 1946년 6월 기준으로 8500명의 보안기관 장교 중 40퍼센트가 1944년 이전에 임명된 사람들이었다. 루마니아군도 다른 곳에 비해 숙청의 피해를 덜 보았다. 그러나 1947년 12월 30일 급작스런 변화가 일어나서 군주정이 폐지되고 이와 동시에 루마니아 인민공화국 출범이 선언되었다. 1948년 8월 소련 모델에 기반한 새로운 국가보안국이 옛 내무정보부를 대체했고, 7만 명의 병력으로 보강되면서 새로운 정치적 압제의 물결이 일어났다.[80]

불가리아에서 공산당 지배 확립은 다른 곳보다 부드럽게 진행되었다. 불가리아 정권도 루마니아가 동맹을 바꾼 지 몇 주 후 동맹을 바꾸었다. 지하에서 함께 활동해온 정당들이 '조국전선Fatherland Front'을 구성했다. 조국전선 내에서 공산당은 주도적 위치를 차지했고, 1945년 11월 실시된 선거에서 압도적인 승리를 얻었다(투표지에 조국전선만이 유일한 선택이었다).[81] 다음해 1944년 권력 이양을 관리했던 우파 즈베노 운동Zveno movement의 키몬 게오르기예프의 뒤를 이어 불가리아 공산당수인 게오르기 디미트로프가 총리직을 맡았다. 한나 아렌트의 말에 따르면 디미트로프는 1933년

•• 인간은 백지상태로 태어나고, 모든 지식은 경험과 인식으로 형성된다는 이론으로, 태어날 때 일정한 지식을 갖고 태어난다는 선험주의(innatism)에 대립한다.

독일제국의 첫 재판에서 헤르만 괴링에게 대항하여 "전 세계의 찬양을 받았다". 사람들은 "독일에 단 한 사람이 남았고, 그는 불가리아 사람이다"라고 말하곤 했다. 그러나 그는 소련의 대숙청 기간 중 모스크바에서 코민테른 사무총장 일을 한 다음에 스탈린에게 굴복했다.[82] 루마니아에서와 마찬가지로 공산당이 주요 도시를 장악한 것이 불가리아 정치에 대한 통제력을 강화하는 데 가장 중요한 요인이 되었다. 다른 나라에서와 마찬가지로 공산당은 내무부와 법무부 장관직을 얻었다.

디미트로프의 첫 과제는 반대파를 제거하는 것이었고, 그의 첫 번째 목표가 된 것은 상당한 규모가 있는 농업 운동이었다. 1945년 4월 전후 노동 운동의 첫 지도자 G. M. 디미트로프(동명이인)에게 영국을 위해 스파이 활동을 했다는 혐의가 씌워졌고, 그는 체포를 피하기 위해 국외로 탈출했다. 5월 농업당은 분열되어서, 회유와 위협 덕분에 공산당을 지지하게 된 한 분파와 독자적 노선을 지향하는 니콜라 페트코프가 이끄는 다른 정파(BANU-Petkov)로 나뉘었다. 이와 동시에 공산당은 불가리아의 사회주의자들을 분열시키기 위해 탈법적 수단을 사용했다.[83]

페트코프는 불가리아가 독일과 동맹을 맺은 것을 반대했고, 수용소에서 탈출한 조국전선의 공동설립자가 되었다.[84] 그러나 조국전선이 정치적 기회주의의 온상이 되고, 법에 대한 저항의 무리가 된 것에 염증을 느끼게 되었다. 정치적 술수를 넘어서서 새 정부는 중산층을 '전쟁 부역자'로 몰아서 재산을 몰수했고, 개인 예금과 심지어 서재도 약탈했다. 이렇게 되자 페트코프는 조국전선과 결별하고 시민 자유의 회복을 요구하고 공산당의 무능을 비판했다. 실업률은 20퍼센트를 넘어선 상황이었다.[85] 1946년 10월 치러진 선거에서 페트코프는 반정부파를 이끌고 선거에서 101석을 확보했다. 조국전선은 이 선거에서 364석을 얻었다. 15명의 사회당 지도자와 35명의 농업연맹 최고회의 멤버들이 감옥과 수용소에 수감되어 있는 상황에서 얻은 이러한 결과는 야당의 도덕적 승리였다. 농업당의 트리폰 쿠네프는 불가리아 정부를 '정치적·경제적 몽유병자'라고 불렀다는 이유로 투옥되었다. 2차 세계대전 중 그는 불가리아의 유대인들을 구하는 데 적극 나선 정치인 중 한 명이었다.[86]

공산당은 페트코프가 저항을 중지하도록 경고했다. 페트코프가 "나는 총알을 두려워하지 않는다"라고 말하자, 공산당 소속 내무장관 유고프는 "우리는 너한테 총알을 낭비하지 않을 것이다!"라고 답했다. 1947년 2월 파리에서 서명된 연합국과의 평화조약으로 소련군이 불가리아에서 철수하자 페트코프는 낙관적 전망을 했다. 그러나 6월 경찰은 전례 없이 페트코프를 의사당 건물 내에서 체포하고 "파시즘을 복원하려고 시도했다"는 혐의로 재판에 넘겼다. 변호를 거절하고 증인도 부를 수 없는 상황에서 페트코프는 사형선고를 받고 교수형에 처해졌고, 기독교식 장례절차도 거부당했다. 불가리아 직업동맹 중앙위원회는 소피아 방송에 이렇게 선언했다. "개에게는 개 같은 죽음이 합당하다!" 페트코프가 체포되기 전에 많은 정치인들과 관리들이 그에게 불리한 증언을 하도록 고문을 받았다. 이러한 테러행위로 반대파는 크게 위축되었고, 이후 몇 주 후에 공산당은 자신들에게 충성하는 농업당 분파를 제외한 모든 정당을 해산시켰다.[87]

공산주의자들의 단합과 이에 대비되는 모든 다른 세력의 분열이 동유럽 지역의 일반적 특징이 되었다. 불가리아의 페트코프 농업당 정파, 헝가리의 소자영농당, 폴란드의 국민당은 그러한 반대세력을 대표했지만, 서로 다른 정책 노선으로 유권자 사이를 갈라놓았다. 일부는 농업 노동자들은 "개별적 영농을 위한 준비가 되어 있지 않다"고 생각한 반면, 다른 일부는 대규모 농지는 집단적 단위로 영농되었기 때문에 농민들은 집단 영농을 위한 준비가 되어 있다고 주장했다. 헝가리의 자영농 지도자 졸탄 틸디는 중형 농장의 보존을 주장했을 뿐만 아니라 소형 농지 소유제도도 옹호했다. 이러한 이견들은 너무 혼란스러워서 마르크스주의 관측자들은 이들이 농지 개혁을 무산시킬 음모를 꾸미고 있다고 의심했다.[88]

이와 대조적으로 공산주의자들은 자신들의 목표에 대한 신념이 확고했고, 이것을 주장하는 데 일관된 태도를 유지했으며, 이 목표를 달성하는 데 훈련이 되어 있었다. 마르크스 노선을 따르는 이들은 자신들 눈앞에서 변화가 일어날 것을 기대했다. 그리고 레닌주의자로서 이들은 이러한 일이 일어나는 데 필요한 것을 직접 했다. 이를 위해 파시스트들의 무기나 마찬가지인 압제의 수단을 써야 했지만, 그런 것에는 아랑곳하지 않았다. 미국 정부는 페트코프 재판에 대한 항의에서 1933년 독일 제국의사당 화재 사건 재판과의 유사성을 주목하지 하지 않을 수 없었다. 당시 디미트로프는 용감하게 자신을 방어했었다. 미국 정부의 발표문은 "이전 재판에서 불가리아인 피고인은 재판 과정에 참여한 나치의 위협에 대한 자신의 항의로 전 세계적인 찬양을 받았다. 그러나 오늘 그 피고인은 다른 역할을 맡았고, 이제 세계의 칭송을 받는 것은 압제의 세력에 반대하는 다른 불가리아인이다"라고 언급했다.[89] 당시 주목을 덜 받은 하나의 유사성은 파시스트나 공산주의자나 '세계 여론의 법정' 앞에서 자신들이 사용하는 방법이 명백히 유사하다는 것에 신경을 거의 쓰지 않았다는 점이다. 그 이유는 두 집단 모두 자신들이 법정이 의미가 없게 되는 방식으로 역사를 다시 만들어나가고 있다고 생각했기 때문이다. 이들에게 법정은 기억하기 힘든 아주 먼 옛날의 인간 주거지의 한 단층 같은 것에 지나지 않았다.

폴란드에도 자체적인 살라미 전술이 있었다. 그러나 2차 세계대전 직후 게릴라 전쟁이 계속 이어지고, 국가 민병대와 비밀경찰이 반공산주의 전사들뿐만 아니라 우크라이나 반군을 추격하는 상황에서 반대파 제거는 훨씬 더 단호했다. 통합정부는 공산당(1942년부터 1948년까지 '폴란드노동당'이란 명칭 사용), 공산당이 지배하는 사회민주당, 민주당, 인민당과 공산당이 장악하지 못한 유일한 당인 폴란드 농민당으로 구성되었다. 1930년대 농민 파업의 지도자였던 농민당 지도자 스타니스와프 미코와이치크는 런던 망명정부 수반을 지냈고, 그의 동료 대부분과 다르게 1945년 폴란드로 귀환하는 데 동의했다. 그는 소련의 후원으로 공산당이 주도권을 잡을 것이라는 것을 알면서도 귀환한 것이다.

처음부터 농민당은 불충성으로 비난을 받았고, 사실상 진퇴양난에 빠졌다. 농민당은 공산당과 함께 정부를 구성해 일하기로 동의했기 때문에 우파는 농민당이 배신했다고 비난했다. 그러나 농민당은 폴란드의 독립을 주창했기 때문에 좌파는 농민당이 친독립적인 지하저항 세력과 협력하고 있다고 비난했다. 그 결과 농민당 인사들은 지하의 급진적 민족주의자들의 암살 희생자가 되었고, 공산당이 지배하는 비밀경찰의 체포와 고문에 시달렸다. 한 경우에는 농민당은 지하저항세력이 자신들의 사무총장인 볼레스와프 쉬치보레크를 암살하도록 만들었다는 비난을 받기도 했다. 좌파 세력은 농민당이 법의 보호를 받을 자격이 없는 배신자 도당이라고 계속 비난을 했다. 1947년 10월 생명의 위협을 느끼고 있는 미코와이치크를 미국 대사관이 트럭에 실어 바르샤바 밖으로 피신시킨 후 미국 외교관으로 위장해 그디니아 항구의 배에 태워 국외로 탈출시킨 것이 이 투쟁의 마지막 장이었다. 이러한 상황은 핵심적인 행정, 경찰력을 장악한 결연한 소수가 적대적인 사회에서 자신들의 통치 기반을 어떻게 만들어나가는지를 보여준다. 1946년 여름 폴란드 유권자의 4분의 3은 국민투표에서 정부를 불신임하는 투표를 했지만, 이 사실은 단지 감춰지고 부정되었다.[90] 앞으로의 선거는 이러한 부정적 투표를 막도록 '조직되게' 되었다.

＊　＊　＊

공산주의자들이 정부 기관에 침투하는 동안, 공산주의 기구들도 무대 뒤에서 세력을 키우고 있었다. 일부 새로 가입한 당원들은 확신과 이상주의가 동기가 되기도 했지만, 다른 당원들은 혁명적인 사회변화에 대한 열망이 공산당원이 된다는 것이 현명한 출셋길이라고 생각했다. 루마니아에서 새로운 당원 숫자는 수천 명씩 늘어나서 4년 만에 1000명에서 80만 명으로 늘어났다.[91] 체코슬로바키아에서 공산당원 숫자는 1945년 4만 7000명에서 1948년 10월 기준으로 267만 명으로 늘어났다. 헝가리에서도 2000명에서 1948년 5월 기준으로 88만 4000명으로 불어났다.[92] 그런 다음 새 당원들은 국가행정기관에 밀물처럼 밀려들어갔다. 헝가리에서 2차 세계대전 중 행정기구가 확장되어 후에 축소가 필요하게 되었고, 정치적 숙청의 길을 열어놓아 약 6만 명이 일자리를 잃었다. 충성심 강한 직업동맹 대표들과 동반자들이 질문지를 사용하여 부역자 혐의를 씌울 만한 사람들을 제거했다. 그런 다음 대체 인력이 새로운 인민민주주의공화국을 건설하기 위해 밀려들어왔다.

자국을 통제하는 데 소련의 도움이 필요하지 않았던 유고슬라비아 공산주의자들은 스탈린주의의 첫 두 단계(진정한 연정, 다음에 위장 연정)를 건너뛰어서 1945년에 포괄적인 소련 스타일의 통치를 확립했다. 이들은 소련 자문관의 도움 없이 '스스로 소비에트화self-Sovietazied'되어서, 3년 후 스탈린과 심각한 갈등이 벌어지게 되는 기반을 만들었다. 스탈린에게는 충성보다 의존이 더 중요했다. 루마니아도 1945년 3월까지 위장 연정의 2단계로 진입했고, 2차 세계대전 전 고분고분한 정치인이었던 페트루 그로자가 정부 수반이 되었다. 불가리아는 니콜라 페트코프 같은 용기 있는 정치인의 투쟁에도 불구하고, 전후 불가리아는 진정한 연정 정부를 구성하지 못했다. 헝가리는 1946년에 실질적인 다당제를 상실했고, 폴란드도 1947년 마찬가지 길을 걸었다.

가장 느린 변형은 체코슬로바키아에서 일어났다. 이곳에서는 정치는 상대적으로 개방되고 민주적으로 보였지만 1948년 2월 쿠데타가 일어났다. 체코슬로바키아는 독자적 조직과 지도자를 가진 네 개의 정당(민족사회당, 인민가톨릭당, 사회민주당, 공산당)이 있었다. 또한 자유선거와 시민권도 존중되었다. 대통령은 토마시 마사리크의 동료였던 에드바르트 베네시가 맡았고, 그는 2차 세계대전 전 민주적 규범을 계속 이어나가는 상징이 되었다. 그러나 실상은 우리가 본 바와 같이 법의 지배는 1945년 초부터 이미 침식당하기 시작했으며 체코슬로바키아 내 한 인종, 즉 독일인들은 권리를 박탈당했고, '전쟁 범죄자'를 다루는 별도의 법원이 설립되었다. 많은 체코슬로바키아인들은 '서구 스타일'의 민주주의에 염증을 냈고, 1946년 5월 선거에서 공산당에 40퍼센트의 표를 던져서 가장 강력한 정당으로 만들어주었다. 당시 체코슬로바키아 스탈린주의자 클레멘트 고트발트는 총리직을 맡고 있었고, 공산당은 내무부뿐만 아니라 교육부, 산업부, 선전부 장관직을 장악하고 있었다. 그러나 1947년 유럽 다른 나라의 공산당원들은 체코슬로바키아의 공산당 2인자 루돌프 슬란스키에게 부르주아와 권력을 아직 분담하고 있는 체코슬로바키아는 무슨 생각을 하고 있는지를 물었다.

당시 양보 없고, 종종 무자비한 권력 쟁취를 추구하던 동유럽의 레닌주의 정당들은 자신들이 이 지역 사람들이 보지 못했던 조직이라는 것을 보여주고 있었다. 공산당원들은 자신들의 행동은 심판의 대상이 아니고, 수시로 폭력을 사용해야 한다고 믿고 있었다. 소련의 후원은 공산당 지지자들은 아무 제약 없이 농지를 더 차지할 수 있고, 징벌을 두려워하지 않고 위협을 가하는 것이 가능하도록 만들어주었다. 반대파들이 자유 집회의 권리를 사용하려고 하면 공산당은 폭력배를 보내 폭력을 행사하고 가구를 부셨다. 1947년 6월 헝가리의 독립적 정치인 대죄 수일로크는 어렵게 '자유당'을 결성할 수 있는 허가를 받았고, 세게드에서 창당 대회를 준비했다. 그가 대회를 준비할 때 '노동자들'이 나타나서 고무호스와 의자를 사용해 폭력적으로 대회를 방해했다. 그런 다음 경찰이 출동해서 이 작업을 완수하고, 자유당 멤버들을 '난동을 일으켰다'는 이유로 체포했다.[93]

공산당원들은 여러 곳에서 동시에 압박을 가하는 데 전문가였다. 거리, 대중 집회를 장악하고 위협을 가하는 전화도 자주했다. 소란한 시위나 남에게 폭력을 행사하는 협조자들을 모으는 것은 물품 부족과 궁핍 상태에서는 어렵지 않을 일이었고, 반대파는 차례차례 제거되었다. 극좌파가 요구하는 모든 것은 절대적인 것이 되었고, 마지막 '반동적', 마지막 '반민주주의' 정책, 소련을 불편하게 하는 마지막 문제까지 척결되어야 했다(소련이 불쾌해한다는 말 한마디로도 원하는 결과를 얻을 수 있었다). 그러나 마지막 요구라고 한 것은 더 많은 요구의 전주곡이 되었다. 장소에 따라 혁명은 다른 속도로 진행되었기 때문에, 한 시점을 관찰한 사람은 일시적인 상태 완화에 기만당하기 쉬웠다.

그러나 혁명은 스스로 진행되고, 공산당에 의해서만 만들어진 것이 아니었다. 수백만 명의 동유럽 주민들이 혁명에 참여하고, 자신의 영달을 위한 기회를 발견했을 뿐 아니라 이것을 만들어냈다. 많은 사람들이 꿈꾸던 기회가 현실이 될 수 있었다. 선전선동, 토목공학, 작물학, 아동 보육, 화학

등 현대 사회에 필요한 기타 많은 분야에서 경력을 쌓는 것이 가능해졌다. 이것이 스탈린주의를 도입한 이유가 되었다. 공산당원들은 반대파를 압제했을 뿐만 아니라 문맹, 유아사망률, 알코올중독 문제를 정복하기 위한 '과업'에 집착적으로 달려들었다. 이들은 길을 닦고, 질병을 예방하고, 매년 순회진료단을 시골 지역에 파견해 결핵 예방을 위한 엑스레이 사진 촬영을 했다. 이와 동시에 국가보안대(state militia('경찰'의 새 명칭)는 농작물을 감추거나 감추어두었던 무기를 반납하지 않은 농민들을 구금시켰다. 1950년까지도 지하저항 세력들은 국가 공무원들에 대한 사형선고를 실행에 옮겼다.[94] 이것이 스탈린주의 초기 폴란드 상황이었지만, 계몽, 테러, 늦지 않는 농촌 생활의 리듬이 혼합된 이러한 상황은 발트해에서 아드리아해에 이르는 전 지역에서 진행되었다.

이러한 변화를 관장하고 이끄는 최고 지도자들은 자신들이 물려받은 여건하에서 과업을 수행했다. 이들은 자신들이 혁명화하려는 사회를 선택하지는 못했고, 1944-1945년 프롤레타리아 국제주의 운동이 범슬라브주의로 바뀌고 인종적 민족주의로 바뀐 것은 이들 다수에게 당혹스러운 일이었다. 그러나 레닌주의자였던 이들은 지시에 순종했다. 내가 아는 한 연로한 폴란드 공산주의자는 나에게 폴란드인들에 대해 말하면서 당시 한 종류의 주민만 있었다고 말했다. 그것은 가톨릭을 신봉하고, 반공산주의인 주민이었다. 그들이 예상하거나 알지 못한 것은 사회주의 미래를 향해 폭발 없이 얼마나 멀리 이 동유럽 주민들을 밀고 갈 수 있을지였다.

.

19장

냉전과 스탈린주의

냉전은 새로운 종류의 전쟁이었다. 이 전쟁은 '뜨거워지지' 않았다. 즉, 적대시하는 국가들은 서로에게 무기를 사용하거나 상대의 영토를 점령하지 않았다. 영토 점령은 1944-1945년 서방과 동방이 유럽 중앙부를 지나가는 경계선 양쪽에 거점을 마련했을 때 끝났다. 이 경계선은 대략 뤼베크에서 트리에스테까지 이어졌는데, 윈스턴 처칠은 얼마 안 있어 이 경계선을 '철의 장막'이라고 불렀다. 이후 수십 년 동안 베트남과 한국에서 앙골라와 니카라과에 이르기까지 대리전쟁proxy war이 일어났지만, 두 초강대국은 전쟁이 일어나는 경우 통제가 불가능하고, 이번 전쟁은 핵무기를 가지고 싸우게 된다는 것을 인정하고 서로를 공격하는 것을 자제했다.

그러나 이런 혁명적인, 스스로 자제하는 역학을 넘어 냉전은 두 가지 이유에서 특이했다. 첫째는 누가 먼저 이것을 시작했는지에 대한 일치된 의견이 없었고, 둘째로는 정확히 언제 이것이 시작되었는지에 대해서도 의견이 엇갈렸다. 폴란드에서는 2차 세계대전 기간까지 거슬러 올라가는 갈등에서 시작되어 반공산주의 세력과 친공산주의 세력 간의 내전이 되었다. 이곳에서의 냉전의 고조는 단계적이었고, 그 해소 또한 단계적이어서 1950년대 초반 마지막 전사들이 체포되거나 자신들의 무기를 내려놓았을 때 끝이 났다. 루마니아와 헝가리에서 공산주의자들은 분명한 전기를 결정적으로 보여주지 않으면서 1944년부터 서서히 권력을 흡수했다. 동독과 폴란드에서 막후에서 움직인 소련 당국은 자유선거를 전혀 허용하지 않았고, 종종 '반동적' 정치인들을 사라지게 만들었다. 그러나 다당제는 모든 곳에 1948년까지는 존재했다. 1948년 2월까지 체코슬로바키아 공산주의자들은 제국주의자로 여기고 있던 얀 마사리크를 외무장관, 에드바르트 베네시는 대통령으로 두며 권력을 공유했다. 1949년 어느 시점에 이르러서야 관측자들은 처칠이 말한 철의 장막이 두 세계를 갈라놓았다는 것을 인정했다. 이 두 세계 사이의 유일한 의사소통은 상호 비방뿐이었다.

회상해보건대 적대주의는 1947년 경계를 넘어서서 양적인 것에서 질적인 것으로 바뀐 것처럼 보였다. 정책입안자들은 상대 진영과의 다양한 분쟁을 상대 진영의 치밀한 공격과 정복 계획으로 보기 시작했다. 1947년 초 트루먼 행정부는 소련이 폴란드에서 자유선거를 허용하지 않고, 루마니아, 헝가리, 동독, 불가리아에서 반대파를 압제하는 것을 동유럽 전체에 공산주의를 강제하고, 그곳으로부터 서쪽으로 확산시키려는 의도를 반영한 것으로 보았다.[1] 미 국무장관 조지 마셜은 1947년 초 모스크바 방문에서 크게 낙담한 채로 귀국했다. 마셜을 만난 스탈린은 프랑스와 이탈리아의 경제가 붕괴 상태에 처한 것을 고소해하는 모습을 보였다. 그렇게 되는 경우 이것은 미국 경제에 심각한 영향을 미칠 수 있었다.[2] 이런 상황에 직면한 미국은 이에 대한 대응조치를 마련했다. 3월 12일 트루먼은 미국 의회에서 행한 연설에서 미국은 "무력을 동원한 소수파나 외부 압력에 의한 굴종 시도에 저항하는 자유 시민들을 지지할 것이다"라고 선언했다. 이로부터 3개월 후 마셜은 유럽을 전흔에서 재건시킬 대규모 재정원조 계획을 발표했다. 이 원조는 서유럽과 동유럽뿐만 아니라 소련도 혜택을 받을 수 있었다.

마셜 플랜이 선언되고 지원이 제공되자 소련은 이것이 자신의 동유럽 장악에 위협이 될 것으로 두려워했다.[3] 마셜은 유럽인들이 이 지원을 이용해 미국 제품을 구입하게 되기를 기대했다. 꼭 공산주의자들은 아니더라도 좌파 관측자들은 유럽 시장의 문을 미국 사업가들에게 여는 것은 미국 자본에 대한 의존을 강화할 것이라고 우려했다. 이런 배경에서 스탈린은 1947년 여름 중동부 유럽 국가들이 마셜 플랜을 거부하도록 강요했다. 그러자 체코슬로바키아의 외무장관인 얀 마사리크(국부 마사리크의 아들)는 "우리는 종속 국가에 불과하다!"라고 한탄했다.[4] 그러나 좀 더 깊이 숨겨진 진실은 초강대국으로 부상하는 소련은 미국의 종속국가가 되지 않기로 작정한 것이다.

소련 외무장관 비신스키는 1947년 유엔에서 행한 연설에서 미국은 유럽 국가들을 자국의 '경제적·정치적 통제하에 두기를' 원하고 있다고 주장했다. 그래서 소련은 자기방어에 나서기로 했다. 같은 달 소련 공산당은 유럽의 공산당들을 폴란드령 실레시아의 휴양지인 슈클라르스카 포렝바에 소집해서 코민포름을 구성했다. 이 조직의 목표는 모든 '진보적' 세력의 과업을 조정하는 것이었다. 스탈린의 이념 담당 대리인인 안드레이 즈다노프는 세계는 두 '진영'으로 나뉘었고, 이 중 한 진영은 평화를 선호하는 반면 다른 진영은 평화를 반대하고 있다고 주장했다. 양 진영 중간에는 아무 공간도 없었다.

소련은 이 메시지를 강제적으로 주입시켜야 했다. 명목적 회의 소집자인 폴란드의 브와디스와프 고무우카는 이 회의의 결의는 비공식적인 것이라고 생각했고, 그는 공산당 상호 간에 '경험의 교환'이 필요하다고 주장했다. 공산주의에 적대적인 폴란드의 사실상 지도자인 그는 폴란드 혁명가들을 불필요하게 국외인으로 비난한 로자 룩셈부르크에게까지 거슬러 올라가는 공산당의 국제주의적 경향을 비난했다. 폴란드의 공산주의자들은 '민족'과 그것이 필요로 하는 것을 생각해야만 했다. 이들은 독일군을 몰아냄으로써 민족적 자유 투쟁의 과정에서 권력을 잡았고, 국가 기구를 폭력적으로 철거할 필요는 없었다. 폴란드가 사회주의로 가는 도정은 러시아의 도정과 달랐다. 폴란드는 공산당이 주도적 역할을 하는 한에서는 다당제를 허용할 수 있었다. 고무우카는 소련식의 농업집단화는 폴란드를 곁길로 가게 할 것이라고 특히 우려했다. 그와 그의 동지들은 스탈린이 얼마 전인 1938년 폴란드 공산당을 해산하고 파괴하며 최고 지도부를 죽인 것을 기억했다. 1943년 재조직된 이 당은 '폴란드노동당'이란 명칭을 갖게 되었다.[5]

쇠퇴하는 것처럼 보이던 자본주의 세계와의 협력을 포기한 스탈린은 미리 만들어진 계획을 따르기보다는 소련이 추구하는 안보를 제공하지 않은 서방과의 관계를 거부하는 길을 택했다.[6] 그는 동유럽에서 소련을 해방자로 여기던 초기의 반응이 억압과 계속된 정복에 대한 불만으로 옮겨가는 신호에 대응했다. 이와 동시에 미국에 대한 존경이 동유럽 주민들 사이에 증가했다. 마르크스-레닌주의자들에게 그러한 사실은 사회주의 조국에 대한 제국주의자들의 적대적인 기만전술 확대로만 설명되었다.[7]

그러나 양 진영에서 상대를 악마화하는 과정이 동시에 진행되어 점차적으로 화해는 불가능해졌다. 서방의 많은 사람들이 보기에 소련은 반대파를 점차 제거하는 나치 독일과 같은 독재정이었다. 18장에서 본 바와 같이 불가리아에서 진행된 페트코프 재판은 나치의 사법제도와 전혀 다른 점이 없었고, 특히 불가리아 지도자 디미트로프가 1933년 나치 법정을 용 감하게 거부했던 사실에 비추어보면 더욱 그랬다. 1947년 9월 영국의 3대 정당은 페트코프에 대한 사법 살인은 '디미트로프 같은 공산주의 독재자 와 히틀러 같은 파시스트 지도자'의 동질성을 보여준다는 데 의견을 같이 했다. 여기에서 더 나아가 뮌헨회담 재앙에서 얻을 수 있는 당대의 교훈이 있다고 주장했다. 만일 디미트로프와 스탈린이 히틀러와 같은 존재라면, "공산주의와의 화해 정책은 있을 수 없었다. 우리는 다시는 약한 모습을 보여줌으로써 적이 공격을 하게 만들 수는 없다. 우리는 결연하게 자유와 법의 지배를 방어해야 한다".[8]

소련 지도자들도 이에 강력히 맞섰다. 이들이 보기에 서방의 '제국주의' 는 1945년 가라앉은 검은 세력이 다시 부상하고 있다는 것을 보여주었다. 코민포름 창립 회의에서 소련 지도자들은 제국주의 세력과 연정을 구성 한 프랑스와 이탈리아의 공산주의자들을 급진적인 유고슬라비아의 공산 당 정파가 공개적으로 비난하도록 촉구했다. 체코슬로바키아 공산주의자 들은 자신들도 이러한 혐의를 받고 있는 것을 알았다. 당시 이들은 가톨릭, 체코슬로바키아 민족주의 사회주의자, 사회민주주의자들과 연정을 구성 하고 1948년 의회 선거를 준비 중에 있었다. 체코슬로바키아 공산당 서기 장 루돌프 슬란스키는 프라하로 귀환하자마자 정치국에 자국이 사회주의 로 바로 가른 길에 들어서도록 결단력 있는 행동을 취해야 할 시간이 왔다 고 말했다. 한 해 전만 하더라도 당 지도자 고트발트는 프롤레타리아 독재 나 소련식의 폭력 없이 '사회주의에 도달하는 체코슬로바키아의 노정'을 이야기했었다.[9]

1948년 체코 공산주의자들과 슬로바키아 공산주의자들은 자신들의 광범위한 간부 요원 기반과 군대와 경찰에 대한 통제력을 이용하여 신속한 권력 장악을 시도했다. 거대한 세력의 지원을 받은 이 쿠데타는 유혈 사태 없이 진행되었다. 이들은 민족사회주의자와 가톨릭계 정치인들의 당혹스러운 실책의 덕을 보았다. 이 정파 정치인들은 공산주의자들이 이끄는 잡다한 연정의 불법성에 싫증을 냈다. 1947년 11월 프라하의 공산당 당국은 경찰에 대한 숙청에 나섰다. 주민들이 자신들을 지지할 것이라고 확신한 가톨릭과 민족사회주의 각료들은 이에 대한 항의로 2월 21일 내각에서 사임했다. 이들은 대통령이 정부를 바로 해산하고 선거를 치를 것으로 예상했다. 그러나 이들은 오판을 했다. 공산주의자들과 사회민주주의자 연합은 정부 내에서 다수파를 차지하고 있었고, 사임한 장관들 자리를 자신들이 선택한 정치인들로 채웠다. 그런 다음 체코슬로바키아 내의 당 세포조직을 이용해 '행동위원회'를 구성하여 공적 생활의 모든 제도를 숙청하기 시작했다.

쿠데타 지도자들은 자신들이 기대한 것 이상을 얻었다. 며칠 만에 인내심 없는 젊은 공산주의자들은 신문사, 정부 행정기관, 스포츠클럽, 정당, 학교, 극장 같은 문화조직의 감독자와 경영자들 몰아냈다. 그런 다음 이들은 다음 단계의 관리자들을 숙청했다. 이 숙청은 너무 철저하게 진행되어 당 지도자인 고트발트는 자신들이 역사를 새로운 단계로 진전시켰다고 믿는 학생들은 제지시켜야 할 정도였다. 카렐대학은 개교 600주년을 맞아 유럽 전역으로부터 손님을 맞을 예정이었지만, 급진적 학생들이 이 대학 총장을 끌어내려서 몇 서방 대학들은 기념식 참석을 취소했고, 이 행사의 프로파간다 가치를 떨어뜨렸다. 고트발트는 이러한 일을 선동하는 학생 지도자에게 전화를 걸어 그와 동료들이 감독자와 '그들의 배후'와 같은 생각을 하고 있는지를 물었다. 고트발트는 학내에서 진행되는 숙청을 반대

프라하 카를 다리 위의 인민민병대(1948년 2월)

하지 않았다. 반대파 지도자들은 무조건 체포되었고, 나머지 학생들은 '검증위원회'의 검증을 받아야 했다. 이런 식으로 학생의 5분의 1이 출교되었다. 이들은 광산 같은 곳에서 강제노동형에 처해져 체코슬로바키아의 문화·경제·정치 생활에서 배제되었다.[10]

마지막 단계에서는 살라미 전술이 진행되었다. 독립적 농민, 민족주의자, 가톨릭 정치인들을 제거한 공산주의자들은 동맹 세력인 사회민주주의자 전체를 흡수해버렸다. 이것은 각 지역에서 벌어지는 일반적 현상이었다. 1948년 여름과 가을 이러한 좀 더 온건한 마르크스주의 정당들은 공산주의자들과 '통합' 정당을 만들 수밖에 없었다. 그 결과로 헝가리에서는 헝가리 노동당, 폴란드에서는 폴란드 통합노동당이 탄생했다. 동독에서 소련은 1946년 4월 공산당과 사회민주당의 통합을 강요해서 독일 사회주의 통합당을 출범시켰다. 이 모든 경우 새로운 정당의 연합 조직은 공산당이 단독으로 존재할 때보다 훨씬 커졌다. 이제 과제는 사회민주주의자들을 레닌주의 원칙에 복종시키는 것이었다.[11] 그러나 체코슬로바키아의 공산주의자들은 새 명칭이라는 가식을 벗어버리고 세력이 약한 사회민주당을 흡수한 후 체코슬로바키아 공산당으로 계속 남았다.

동유럽에서 변화의 중력에 대해 의구심을 가지고 있던 사람들은 1948년 환상이 깨지는 것을 보았다. 소련과 광적인 유고슬라비아 공산당 사이에 점증하는 갈등이 세계 언론의 첫 면을 달구었다. 코민포름은 유고슬라비아 공산당의 '건전한 요소'가 티토 정권을 전복하라고 촉구했다. 스탈린의 선전기구들은 대단한 뻔뻔함을 가지고 티토가 '관료주의적 정권'을 만들고 있고, 민주주의를 짓눌러버리고 있으며, '사소한 비판'도 '무자비하게 압제'하고 있다고 선전했다. 티토는 유고슬라비아를 부르주아 자본주의로 되돌려놓으려 한다고 주장했다.[12] 그러나 소련이 가장 신경을 쓴 것은 배신이 아니라, 새로운 노선을 택할 때 스탈린과 상의를 하지 않았다는 것이었다.

소련이 특히 우려한 것은 유고슬라비아가 불가리아와 알바니아를 포함한 발칸 연방을 만들려고 계획한 것이었다. 스탈린은 티토가 남동부 유럽에 독자적인 파워 블록을 이끌게 되지 않을까 우려했다. 그러나 다른 많은 문제도 있었다. 유고슬라비아는 1944년 세르비아에서 자행된 소련군의 강간에 반대하고 소련이 유고슬라비아 기관에 침투시킨 스파이들에 대해 불만을 드러냈다. 사회주의 리얼리즘 영화인 〈유고슬라비아 산악에서〉라는 영화를 찍던 소련 영화관계자들은 유고슬라비아인들을 난장 파티에 초대해 정보원으로 포섭하려고 했고, 이 중에는 티토의 경호원도 포함되었다고 밀로반 질라스는 회고했다. 이러한 보고를 받은 티토는 격분하여 "스파이 조직은 우리가 결코 용납할 수 없는 일이다"라고 선언했다.[13]

국제적 갈등은 동유럽 전역에서 공산당에 영향을 미쳤다. 티토는 자신의 당 안에서 스탈린에게 충성하는 요원들을 찾아내어 체포하는 동안, 폴란드, 헝가리, 불가리아에서 신임받는 당 간부들이 유고슬라비아를 모델로 한 '민족주의적' 공산주의 노선을 추종하고 있다는 고소가 제기되었다. 1948년 5월 스탈린은 소련 비밀경찰 책임자 라브렌티 베리아에게 티토주의자들, 즉 민족주의 공산주의자들을 동유럽 공산당에서 색출해내도록 지시했다.[14] 폴란드에서 이러한 색출은 그간 동료들을 폴란드의 민족적 정서와 단절되어 있다고 비판해온 당서기장인 고무우카의 숙청을 불러왔다. 그는 사회민주당원들은 민족 문제에서 공산당원들보다 훨씬 더 큰 지혜를 보여왔다고 이단적으로 주장하기도 했다. 그러나 이제 싸움이 시작되자 동료들로부터 집중적인 비판을 받은 9월 그는 당서기장 직에서 사임할 수밖에 없었다. 이에 그치지 않고 1951년 그는 체포되었다.

고무우카 사건은 2차 세계대전 중 조국에 남아 있던 '토착 공산주의자들'을 대상으로 한 초기 숙청의 논리를 보여주었다. 새로 당 지도자가 된 볼레스와프 비에루트 같은 토착 공산주의자들의 당내 반대파들은 모스크바에서 삼엄한 감시를 받으며 전쟁 기간을 보냈기 때문에 이들의 충성은 의심을 받지 않았다. 더 의심을 받는 대상은 전쟁 기간 동안 서방 국가에서 망명 생활을 한 공산주의자들이었다. 이들은 서방 정보기관과 접촉을 했다는 의심을 받았다. 1949년 초 소련 언론은 또 다른 계급의 적을 지적했다. 그것은 유대인을 달리 표현한 '뿌리 없는 세계주의자'였다. 일부 종족 집단의 체제 전복 위협을 의심한 스탈린은 유대인들을 위험한 집단으로 간주했다. 그의 집착은 1952년 반파시스트주의 유대인위원회의 13명의 멤버(5명의 이디쉬어 시인 포함)를 처형하는 것으로 이어졌고, 시온주의자들로부터 재정 지원을 받은 자신을 향한 '의사들의 음모'*를 가공해냈다.

헝가리의 공산당 지도자들 중에는 아무도 사회주의에 이르는 별도의 노정을 주장하지는 않았지만, 지도부에는 위험한 경쟁이 있었고, 헝가리당 지도부는 소련의 우려와 의심을 이용하여 주도권을 잡고, 이 위험한 시기를 넘기려고 시도했다.[15] 1948년 라코시, 에르뇌 게로, 미할리 파르카스, 요제프 레바이가 포함된 파벌은 내무장관인 라즐로 라이크를 공격하기로 결정했다. 문제로 삼은 것은 스탈린 스타일의 사회주의에 대한 헌신이었다.[16] 단일 정당 패권을 잡는 데 라이크보다 더 큰 공을 세운 사람은 없었다. 1946년 여름 그는 반동적 경향을 문제 삼아 청년단, 스포츠클럽과 지역봉사 조직과 노조를 비롯한 1500개의 조직을 해체했다.[17] 그는 요제프 민드젠티 주교에 대한 공개재판을 조직했고, 소기업가당과 가톨릭교회에 대한 압제술을 만들어냈다. 키가 크고 잘생긴 그는 당내에서 큰 인기를 누리고 있었고, 스페인 내전에서 정치장교로서, 그 후 1941년 프랑스 감옥에서 탈출하여 헝가리에서 저항운동 지도자로 활동하며 자신의 패기를 과시했다. 그를 질시하고 (1940년대 소련의 공개재판을 생각하고) 두려움에 사로잡힌 라코시 파벌은 소련 당국에 라이크가 티토주의자라고 고발했다.

소련은 이 고발에 동의했다. 서방에서 시간을 보낸 최고위 지도자인 라이크를 유럽대륙과 다른 사회주의 국가에 네트워크를 가지고 있는 거대한 음모의 주동자로 몰아세우는 것은 어려운 일이 아니었다. 1949년 5월 라코시와 오찬을 한 다음날 라이크는 체포되어 반역혐의로 재판을 받았다.

---

* 1953년 1월 소련에서 정부 고관 진료를 담당한 9명의 유대인 의사들을 정부와 당, 군 지도자를 살해하는 음모를 꾸몄다는 이유로 체포했다고 발표했다. 1948년 사망한 당 서기 즈다노프도 유대인 의사들이 독살한 것으로 꾸며졌다. 스탈린은 이 사건을 근거로 대규모 숙청에 나섰다.

헝가리와 다른 곳에서 진행된 공개재판에서 익숙히 볼 수 있는 것처럼 그는 프랑스에서 서방 정보기관에 가입했다는 기소를 받았다. 이 조작된 스파이 조직의 책임자는 미국인 노엘 필드였고, 그러나 그는 제네바에 본부를 둔 어려움에 처한 망명자들을 돕는 기구인 유니테리언 보편구제주의자 봉사위원회Unitarina Universalist Service Committee에서 일하며 수십 명의 공산주의자들과 같이 일한 소련 스파이였다. 필드는 프라하로 유인되어 1949년 체포되었다.

1930년대 소련에서 행해졌던 공개재판은 이제 동유럽 당 지도자들이 주연을 맡아 다시 공연되었다. 라이크는 자신에 대한 말도 되지 않는 고발에 대해 강하게 반발했다. 그가 1931년부터 헝가리 경찰의 정보원으로 일하며 동료 공산주의자 친구들을 경찰에 밀고했고, 스페인에서 공산주의자들을 비난했으며, 2차 세계대전 중에 게슈타포를 도와 헝가리 저항운동을 섬멸하는 데 나섰다는 것이 주요 혐의였다. 이것이 노엘 필드가 그를 포섭한 시점에 일어난 일이었다고 주장되었다. 라이크는 1947년 유고슬라비아에서 휴가를 보내는 중 티토의 스파이가 되었다고 스스로 자백했다. 최근까지 공산주의 운동의 자랑이었던 다른 피고인들은 이른 시기부터 비밀리에 파시즘을 숭배했다고 인정해야 했다.

몇 주에 걸친 구타와 수면 박탈에도 불구하고 라이크는 버텼으나 가족에 대한 위협이 제기되자 그는 저항을 포기했다. 그는 당이 만장일치로 자신을 반대하면 자신의 무죄에 대한 주관적 확신에도 불구하고 자신은 죽어야 마땅하다고 스스로 말했다. 1949년 10월 15일 '공모자들'과 함께 교수대로 걸어가면서 그는 "스탈린 만세! 라코시 만세!"를 외쳤다. 현장에 있던 증인의 말에 의하면 라이크의 후임으로 내무장관이 된 사람은 계속 구토를 했다. 그는 라이크와 가족의 친구였지만, 동시에 냉혈적인 고문관이

라코시 초상화 밑에서 박수를 치는 라즐로 라이크(1947)

었다.[18] 이 사람은 야노스 카다르였는데 그는 후에 체포되어 공개재판에서 자신에게 고발된 거짓 고소 내용을 자백해야 했다.

살인적인 정의의 패러디는 불가리아로 이동해서 불가리아 공산당은 라이크처럼 고위 공산당 간부였던 트라이초 코스토프를 처형했다. 이런 쇼는 1952년 11월 체코슬로바키아 당 지도부가 전 당서기장 루돌프 슬란스키를 포함한 14명의 당 간부들을 공개재판에 회부하면서 절정에 이르렀다. 그와 10명의 소위 공모자들은 공개적으로 '유대인 배경'을 가진 것으로 선언되어, 유대인의 어두운 국제 음모를 꾸미고 있다는 스탈린의 믿음에 부응했다. 기소된 사람 중 11명이 처형당했고, 이들을 화장한 재는 체코 보안경찰에 의해 프라하 외곽의 얼어붙은 길에 뿌려졌다. 소련에서와 마찬가지로 재판은 미리 각본이 만들어졌고, 소련 자문관들은 최종 각본을 수정해 만들어주었다.

*　*　*

이러한 공개 처형이 왜 그런 방식으로 진행되었는가에 대한 설명은 크렘린에서 이것을 꾸민 주도자들의 깊은 의도를 보여주는 자료들이 나타나지 않았기 때문에 추측으로만 남을 수밖에 없다. 그러나 한 가지 분명한 것은 민족주의자들의 숙청은 인민민주주의 치하의 시민들, 특히 당원들은 자신의 안전은 물론 자신의 생존도 확신할 수 없을 때만이 동유럽을 통제할 수 있다는 믿음에서 나온 것이다. 이러한 관점에서 보면, 이러한 재판은 역사에서 가장 제국주의적인 통치를 위한 가장 단호한 행동이었다. 공격의 대상이 되었던 티토 자신도 1952년 유럽의 심장부는 폴란드, 루마니아, 헝가리 같은 나라들이 '가장 평범한 식민지'로 변해버리면서 소련의 침식지가 되었다고 말했다.[19]

　그러나 스탈린이 어떻게 유혈 숙청의 동업자들을 얻게 되었는지를 설명해주는 좀 더 통상적인 이유가 있다. 공산당 지도자들은 새로 부상하는 블록은 역사적 차원의 새로운 돌파구를 열고 있다고 생각했다. 전에는 존재하지 않았던 도시와 산업 세계와 문자해독을 하는 주민을 만들어내며 인류가 앞으로 나갈 길을 제시한다고 생각했다. 그러나 이들은 이념이 설명하거나 변명하지 못하는 수많은 문제점에 대해서도 잘 알고 있었다. 마르크스주의에 대한 볼셰비키의 인식에 따르면 혁명은 새로운 천년왕국을 가져오게 되어 있었다. 이것은 자본주의 사회와 같은 긴장과 계급 분열이 없는 사회이다. 그러나 그러한 사회는 아직 존재하지 않기 때문에 희생양이 필요한 것이다. 그리고 이 희생양들은 계속되는 배급제, 식량 부족, 인플레이션 같이 끝나지 않은 결핍에 대한 책임을 뒤집어씌워야 했고, 이들은 최고 수준 간부에서 찾아야 했다.[20]

충성스런 사회주의 시민이라면 이러한 숙청 희생자들, 단적인 예로 오타 슐링이나 루돌프 슬란스키 같은 체코슬로바키아의 공산당 지도자들은 국가와 경제에 심각한 피해를 주는 명령을 내렸을 수 있다고 쉽게 상상할 수 있고, 이것은 정권의 지속적 성공을 더욱 대단하고 역사적으로 필연적인 일처럼 보이게 만들었다. 슐링은 스페인 내전에 자원해서 참전했고, 브르노 지역의 책임자였으며, 전쟁 중 런던에 망명했다. 슬란스키는 1930년대부터 중앙 기구의 지도자로서 막대한 영향력을 행사하고 존경을 받는 인물이었다.[21] 기록을 보고 판단하긴대 당 간부 중 슬란스키 같은 숨은 적들에 대한 고발이 실제 사실에 근거했는지 의심하는 간부들은 거의 없었다.[22] 그래서 1956년 스탈린이 저지른 범죄가 갑자기 드러났을 때 당 지식인들이 정신적으로 받은 충격은 엄청났다. 그러나 믿음은 항상 두려움과 뒤섞였고, 의구심을 가진 사람들도 다른 당원들, 심지어 가장 친한 친구들도 재판이 진실이라고 가정을 하고 이것을 비밀로 간직했다.[23]

그러나 노동자들, 심지어 공산주의자들도 한두 해 전만 해도 반半신적인 존재로 추앙받던 사람들이 재판을 받는 불합리성을 조롱했다. 전 당서기장이 체포된 직후 클라드노 지역의 당 간부들은 클레멘트 고트발트의 '오랜 동지'인 슬란스키가 배신을 할 수 있다는 사실을 믿지 못하겠다고 말했다. 슬란스키는 단지 "죄지은 자들은 아무 벌을 받지 않는 대신 그는 모든 실책과 물품 부족에 대한 책임을 뒤집어쓴 피뢰침이었다". 이와 유사하게 자본가와 가톨릭교회에 대한 공격을 환영한 부다페스트 빈민가의 급진적 좌파 노동자들은 라이크에 대한 고발을 "아주 믿기 어렵다"고 생각했다. 체코슬로바키아 작가인 헤다 마르골리우스 코발리는 독감에서 회복되는 동안 사람들이 대놓고 슬란스키 재판을 조롱하는 것을 들었다. 한 간호사는 자신의 마을에서는 "도둑이 거위를 훔치면 손에 피가 묻힌 채 잡혀도 자신의 죄를 부인하는 법이다"라고 말했다고 회고했다.[24]

그러나 이러한 재판은 최소한 당분간은 스탈린주의를 안정화시키는 데 도움을 주었다. 희생양에 대한 분노를 유발시켰건, 고소 내용이 터무니없는 것이었건 공개재판은 무시할 수 없는 굉장한 구경거리였고, 당면한 염려에서 시선을 돌리게 만들었다. 기저에 있는 논리를 떠나 이 재판은 높은 지위에 있고 강한 자들이 땅에 추락하는 모습을 보여주는 역사가 오래된 장면이 재현된 것이었다. 1950년대 초가 되자 높은 지위에 있고 강한 자들은 보편적으로 경멸을 받았다. 그래서 당 지도자들은 슬란스키와 다른 고위 관료들을 희생시킴으로써 주민들을 공포에 떨게 만든 동시에 이들의 마음을 달래주었다.[25]

제기된 고소 중에 '시온주의'가 가장 황당했지만, 또한 발칸 주민들에게만 단선적 관련이 있는 티토주의를 훨씬 능가하는 가장 유용한 무기가 되었다. 이것은 상상적인 CIA 음모보다 더 효과가 있었다. 왜냐하면 이것은 지역 인종적 민족주의를 자극할 뿐만 아니라 유대인이 살고 있는 모든 곳에 요원들이 활동하는 전 세계적인 음모가 진행되고 있다는 환상을 만들어냈기 때문이다.[26] 당 간부 중에 반시온주의는 소련에 대한 충성을 약화시키는 어떠한 변명도 용인될 수 없다는 것을 보여주는 효과가 있었고, '인종학살'이라는 용어를 만들어낸 유대인을 대상으로 한 대량 학살 후에도 유대인들이 유대인 조국 창설이라는 아이디어에 조금이라도 헌신하는 것도 용인될 수 없다는 것을 보여주었다. 한 민족에 대한 특별한 헌신을 나타내는 시온주의는 이제 보편적 범죄인 '세계주의'의 상징이 되었다. 역설적으로 이러한 반유대주의로의 방향 전환은 토착 민족주의를 길들이기 위해 민족주의자들을 희생양으로 삼는 유럽의 인종차별의 최종 형태로 사용하려는 절망적 시도의 신호가 되었다. 소련은 이렇게 국제 국수주의의 지도자가 되었다.

스탈린도 창립을 지원한 신생 이스라엘 국가가 소련의 입장을 무조건적으로 지지하지 않으려고 한다는 것이 분명해지면서 반시온주의 운동이 가능해졌다.[27] 이것은 공개재판이 진행된 마지막 무대였던 체코슬로바키아에서 가장 강력히 적용되었고, 자신들의 논리 전개의 절정을 보여주었다. 유대인은 체코슬로바키아 당과 당 지도부에서 상대적으로 소수였기 때문에 폭력이 좁은 범위 안에서 집행될 수 있었다. 이와 대조적으로 당원 중에 유대인이 더 많았던 헝가리나 폴란드에서 반시온주의는 당을 약화시키는 숙청으로 이어지며 최고 지도자들의 생명을 위협했다.[28] 폴란드, 동독, 루마니아 지도자들은 고위 관리들을 '민족 공산주의자'와 세계주의자라는 혐의를 씌워서 숙청을 했지만, 이들을 사형에 처하지는 않았다. 그 이유는 분명하지 않다.

이와 동시에 소련의 친구들은 각국에서 최고의 애국자이자 진정한 민족주의자로 묘사되었다. 체코슬로바키아에서 반反세계주의는 마사리크에 대한 공격과 함께 진행되었다. 마사리크의 정책은 체코 민족protinarodni뿐만 아니라 노동 인민protilidove에게 해악을 끼친 것으로 비판받았다. 체코 민족주의자인 마사리크는 여러 업적 중에서도 반유대주의의 적수로 유명해졌다. 그러나 공산당 지도부는 이런 과거 유산을 재생하지 않는다고 주장했다. 1952년 12월 클레멘트 고트발트는 "시온주의에 대항한 투쟁은 반유대주의와 공통점이 없다"라고 말했다. 반유대주의는 '미국 슈퍼맨'과 연관이 있는 '야만적 인종차별주의'의 한 종류이고, 반시온주의는 '미국 스파이 활동'에서 국가를 방어하는 것이었다. 마사리크의 '부르주아' 민족주의는 건전한 노동계급 본능을 결여했기 때문에 이러한 위험으로부터 체코인들을 지킬 능력이 없었다. 이렇게 반시온주의는 계급의식의 발전된 형태로 묘사되었고, 슬란스키 재판의 피고 중 카렐 슈바프와 요제프 프랑크 두 명만 노동계급 출신이었다. 이들은 나치 집단수용소에 수감되었기 때문에 여기에서 유대인과 접촉하면서 이들이 오염되었다고 추정되었다.[29] 헝가리에서 야노스 카다르는 "지금까지 적발된 스파이망 소속자들 중에는 단 한 명의 노동자나 노동계급 농민도 없었다"라고 보고했다.[30]

세계주의의 유령은 모든 당원, 특히 유대인 당원들에게 시급한 목표를 제공해주었지만, 이것을 너무 밀어붙이면 반작용이 일어날 수 있었다. 체코슬로바키아의 교육위원회는 지도급 구성원들의 두려움과 비난 때문에 기능을 멈추었고, 공산당 기관지 편집장인 구스타프 바레쉬는 자기 집 문을 두드리는 체포자의 방문과 동료들이 고소를 기다리며 나날을 보내야 했다. 1952년 당 특별위원회는 당의 미래를 짊어질 소련에 체류하는 체코 학생들의 파괴적 자율 숙청을 막기 위해 모스크바를 방문했다. 1951년 4월 19일 헝가리 공산당 대회에서 마차시 라코시는 라이크와 카다르의 후계자인 내무장관 산도르 죌트의 업무 수행을 비판했다. 체포를 두려워한 죌트는 자신의 부인, 모친, 8살 난 아들과 6살 난 딸을 살해한 후 자살했다.[31] 스탈린의 공포 기구에 대해 아는 것이 많은 사람일수록 더 신경과민이 되었다.

숙청의 물결은 당 전체를 휩쓸었다. 1950년 1월까지 110만 명의 당원 중 30만 명이 숙청되었다. 특히 사회민주당원이었던 당원과 직업동맹 관리들이 특별한 표적이 되었다. 폴란드에서는 1949년 4월부터 1953년

9월까지 14만 명의 당원이 제거되었고, 이후에서 9만 6000명이 당원 자격을 박탈당했다. 전체 당원 수는 144만 33000명(1948)에서 129만 8000명(1954)으로 줄어들었다.[32]

＊　＊　＊

공산당은 최고위 관리들에 대한 '괴물 재판Monster Trials'으로 당원들에게 가해진 혁명적 폭력을 직접 경험하는 동안, 수만 명의 동유럽 사람들은 소위 정치적 범죄로 감옥과 수용소로 사라졌다.[33] 이들 중 일부는 공산당원이었고, 대부분은 아니었다. 제일 먼저 목표가 된 것은 자신들의 이질적 사회 배경을 무기로 당 노선에 반대한 사람들이었다. 특히 중산층과 경제적으로 성공한 '부르주아 농민'인 소위 부농들이 대상이 되었다. 거의 인종차별적인 시각에 의해 계급 배경으로 오염되었다고 간주된 이러한 사람들과 가족들은 대학, 경찰, 군대, 국가 행정기관에서 제거되었다.

이러한 '부르주아' 요소를 제거하는 것은 상대적으로 쉬운 일이었다. 당국은 '당원 경력 파일'을 가지고 배경을 조사한 다음 모든 문제를 결정했다. 이와 유사하게 연극이나 영화를 금지하고, '퇴폐적' 예술 전시회를 금하고, 교회와 수도원을 폐쇄하고, 사제들을 체포하고, 이념적으로 '해로운' 책들을 도서관에서 없애는 것도 쉬웠다. 좀 더 당황스러운 것은 부다페스트, 프라하, 크라쿠프 같은 사회주의 도시로 커가는 곳에서 구舊엘리트들이 여전히 문화적으로 지배하는 상황이었다. 상류층과 중산층은 더 이상 운전수나 하인을 부릴 수 없었고, 높은 월급도 과거의 일이 되어버렸지만, 이들은 여전히 전쟁 전에 살던 큰 아파트에 살며, 카페에 가장 좋은 자리를 차지했다. 사회적 우월감을 보이는 이들의 불쾌한 태도는 아직 제대로 제거되지 않았다. 그래서 소련의 예를 따라 1950년대부터 당 관료들은 '부르주아'로 낙인찍힌 수천 명의 주민들을 프라하와 부다페스트의 가옥에서 추방하여 시골 지역에 재정착하게 만들었다(Operation B라고 불림).[34]

이러한 조치는 구舊엘리트를 신新엘리트로 교체하는 더 큰 과정의 일부였다. 아파트뿐만 아니라 국가 기구에서 직위까지 갑자기 하급 공무원, 비밀경찰 요원, 영웅 노동자들shock workers과 '노동 영웅들'이 차지할 수 있게 되었다. 각 나라의 공산당 중 동독 공산당이 사회적 충원을 이용하여 정치적으로 충성하는 엘리트를 구축하는 데 가장 능숙한 모습을 보여주었다. 동독 공산당은 대학에 입학이 허용되는 노동자와 농민은 공산당원이 되는 것이 필수가 되도록 만드는 방법으로 이를 수행했다. 새로 부상하는 사회주의 엘리트는 당의 과업을 수행해야 한다는 당의 규율에 지배받았다. 이와 동시에 이들은 자신들의 고양된 지위가 당 덕분이라는 것을 잘 알았다. 당 덕분에 이들은 전문 직업, 질 좋은 상품과 용역, 아파트와 주말 별장, 자동차를 얻고, 자녀들을 위한 고급 교육 혜택을 받을 수 있었다. 이들의 성공 스토리가 당 노선이 옳았다는 것을 보여주는 증거였다. 새로운 당 노선은 자신들과 같은 노동자와 농민이 주도하는 새 사회를 만들어냈고, 이것에는 특권과 함께 고양된 의무도 뒤따랐다.

모든 곳에서 공산주의자들과 이들의 사회주의 동지들은 교육제도를 혁명적으로 개선하여 모든 사람들이 기초교육(보통 10학년까지)을 받을 수 있게 했고, 과거에 고급 교육 진입이 거부되었던 사회집단들에 교육의 기회를 열었다. 2차 세계대전 전에는 대학 재학생의 3퍼센트 미만이 육체노동 계층에서 나왔으나 1955년이 되자 이 비율은 보통 50퍼센트를 넘어섰고 일부 지역에서는 이보다 더 높았다. 이것은 전반적인 고등교육 능력의 확대로 가능해졌다. 이와 유사한 늘어난 사회적 기회의 역학이 확대된 노동

계급에 제공되었고, 특히 폴란드나 헝가리 같은 농업 사회에서 두드러졌다. 폴란드에서 산업 부분에서 일하는 사람들 숫자는 1949년부터 1955년 사이 280만 명이 늘어났다. 헝가리에서 중공업 분야 노동자 수는 1949년 26만 1440명에서 1953년 40만 5028명으로 늘어났다.[35]

사회주의 정권은 이렇게 자체 지배 계급을 만들어냈지만, 이 계급에 속하는 사람들은 정권의 기대를 거역했다. 이러한 이유 중 하나는 정권들이 아주 짧은 기간 안에 변화에 저항하는 현실을 바꾸려고 시도했기 때문이다. 새로운 도시를 건설하는 것은 수십 년이 걸렸지만, 스탈린주의는 동유럽에서 5-6년만 지속되었다. 정권은 동베를린과 바르샤바에 거대한 건설 구역을 만들거나, 헝가리의 스탈린바로시와 폴란드의 노바후타처럼 수천 명의 주민이 있는 새로운 철강 도시들을 만들었다. 그러나 이러한 신도시에는 상점은 물론 식당과 극장도 없었다. 정권은 바르샤바 중앙부에 개인 야채 상점을 문 닫게 했지만, 정권이 만든 상점은 몇 개 되지 않아 수요에 훨씬 모자랐다. 주민들은 빵 한 덩어리를 사기 위해 1마일 이상을 걸어가야 했고, 상점에 도착하면 줄 서서 기다려야 했다. 줄서기는 보편적인 현상이 되어, 다른 일을 할 에너지를 소진시켰다. 젊은 노동자들은 하루 노동을 끝내고 한 방에 5명씩 거주하는 숙소로 돌아왔고, 피로와 스트레스를 풀 방법이 없었다. 이들은 엄청난 양의 알코올을 소비하고, 도박이나 성적 자유 탐닉 등 당이 보기에 파괴적인 일탈에 몰두했다.

노동자들은 자신들이 건설한 아파트 건물이 완성되면 뒤에 물러서서 감독자와 책임자들이 더 좋은 위치에 있는 더 큰 아파트에 입주하고(절대 1층은 아님), 누구보다 먼저 이런 아파트를 받는 것을 지켜보아야 했다. 실질적 지배 계층은 국가와 당 관료들, 이들과 연줄이 있는 사람들이었고, 이들은 거의 전부 남자들이었다.[36]

사회주의 국가는 성 평등이란 수사를 사용하고, 여성에게 일자리를 제공하며 고등교육에 여성을 받아들이는 데 역사상 다른 어느 정권보다 더 많이 나갔다.[37] 이제 여성들은 광산, 중공업 공장 등 과거에 접근할 수 없었던 직종에서 일하게 되었고, 여성 인력은 전체 노동자의 절반을 훨씬 넘어서서, 서방 사회의 평균을 넘어섰다.[38] 많은 여성들은 사회에 진출하는 흥분을 느꼈다. 처음에는 시골에서 도시로, 다음에는 완전히 새로운 직업으로 나아갔다. 폴란드에서는 노동 시합에 참가하는 사람들의 상당 비율이 여성이었고, 현금 상금과 아파트를 받는 승자들은 대개 여성들이었다.[39] 여성들은 의대와 법대에도 입학했기 때문에 많은 숫자가 이런 전문 직업에 진출했다. 1960년대 후반 폴란드의 판사 3분의 1은 여성이었다.[40]

그러나 직업에서의 성차별은 완전히 사라지지 않았다. 당의 계획자들은 여성에게 일자리를 개방하고 가정 밖에서도 일하도록 독려했지만, 여성들에게 낮은 임금을 지급하고, 가족의 주 수입을 책임지는 것은 여전히 남성들이었다. 직장에서 이론적으로 여성들은 어느 자리에서나 일할 수 있었지만, 남성들은 여성들이 급여를 적게 받는 자리에서만 일하도록 제한을 가했다. 예를 들어 헝가리 석유산업에서 여성들이 트럭 운전사가 되자 남성 동료들은 여성들이 해고되거나 다른 자리로 옮겨가도록 만들었다. 폴란드에서 당 보고자들은 남성과 여성 사이에 갈등이 발생하면 여성이 임금이 낮은 자리로 옮겨간다고 보고했다. 때로 광부들의 부인들은 여성들이 지하 탄광에서 일하는 것을 막는 데 협조했다.[41] 가정에서 여성들은 종래의 육아, 요리, 청소 등 가사노동을 계속 담당했다. 이 모든 것에 줄에 서서 기다리는 새로운 '직업'이 추가되었다. 국가사회주의 보육제도가 존재했지만, 아직은 많은 것이 준비되는 상황이었다. 탁아소가 더 건설되고, 여기서 일할 직원을 찾고 훈련시켜야 했으며, 이 일을 맡은 것은 여자들이었다.

여성들이 국가와 당 관료제에서 지도적 직책을 차지한 경우도 있기는 했지만, 이것은 스탈린주의 시기나 그 이후에도 예외적 현상이었다. 중동부 유럽 전체에서 단 한 명의 여성 최고 당 지도자가 있었는데, 그녀는 루마니아의 아나 파우커였다. 그녀는 고무우카와 마찬가지로 1952년 숙청되었는데, 그녀는 온건한 사회주의 건설을 주장하고, 강제 집단화에 반대했다.[42]

체코슬로바키아가 전간기 중 동유럽에서 민주주의를 유지한 유일한 국외자였던 것처럼 폴란드도 처음부터 끝까지 주민들이 스탈린주의를 경험하는 데 예외적인 위치에 있었다. 폴란드는 현대화 혁명의 와중에 이 지역에 일반적이었던 사회·문화 격변을 겪었지만, 동유럽 소련 블록의 다른 곳과 다르게 정치적 압제로 극심한 고난을 겪지는 않았다. 1948년 과거 코민테른의 충실한 일꾼이었던 볼레스와프 비에루트가 브와디스와프 고무우카의 뒤를 이어 당 서기장이 되었지만, 그는 급속한 집단화를 강요하지도 않았고, 대학을 숙청하지도 않았다. 심지어 법학부와 역사학부도 숙청하지 않았다.[43] 크라쿠프에서 '보수주의자' 가족들을 추방하기로 한 계획은 세워졌지만 실행되지는 않았다. 수십 명의 사제들이 체포되고, 몇 명은 공개재판에 회부되었으며, 수석추기경 스테판 비신스키는 사람이 없는 수도원에 유폐되었지만, 폴란드 가톨릭교회 체제는 거의 손상되지 않았고, 공립학교에서 계속 교리문답을 가르쳤다.[44] 루블린의 가톨릭대학은 강의를 줄여야 했지만 계속 수업을 진행했다. 국가가 이루려고 한 일의 대부분은 교실에서 십자가를 없애고, 민간식 결혼식을 도입하는 것과 같이 세속화하는 국가가 취할 수 있는 일이었고, 내부 교신을 보면 공산당은 공산주의를 이질적이고 적대적인 세력으로 생각하는 사회에서 정치적으로 활동력이 강한 사제집단의 압박을 느끼고 있었다는 것을 보여준다.[45]

공산당은 폴란드 역사와 문화와 타협을 이룬 듯 했다. 고전 문학 작품이 출판되고, 파괴된 도시들이 원설계대로 복원되고, 영토에 대한 폴란드의 '영유권'을 보여주기 위한 고고학 발굴을 지원했다. 전체주의 통치가 절정에 이르렀을 때도 폴란드 공산주의자들은 폴란드 사회의 특수성을 존중하고, 자신들의 정책을 이에 적응시켰다(한 공산당원은 나와의 대화에서 다른 사회를 통치하게 되었다면, 다른 방식으로 행동했을 것이라고 말했다).

폴란드 지도자들이 보인 자제는 자국에서 '온화한' 혁명이라는 일반적 정책에 부합했다. 폴란드의 스탈린주의는 여러 다른 요소를 혼합하여 수만 명의 폴란드인을 배척하기도 하고, 끌어들이기도 했다. 많은 농민, 노동자, 여성에게 이 시기는 신분 상승과 새로운 기회를 제공했고, 다른 많은 사람들에게는 공포와 잔혹행위의 시기이기도 했다. 감옥과 수용소는 '경제적 범죄'를 저지른 노동자와 농민들로 가득 찼다. 이들은 몇 킬로그램의 옥수수를 공납하지 않거나, 무게 미달인 돼지를 도축하거나 암시장에서 물건을 사고판 죄를 지었다. 이 시기를 하나의 역학으로 다 설명할 수는 없었다. 스탈린주의 이후 폴란드 공산주의자들과 진행한 인터뷰에서 많은 사람들은 1938년 폴란드 공산당의 파괴에 대한 수치와 죄책감을 극복하지 못했고, 2차 세계대전 전 스탈린 치하에서 고난을 겪은 희생자라는 연대감이 이들로 하여금 전쟁 후 폴란드의 라이크인 브와디스와프 고무우카를 희생하라는 스탈린의 요구를 거부할 수 있게 만들었다.

스탈린주의 세계

스탈린주의는 적들의 마음에 공포감을 불러일으키거나 새로운 엘리트 사이에 정치적 충성심을 조성하는 일 이상을 했다. 좀 더 중심적인 면에서 스탈린주의는 인간이 새로운 방식으로 느끼고, 보고, 생각하고, 듣도록 기존의 환경을 변경했다. 그것은 사람이 생을 살면서 경험하는 이미지, 소리, 사고를 변화시키는 문화적 혁명이었다. 이것은 문화 창조자들이 자신들의 과업에 대한 생각을 급진적으로 바꾸는 것을 의미했다. 1946년 스탈린의 후계자로 간주된 안드레이 즈다노프는 주관주의와 객관주의 모두를 공격하고, 예술에서 모더니즘과 형식주의를 공격하는 운동을 시작했다. 이것은 사실상 '사실주의' 이외의 모든 것을 건드렸다. 레닌의 저술을 인용하며 즈다노프는 어떤 예술도 비정치적일 수 없고, 문학은 "프롤레타리아의 일반 목표의 일부가 되어야 하고, 사회민주적인 기계의 '작은 톱니바퀴와 나사'가 되어야 한다"고 말했다. 하나의 분리될 수 없는 이 기계는 노동계급 전체의 의식적 전위에 의해 작동되는 기계였다.[46]

사회주의 리얼리즘은 양식이기보다는 방법이었지만, 이것은 변증법적이기 때문에 19세기의 시작된 긍정주의 모델로 되돌아갔다. 1948년 소련을 여행한 동유럽 예술가들은 현대 미술과 무대 장식이 학문주의academicism처럼 두 세대 전에 유행했던 것의 복제품인 것을 보고 놀랐다. 이들이 심포니홀에서 들은 음악은 1890년대에 유행했던 '표제음악' 같았다. 그러나 불과 몇 년 안에 이 예술가들은 이러한 경향을 자국의 문화 지평에 도입하는 데 앞장섰다.[47] 자신들의 존재 이유가 예술성 추구였던 것처럼 보였던 집단이 어떻게 이런 양태를 보이는 것이 가능했는가?

문제의 핵심은 철학과 정치에 더 관련되어 있었다. 일부 사람은 새로운 감각을 이식하는 것보다 이것이 더 기회주의라고 말할 수 있다. 자국의 운명이 소련의 전위적 정치 위력에 종속되어가면서 예술가들의 운명도 새로운 전위대에 종속되었다. 모든 예술 작품의 중요성은 이것이 노동자와 사회 전체의 혁명적 의식을 창조하는 데 얼마나 기여하는가에 달렸다. 우리가 본 바와 같이 폭넓게 확산된 새로운 형태에 적응된 철학적 성향은 많은 지식인들이 보기에 필요한 것이었다. 그러나 그들은 역사가 자신들에게 봉사하도록 명령한 노동자들에 대해 아는 것이 거의 없었다. 1950년 동독 작곡가인 에른스트 헤르만 메이어는 자본주의에 대한 음악적 비평 아이디어를 구리광산 광부들에게 구했다.[48]

사회주의 리얼리즘은 이를 희화화한 그림caricatures에 부합한다. 소설과 영화의 플롯은 아무리 예술적으로 진지한 작품이라도 예측 가능해졌다. 스탈린이 사망한 후 한참 뒤에 쓰였지만 동독 문학 사조의 지속적 경향을 보여주는, 동독 작가 크리스타 울프의《갈라진 하늘Divided Heaven》의 여주인공은 서독의 자신의 연인을 포기하고 동독의 사회주의를 택한다. 그러나 그녀만 혼자 그렇게 한 것이 아니었다. 베를린 장벽은 서로 분리될 수 없는 정치적·개인적 딜레마를 해결하는 플롯 장치로 사용되었다. 전형적 주인공인 건강하고 낙관주의적인 프롤레타리아는 '위대한 역사적 움직임의 힘에 끌려' (부르주아며 무관심한) 자신의 연인을 떠난다. 동독이 더 나은 독일이었다. 그녀가 서베를린에서 발견한 것은 투쟁할 만한 가치가 있는 하등의 원칙이나 사상은 없고, 그 대신에 목표 없는 편한 삶밖에 없었다. 폴란드 영화감독 안제이 바이다의 초기 영화 〈세대Generation〉도 이와 비슷하게 젊은이의 사랑과 사회주의를 혼합한다. 이번에는 점령된 바르샤바에서 반나치 지하저항군이 소재가 된다. 아무 목표도 없는 젊은이가 목적을 발견한다. 그는 젊은 인민군대의 전사 도로타와 사랑에 빠진다. 그가 도로타를 사랑하는 이유는 그녀가 그가 범법자가 아니라 고귀한 프롤레타리아임을 발견했기 때문이다. 조국군대는 부역자들의 둥지로 묘사되었다.[49]

사회주의 리얼리즘에 헌신한 작가들과 영화감독들에는 평범한 사람부터 가장 재능이 있고 대담한 사람들까지 포함되었다. 2차 세계대전 전 극좌파 표현주의 시인이었던 비테슬라프 네즈발, 콘스탄티 일데폰스 갈진스키, 요하네스 베허 같은 시인들은 이제 길들여진 스탈린과 소련 찬양자가 되었다. 사회주의 리얼리즘이 절정에 이르렀던 1950년대 초 모든 예술적 긴장은 소련 스타일의 사회주의 창조에서 해결책을 발견했다. 이탈리아 사실주의 영화 〈자전거 도둑〉이 1950년 헝가리 관객들에게 상영될 때 문화부는 새로운 결말 부분이 추가될 것을 요구했다. 원작에서 주인공(노동자)은 자신의 유일한 생존 수단인 자전거를 도둑맞는다. 그래서 그는 다른 자전거를 훔치려고 한다. 체포되어 구타당한 그는 혼자 낙담해서 어두운 미래로 걸어 들어간다. 그러나 새로운 부분으로 이탈리아 공산당대회 장면이 추가되어 당 지도자 팔미로 톨리아티는 선동적인 연설을 한다. 노동자는 불확실한 미래로 사라지는 대신에 공산당의 품 안으로 걸어 들어가는 것으로 묘사된다.[50]

이런 것들은 예술에 정치가 침입한 적나라한 사례들이지만, 이에 영향을 받지 않은 분야는 하나도 없었다. 모더니즘적 경향은 음악과 건축에서 지워졌고, 고전음악 작곡가나 대중음악 작곡가도 스탈린과 소비에트 노동 영웅을 찬양하는 데 자신들의 에너지를 쏟아부었다. 음악작품, 아파트 단지, 조각, 이 모든 것이 상상적인 새로운 사회주의 인물에 대한 기념비가 되었다. 이 사실주의는 '실제'가 아니었고, 사람들을 이념이 요구하는 이미지로 축소시켜놓았다.[51] 관람자들은 자신을 실제보다 작게 느끼게 되었다. 그림과 조각에서 영웅적이고 근육질인 인물들, 위압감을 주는 기둥, 입구, 기타 '신고전적' 형태에 둘러싸이고 통제되었다. 이런 장식과 건축물들은 바르샤바 중심부와 동베를린 중심의 새로운 사회주의 주거단지를 장식했다(합스부르크의 대도시인 프라하나 부다페스트에는 침투하지 않았다).

이윤 동기가 파괴되었기 때문에 노동자들은 사회주의를 건설하고 인류

사회주의리얼리즘 스타일의 거리를 행진하는 폴란드 젊은이들(1952)

의 더 나은 미래를 만든다는 고상한 이상을 위해 일했다. 영감을 주기 위해 공산당은 가장 생산성이 높은 광부와 벽돌공을 노동 영웅으로 선별해서 거대한 포스터, 영화, 신문에 등장시켰다. 이러한 노동 영웅들의 사회주의에 대한 열정은 전염성이 강하다고 보았다. 이러한 노동자들은 표준 성과보다 몇 배나 되는 생산성을 달성했다. 일례로 동독의 아돌프 헨네커는 1948년 10월 13일 24.4입방미터의 석탄을 캐냈는데, 이것은 하루 생산 기준의 387퍼센트를 달성한 것이었다. 소련의 모범 광부인 스타하노프와 마찬가지로 그에게 모든 사람들의 복지를 위해 노동하는 것은 자신들의 복지를 위해서 노동하는 것이었다. 그러나 이런 식의 노동 경쟁이 경제성장에 큰 기여를 했는가는 다른 문제였다. 이러한 유명한 교대근무shifts를 준비하는 데 엄청나게 많은 시간이 낭비되었다. 당의 언론도 인정한 것은 대부분의 노동자들은 자신들을 더 많이 일하게 만드는 헨네커 같은 사람들을 싫어한다는 사실이었다. 헨네커는 역사적 과업 달성 후 동료들이 자신을 마치 '공기'처럼 대했다고 말했다. 영웅 노동자들이 만들어낸 것은 그를 거부하는 동료들의 연대감이었다.[52] 공산당이 장기적으로 배운 것은 노동 경쟁은 각 노동자에게 물질적 보상과 연계되었을 때만 잘 작동된다는 것이었다.[53]

노동 영웅들은 낭만적인 깊은 감정에 취하기는 했지만, 계획 달성을 가로막는 모든 장애와 싸워야 했고, 이것은 현대적 세상을 만드는 도전을 과학적으로 다루겠다는 정권의 열망을 반영한 것이었다. 중요한 모든 것은 모두 숫자로 표시되고 통제되었다. 노동자가 얼마나 많은 벽돌을 찍어내고, 광부가 탄광에서 몇 톤의 석탄을 캐내는가를 계산하며 국가는 노동 기준을 만들었다. 이것은 혁명적인 것은 아니었다. 헨리 포드도 각 노동자가 생산라인에서 특별한 과제를 수행하는 데 필요한 시간을 정확히 측정했다. 새로운 것은 이것을 경제 전체에 적용했다는 것이었다. 자동차 생산뿐만 아니라 문화와 교육을 포함한 모든 상상 가능한 생산 활동에 이 방식을 적용한 것이었다. 심지어 학생과 교수까지도 자신들의 공부와 연구를 국가 중앙계획의 요구에 맞추어 읽거나 쓸 페이지 양을 정하기도 했다.

이 계획은 국가 당국이 단순히 숫자를 만들어내서 이것을 내켜하지 않는 노동자들에게 적용하는 식으로 시행한다는 점에서 전체주의적이지는 않았다. 그 대신에 거대한 국가 관료제가 중공업을 중시하는 전체적 가이드라인을 제시한 다음 각 기업 책임자들과 이를 상의하고, 책임자들은 각 생산담당팀과 상의하는 식으로 생산 현장까지 내려갔다. 그런 다음 1차적 계획이 다시 이 체계를 타고 올라가 최상층부에서 조정되고 최종 결정되었다.[54] 한 번 결정된 계획은 가장 높은 법이 되고, 이를 달성하지 못하는 것은 사보타지의 기소로 이어질 수 있었다.

이러한 체제는 두 개의 커다란 장점을 가지고 있었다. 첫째, 이것은 자본주의의 불확실성을 제거할 수 있었다. 실업, 갑작스럽고 고통스런 가격 인상은 사라지고, 주민 대부분을 위한 기본적 식품 부족도 없었다. 사람들은 내일이나 일 년 후를 염려할 필요가 없었다. 고용은 기본적 사회적 권리로 간주되었고, 이와 마찬가지로 주택, 건강 보험, 대중교통, 교육도 기본 권리로 간주되어 계획에 포함되었고, 이론상으로 또 자주 실제로 크게 보조된 가격으로 제공되었다. 교육과 건강 보험은 무료였다. 중동부 유럽 대부분 국가에서 빵이나 우유 같은 기본 생필품 가격은 1950년대 명목 가격이 정해진 이후 수십 년 동안 크게 변하지 않았다.

경제의 모든 부문은 상호 연관되어 건축이나 러시아 문학을 공부하는 학생도 졸업 후 일자리가 기다리고 있다는 것을 확신할 수 있었다. 이런 계획은 철학적 토대를 반영했다. 사회주의는 실업이나 건강 보험이 없는 사람을 인정할 수 없는 것처럼, 노동계급의 필요를 충족시키지 않는 소비자 제품을 인정할 수 없었다. 건축은 빌라가 아니라 평범한 아파트를 건설해야 했고, 의복 산업은 더 이상 모피코트를 생산하지 않고, 노동자들에게 '필요한' 내구성 좋은 코트와 재킷을 생산했으며, 다른 산업도 마찬가지였다. 이러한 체제는 '수요에 대한 독재dictatorship over needs'라는 재치 있는 말로 불렸다.[55]

두 번째 이점은 사회를 새로운 현대적 사회로 밀어 보낼 수 있는 힘이었다. 1980년대 중국의 경제 혁명 전까지 1930년대부터 1960년대까지 소련식 사회가 달성한 경제성장률은 비교 대상을 찾기 힘들었다. '통제' 경제는 자본 재원을 집중적으로 끌어내 이것을 철강 산업이나 화학 산업 같이 전에 존재하지 않았던 거대한 규모의 프로젝트에 신속히 투자할 수 있는 유일무이한 능력을 보유했다. 또는 1945년 폐허 상태였던 도시 중심부를 신속히 재건할 수 있었다. 지금은 중앙계획경제는 저생산성으로 인해 경제적 작동 불능과 연관되어 생각되지만, 초기에는 시장 경계가 할 수 없는 경제 자원의 해방을 가져왔고, 자본주의식 노동 분화 상황에서는 생각할 수 없는 돌파구를 만들어냈다.

이러한 혁명적 변환은 사회의 변환을 요구했을 뿐만 아니라 이를 만들어냈다. 1940년대 후반부터 수천 명의 농민들이 도시로 쏟아져 들어왔다. 이전까지 중산층과 상류층의 전유물이었던 대학, 고등학교, 도시 중심부에 자리 잡은 카페, 식당, 클럽, 극장이 이제 '지배 계급'으로 넘쳐났고, 이들 자신도 변했다. 유대인 아버지를 둔 동독의 자유주의 학생 지도자 볼프강 나토네크는 공개적으로 정실주의를 비판했다. "나치 시기에는 대학에 들어가려면 아리안족 할머니를 두어야 하지만, 지금은 프롤레타리아-아리안인을 필요로 한다." 1949년 나토네크는 소비에트 군사법원에서 25년의 강제노동형을 선고받았다.[56]

프롤레타리아 비평가들은 '지배 계급'이기 때문에 자신들이 지식인들이나 관료도 누리지 못한 방식으로 공격할 수 없는 존재가 되었다고 느꼈다. 가장 확신에 찬 사람들은 가장 배우지 못한 수위나 아파트의 기술 관리인들이었지만, 최고위 당 간부들이 뭔가 잘못된 말을 하거나 쓰레기를 버리는 일에 대한 보고를 할 수 있는 비밀경찰 끄나풀들이 공포를 불러일으켰다.[57] 체코슬로바키아의 급진적 공산주의자들은 지식인들이 수행한 작업의 질을 평가할 수 있는 위원회를 만들어, 노동자를 대거 참여시켰다. 만일 이들이 어떤 연극이나 영화가 너무 '비관적'이거나 과도하게 '사실주의적'이거나, 심지어 너무 '풍자적'이라고 생각하면 이들은 유명한 연극 연출가라도 더 이상 연극을 연출하지 못하게 만들 수 있었다. 모든 나라에서 전에는 극소수만 대학에 진학했던 노동자와 농민 자녀들이 이제 다수가 되었고, 대학의 인사와 커리큘럼을 결정할 수 있는 당이나 직업동맹을 지배했다.[58] 초기의 열정이 시들기 전까지 위계질서가 뒤집혀서 학생이나 직원이 교수들이 할 일을 지시했다. 새로운 현실은 임금에도 반영되었다. 역사상 처음으로 육체노동자가 사무노동자보다 더 많은 급여를 받았다.[59]

그렇다고 노동자들이 이 시기에 도처에서 자행되는 공포를 피한 것은 아니다. 노동자들은 불평을 하거나 찬사를 보내는 것을 거부할 정도로 자신들의 항의를 자제했다. 가끔 파업이 일어났지만, 더 자주 사용하는 방법은 칭병을 하거나, '인민의' 재산을 훔치거나, 태업하는 것이었다. 노동자들은 언제 어디서 비판을 해야 하는지를 알아서 대개 가족과 친구들 사이에서나 술집 등에서 불만을 털어놓았고, 특히 알코올의 힘을 빌려 그런 경우가 많았다. 그러나 곧 공산당은 요원들을 고용해 노동 소요가 일어나기 전에 이를 막으려고 애를 썼다. 그러나 관리들은 정권의 문제점이나 부족한 물품에 대해 '가끔 제기되는 일상적 불평'은 당연한 것으로 여겼다. 사실 불만 표출은 사람들이 새로운 정치적 현실에 적응하고 열기를 분출시키는 치유적 효과가 있었다.[60]

그러나 장기적 경향은 분명했다. 1960년대 초반이 되자 새로운 지식계층이 국가 관료제를 장악한 것을 볼 수 있었다. 이들은 새로운 언어, 유머 감각, 음악, 음식, 스포츠에 대한 취향을 갖게 되었다. 지식인이 공개 발표나 세미나에서 슬랭이나 방언을 사용하는 것은 가능할 뿐만 아니라 좋은 감각으로 여겨졌다. 노동자들은 더 이상 외식을 하거나 고전 연극이나 음악을 들으러 가서 '상류층'에게 위압감을 느끼지 않게 되었고, 대중의 기호에 스스로를 맞추어나갔다. 사회주의는 계획에 의해 발전하기 때문에 변증법적이었고, 통상 계몽을 지향했다.

                              ✳ ✳ ✳

스탈린 시기 소련이 새로운 산업에 자본을 집중적으로 투자하고 놀라운
성장을 이룬 배경에는 농촌에 대한 엄격한 통제가 있었다. 자본주의 초기
에 농촌 지역은 풍부한 노동력은 제공했지만, 식량은 제대로 공급하지 못
했다. 식량 가격은 시장에 의해 조정되었었다. 스탈린주의는 경제 발전을
막는 이 문제를 농민들을 집단농장으로 강제적으로 가담시키고 농촌에
서 시장을 철폐해 농산물 가격을 인위적으로 낮게 만드는 방식으로 해결
했다.

　1950년대 초 동유럽을 휩쓴 집단화 추진은 소련의 제국적 통치의 가
장 명백한 증표였다. 1948년 이전 가장 급진적인 좌파도 집단화를 생각하
지 않았었다. 일례로 체코슬로바키아 공산주의자들은 좀 더 발전된 환경
에 이질적이고 적절하지 않은 모델로 보이는 집단화를 논의조차 하지 않
았다.[61] 그러나 2차 세계대전 직후 시기에 정권은 대지주들과 부자 농민들
로부터 토지를 징발하여 이러한 스탈린주의 정책의 기초를 만들어놓았다.
많은 토지가 가난한 농민들과 '인종적으로 맞는' 농민들에게 분배되었고,
일부 농지는 국가가 통제하는 특수 재단에 주어졌지만, 집단농장을 형성
하는 기본적 자원은 1948년 이후에 수립되었다.[62] 초기에 당국은 농부들
로 하여금 일정량의 농산물을 통제된 가격에 내놓게 만들면서 시장경제
원칙에 간섭했지만, 대부분의 경우 당국은 가난한 농민들을 사회주의 체
제로 끌어들이기 위해 애썼다.

　1930년대의 소련 모델은 개인이 소유한 농지를 징발하여 국영농장
Sovkhozy과 합영농장Kolkhozy을 만드는 것이었다. 국영농장에서 농민들은 임
금을 받는 농업 노동자로 일했고, 합영농장에서는 이론적으로는 공동으로

노동하고 수익을 공유하고, 농산물을 정해진 낮은 가격에 팔아야 했다.

동유럽에서 집단농장에 가담한 사람들은 땅, 가축, 농기계, 건물로 '기여'를 해야만 했고, 동독에서는 '현금'으로 기여했다. 소련과 다른 점은 집단농장 가입이 자발적이었기 때문에 농지는 여전히 농민에게 속했다. 처음에 농업 노동자들은 '작업반'과 '노동일수'로 보상을 받았지만, 후에는 이들은 농촌에 붙잡아두는 방법으로 보장된 임금을 지급했다. 체코슬로바키아의 집단농장은 지명된 지도부가 무엇을 생산할지를 결정하도록 되어 있었지만, 실제로는 정부가 세운 계획을 따랐다. 농민들은 자신들의 소비를 위해 대개 가금류인 가축을 키울 수 있었고, 한두 마리의 염소나 암소를 키울 수 있었다. 또한 각 가정이 4분의 1헥타르 한도 내에서 개인 텃밭을 갖는 것도 허용했다. 동유럽 모든 나라에서는 농민들이 개인 텃밭에서 농산물을 재배하는 것을 허용했는데, 헝가리는 공개적으로 이를 허용했지만 다른 나라들은 암묵적으로만 허용했다.[63]

새로운 제도가 시작된 초기에는 처음으로 집합적으로 일하게 된 농민들에게 힘든 도전을 제기했다. 체코슬로바키아에서 변화는 특히 급진적이어서, 농지의 45퍼센트가 1948년 혁명 이후 2년 동안 집단 감독 아래 들어왔다. 그 결과는 농업 생산의 감소와 전후 초기에 시행된 배급제의 재도입이었다. 헝가리에서는 위기가 심각해서 1950년대 농산물 생산의 70퍼센트가 소규모 개인 텃밭에서 나왔다.[64] 저조한 생산의 다른 원인으로는 농촌 노동력이 다른 산업으로 전용된 것과 토지의 심각한 생산성 저하였다. 집단농장에서 행해지는 착취에 대한 많은 보도가 나왔다. 여기에는 연줄이 있는 사람들에게 유리하게 수입이 배분되는 관행도 포함되었다.[65]

농민들이 자발적으로 집단농장에 가입했다는 전설 뒤에는 엄청난 정치적 압력이 있었다. 당 노선에 의하면 사회주의로의 변화는 모든 사람의 복지를 향상시키는 집단화를 요구했고, 이것은 모든 사람들의 복지를 높이고, 농촌에 대한 농민의 통제를 정착시키고 '반동'을 분쇄할 수 있었다. 농지를 집단농장에 넘기는 것 외에도 당국은 전통적인 사회 구조를 파괴하기 위해 교회 학교 문을 닫았다. 여기에 저항하는 사람들은 부농kulak이라는 낙인이 찍히고, 이웃들의 노동을 착취하기를 원하는 자본주의 계급의 잔재로 여겨졌다. 그러나 이 시기까지 대규모 농장들이 파괴되었기 때문에 부농이 되는 농지 규모도 축소되었고, 농지 생산성에 따라 불가리아는 10헥타르, 동독은 20헥타르가 기준이 되었다. 역설적이게도 전후 초기 토지 개혁은 농민들에게 농지를 소유하는 맛을 알게 해주었기 때문에 농민들은 집단화에 반대하고 나섰고, 이제 당은 이것을 분쇄해야 했다.[66]

'부농富農'이라는 말은 소련에서 수입된 개념이지만, 중동부 유럽에서는 집단화를 위해 소련에서보다 폭력이 훨씬 덜 사용되었다. 일부 부농들은 체포되고 추방되었지만, 강제이주나 대규모 기아는 없었다.[67] 좀 더 자주 사용된 방법은 집단화를 반대하는 농민들에게 지속적인 탄압이 가해졌다. 부농으로 분류된 사람은 더 많은 농산물을 공납해야 했고, 특별한 세율이 적용되었다. 체코슬로바키아 법에 따르면 지구 당국은 특정 농민의 토지세를 30퍼센트까지 인상할 수 있는 재량권을 가졌다. 헝가리에서 관리들은 농민을 관청으로 소환하거나, 총으로 위협하여 집단농장 가입에 서명하게 만들기도 했다. 국영 라디오방송은 자신의 재산에 집착하는 농민들에게 겁을 주기 위해 부농 재판을 방송하기도 했다.[68] 특히 불가리아, 유고슬라비아, 루마니아에서는 이러한 압박에 대한 격렬한 저항이 있었지만, 대부분은 단지 평화를 찾기 위해 집단농장에 가입했다.

스탈린 사후 희생자 만들기는 크게 줄어들었고, 몇 년 안에 부농들도 집단농장에 가입하는 것이 허용되는 일부는 농장 책임자가 되었다. 동유럽

대부분 지역에서 집단화는 이제 갓 시작된 상태였다. 1953년까지 불가리아만이 영농지의 50퍼센트를 집단화하는 데 성공했다. 체코슬로바키아가 40퍼센트로 그 뒤를 따랐고, 다른 나라에서는 집단화율이 25퍼센트를 넘지 않았다.[69] 경제계획가들은 강제력을 사용하는 것이 효과를 감소시킨다는 것을 알게 되었다. 이러한 조치는 농민들, 특히 젊은이들을 도시로 내몰았다. 헝가리는 농촌 지역의 고용자 수가 지속적으로 감소되는 현상을 겪어서 1949년 52퍼센트였던 농민 비율은 1970년에는 27퍼센트, 1995년에는 8.5퍼센트로 감소되었다. 1950년부터 1970년 사이 100만 명의 농업 노동자들(전체 노동자의 20-25퍼센트)이 농업 분야에서 이탈했다. 특히 우려스러운 일은 인구 전체 평균 연령이 노화되는 상황에서 육체노동을 할 수 있는 노동자들이 농촌을 떠나는 현상이었다.[70]

　당국은 압력을 가하기보다는 경제적 인센티브를 제공하는 방향으로 정책을 수정해나갔고, 스탈린 사후 새로운 시대의 표시로 이념적 열정을 덜 보였다. 일례로 당국은 모든 농지가 집단적으로 영농되어야 한다는 노선을 고수하지 않았다. 당국은 또한 집단농장에 가담하는 사람들에게 라디오, 냉장고 등의 상품을 제공했고, 개인 텃밭에서 기를 수 있는 가축 수를 늘려주었다. 1957년부터 체코슬로바키아 집단농장 농민과 가족들은 연금과 건강 보험 혜택을 받았다. 시간이 가면서 많은 농촌 주민들은 새로운 생활양식을 즐기게 되었다. 이들은 나쁜 일기로 인한 기근을 염려할 필요가 없었고, 규칙적인 노동시간과 일정한 수입을 갖게 되었다. 1950년대 말이 되자 집단농장 위원회는 농민들 사이에 상당한 권위를 인정받는 중농과 대규모 농지 소유 농민들이 지배하게 되었다.[71]

* * *

경제 전반의 놀라운 성장은 1960년대 들어서면서 둔화되었다. 스탈린주의가 한창일 때 성공 비결은 확대적 성장expansive growth이었다. 일례로 생산에 비고용 농장 노동력을 추가하고, 사용되지 않은 농지와 자원을 개발하여 새로운 단위를 추가한 것이었다. 그러나 이제 각 생산 단위를 더욱 효율적으로 만들어야 하는 집중적 성장의 도전이 다가왔다. 사회주의 정권들은 이 도전에 대응하는 데 결국 실패했다. 스탈린주의의 극단주의가 가장 유리한 주장이었지만, 이것도 효과를 잃기 시작했다. 한편으로 경제적 성취는 강요에 기반한 체제의 비정상적 희생 덕분에 달성되었지만, 다른 한편으로 강요는 변환되어야 하는 객체의 반응 없이는 지속될 수 없었다. 중동부 유럽의 주민들은 각각 고유한 역사와 민족 전통을 가지고 있었다.

마르크스주의의 한 형태로 스탈린주의는 경제를 모든 가치의 기반으로 인정했다. 과학이 이 경제가 합리적으로 계획되고 현대적 경제가 되는 것을 보장했다. 그러나 현대 경제 모델이 소비에트 경제였기 때문에 개별 동유럽 사회의 강점과 약점에 대한 고려가 거의 없었다. 모든 곳에서 사회주의는 똑같아 보일 것으로 여겨졌고, 다른 모든 생산 분야보다 중공업이 강조되었고, 중공업 내부에서는 군수 산업이 생활을 안락하게 만드는 분야보다 우선시되었다. 공장들은 자동차나 냉장고보다는 탱크와 대포들을 만들어냈다.[72]

이러한 편견은 어려운 상황을 만들어냈다. 주거 분야가 특히 크게 방치되었고, 주민들은 안정적이고 안락한 가정생활을 누릴 욕망을 연기하라는 말을 들었다. 큰 주택과 아파트는 작게 나뉘었고, 젊은 부부들은 방 두 개짜리 아파트를 다른 가족과 공유하며 방 하나를 배정받고도 기뻐했다.[73]

그러나 상황은 중앙계획 경제의 내재적 역기능과, 취향과 유행의 변화를 반영하거나 양질의 상품을 생산을 독려할 줄 모르는 무능력에 의해 악화되었다. 시장은 모든 결점에도 불구하고 생산자에게 변화는 취향에 대한 정보를 제공해주고, 공급의 다양화를 촉진하는 효율적 수단을 제공했다. 5개년 계획을 만드는 정부 관리는 어떤 색의 여자 신발이 1, 2년 또는 3년 뒤에 유행할지를 예측할 수 없었고, 특정 도시의 특정 교외에서 소비되는 몇 가지 치즈 종류의 양을 알 수 없었다. 정부 관리는 라돔이나 올로모우츠의 교회 식당의 좌석에 대한 수요도 예측할 수 없었다. 관리들은 수요에 대한 대략적인 추산만 해서 동유럽 사람들이 얻을 수 있는 것은 두 종류의 치즈, 세 색깔의 신발, 나라 어디서나 똑같은 표준 메뉴를 제공하는 한 종류의 카페를 만들어냈다. 카페에서 좌석 절반은 늘 '예약 중'이었다. 그 이유는 비생산적인 사회주의 경제에서 식당 종업원을 찾는 것은 어려웠기 때문이었다(식당 종업원들은 뇌물을 받고 좌석을 제공했다).

사회주의 경제에서 만들어지는 상품들은 내구성은 있었지만, 그 품질은 보장할 수 없었다. 국가 경제는 양이나 숫자로만 사전 계산되었고, 상품의 결함은 대량 생산이 시작될 때까지는 알아낼 수 없었다. 이 체제는 동기부여는 물론, 시장경제의 징벌도 없었다. 대중 소비용 상품을 생산하는 기업들은 이익을 낼 수가 없었다. 앞에 논의된 노동 경쟁과 후에 도입된 임금 차별화 시험 외에 노동자나 감독자 모두 특별한 성취에 대해 이익 배분은 말할 것도 없고 아무런 보상도 받지 못했다. 성과에 대한 인정은 도덕적 찬양으로 재킷에 달 수 있는 메달이 전부였다. '5개년 계획의 활동가', '뛰어난 청년 노동팀'의 단원, '칭찬받을 만한 수의사' 등의 메달이 수여되었다. 그리고 게으름을 부린 노동자도 약한 징벌을 받았고, 스탈린 사후에는 더욱 그랬다. 이들은 다른 모든 사람과 동일한 평범한 기준의 삶을 살았다. 국가가 고용을 보장하기 때문에 노동자들은 일자리를 잃을 염려가 없었고, 생산성이 떨어지는 공장도 문을 닫게 할 수 없었다. 능력이 없는 감독자는 다른 곳으로 전근시키는 것이 전부였다.

제한적인 보상과 징벌 체계는 개선을 위한 인센티브가 거의 없었다. 생산 방식은 거의 고정되었고, 고위 관리가 간섭하지 않으면 같은 물품이 아무런 변화 없이 계속 생산되었다.[74] 1950년대 서방에서는 효과적인 비화석 연료(천연가스 같은)를 사용하며 엄청난 덕을 보았지만, 소련 블록은 석탄, 석유, 전기를 계속 같은 비율로 사용했고, 기껏해야 각 에너지의 양만 늘려나갔다. 플라스틱 같은 신제품은 무시되었다. 동방 블록이 경제와 과학 혁신에서 서방 블록을 흉내 내려고 시도하자, 이것은 서방을 '따라가는' 것으로 보였다. 이것은 인류에게 미래를 보여준다는 사회로서는 이상한 사실이었다.

수십 년 동안 중앙 당국은 통제경제에서 인센티브를 도입하기 위해 머리를 쥐어짰으나 땜질식 처방만 나왔고, 처음부터 내재된 이러한 기본적인 문제점은 극복되지 않았다. 효율성의 문제는 질의 문제와 분리할 수 없었다. 최종 산품이 제대로 작동하지 않는 상태에서 원재료를 효과적으로 사용할 수 없었다. 잘못 만들어진 보일러로 인해 물과 열기가 각 가정에 도달하기 전에 이미 30퍼센트가 손실되었다. 보일러는 판매되기도 전에 녹 쓸기 시작했다.[75]

이 초기 시기에 제대로 인정되지 않은 문제는 자원의 낭비였다. 핵심은 이 지역의 주요 에너지원인 갈탄은 체코슬로바키아, 동독, 폴란드에 충분히 넘쳐났다. 이것은 가장 효율이 떨어지고 가장 공기를 오염시키는 석탄 종류였지만, 갈탄은 아파트 건물 난방과 산업 연료로 엄청난 양이 사용되었다. 중앙계획은 다른 선택지를 남겨놓지 않았다. 수입은 너무 비용이 많이 들었다. 사회주의 경제는 온도 조절 장치thermostats를 사용했지만, 미리 조정된 압력 조절 장치는 사용하지 않았기 때문에 온도 조절 장치는 금방 결함이 생겼다. 온도를 조절하기 위해서 사람들은 창문을 열었다 닫았다를 반복했다. 이것도 부분적인 해결책에 불과했다. 이런 낭비적 에너지가 발생시키는 오염으로 인해 공기는 숨을 쉴 수 없을 정도로 탁해졌다. 이와 유사하게 주민들이 물을 좀 더 효율적으로 사용하게 만드는 시도도 있었다. 일례로 수도 사용료를 올리는 것이었지만, 계획경제는 각 가정용 수도 계량기를 생산계획에 넣지 않았기 때문에 이것도 실시할 수 없었다.

이러한 유연성이 결여되고 정치적으로 추진되는 체계는 소련에서 수입된 것이기 때문에 동유럽 사람들은 이러한 불이익을 민족적 관점에서 받아들였다. 강대국인 소련은 자신의 이익을 위해 비효율적인 체계를 식민 제국에 강요했다. '민주적 공동체'을 더 안전하게 만드는 무기를 생산할 수 있기 때문에 중공업이 선호되었고, 자원의 무분별한 전용이 민족적 자존심의 근원이었던 지역 산업을 망쳤다. 헝가리는 단 하나의 철광 광산을 가지고 있었고, 양질의 석탄 광산은 가지고 있지 않았지만, 지금은 철강 생산이 소련의 축소 모델이 되었다. 헝가리는 이중 제국의 빵바구니였지만, 이제는 곡물을 수입해야 했고, 석재 채굴을 위해 유럽에서 가장 뛰어난 와인 생산 지역 일부를 파괴해야 했다. 농민들은 옥수수대로 만든 액체 '와인'을 마셔야 했다.[76]

소련이 1944년부터 동유럽에서 엄청난 양의 물자를 반출한 것이 이러한 경제 제국주의에 대한 점증하는 혐오의 원인이 되었다. 이러한 관행은 1956년까지 지속되었다. 헝가리가 다시 한 번 그 좋은 예가 되었다. 전후 소련은 매년 헝가리의 공장들을 '독일' 공장이라며 해체한 후 소련으로 반출했다. 소련은 그런 다음 헝가리가 지불해야 할 전쟁배상금을 협상하여 3억 달러의 배상금을 결정하고, 1950년대까지 이 배상금을 지불하게 만들었다. 이와 마찬가지로 루마니아, 불가리아, 동독도 국가 수입의 15-22퍼센트를 전쟁배상금으로 지불해야 했다.[77] 폴란드조차도 간접적으로 전쟁배상금을 지불해야 했다. 소련은 지금은 폴란드 영토 안에 있는 과거 독일 산업 시설들을 분해하여 반출했다.

폴란드인들은 가장 큰 불만을 가질 이유가 있었다. 폴란드는 소련이 독일의 동맹국이었던 1939년부터 나치 독일과 전쟁을 치렀지만 동부 영토를 소련에게 빼앗겼다. 전쟁 후 소련은 폴란드가 보상으로 얻은 지역인 실레시아의 '독일' 석탄을 징발했다. 소련과의 전쟁에 자발적으로 참여한 헝가리인들은 아마도 불만을 가질 이유가 좀 더 적었다. 그러나 핵심은 두 국가 모두에서 국민들은 자신들이 아무 힘이 없는 식민지라고 느낀 것이었다. 오늘날까지 경제학자들은 정보 부족으로 이 시기의 교역 관계의 정확한 성격을 규명하지 못하고 있다. 동유럽 주민들은 교역 조건이 자신들에게 불리하게 조작되었다고 생각했다. 소련이 동유럽에 세계 시장 가격보다 낮게 에너지를 공급한 스탈린 시기의 이러한 경향은 그 시기 이후에도 지속되었다. 정보가 억압되고, 명백한 거짓이 있는 경우 사람들은 최악을 상정하게 된다.

이들이 사실로 알게 된 것은 아주 나쁜 것들이었다. 노동자들은 밤늦게까지 이어지는 긴 시간을 노동했지만, 실질 임금은 줄어들었고, '생활을 더 아름답게'(널리 퍼진 선전 문구) 만드는 것들을 거의 살 수 없었다. 대부분의 사람들에게 생활은 더 힘들어졌다. 안락한 생활은 둘째 치고, 생활의 안정감을 느낀 사람은 거의 없었다. 1950년대 초반은 수리점, 이발소, 카페 등 소규모 사업의 국유화가 집중적으로 진행되고, 공적 기관에서 '부르주아' 요소를 계속 숙청하고, 예술과 교육에서 선전선동을 강제적으로 수용해야 했으며, 운 나쁘게 국경 지역에 거주했고, 정치적으로 신뢰할 수 없다고 간주된 많은 사람들이 강제적으로 이주해야 했다.[78] 이것이 공산당이 스스로와 벌인 전쟁보다 앞서고, 동시에 진행되고, 더 오래된 이야기였다.

1953년 초의 소요, 특히 노동 계층 사이에서 소요 가능성이 비밀경찰에 포착되었다. 1953년 3월 임박한 위험 소문이 떠돌 때, 당시까지 병을 앓고 있지 않았던 스탈린이 갑자기 사망했다고 모스크바가 발표했다. '인류가 아는 가장 뛰어난 천재, 정치·도덕·과학에 대한 모든 지혜의 원천'이 사망한 것이다. 즉각적으로 크렘린의 스탈린 후계자들인 '집단 지도부'는 자신들의 노동계급을 달래는 조치를 취했다. 그러나 이들은 동유럽 동지들이 마치 스탈린이 죽지 않은 것처럼 고통스런 변환을 미루는 것에 신속하게 대응하고 나서지 않았다. 가장 먼저 영향을 받은 두 지역은 가장 강한 산업을 보유하고 가장 오래된 사회주의 조직 전통을 가진, 가장 의식화된 노동계급을 가진 나라였다. 두 지역은 체코슬로바키아의 서쪽 지방과 동독, 특히 베를린과 작센이었다.

20장

탈스탈린화:
헝가리 혁명

〰

탈스탈린주의는 처음에는 스스로를 구제하는 조치였다. 1920년대 말 유일 지도자 자리에 올라선 스탈린은 이후 10년 동안 경쟁자를 실각시켰을 뿐만 아니라 이들을 체포하고 처형했다. 1953년 3월 스탈린이 사망하자 스탈린의 후계자들은 정치 전투에서 패배한 사람이 더 이상 목숨을 잃을 필요는 없다는 데 의견을 같이했다. 한 가지 예외는 스탈린이 공포 정치의 집행을 맡긴 라브렌티 베리야였다. 베리야는 1953년 6월 말 정치국 회의에서 총이 겨누어진 채 체포되어 12월 총살당했다. 그에게 씌워진 제목은 영국의 스파이였다는 것이었다.[1]

탈스탈린주의는 소련 블록 국가 주민들의 생활에서 테러를 제거하는 과정이었다. 스탈린이 사망했을 때 소련 블록은 자본주의와의 최후 대결이 임박했다는 전쟁 상태에 있었다. 실제로 이러한 전쟁은 한국에서 진행되고 있었다. 단기적으로 자원을 전쟁 산업에 쏟아부으면서 궁핍한 상황이 발생했다. 농지나 공장에서 등골이 빠지도록 장시간 노동을 해도 상점에는 살 것이 없었고, 생활을 즐길 여지도 없었다. 2차 세계대전 종전 5년 후 기본 식품들은 재고가 있어도 여전히 배급제로 분배되었다. 바르샤바에서 자원을 미친 듯이 중공업에 쏟아 붓고, 개인 빵집, 식품점, 카페를 문 닫으면서 주민들의 영양실조가 시작되었다.[2] 헝가리에서는 소규모 사업의 국유화로 인해 1950년대 중반 시골 마을의 3분의 2는 달구지 목수, 대장장이, 무두장이, 이발사, 재단사를 찾아볼 수 없었다.[3]

이와 동시에 정치적 테러는 공포와 많은 수의 주민들의 수감을 촉발했다. 1953년 시점 헝가리 공산당 정권은 약 150만 명의 주민(성인 인구는 500만-600만 명)에 대해 재판을 진행하고, 20만 명을 감옥이나 강제수용소로 보냈으며, 많은 사람들이 소련의 오지로 추방되었다. 폴란드 공산당은 57만 4000명의 농민을 곡물 생산량을 달성하지 못했다는 이유로 견책했고, 약 600만 명의 성인(성인 셋 중 하나 비율)을 '범죄적이고 의심이 가는 분자'로 분류해서 관리했다. 체코슬로바키아에서는 주민의 8퍼센트가 정치적 탄압의 영향을 받았다.[4] 동유럽에서 활동하는 소련 정보원들은 주민들 사이에 고조되는 불만을 경고하는 보고서를 모스크바에 보냈고, 스탈린의 후계자들은 곧 닥칠지도 모를 격변을 방지하기 위한 대응조치를 취하기 시작했다.

이런 배경에서 탈스탈린주의는 국내와 국외 문제에 대한 덜 '이념적인' 접근을 의미하게 되었다. 1953년 3월 5일 스탈린 사망한 지 불과 몇 주 만에 소련 정치국은 산업화 추진의 부담을 줄이고, 소비재와 주택에 대한 투자를 늘리기 시작했다. 정권은 농민에 부과하는 세금을 줄이고 농민들이 생산하는 농산물에 더 많은 보상을 했다. 또한 소련의 우유와 야채 생산의 상당 부분을 담당하고 있던 농민들의 개인 텃밭을 장려했다.[5] 3월 27일 소련 당국은 사면을 단행하고 정치 범죄에 대한 형법 조항을 개정했다. 주민들이 알 수 없는 미래의 유토피아가 아니라 현재의 더 나은 생활을 위한 사회주의 건설을 자발적으로 도울 것이라는 믿음이 커졌다. 국제적인 계급투쟁은 계속되겠지만, 이것이 꼭 전면 전쟁을 필요로 하는 것은 아니었다. 1953년 여름 한국에서 휴전협정이 체결되었고, 소련 지도자들이 평화 공존을 추구하게 되면서 자원을 전쟁 산업에서 소비자를 위한 산업으로 전용하기 시작했다. 소련 국내적으로 탈스탈린화는 무엇보다도 좀 더 높은 생활수준, 늘어난 소득, 확대된 복지를 통해 좀 더 안락한 생활을 할 수 있게 만드는 것을 목표로 하는 모든 사회·경제 정책을 의미하게 되었다.[6]

이러한 과정은 쉽지는 않았지만 꼭 필요한 것이었고, 어디에서 스탈린주의의 왜곡이 일어났고, 어디에서 레닌주의의 본 내용이 시작되는지에 대한 의문이 제기되었다. 역설적이기는 하지만 충분히 이해할 수 있게, '집단 지도체제'는 스탈린이 만들어낸 말이었다. 1925년 12월 그는 '좌익 반대파'(지노비예프와 카메네프)가 집단 지도체제를 위반하고 있다고 비난한 후 그는 자신이 단일 지도자가 될 때까지 이 용어를 반복적으로 사용했다. 1956년에 널리 알려진 '개인숭배'라는 용어는 1902년 보르바 집단borba group이 레닌을 향해 이 용어를 사용한 데까지 근원이 과거로 거슬러 올라간다.[7]

이 '숭배'의 문제가 고도로 중앙화된 체제에서 자신의 뜻을 강제하는 한 사람에게 주어진 면허와도 같은 것이라면, 그 해결책은 권력을 분산하고 의사결정에 더 많은 사람이 참여하도록 만드는 것이어야 하는가? 얼마나 많은 사람이 참여해야 하는가? 레닌주의는 당내에서 '분파주의'를 금지하고, 모든 당원은 중앙의 지시에 복종해야 한다고 엄격히 규정했다. 그러면 이제 정치범들이 자유롭게 거리를 활보하고, 자신들이 무슨 혐의로 체포되었는지를 자유롭게 말하게 허용할 것인가? 사람들은 아무것도 두려워하지 않고 자신의 생각을 말할 수 있는가? 아마도 최소한 부분적으로는 레닌주의 자체에 문제가 있고, 해결책은 원래 마르크스가 추구했던 것으로 돌아가는 것이었다. 그러나 마르크스와 가까운 동료들은 어떻게 사회주의를 건설하는지에 대한 아무런 청사진도 남겨놓지 않았다.

문제를 더 복잡하게 만든 것은 당 엘리트들이 이러한 문제를 평화스럽게 심사숙고할 여유가 전혀 없었다는 사실이었다. 1953년부터 시작해서 이들은 사회로부터 압력 속에 해결책을 생각해야만 했다. 이러한 압력은 노동자들이 일으킨 파업과 대규모 거리 시위로 공개적으로 가해지기도 했지만, 지식인과 스탈린이 자신들을 배신했다고 느낀 수십만 명의 공산주의 신봉 청년들로부터 오기도 했다.

유고슬라비아 대안

1953년 스탈린 사후 사회주의는 어떤 모양이 되어야 하는가의 문제는 순전히 이론적인 차원에만 머물지 않았다. 그 이유는 유고슬라비아 공산당은 1948년 스탈린과 결별한 후 새로운 사회주의 모델을 시험해오고 있었기 때문이었다. 양측의 파열은 이념의 문제(즉, 사회주의를 어떻게 건설할 것인가 혹은 당의 구조를 어떻게 할 것인가)가 아니었고, 스탈린에게 개인적으로 복종하지 않는다는 것이었다. 티토와 동료들은 이례로 다른 발칸 국가들에 대한 정책들에서 스탈린의 재가를 구하지 않았다는 이유로 스탈린을 격노하게 만들었다. 당분간 티토를 언급하는 것은 동유럽 블록에서는 금기시되었다. 1952년 12월까지 체코슬로바키아 공산당 최고위 간부들도 티토의 이단세력과 결부되었다는 이유로 교수형에 처했다. 그러나 스탈린의 후계자들은 유고슬라비아와 화해를 추구했고, 1955년까지 모든 관계가 복원되었다. 소련 지도자 니키타 흐루쇼프가 비밀연설에서 스탈린을 비난하자, 많은 헝가리, 폴란드 공산당 지도자들뿐만 아니라 노동자들은 유고슬라비아가 자신들의 길이 될 수 있다고 생각했다.

이러한 유고슬라비아의 사회주의 노정 중 가장 잘 알려진 요소는 1951년 법률화된 노동자들의 자율경영self-management이었다. 이것은 유고슬라비아가 코민포름에서 추방당한 후 유고 공산 지도자들의 노선 투쟁에서 촉진된 것이었다. 티토는 소련 공산당과 너무 밀접하게 연관되어 있어서 코민포름에서 추방된 것은 '악몽'과 같았다고 후에 회고하기도 했다.[8] 그러나 유고 공산당 지도자들은 자신들이 정당성을 조금도 의심하지 않았다. 소련의 지원을 거의 받지 않은 상태에서 독일군에 대항한 파르티잔 투쟁에서 승리한 것은 역사가 자신들 편이라는 것을 보여주었다. 문제는 소련이 어디에서 잘못되었는가였다.

유고 공산당 지도자들은 소련의 일탈의 원인은 공산당 자체와 그 무제한적 권력에 있다고 보았다. 티토의 최측근인 밀로반 질라스와 에드바르트 카르델리는 소련의 권력은 노동자와 농민들이 아니라 관료들에게 있다고 진단했다. 일례로 노동자가 아니라 관리자들이 소련의 공장을 통제했다. 이들은 자본가와 마찬가지로 공장에서 일하는 남녀 노동자가 무엇을 생각해야 할지를 결정했고, 자본가와 마찬가지로 훨씬 높은 임금을 받는 특권을 누렸다. 사실 노동계급 착취는 계속 진행되고 있었다. 이것은 모든 인류 해방의 구현을 주장하는 정치 질서에 대한 가장 중요한 이해이자 비판이었다. 소련의 현실은 사회주의가 아니라 '국가자본주의'였다.

소련 지도자들은 어찌된 일인지 혁명을 좌절시킬 수 있는 '강탈자들'에 대한 마르크스의 경고에 귀를 기울이지 않았다. 소련이 구현하고 있는 강력한 국가라는 아이디어 자체가 마르크스에게는 금기어였다. 마르크스는 정치권력은 '한 계급이 다른 계급에 조직적 폭력을 가하기 위한 것일 뿐'이라고 보았다. 부르주아 사회를 전복시킨 후 프롤레타리아들은 국가 기구를 이용하여 '모든 생산 수단을 중앙화하지만', 이것은 '생산 자산의 규모를 신속히 증가시키는 것'을 목적으로 한 과도적인 짧은 현상이라고 말한 것은 사실이다. 마르크스와 엥겔스는 그 이후에 모든 지배의 사슬을 벗어던지고, '각 사람의 발전이 모든 사람의 자유로운 발전의 조건이 되는 자유로운 연대' 속에 생산을 조직하게 될 것이라고 상상했다.[9]

질라스, 카르델리와 슬로베니아 공산주의자 키드리치는 마르크스와 엥겔스의 〈공산당 선언〉에서 이러한 내용을 다시 찾아냈고, 1949년 자신들 별장 앞 승용차에서 나눈 대화에서 노동자의 권력이 사회주의 종주국으로부터 내쳐진 사회주의 국가인 유고슬라비아가 겪고 있는 고난에 대한 해결책이 될 수 있다고 결론 내렸다. 이들은 이것을 티토에게 보고했고, 티토는 이 약속을 바로 인정하며 "노동자가 주인인 공장은 아직까지 이루지 못한 멋진 일이다!"라고 선언했다.[10]

1년 만에 관련 법률들이 통과되어 유고슬라비아 노선이 출발했다. 모든 큰 기업들은 15-120명으로 구성되는 노동자평의회를 선출해야 하고, 이 평의회는 기업의 경영을 책임지는 경영이사회를 전출했다. 이 제도가 시행되자 이러한 절차들이 노동자계급에게 권력을 위임한다는 희망을 즉시 실행할 것으로 보였다. 왜냐하면 노동자들은 전문성이 있는 사람을 선출하는 경향이 있고, 이런 사람들은 공산당원일 가능성이 컸기 때문이었다.[11] 전반적으로 옛 관리자들이 살아남았고, 이들은 노동자들을 제외하고 중앙 관료들이 내린 정책을 계속 시행했다. 그럼에도 새 제도는 스탈린주의에서는 상상할 수 없었던 노동자 참여와 토론을 필요로 했다. 노동자들은 강제의 대상이 아니라 설득의 대상이 되었다. 당 조직자들은 덜 엄격해지고 1942년 명칭을 '공산주의자연맹League of Communists'이라고 바꾸었다. 이들의 임무는 명령을 하기보다는 자극을 주고 인도하는 것이었다. 스탈린 사후, 유고슬라비아에 대한 소련의 공격에 대한 두려움이 약화되자 비밀경찰 기구는 축소되었다.

당 엘리트들은 중앙계획을 세울 때 천편일률적 방식에서 탈피해 다소의 유연성을 도입했고 그 한 예로 더 많은 생산을 한 기업에는 세금 감면을 해주었다. 유고슬라비아는 시장경제와는 거리가 멀었지만, 경영자들에게 시장제도와 같은 이익을 주거나 높은 이익을 거두도록 허용하는 것이 가능해졌다. 이와 동시에 기업들은 시장의 규칙에 따라 행동할 필요도 없어졌다. 은행 신용은 기업들이 예산 부족(다시 말해 비경쟁적 생산 활동)을 견뎌내도록 도움을 주었다. 1953년 이후 부분적으로 서방 차관의 도움을 받는 유고슬라비아 경제와 생활수준은 눈에 띄게 좋아졌다. 이러한 것의 한 신호는 개인 소비의 증가였다. 1957년부터 1961년 사이 개인 소비 증가율은 45.8퍼센트에 달했다.[12]

전후 초기 궁핍을 해결하는 것을 목적으로 한 '분배 모델'에서 소비자의 필요와 선호가 기업들의 생산을 이끄는 모델로 바뀌는 변화가 일어났다. 1950년대 후반부터 유고슬라비아는 '소비자 사회'로 가는 길을 개척하기 시작했고 1965년 유고슬라비아의 개혁은 1989년 이전 공산주의 세계 어느 곳에서도 볼 수 없었던 가장 야심적인 시장 지향적인 변화였다.[13]

경제 분야에서의 뜨거운 실험에도 불구하고 유고슬라비아의 노선은 그 한계를 명확히 드러냈고, 이것은 그 노선을 제시한 밀로반 질라스에게 직접 영향을 미쳤다. 마르크스는 국가는 사회주의 아래 소멸되어야 한다는 급진적인 신념을 가지고 있었고, 질라스도 마찬가지였다. 1953년 10월부터 1954년 1월까지 질라스는 당 기관지인 《투쟁Borba》에 유고슬라비아 공산당 관료제를 비난하는 글을 실었다. 그의 관점은 진보했다. 이제 그에게 최고의 가치는 공산주의가 아니라 개개 인간의 영혼이었다. 질라스는 노동 인민들이 공동체에서 자신들의 일을 처리하는 데 점점 더 경험을 쌓을수록 군이 없어도 되는 당은 '쇠퇴해야' 한다고 주장했다. 이러한 관계는 변증법적이었다. 당이 사회주의를 건설하는 데 성공할수록, 당은 덜 필요하게 된다는 논리였다. 그러나 현실에서 유고슬라비아에서 공산당 국가는 더욱 확고하게 뿌리를 내리고 있었다.

사회주의 유고슬라비아에서 그가 기고할 수 있었던 마지막 글들에서 질라스는 자국이 여전히 '계급투쟁'의 고통 속에 있는지에 의문을 제기했다. 부르주아 계급은 이미 파괴되었다. 그런 상황에서 스스로 어떤 명칭을 기지고 있는지를 떠나서 공산주의 조직이 왜 필요하다는 말인가? 이미 경각심을 가지고 있던 티토는 자신의 이전 2인자를 침묵시키기로 결정했다. 티토는 공산당 연맹의 쇠퇴는 있을 수 있지만, 그 과정은 연장될 수도 있다고 선언했다. 그 이유는 질라스 같은 계급의 적이 돌아다닌 것이 이러한 사실의 증거이기 때문이다.

질라스는 당중앙위원회에서 제거되고 언론 기고와 출판이 허용되지 않았다. 그러나 그는 서방 기자들과 인터뷰를 계속했고, 1956년에는 당이 새로운 계급이 되었다는 주장을 담은 책을 출간했다.● '유고슬라비아에 적대

● 밀로반 질라스(Milovan Djilas, 1911-1995)는 티토와 함께 유고슬라비아의 파르티잔 저항운동을 이끌고, 정부 수립 후 2인자가 되었다. 당 기관지에 소련식 사회주의를 비판하는 많은 글을 실었지만, 유고슬라비아도 전체주의 체제라고 비판한 후 1956년 체포되어 감옥에 수감되었다. 그가 감옥 수감 전 미국 출판사에 원고를 보낸 《새로운 계급(New Class)》이 1957년 출간되어 전 세계 40개 이상의 언어로 번역되었다. 이 책에서 그는 소련과 동유럽은 평등사회가 아니고, 특권층 당 관료들로 구성된 새로운 계급을 만들어냈다고 주장했다. 이 책 발간으로 질라스는 기존의 3년형에 7년형을 추가로 언도받

적인 프로파간다를 행한' 죄목으로 질라스는 감옥에 수감되었다.

이러한 탄압 조치는 서방에서는 큰 주목을 끌지 못했다. 서방 사람들은 티토를 히틀러와 스탈린에게 대항한 사람으로 보았다. 동유럽의 소련 지배를 받는 다른 국가들과 비교할 때 유고슬라비아는 상대적으로 자유로운 국가로 보였고, 경제 발전 과정의 여러 가지 문제점들에도 불구하고 노동자 자율경영제도는 자유, 평등, 정의에 대한 희망을 보여주고 있었다. 유고슬라비아가 다른 동유럽 국가들에 비해 훨씬 자유주의적이라는 명성은 1980년 티토 사후까지 이어졌다. 유고슬라비아는 사회주의 국가 중에서 유일하게 국경을 양방향으로 서방에 개방했다. 수백만 명의 유고슬라비아 주민들이 해외에 나가서 일할 수 있었고, 특히 경제가 고속으로 성장한 독일과 오스트리아로 가서 일할 수 있었으며, 여행비용을 아끼려는 수백만 명의 서방 여행객들이 주로 크로아티아와 슬로베니아의 해안과 산악을 찾았다. 소련에 종속되지 않은 이러한 사회주의의 보루를 유지하는 것을 돕기 위해 미국은 1950년대에 총 5억 9800만 달러의 경제 지원과 5억 8800만 달러의 군사 지원을 제공했다. 이러한 외국의 지원은 유고슬라비아 총 투자액의 47.5퍼센트를 차지하여 1960년대 초 경제 부흥을 이끌었다.[14]

질라스 사건에서 즉각 얻어진 교훈은 아니었지만 후에 되돌아볼 때 분명해진 것은 온건한 레닌주의 지배에서조차 반대의견은 강압에 의해서만 통제된다는 것이었다. 당이 생각하기에 위험한 사상을 전파하려고 시도하는 사람을 투옥하는 방식은 계속되었다. 유고슬라비아에서 반대의견이

았다. 번역자는 1989년 하버드대학 연구교수 시절 밀로반 질라스의 아들 알렉사 질라스와 같은 연구실을 쓴 인연이 있었고, 유고슬라비아에 있던 밀로반 질라스와 통화로 대화를 하기도 했다.

동유럽 다른 곳보다 덜 개진되고, 통제 완화의 폭은 컸다면 이런 배경에는 두 가지 이유가 있었다. 하나는 티토와 파르티잔 지도자들이 유고 사회에서 누리는 비교할 수 없는 합법성이었고, 두 번째는 1970년대까지 국민들의 생활수준을 향상시켜온 능력이었다. 이러한 합법성은 유고슬라비아 공산당이 좀 더 많은 문화적·예술적 자유를 국민에게 베푸는 자신감의 원천이 되었다. 질라스는 스탈린주의자였던 당시에도 그랬지만 자신의 신념 문제에서는 어떠한 타협도 거부한 특이한 인물이었다(그런 연유로 당 내부에서 '미친개'라는 별명을 얻었다).

다른 나라에서 레닌주의(다음으로 스탈린주의)는 스탈린 없이도, 그리고 스탈린 사후에도 강제적으로 집행되었다. 이 사회의 일부 구성원들은 유기체가 적대적인 침입자에게 반응하는 것과 같은 방식으로 이에 반응했다. 즉, 그것을 쫓아내려고 했다. 그러나 문제는 그렇게 간단하지 않았다. 이제 압제 완화와 개혁, 실제로 독자적 각국 지배를 요구한 것은 소련이었다. 그러나 많은 지역 당 기구들, 무엇보다도 경찰 내부에서 '토착 공산주의자들'은 스탈린 편을 들었고, 모든 변화에 격렬히 반대했다. 스탈린주의도 외부에서 강요된 것이라면, 탈스탈린주의도 마찬가지였다.

초기 격변

헝가리와 폴란드는 공산당 지배를 받는 몇십 년 동안 소련의 지배에 대한 잦고도 때로 화려한 저항운동으로 잘 알려졌다. 이것은 부분적으로는 역사가 오래된 자기주장과 주민들 사이에 널리 퍼진 반소련적 정서에 힘입은 것이기도 했다. 그러나 1953년 스탈린 사망 직후 대규모 대중적 반감을 표현한 곳은 후에 정통적인 소련식 지배의 보루라고 여겨졌던 불가리아, 체코슬로바키아, 동독 세 나라였다.

1953년 5월 불가리아의 플로브디프에 있는 담배 공장에서 약 만 명의 노동자가 파업을 벌였다. 이들 중 일부는 4월에 정부에 서한을 보내 공산당 지도자들에게 편지를 보내서 만일 자신들이 더 많은 임금과 주 5일 노동을 보장받지 못하고, 계절노동자 취급을 받는 것이 중단되지 않으면 파업에 돌입할 것이라고 경고했다. 대부분이 여성인 노동자들은 공장 창고를 점거를 시작으로 5월 3-4일 밤 공장 시설 대부분을 점거했다. 수도 소피아에서 파견된 장관들이 포함된 정부 대표단은 이들과 대화를 시도했으나 돌 세례를 받고 민병대의 보호를 받으며 철수해야 했다. 질서 회복에 실패한 지역 공산당 책임자 이반 프라모프는 실탄 사격을 가해 군중들을 해산시키라고 명령하여 정부가 발표한 3명의 사상자보다 많은 사상자를 발생시켰다. 수십 명의 파업자들이 체포되고 항의시위는 진압되었다.[15]

산업화된 체코슬로바키아에서는 더 큰 노동자 시위가 발생했고, 소련은 이것을 훨씬 우려의 시선으로 바라보았다. 5월 31일 서부 보헤미아 필젠에 위치한 슈코다 공장(자동차와 무기 생산 공장)은 야간 작업반이 파업에 돌입했다. 이 시위를 촉발한 직접적 원인은 노동자들의 저축 가치를 급격히 축소시킨 '화폐 개혁'이었다. 시민들은 사용이 불가능해진 구화폐를 5대 1의 비율로 300크라운까지 교환할 수 있었고, 그 이상의 금액은 50대 1의 비율로 교환해야 했다. 한 여성은 매일 점심을 걸러 가며 수년 동안 4000크라운을 저금했으나, 이제 그 가치는 134크라운으로 줄어들었다. 남편과 같이 가기로 한 휴가 계획은 갑자기 실현 불가능해졌다. 이 여성의 불만은 수만 명의 사람들도 공유했고, 필젠의 노동자들 사이에 큰 동요가 일어났다. 많은 사람들은 정부의 조치는 도둑질과 다를 바 없다고 말했다.[16] 사람들은 정부의 기본적인 허위성에 분개했다. 불과 며칠 전에 안토닌 자포토츠키 대통령은 노동자들에게 체코슬로바키아 통화는 건전하다고 안심시킨 바 있었다. 그해 초 당국자들은 가격을 올리고 노동자들의 생산 할당기준을 23퍼센트 증가시켰다.[17]

오전 교대 작업반이 도착하자 슈코다 공장 노동자들은 시내로 행진하기로 결정했다. 곧 다른 노동자들뿐만 아니라 대학생들도 이들에 가세했다. 이들은 자유선거와 당 독재의 종식, 비밀경찰(시위대는 이들을 파시스트, SS요원, 게슈타포라고 외쳤다)의 처벌을 요구하는 혁명위원회를 구성했다. 정오 때쯤 6000명의 시위대가 르네상스식 전면을 가진 6층 건물의 필젠 시청을 점거하고 당 서류들을 시청 앞 광장으로 내던졌다. 이것은 다른 곳에서 벌어진 노동자 시위의 패턴이었다. 경제적 불만에 연유한 정치적 요구 제기, 다음으로 붉은 글자로 만들어진 깃발이나 공식 문양 같이 혐오의 대상이 된 상징에 대한 시민들의 공격하면서 당 권위의 붕괴가 나타났다.

또 하나의 패턴은 이러한 혁명적 에너지가 퍼지는 전광화석 같은 속도였다. 우선 한 공장의 1만 7000명의 교대팀이 공유한 분노를 표현했지만, 이들이 시내로 행진하면서 동료 시민들은 자신들과 기본적인 불만을 공유하고 있다는 것을 발견하고 시위대에 합류했다. 1953년 6월 1일 저녁이 되자 체코슬로바키아에서 네 번째로 큰 이 도시는 시위대의 통제하에 들어갔고, 전보, 라디오, 공공 행정 건물 모두를 시민들이 장악했다. 그러나 민병대와 군부대(약 80대의 탱크를 포함해서)가 프라하에서 도착했고, 전투가 시작되고 새벽 시간까지 지속되어 9대의 탱크가 파괴되고 20대가 크게 손상되었다. 이후 며칠 동안 수백 명의 시민이 체포되고, 사상자의 수는 100명에 이르는 것으로 추산되었다.

그러나 체코슬로바키아는 평온을 회복하지 못했다. 파업은 동부로 확산되어 체코슬로바키아에서 세 번째로 큰 도시인 오스트라바뿐만 아니라 클라드노로 확산되었다. 이 도시에서는 5만 명의 노동자들이 파업에 참여하여 화폐개혁에 반기를 들었다.[18] 전체적으로 38만 명의 남녀 노동자들이 파업에 참여했고, 25만 명의 시민들이 거리 시위에 참여했다. 노동자들은 자신들이 무감각한 대중으로 전락하지 않았다는 것을 보여주며 간접적으로 협상 권력을 형성했다. 화폐 개혁은 취소되지 않았지만 당국은 가격과 노동 기준을 다시 제자리로 돌리고, 노동계급의 생활수준에 훨씬 더 많은 신경을 쓰게 되었다. 1953년 스탈린의 죽음과 더불어 공포정치는 완화되기 시작했다. 상점 진열대의 상황을 통제하지 못한 당 관료들은 좌천시켰지만, 이전의 관행과는 대비되게 공산당은 파업을 봉쇄하기 위해 신속히 민병대를 파견하지는 않았다.[19]

체코슬로바키아에서와 마찬가지로 대중의 감각에 무딘 동독 지도자들은 1953년 5월 28일 노동 기준을 상향시켰다. 이 조치는 달성할 수 없는 것으로 드러난 계획 목표를 보충하기 위한 것이었다. 노동 기준 상향은 노동자들이 기존에 받고 있던 임금을 받기 위해서는 생산량을 10퍼센트 늘려야 한다는 것을 의미했다. 같은 시점에 시작된 가격 인상과 결합하면 새로운 노동 기준은 월급이 33퍼센트 감소되는 결과를 가져왔다. 화요일인 7월 16일 노동자의 대변자가 되어야 할 노동조합 부위원장은 불에 기름을 붓는 격으로, 노동 기준을 비판하는 사람들은 "모든 노동자들의 이익을 크게 모욕했고" 당은 "임금 삭감이라는 적들의 선전은 산산이 조각내야 한다"라고 말했다. 일군의 노동자들은 동베를린에 있는 국가평의회Staatsrat에서 정부 관리들을 직접 만나려고 했지만 이들과 대화를 나누려고 하는 사람을 찾을 수 없었다.[20]

그러자 모여든 노동자 수는 1만 명을 넘어섰고, 건설 현장 작업반의 한 노동자는 대형 스피커가 달린 트럭을 타고 온 시내를 돌아다니면 총파업을 선동했다. 다음날 새벽 5시 반 서베를린의 미국 라디오방송은 독일인들에게 노동을 중단하고 동독으로 넘어가라는 서베를린 노동조합의 호소를 방송했다. 파업권은 헌법에 보장된 권리이며, 더 중요한 것은 '모든 압제 받는 인간의 자연권'이라는 내용을 방송했다.[21] 수요일 동안 노동자들은 파업에 동참하며 동독의 북쪽에서부터 남쪽에 이르기까지 항의시위에 나섰다. 특히 노동자들의 오래된 근거지인 작센 지방에서 열기는 뜨거웠다. 처음에는 생산 할당량을 감축을 요구했고, 곧 그다음으로 자유선거와 국가 통일을 요구했다. 노동자들은 물질적 여건과 이것을 지배하는 정치적 정권 사이의 연계를 인정할 수 없다는 레닌의 신념('노동조합 의식')을 암묵적으로 조롱했다.[22]

정부는 재빨리 노동 기준을 제자리로 돌려놓았지만, '질서'는 소련 당국이 동독에 이미 주둔 중인 탱크들을 배치한 다음에 회복되었다. 비상사태가 동독의 217구역Landkreise 중 167구역에 선포되었다. 6월 17일 이후에는 몇몇 공장에서만 파업이 지속되었다.

체코슬로바키아와 동독의 껍데기만 '노동자 정부'는 노동자의 항의를 외부 간섭 탓으로 돌렸다. 체코슬로바키아 당 지도부는 계급투쟁의 요구를 이해하지 못하는 온건파의 '사회민주주의 이론'이 공장 노동자들을 전염시켰다고 주장했다. 이전에 사회민주주의자였던 동독 총리 오토 그로테볼은 6월 17일 봉기를 서방에서 수입된 '파시스트 요원들'의 짓이라고 불렀고, 동독 작가동맹 의장인 쿠르트 바르텔은 인민들이 정부의 신뢰를 몰수했다고 주장하는 유인물을 배포했다. 미국에서의 망명 생활 후 귀국한 공산주의자 작가인 베르톨트 브레히트는 이렇게 답했다. "만일 바르텔이 맞다면 정부가 국민을 해산하고 새로운 국민을 선출하는 것이 더 쉽지 않겠는가?"²³ 약 6000명의 동독 주민들이 즉시 체포되었고 이후 수십 명이 추가로 서방 스파이 조직의 지도자라는 혐의로 재판에 회부되었다.²⁴ 노동자 시위의 장기적 여파는 역효과를 낳았다. 왜냐하면 소련 지도자들은 동독의 스탈린주의자인 발터 울브리히트의 지배를 지지해주었기 때문이다. 그만이 혼란에서 질서를 보장할 수 있는 정치인인 것처럼 보였다. 울브리히트는 좀 더 온건하고, 동독을 제한적 개혁의 길로 이끌 수 있는 경쟁자들의 숙청에 나섰다. 동독 정치국은 스탈린주의자와 신스탈린주의들이 장악한 가운데 1989년까지 지속되었다.

1953년에 일어난 각국의 시위 중 동독 노동자들만이 용감하게 민족 문제를 내세우고, 거대한 검정-붉은색-금색 깃발을 흔들고 독일 통일을 외쳤다. 아무 응답도 하지 않은 동독 공산주의자들은 외세를 대표했고, 단지 소련 탱크의 힘을 빌려 권력을 유지하고 있었다. 이와 대조적으로 보헤미아에서는 현지 체코슬로바키아 병력이 압제적 질서를 유지했고, 시위자들은 체코의 민족적 자존심을 보여주지 않았다. 이들은 스탈린 흉상을 길에 쓰러뜨리고, 외국 지배를 상징하는 다른 상징물들을 파괴하기는 했다. 배우인 보후밀 바브라는 필젠의 한 소년이 군중들의 환호 속에 칼로 소련 국기를 찢는 것을 보았다. 토마시 마사리크와 에드바르트 베네시의 초상화가 다시 나타나고, 미국 국기도 나타났다. 그러나 친공산주의 감정은 체코슬로바키아 지식계층 사이에 강하게 남아 있었다. 지역 연극극장의 배우들은 노동자들에게 대항하여 마사리크의 동상을 '교수형'에 처하는 퍼포먼스를 한 다음 슈코다의 용광로에 녹여버렸다.²⁵

6월 중순 동독의 위기가 전개되는 동안 소련 정치국은 헝가리 정치국원들을 크렘린으로 소환해 헝가리에서 커지고 있는 불만을 제거할 즉각적인 조치를 취할 것을 요구했다.²⁶ 헝가리의 스탈린주의는 특히 고통스러운 경제적 변화를 추진해왔다. 1949-1955년 동안 체코슬로바키아의 정부 지출 증가는 98퍼센트였지만, 헝가리에서는 210퍼센트에 달했다. 이러한 속도로 인해 헝가리는 파산 직전까지 갔지만, 지도자들은 이에 신경을 쓰지 않았다. 니키타 흐루쇼프는 헝가리의 독재자 마차시 라코시에게 만일 압력을 완화하지 않으면 그가 동료들과 함께 '쇠스랑에 쫓기게 될 것'이라고 경고했다. 소련 비밀경찰 수장 라브렌티 베리야는 반대파에 체포되기 직전 라코시에게 헝가리의 '유대인 왕'이라는 혐의를 씌우고, 전체 인구가 950만 명에 불과한 나라에서 150만 명을 정치범으로 몰아세운 국가의 지혜에 의문을 제기했다.[27]

부풀어오름과 꺼짐

소련은 이제 헝가리인들에게 자신들의 '집단적 지배체제'를 강요하고 라코시가 임레 나지와 권력을 공유할 것을 요구했다. 임레 나지는 농업장관을 역임한 경력이 오랜 공산주의자였고, 1930년대에 모스크바에 거주했으며, 코민테른에서 일하는 동안 비밀경찰에 협력했기 때문에 믿을 만한 지도자로 여겨졌다.[28] 나지는 강제적인 산업화와 농업집단화에 반대했기 때문에 헝가리 국내에서 인기도 높았다. 나지는 총리가 되었고, 라코시는 당 제1서기직을 계속 유지했다. 의회에서 행한 총리 취임 연설에서 나지는 새로운 주장을 펼쳤다. 지도자로서는 처음으로 노동계급보다는 '헝가리인들'의 필요에 대해 언급했다. 나지는 제한적 방법으로라도 작은 중유럽 민족의 권리를 옹호하는 것이 다시 가능해졌다고 말했다. 그 당시에는 헝가리 국경일을 축하하는 것조차도 금지되었다.[29]

각료회의 의장으로서 나지는 국가 행정은 통제할 수 있었지만 당 기구는 장악하지 못했다. 그래서 그는 중앙화된 통치의 기초를 바꿀 수는 없었다. 그러나 그는 스탈린주의의 일부 극단적 시행은 중단할 수 있었다. 당시까지 정부 관리들은 라코시가 전화할지 모른다는 생각에 밤 10시까지 사무실에 남아 있어야 했지만, 지금은 일과 후 바로 귀가할 수 있었다. 재단사들은 소련 디자인과 서방 디자인 중 어느 것을 사용해야 할지 초조해할 필요가 없었다. 소기업인은 집단 기업을 떠나 자신의 상점을 다시 열 수 있었다. 이발사, 제빵사, 안경사들은 중앙계획이 아니라 소비자들의 요구에 맞추어 작업을 다시 할 수 있었다. (작전 'B로 인해) 수도에 들어올 수 없었던 중류 계급 헝가리인들은 다시 부다페스트로 들어오고, 농촌 지역에서는 수만 명의 농민이 집단농장을 떠나서 집단농장 소속 농민은 37퍼센트나 줄어들었다.[30] 사면 조치 덕분에 여러 가지 정치 범죄로 기소되었던 75만 명의 시민들의 소추가 취소되었고, 수만 명의 정치범이 군대수용소와 집단수용소에서 집으로 돌아왔다. 헝가리인들은 이들을 '걸어가는 죽은 사람들walking dead'라고 불렀다.[31] 비밀경찰이 행한 무자비한 고문에 대한 소문이 돌기 시작했고, 점차적으로 아직도 권력을 쥐고 있는 마차시 라코시의 부당한 행위에 대한 의식이 확산되었다.

폴란드의 자유화는 정부와 당 사이에 마찰이 훨씬 적은 상태로 진행되었다. 그러나 이곳에서도 스탈린주의의 해악에 대한 일반인들의 인식이 확산되었다. 세 가지 우연한 사건이 헝가리에서 1956년 가을 극적인 사건이 일어나게 만든 기간보다 긴장이 점차적으로 완화된 것을 설명해준다. 첫 사건은 세간의 이목을 끈 1953년 폴란드 비밀경찰 대령의 서방 망명이었다. 두 번째 사건은 1955년 폴란드인들 사이에 부당함에 대한 인식의 불을 지핀 이 대령의 말을 인용한 시의 출간이었다. 마지막 사건은 1956년 폴란드의 스탈린주의자 볼레스와프 비에루트가 흐루쇼프의 비밀연설이 행해진 당대회에 참석한 후 사망한 것이었다. 이 모든 사건은 다른 곳보다 스탈린주의가 덜 급진적이었던 나라에서 일어났다. 폴란드 공산당 지도부는 다른 곳보다 집단농장을 덜 세웠고, '민족주의 공산주의자' 브와디스와프 고무우카를 처형하라는 소련의 요구를 따르지 않았다. 그러나 폴란드인들이 보기에 공산 정권은 온건하지 않았고, 악몽과 같았으며 특히 이 정권이 막후에서 어떻게 작동되는가를 인지한 다음에는 더욱 그랬다.

1953년 12월 7일 당 관료들을 감시하는 임무를 맡은 폴란드 비밀경찰 중령 요제프 시비아트워가 서베를린에서 동료들 시야에서 사라지면서 동요가 시작되었다. 1961년 베를린 장벽이 세워지기 전 동베를린과 서베를린을 오가는 것은 어렵지 않았고, 시비아트워 일행은 물건을 사러 서베를린으로 갔었다. 동독으로 돌아가면 유대인이린 이유로 숙청을 당할 것을 염려한 그는 미국 관리들의 보호를 요청했고, 정보 보고를 위해 미국으로 갔다. 1954년 가을부터 그는 뮌헨에 기반을 둔 CIA가 지원하는 라디오 방송인 〈자유유럽라디오Radio Free Europe〉에서 방송을 하며 노동계급전위대avante garde의 호화로운 생활과 당 지도자들보다 더 심한 비밀경찰 요원들의 부패와 권력 남용을 폭로했다. 비밀경찰은 당 지도자들을 모욕하고 고문하기도 했다. 방송 청취자들은 공공안전부의 조사국장 책임자인 요제프 로잔스키가 감옥 수감자들을 물리적으로 학대한 사실도 알게 되었다. 그러나 로잔스키 자신도 또 다른 관료인 율리아 브리스티기에로바가 자신의 '애인들'인 정치국원 힐라리 민츠와 야쿠프 베르만에게 고발하면서 그 자리에서 파면되었다. 시비아트워는 필요할 때 써먹기 위해 당 지도자들이 서로를 험담하는 이야기를 기록한 서류를 캐비닛에 보관했다. 그러나 그는 궁극적으로 라브렌티 베리야와 직통 전화선을 유지하며 모스크바의 지시에 따라 움직였다.[32] 노동자들이 전날 밤 라디오를 통해 들은 애기를 서로 쑥덕거린 날에는 생산성이 떨어졌다.

시비아트워는 노동계급이 폴란드를 지배하고 있다는 주장을 조롱했고, 그 여파는 곧 나타났다. 1954년 12월 7일 공공안전부가 해체되었다. 전에 민주사회주의자였던 요제프 치란키에비치를 총리로 임명하여 '집단 지도 체제'를 시행하면서 폴란드 공산당은 소비재 생산을 증대시키고, 집단농장에 대한 압력을 줄이며, 정치범들을 석방하기 시작했다. 이러한 과정은 눈사태처럼 확대되었다. 수감되었다가 풀려나온 사람들은 자신이 당한 고문에 대해 애기하면서 이상주의적인 젊은 당원 행동가들 사이에 동요가 부풀어 올랐지만, 아직 구체적 초점은 없었다.

1955년 8월 당시까지 작가동맹 회장으로서 스탈린주의의 사회주의 리얼리즘 운동을 이끌어오던 아담 바지크는 《새 문화Nowa Kultura》 잡지에 〈어른을 위한 시〉를 게재하여 폴란드인들에게 충격을 주었다. 이 시는 사회주의 사회의 공포 쇼horror show를 파노라마처럼 서술했는데, 학대하는 남편에 의해서 집에서 내던져진 여인들, 범죄자 같은 의사들에게 경멸받는 어린이들, 극장에 한 번도 가보지 못한 새로운 도시의 거주민들, 사회주의 도덕을 침해했다는 이유로 예술학교에서 퇴학당한 후 강간을 당하고 자살로 내몰린 소녀, 이러한 일에 대한 거짓말을 하도록 강요당한 주민들과 기타 여러 비극을 그려냈다.[33] 이 시는 그때까지 공식 언론이 침묵을 지키고 있던, 당과 비밀경찰의 압제를 넘어서는 약탈에 대해 서술했다. 《새 문화》 8월호는 바로 매진이 되었고, 곧 암시장에서 거래되었다. 이 잡지의 편집장은 파면되었다. 그러나 대중 의식의 변화는 막을 수가 없었다.

도처에서 고조되는 불만은 곧 모든 지역, 폴란드 사회의 모든 계급과 연령층에 확산되었고, 기독교인뿐만 아니라 무신론자, 남녀노소를 가리지 않고 퍼져나갔다. 이러한 형태가 없는 동요를 전파하는 데 한 사람의 시, 한 관리의 서방 망명으로 충분했다. 비판적 토론의 새로운 장이 공산당, 지식계층, 특히 학생들 사이에 조성되었다. 학생들은 폴란드 여기저기서 풍자극장과 토론클럽을 만들어 비판적 토론에 나섰다. 많은 사람들이 바르샤바에서 발행되는 '청년들의 혁명 잡지'인 《포프로스투Po Prostu》('솔직하게'라는 의미)를 읽었다. 이 잡지의 기고자들은 '더 많은 것, 더 현명한 것, 더 나은 것'을 원하며 '우리 주변에서 일어나는 모든 일에 간섭하는 것'을 멈출 수 없다고 선언했다. 후에 이 시기를 되돌아보는 사람들은 1956년 세대라는 말을 사용했다. 이 세대는 20세 이상과 이하의 젊은이들이 같은 경험을 공유하며 폴란드 상황에 적응된 서구 스타일의 옷, 음악, 여가활동, 은어jargon를 사용했다. 얼어붙은 감정과 아이디어가 갑자기 생명을 찾았고, 소련 블록 전역의 사람들은 공공생활에서 진행되는 '해빙Thaw'에 대해 이야기했다. 이 용어는 소련 작가 일리야 에렌부르크의 동명의 소설*에서 따온 것이었다.

정부의 통제를 받던 신문들도 변화에 대한 합의를 만들어냈다. 예술가들은 스탈린주의 원칙의 쇠퇴를 반영하여 사회주의 리얼리즘의 제약에서 벗어나서 추상화, 현대 음악과 재즈로 되돌아왔다. 민족적 영웅들도 공개적으로 숭배할 수 있게 되었다. 바르샤바에서는 아담 미츠키에비치 사망 100주기를 기념하는 거대한 행사가 열렸다.

헝가리에서도 소수의 지식인들이 토론클럽을 구상한 1953년 말 이후 지적 환경에 생명력이 되살아났다. 이 토론클럽은 처음에는 러요시 코슈

• 〈해빙(The Thaw, Оттепель, Ottepel)〉은 일리야 에렌부르크가 1954년 문학지 《노비 미르》에 실은 단편 소설로 흐루쇼프의 탈스탈린화와 자유화 정책을 상징하는 말이 되었다. 에렌부르크는 이 소설로 자신의 친소비에트적 사회주의 리얼리즘 작품 경향과 결별했다.

트의 이름을 땄지만, 1955년 11월 이후에는 시인 산도르 페퇴피의 이름을 땄다.[34] 그러나 이 시점에도 헝가리 스탈린주의자들은 권력에 대한 권리를 다시 주장했다. 임레 나지가 총리가 된 순간부터 당 지도자 라코시는 나지의 '왜곡'을 모스크바에 있는 자신의 지원자들에게 전달했다. 나지는 너무 앞서 나가서 지난 5년간 진행된 일들이 '거대한 실책'이라고 주장한다고 비난했다.[35] 1954년 하반기 라코시는 크렘린 지도자들로 하여금 나지가 헝가리에서 '우익 요소'들을 지원하고 있다고 확신하게 만들었다. 모스크바로 소환된 나지는 자신이 농업에 대한 과도한 염려로 '노동계급의 지도적 역할'을 위험하게 만들었다는 혐의를 받고 있다는 것을 알게 되었다. 니키타 흐루쇼프는 그에게 소련 공산당은 구볼셰비키인 지노비예프와 리코프가 사회주의에 지대한 공헌을 했음에도 불구하고 이들을 해임했다고 말했다. 그래서 나지는 자신의 친구들인 소련 당 간부들에게 "그들이 총살당했다는 것을 우리 모두 알고 있다"라고 말했다.[36]

다음 달 나지의 후원자인 말렌코프가 흐루쇼프와의 권력투쟁에서 패배하자 4월 중순 나지는 헝가리 공산당 정치국에서 해임되었다. 라코시는 농민들로 하여금 집단농장에 가입하게 만들고 정치 탄압을 다시 동원하며 시간을 되돌리려고 했다. 1954년 말 2만 3000명으로 줄어든 정치범 숫자는 3만 7000명으로 늘어났다. 소련이 방위비 지출의 112퍼센트 증가를 요구하면서 경제의 우선순위는 다시 중공업으로 이동했다.[37]

그러나 과거 회귀는 쉽지 않았다. 농민들은 집단농장이 관할하는 농지에서 일하는 것을 거부했다. 작가들과 학생들은 긴급 질문을 벽에 붙이는 것에 익숙해져서 더 이상 쉽게 위협에 굴복하지 않았다. 페퇴피 토론클럽을 신임하는 당 간부가 장악하게 하려는 당의 노력에도 불구하고, 이곳의 토론은 통제를 벗어났고, '독자적 사고'와 '사회주의적 합법성'에 대한 요구가 확산되며 헝가리 역사의 왜곡과 오류투성이의 산업 정책의 종식을 요구했다. 수백 명의 청중이 모인 자리에서 라즐로 라이크의 미망인인 율리아는 라코시와 일당이 자신의 남편을 살해하고 그녀의 아기를 탈취해 갔다고 주장했다. 그녀는 "호르티의 감옥에서조차 … 라코시 치하보다는 공산주의자들이 처한 여건이 훨씬 좋았다"고 말했다. 헝가리 전역에서 마르크스주의 신봉자들은 이제 자신들도 범죄로 인정하는 행동에 참여한 것에 대한 반성을 했다. 작가들은 공개적으로 독자들의 용서를 구했고, 사적인 자리에서는 라코시를 무자비한 살인자라고 불렀다. 공산주의자인 라슬로 벤자민은 동료 작가에게 "당신이 죄가 있다고 믿었기 때문에 나는 죄가 있다"라고 썼다. 믿음이 깊었고 엄청나게 강했기 때문에 환멸은 분노와 가차 없는 반대를 불러일으켰다.[38]

1956년

1956년 초 모스크바의 시계추는 반대 방향으로 움직이고 있었다. 니키타 흐루쇼프는 증오의 대상인 경쟁자이자 동료 개혁가인 말렌코프를 숙청한 후 스탈린의 유산을 이어받을 확신에 차 있었다.[39] 2월 그는 소련 공산당 비공개회의에서 20세기에 가장 영향력이 큰 정치 연설을 하며 스탈린의 죄상을 상세히 폭로했다. 연설을 들은 사람들은 스탈린이 당을 작동 불능으로 만들었다는 것을 깨달았다. 1934년에는 당 중앙위원 134명, 1937-1938년에는 90명을 처형했다는 것을 알게 되었다. 개인적으로 레닌을 알았던 구볼셰비키는 사실상 전원 제거되었고, 나치 독일의 치명적 위협이 고조되던 상황에서 군 지도부 대부분이 사라졌다. 그런 다음 스탈린은 전쟁 준비를 하지 않았다. 당대회 대표들은 실수가 없는 군사 천재인 스탈린이 1941년 히틀러가 침공한다는 수많은 보고를 무시하고, 침공 후에는 충격을 받아 혼자 고립 상태에 빠진 것을 알게 되었다. 충격에서 회복된 후 그는 많은 군부대가 항복하는 것을 허락하지 않아서 이들이 섬멸되는 결과를 가져왔다. 그는 자세한 군사 지도를 사용하지 않고 지구본을 사용하며 전쟁을 지휘했다. 전쟁이 끝난 후 그는 국제노동자 운동을 이용하여 티토와의 갈등을 촉발시켰다. 이에 반대하는 의견에 대해서는 "내가 새끼손가락을 흔들기만 해도 티토는 더 이상 존재하지 않을 것이다"라고 선언했다.[40]

이 비판에는 강력한 제약이 있었지만, 당시는 이를 알아차린 사람이 거의 없었다. 그것은 레닌주의의 무엇이 스탈린이 권력을 집중하고 개인숭배를 조장하도록 허용했는가였다.

그러나 소련 블록 전역에서 이 연설의 파장은 엄청났다. 이 연설은 필젠과 동베를린의 노동자 시위와 요제프 시비아트워의 방송, 아담 바지크의 시, 임레 나지의 수감자 대량 사면 다음에 일어난 큰 '사건'이었다. 이 연설은 체제의 숨겨진 성격에 대한 의식의 고양에 큰 기여를 한, 이제까지 일어난 일 중 가장 중요한 사건이었다. 비밀연설이었지만, 연설의 주요 내용은 몇 주 만에 널리 알려졌으며, 폴란드 공산당원들에 의해 일반에 누출되었다. 최고위 당국자들의 후원을 받은 폴란드 전역의 지역 당 조직들은 이 연설 내용을 낭독하고 토론하는 회의를 열었다. 일부 회의는 비당원에게도 개방되었다. 4월까지 우쯔에서만 약 1만 명의 주민들이 이런 회합에 참석했다. 이런 회의는 6시간 이상 지속되었고, 참석자들은 큰 충격을 받은 상태로 귀가했다.[41]

만일 흐루쇼프가 스탈린이 저지른 죄악을 비판할 수 있다면 당 간부들도 스탈린을 비판할 수 있었다. 그러나 이 비판은 어디에서 끝나야 하는가? 스탈린이 중앙중심주의, 공포, 중공업, 국수주의를 의미한다면, 이에 대한 자연적인 반응은 민주주의, 법의 지배, 균형 잡힌 경제, 국가 주권에 대한 존중이 되는 것이 당연하지 않은가? 만일 유고슬라비아가 노동자의 자율경영에 기반한 독자적인 사회주의로의 길을 갈 수 있다면, 다른 동유럽 국가들도 그렇게 하지 못할 이유가 무엇인가? 그 전해에(1955년 5월) 흐루쇼프는 유고슬라비아를 방문해 공식으로 화해의 제스처를 취해서 큰 주목을 받았었다. 언론은 베오그라드 거리에서 아이스크림을 들고 있는 두 지도자의 모습을 크게 보도했다.

충격은 아주 컸다. 만일 이 사건을 기독교 신앙에 비교한다면 흐루쇼프가 스탈린의 죄악을 폭로한 것은 교황이나 주교가 아니라 그리스도의 죄악을 폭로한 것과 마찬가지였다. 스탈린은 당의 정신을 구현한 인물이었으며 당은 역사의 법칙에 대한 무오류의 지식을 가지고 있다고 주장해왔었다. 이 무오류의 존재이지만 가망 없이 분열된 조직은 어디로 가야 하는가? 스탈린이 사망한 시점부터 공산당원들은 문제에 대해 논의를 시작했지만, 아직 공산당에는 스탈린의 죄악에 관련된 수십 명의 지도자들이 포함되어 있었다. 신봉자들이 확고하게 신봉해온 당의 노선은(트로츠키조차도 자신은 당에 대항할 수 없다고 말했다) 이제 갈지자형 걸음을 하고 있었다. 이것은 소련 블록 전체에서 일어난 현상이었지만, 1954년 이전에는 티토라는 이름을 언급하는 것만으로도 감옥에 장기 수감되거나 더 심한 형벌을 받았던 헝가리에서는 그 여파가 더 컸다.

1956년 여름과 가을 소련 지도부는 헝가리 지도자들에게 완화된 노선을 취하도록 요구했다. 헝가리 지도부는 일부 수감자들을 석방하는 것으로 이에 반응했다. 당은 절박한 두 분파로 선명히 갈라졌다. 하나는 스탈린주의자들이었고 다른 하나는 개혁주의자들이었다. 스탈린주의자들은 자신들이 관련된 범죄에 대한 수사를 두려워했고, 개혁주의자들은 이러한 범죄의 시간으로 되돌아가는 것을 두려워했다. 두 파벌 모두 마르크스주의자라고 주장했지만, 한 파벌은 현재 존재하는 사회주의가 잘못되었는지를 고민했고, 다른 파벌은 왜곡이 다시 발생하지 않도록 사회주의는 개혁되어야 한다고 주장했다. 두 파벌 모두 당은 남을 따르는 것이 아니라 남을 지도해야 한다는 믿음에서는 의견이 일치했다.

소련의 노선 자체도 방향을 잃은 것 같았다. 사적인 자리에서 흐루쇼프는 티토 원수에게 헝가리에서 소요가 발생하면 군사력으로 진압할 것이라고 말했다. 그는 마차시 라코시가 질서를 유지할 것이라는 믿음을 가지고 있었다. 7월 소련 정치국 위원인 아나스타스 미코얀이 부다페스트를 방문해서 라코시가 물러날 때가 되었다고 말했다.

스탈린주의자인 라코시가 갑자기 사라진 것은 당 관료들을 안심시키기보다는 혼란스럽게 만들었다. 그는 최소한 안정을 상징하는 것처럼 보였다. 그러나 개혁주의자들에게 소련이 라코시 후임으로 선택한 에르뇌 게로는 재앙이나 마찬가지였다. 게로는 라코시의 사형집행인으로 악명이 높았다. 반대파들은 한때 당국에 의해 길들여졌다가 지금은 사회주의 혁신을 요구하는 지식인들의 대변자가 된 작가동맹의 월간지 《문학신문Literary Gazette》을 중심으로 모였다. 페퇴피 토론클럽에서는 라즐로 라이크의 미망인인 율리아가 사회주의의 정화를 요구하고 있었다. '나의 남편을 살인한 자들이 각료 자리를 차지하고' 있는 한 그것은 불가능하다고 그녀는 주장했다.[42]

게로는 이런 사회의 감정을 수용하지 못했고, 라코시와의 밀접한 관계 때문에 변화에 대한 저항의 상징으로 보였다. 분수령은 10월 6일이었다. 라즐로 라이크의 유해를 부다페스트로 이장하는 행사에 10만 명 이상의 군중이 운집하며 사회가 인정하는 자발적 대관식이 진행되었다. 오랜 기간 동안 여러 소문을 들어왔지만, 이제 사회 모든 계층의 헝가리인들은 자신들이 단순히 이런저런 비행을 저지른 정권이 아니라 체계적인 부정의의 화신인 정권 밑에서 살아왔다는 것을 깨달았다. 프롤레타리아 독재는 범죄적 공모로 변질되었다. 그리고 같은 생각을 가진 거대한 군중이 모인 것을 본 사람들은 자신들이 느끼는 분노가 외로운 것이 아니라는 것을 알게 되었다. 그러나 강화되는 비판 속에서도 이러한 비행이 다시 일어나지 않는다는 것을 보장하는 변화는 전혀 일어나지 않았다. 이제 누구에게 죄가 있는지를 의심하는 사람은 없었다. 그것은 아직 권력을 잡고 있는 오래된 지도자들이었다.

폴란드에서는 10월 중순에 일어난 사건들이 급속한 발진을 가져왔다. 10월 18일 폴란드 지도부는 자신들이 숙청한 공산주의 민족주의자 브와디스와프 고무우카를 복권시켜 지도자로 삼기로 했다. 고무우카를 다시 불러들인 것은 국민들의 불만을 누리고 일부라도 통제력을 유지하려는 지도부의 최후의 시도였다. 그러나 헝가리 국민들에게 이 조치는 훨씬 많은 것을 의미했다. 고무우카가 돌아온 것은 폴란드에 소련이 중단시킬 수 없는 혁명이 일어나고 있다는 신호였다. 4일 후 헝가리 학생들은 부다페스트에서 폴란드에 대한 동정을 표하는 대규모 집회를 열면서 헝가리 혁명은 시작되었다.

＊　＊　＊

관측자들은 처음부터 헝가리인들은 폴란드로부터 잘못된 교훈을 받아들였고, 폴란드인들은 헝가리로부터 제대로 교훈을 받아들였다고 평가했다.

다시 말해 헝가리인들은 폴란드를 바라보고 자신들이 얻을 수 있는 것 이상의 것을 요구하도록 고무되었지만, 폴란드인들은 헝가리를 보고 가능한 것 이상의 것을 요구하지 않는 법을 배웠다. 그래서 폴란드는 유혈 사태를 피했지만, 헝가리는 유혈의 격변에 발을 들여놓게 되었다. 그러나 이 지역에서 헝가리 다음으로 가장 잔학해진 사회가 되고, 헝가리인들과 마찬가지로 전통적 적들이 민족적 자존심에 큰 상처를 냈다고 생각하는 폴란드인들의 긴장을 완화시킨 고무우카의 복귀 전에 몇 가지 사건이 일어났다. 이와 대조적으로 돌발적으로 일어난 사건들은 헝가리를 폭력의 대재앙으로 밀어 넣었다.

첫 번째 가장 중요한 구별은 권력의 정상부에서 찾을 수 있었다. 흐루쇼프의 폭로로 큰 충격을 받은 폴란드 지도자 볼레스와프 비에루트는 1956년 2월 모스크바에서 사망했다. 그래서 마차시 라코시와 다르게 폴란드의 최고 지도자는 진실 찾기를 더 이상 막을 수 없었다. 비에루트의 후계자인 에드워드 오차브는 에르뇌 게로와 다르게 온건하고 자유주의자와 강경파 사이에서 중재를 할 수 있는 정치인이었다. 그는 평화적으로 권력을 공유할 준비가 되어 있는 보기 드문 레닌주의자였다.

헝가리의 동지들과 다르게 폴란드의 새 지도자들은 사회 표면 바로 아래 잠재된 불안을 무시할 수 없었다. 6월에 불만이 폴란드 서부 산업도시인 포즈난에서 폭발했다. 동독과 체코슬로바키아에서처럼 시위의 선봉에 선 것은 가장 빈궁하고 압제 받은 노동자들이 아니라 거대한 선진적 공장에서였고, 높은 수준의 계급의식은 몇 세대를 거슬러 올라가서 산업화 시기 초기에 기원을 두고 있었다.[43] 세 나라 모두에서 대중적 시위는 가장 높은 특권을 지닌, 정권이 인정한 공장에서 노동자들이 일으킨 파업이 선구가 되었다. 필젠의 슈코다 공장은 1953년부터 1965년까지 '레닌 공장'

으로 불렸고, 정권 반대 운동이 일어난 포즈난의 체기엘스키 야금공장은 1949년부터 1956년까지 '스탈린 공장'으로 알려졌었다. 1953년 노동자들이 파업을 일으킨 동베를린의 사회주의 리얼리즘 거리는 스탈린 거리로 불렸고, 1961년에는 카를 마르크스 거리라고 불렸다.

동요는 오랜 기간 동안 폴란드 노동자들 사이에 스며들고 있었다. 노동자들의 실질 임금은 1949년부터 1955년 사이 36퍼센트나 감소되었다. 포즈난에서 노동자들은 자신들의 두 달 월급에 해당하는 전년도의 세금 환급을 받지 못해서 특히 화가 나 있었다. 그런 상황에서 1956년 정권은 새로운 생산목표와 노동 기준을 발표했다.[44] 6월 28일 포즈난의 체기엘스키 공장의 노동자들은 파업에 돌입하여 시내 중심부로 행진했다. 곧 이들의 시위에 사회 계층의 시민들이 합류했다. 덜 의식화된 노동자, 학생, 간호사, 민병대원들까지 합세했다. 가장 먼저 나타난 깃발에 쓰인 구호는 단순했다. "우리는 빵을 원한다"였다. 대중교통 담당 노동자들도 파업에 협력하여 곧 시 전체가 업무 정지되었다. 거대한 군중이 서 있는 전차를 둘러싸고 시 고성 인근에서 구호를 외쳤다. 체코슬로바키아와 동독 지도자들과 마찬가지로 포즈난의 관리들은 시내 중심가에 모인 거대한 군중과 대화를 하려고 하지 않았고, 폭동이 발생하여 국가와 당 건물에 대한 공격으로 이어졌다. 다시 한 번 스탈린 흉상과 지도자들의 초상화가 길거리에 던져졌다.

그날 저녁 바르샤바 당국은 포즈난의 '질서'를 회복하기 위해 350대의 탱크와 1만 명의 병력을 보냈고, 소련 장군인 스타니스와프 포플라프스키(폴란드 출신)가 이 병력을 지휘했다. 수백 명의 시위 지도자들이 체포되고, 57명의 시위대가 목숨을 잃었다.[45] 동원된 병력은 폴란드 병사들이었지만, 소련 시민인 포플라프스키가 지휘를 한다는 사실은 외국의 지배라는 부정할 수 없는 현실을 상징했다. 시위 군중은 "러시아 민주주의 타도", "볼셰비키 타도", "모스크바인들 타도", "러시아인은 우리 도시를 떠나라"라는 구호를 외쳤다. 위협에 맞서서 군중들은 애국적 노래와 종교 노래를 부르면서 용기를 얻었고, 이들은 전차와 시위대에 호의적인 탱크를 붉은색과 흰색으로 된 폴란드 국기로 장식했다. 군중들은 경찰들에게 "민족과 함께 행진하자"고 간청했고, 당시 찍힌 사진을 보면 일부 경찰은 이에 응했다. 북동쪽에 위치한 올즈틴의 노동자들도 연대를 표현하며 포즈난에 파견된 병력을 '외국 붉은 제국주의의 군부대'라고 불렀다.[46]

이 사건으로 폴란드 공산당 지도부는 큰 충격을 받았고, 7월 당 중앙위원회 회의에서 '민주화'를 받아들이기로 결정했다. 이것은 일부 현안을 당의 결정에서 제외하여 이것을 형식적으로만 독립적인 구조인 의회, 공장경영위원회(노동자들이 결정 과정에 참여하는), 폴란드 청년연맹에게 위임한다는 것을 의미했다. 이러한 변화는 몇 년 동안 누적되어온 긴장을 일부 완화시키는 데 도움을 주었다.

비판은 경찰의 범죄와 널리 관행화된 무법을 허용한 권력의 중앙화에 집중되었다. 스스로를 제한하는 흐루쇼프의 연설 후에도 분명한 해결책은 '사회주의적 민주주의'였다. 이것은 공장현장에서는 1917년 러시아 혁명 당시 부상한 공장 단위의 소비에트와 유사한 노동자위원회의 형성을 의미했다. 그러나 이러한 위원회가 마르크스주의의 궁극적 목표를 달성하기 위해서는 노동자들에게 권력을 위임해야 했다. 노동자 운동은 반사회주의자들에 대한 반대를 표명했다. 바르샤바의 자동차 공장에 형성된 가장 널리 알려진 위원회는 공장 노동자위원회 제란Zeran이었다. 이 조직은 당 관료인 레초스와프 고즈직크가 이끌었는데, 큰 키에 수척한 제임스 딘 같은 모습을 한 그는 트럭 적재 칸 위에서 행하는, 민주주의와 왜곡이 없는 사

회주의에 대한 즉석연설로 노동자들을 사로잡았다.[47]

그러나 폴란드의 10월 운동은 노동자와 지식인들을 뛰어넘는 대중적 민족 운동이었고, 1951년 요제프 시비아트워에게 체포되고 1954년 12월 감옥에서 풀려난 브와디스와프 고무우카를 민족적 영웅이자 새 지도자로 받아들였다. 스탈린에 대항했다가 고통을 당한 부패하지 않은 당 관료라는 이미지를 간직한 고무우카는 광범위하게 퍼진 불만을 흡수할 뿐만 아니라 희망을 넓게 포용할 수 있었다. 가톨릭 풍자가이자 폴란드에서 가장 영리한 회의론자인 스테판 키시엘레프스키 같은 냉정한 관측자도 이러한 희망을 공유했다. 당 정치국에 있는 사람들에게는 고무우카가 폴란드의 티토였다. 그만이 자신들의 분열을 극복하고, 폴란드 내외에 권위를 내세울 수 있는 인물이었다. 그러나 고무우카가 폴란드의 독립을 주장하는 데 조금이라도 성공을 거두기 위해서는 폴란드인들은 전통적인 반소련주의를 눌러야 한다는 데 그의 비평가들조차도 의견을 모았다. 가톨릭 신자인 키시엘레프스키는 1956년 9월 이렇게 썼다.

폴란드에서 이성적인 사람들은 세계가 블록으로 나누어져 있고, 폴란드는 러시아와 동맹을 맺은 상태로 동쪽에 위치하고 있다는 데 동의한다. 그러나 이 블록 안에서 우리는 티토가 유고슬라비아를 위해 얻는 것과 형태의 독립을 원하기를 바라고 있다. 이것이 현재 벌어지고 있는 투쟁의 목표다. 당 중앙위원회는 동맹 안에서 독립을 얻기 위해 러시아와 싸우면서 폴란드의 국시國是를 실현하려고 하고 있다. 그러나 폴란드 사회의 즉흥적인 반소련주의가 독립을 위한 이러한 투쟁에 방해가 되고 있다.[48]

고무우카의 말로 인해 사람들은 변화를 꿈꿀 수 있게 되었다. 흐루쇼프와 다르게 고무우카는 스탈린주의의 왜곡은 단순히 스탈린 때문에 일어난 것이 아니라, '소련을 지배하고 다른 모든 공산당에 이식된 체제' 때문이라고 갈파했다. 이 체제의 핵심은 '단일한 위계질서적인 숭배의 계단'이고 그 정상에는 단 한 사람이 있었다. 하급 단계에 있는 사람들은 스탈린에게 머리를 숙이면서 자신을 '무오류성의 주권적 외투'로 감싸고 있을 뿐이었다. 이 체제는 '민주적 원칙과 법의 지배'를 위반했고, 사람들의 개성뿐만 아니라 양심도 파괴하고, 이들의 명예를 매도했다. "중상, 거짓, 기만, 심지어 도발까지도 지배의 도구가 되었다." 폴란드에서조차도 죄 없는 사람들이 죽음의 형장으로 보내졌다.

고무우카는 진지한 변화를 향한 의도를 가지고 있었던 것으로 보였다. 폴란드의 대주교인 스테판 비신스키가 구금에서 풀려났고, 농민들은 집단농장을 떠날 수 있었다.[49] 농업집단화는 중단되었고, 청년조직에의 강제 가입과 '이질적' 계급 배경을 가지고 있는 학생들에 대한 자동적 처벌이 중지되고, 비밀경찰은 국가 당국의 감독을 받게 되었다. 이후 몇 달 동안 사법 개혁이 실시되고 사적 비즈니스에 대한 압력이 완화되었다. 폴란드 의회는 부활되고, 좀 더 많은 독립성을 획득한 것처럼 보였다.[50] 자유롭게 자신의 의견을 말하는 것에 대한 두려움은 사라지고, 폴란드 영화, 음악, 문학은 다시 세계적 명성을 되찾기 시작했다. 좌파 지식인들은 노동계급의 행위로 사기가 올랐다. 포즈난은 폴란드 노동자들이 역사적 단계에 발을 들여놓고 사회적·정치적·경제적 변화의 주인공이 될 수 있다는 것을 보여주었다. 공산당은 이러한 상황을 고려하지 않고는 더 이상 통치할 수 없었다.[51]

폴란드인들이 이러한 희망을 가지고 있었던 데 반해, 소련 지도부는 이런 변화에 대해 두려움을 가지게 되었다. 그러나 소련 지도부는 공산주의와 민족주의 수사에서 벗어나지 않으면서 엄청난 군중을 자극하는 민머리 공산주의 금욕주의자인 고무우카를 어떻게 해야 할지 감을 잡지 못했다. 폴란드의 새 지도자는 1930년대 초 소련에서 1년을 보냈지만, 그 이후로는 모스크바의 통제 상태가 아니라 폴란드에서 거주했다. 그를 자세히 알아보기 위해 소련 정치국은 10월 19일 폴란드의 초청을 받지 않은 상태에서 12명의 장군을 대동하고 바르샤바를 방문했다. 흐루쇼프는 폴란드인들을 질책하며, 고무우카가 후에 회고한 바에 따르면 "자동차 운전수도 들을 수 있을 정도로 거친 언어로 … 우리는 오차브 동지의 반역적인 행동을 좌시하지 않을 것이다"라고 말했다.[52] 이와 같은 시간에 폴란드 남동부에 주둔하고 있던 소련군 2개 탱크 사단이 기지를 떠나 바르샤바로 향했고, 폴란드군은 방어를 준비했다.

논쟁은 밤새 지속되었고, 다음날 아침 소련 대표단은 모스크바로 귀환했다. 군사적 개입은 그 대가가 너무 클 것으로 판단되었다. 78명의 소련 국적자가 폴란드군의 고위 장교로 근무하고 있었지만, 폴란드군이 전투에 임하게 만들 수 있을 만큼 충분한 수의 폴란드 장교들이 있었다.[53] 10월 24일 흐루쇼프는 당 정치국에서 "(폴란드와) 무력 충돌을 할 이유는 쉽게 찾을 수 있지만, 후에 그러한 충돌을 종식시킬 이유를 찾는 것은 아주 어려울 것이다"라고 말했다. 그러나 고무우카도 소련 지도부에 좋은 인상을 남겼다. 강철 같은 의지를 가지고 있는 그는 국가 주권에 대해서는 양보하지 않았지만 폴란드가 계속 바르샤바조약기구에 남고, 폴란드가 동부 지역에서 상실한 영토*를 되찾는 것을 포함해서 반소련적인 모든 요구를 거

---

* 1945년 2월 얄타회담에서 소련과 폴란드 사이의 경계는 1차 세계대전 후 영국 외무장관 커즌이 제안했던 소위 커즌 라인에 따라 확정하기로 했는데, 르비프(리비우) 지역에 대한 스탈린의 집착으로 당시와는 다르게 동나이세강이 아니라 서나이세강을 경계로 만들었다. 폴란드는 이에 대한 보상으로 독일 실레시아 지역을 차지하게 되었다.

부활 의사가 있다는 것을 분명히 보여주었다.[54] 흐루쇼프는 영민하게 고무우카가 질서를 유지할 수 있는 레닌주의자 동지라는 것을 인정했다.

그러나 이러한 절묘한 절충은 부다페스트에서는 일어나지 않았다. 바르샤바 상황에 대한 소식을 접한 헝가리인들이 큰 감명을 받은 것은 고무우카가 폴란드 공산주의자들이 선택한 지도자이고, 소련이 이를 인정했다는 것이었다. 10월 23일 부다페스트대학 공과대학 학생들은 페퇴피 기념탑 앞에 모여 1848년 헝가리 편에서 싸운 폴란드 장군 요제프 벰의 동상을 향해 행진했다. 이들은 폴란드 국기와 헝가리 국기를 들고 행진하며 "독립! 폴란드가 길을 보여주었다!"라고 외쳤다. 폴란드 국장인 독수리 그림과 "폴란드 국민과 연대!"라고 적힌 플래카드도 있었다.[55]

아침 교대반 노동자들이 작업장에서 나오면서 거리에 인파가 넘쳤고 스피커에서는 고무우카처럼 개혁을 상징하는 인물인 임레 나지의 복귀를 촉구하는 소리가 울렸다. 시위대는 모든 소련군 병력 철수, 자유선거, 표현의 자유, 복수 정당제의 복원, 소련으로부터의 독립을 요구했다. 이런 것들은 폴란드인들이 포즈난 봉기 때도 외치지 않은 것이었고, 어떤 공산당 정부도 제공할 수 없는 것들이었다.[56]

오후 늦은 시간이 되자 30만 명의 헝가리인이 나지의 연설을 듣기 위해 의회 건물 앞에 운집했다. 그러나 고무우카와 다르게 전 헝가리 총리 나지는 1956년 군중의 분위기를 제대로 파악하지 못했다. 농촌에서 포도 수확 행사에 참석하고 있다가 불려 올라온 임레 나지는 오후 6시경 군중 앞에 섰고, 민중의 분노를 제대로 파악하지 못하고 (이에 호응하기는커녕) 준비되지 않은 연설로 두서없는 말을 늘어놓았다. 나지는 '친애하는 동지들'에게 당은 기존의 노선(소위 6월 노선), 즉 대중의 신망을 잃은 1953년의 정치를 계속하겠다고 말했다. 다행인지 불행인지 그는 마이크 없이 연설을 해서,

군중은 그의 말을 거의 알아들을 수 없었다. 설상가상으로 밤 8시 당 지도자인 게로는 방송을 통해 '당의 단합'을 촉구하고 '국수주의의 독'을 공격해서 그의 양보를 기대하고 있던 주민들이 희망을 꺾어버렸다.[57] 이 시점에 그가 들먹거린 당은 거리를 군중들에게 내준 상태였다.

시위대 대부분이 의사당 건물 앞에 남아 있는 동안 일부는 자신들의 요구를 방송하기 위해 방송국으로 몰려갔다. 이들은 방송국 건물에 바리케이드가 쳐져 있는 것을 보았다. 군중이 늘어나자 비밀경찰과 군부대는 강제로 시위대를 해산시키려고 했다. 최루탄이 발사되었고, 실탄 사격이 시작되었으며, 좀 더 많은 군부대가 시위 진압에 투입되었다. 징집병들은 '질서를 회복하는' 대신 시위대에 동조하고 시위대에 무기를 제공했다. 포즈난에서는 이와 대조되게 폴란드 '인민군'은 충성스럽게 봉기를 진압하고 폴란드 공산당은 통제력을 상실한 적이 없었다. 밤 9시 30분경 페스트의 공원 가장자리에 서 있는 압제의 가장 거대한 상징인 스탈린 동상(25미터 높이)가 금속공들이 산소용접기로 금속 지지대를 절단한 후 시위대에 의해 땅바닥에 쓰러졌다. 자율적으로 움직이는 헝가리 군중은 사건이 속도를 장악했으며 자정이 되자 '혁명'은 본격적으로 시작되었다.

밤사이 게로는 헝가리 스스로 질서를 회복할 수 없다고 확신한 나지를 비롯한 동료들의 전적인 지원을 받고 소련군 부대를 불러들였고,[58] 계엄령이 선포되었다. 다음날 당 중앙위원회는 나지를 총리로 임명했다. 군중들은 자유와 국가 독립을 요구했고, 나지는 '사회주의적 합법성'과 '개인숭배'의 종식을 약속했다.

10월 25일 아침 청년들이 소련 탱크에 올라타서 헝가리 국기를 흔들며 의회 광장에 도착했을 때 혁명은 두 번째 고조를 맞았다. 11시 15분경 광장 건너편에 있는 농업부 건물에서 광장으로 총알이 날아왔다(오늘날까지

부다페스트의 스탈린 동상(1953)

부다페스트의 파괴된 스탈린 동상(1956)

누가 총격을 시작했는지는 분명히 밝혀지지 않고 있다). 소련군은 대응 사격을 했고, 남쪽에서 올라온 탱크부대가 의회 건물을 에워쌌다. 혼란 속에서 소련 탱크병들은 평화적으로 시위를 하던 수십 명의 시민을 살상했다. 당시 현장에 있던 한 미국인은 혁명이 '반쯤 무장한 시민들과 소련군 사이의 눈먼 무자비한 전쟁'으로 비화되면서 군중 사이에서는 "복수의 뜨거운 열망이 타올랐다"고 보도했다.[59] 거대한 저항 물결이 헝가리 전역으로 퍼졌지만, 당과 정부 당국의 힘은 어디에서도 볼 수 없었다.

나지는 옷을 갈아입기 위해 자신의 아파트로 돌아올 수 없었고, 너무 걱정에 휩싸여 회의 중 공개적으로 눈물을 흘렸다. 마르크스주의자인 그는 자신이 지금 반혁명을 목격하고 있는지 혁명을 목격하고 있는지를 물었다. 그가 접견한 노동자 대표들은 혁명이라고 대답했다. 역사의 시간은 앞으로 달려 나가고 있었지만, 나지의 일처리 습관은 꼼꼼한 사고에 매몰된 학자적 관료식으로 남아 있었다. 시인 이슈트반 외르시는 "그는 서두르지 않는 사람이고, 늘 의구심과 깊이 뿌리 잡은 당의 원칙에 사로잡혀서 결정을 내리는 데 시간을 더 필요로 했고, 이것은 혁명이 벌어지고 있는 상황에서는 절대 맞지 않는 방식이었다. 그는 늘 2, 3일 늦게 필요한 결정을 내렸다"라고 말했다.[60]

10월 27일 나지는 상황에 대응하기 위한 정치적·군사적 조치의 필요성을 강조했다. 다음날 그는 국영방송을 통해 휴전을 선언하며, '반란이 모든 국민을 끌어들였으며, 민족적이고 민주적이라고' 말했다. 그는 휴전과 더불어 사면, 반란군과 협상, 국가 보안기구의 해체를 선언했다. '비극적인 형제간의 전투는 지난 10년간의 실책과 범죄적인 정책' 때문에 일어났다고 주장했다. 아마도 혁명군과의 직접적 대화가 그의 시각을 변하게 만든 것 같았다. 헝가리 노동자들은 스스로를 조직해나갔다. 이것이 사회주의의 궁극적 목표가 아니었겠는가? 그러나 자율적 조직화는 산업 노동자뿐만 아니라 모든 사회 집단으로 확산되었고, 이틀 만에 모든 정치적 스펙트럼이 다시 등장했다. 이뿐 아니라 '계급'이나 정치적 배경을 떠나 헝가리인들은 '혁명적 단합' 속에 고전적 자유 정치 제도인 다당제에 기초한 의회를 요구했다. 그러나 이들은 자본주의의 부활을 요구하지는 않았고, 직접 민주주의가 포함된 민주적 사회주의 실현을 주장했다.

그러나 나지는 사건의 통제는 거론할 것도 없고 민중의 요구를 제대로 파악하지 못했다. 헝가리인들은 전국에 걸쳐 혁명위원회를 결성하고 공산주의 지배의 종식을 요구했다. 3419개의 지역 공동체에서 2804개의 자치 조직이 결성되었고, 죄르, 미스콜츠, 데브레첸에서는 강력한 지도자들이 나타났다. 80만 명 이상의 당원을 가진 공산당 조직은 10월 하순의 공기 속으로 사라진 것 같았다. 부다페스트 이외 지역에서 10만 명에서 20만 명의 인원이 참여한 약 100개의 시위가 벌어졌다. 후에 조사한 바에 따르면 160개의 무장 전사 집단, 2100개의 노동자평의회에 2만 8000명이 실명으로 등록하여 투쟁했다.[61]

10월 30일 나지는 프롤레타리아 독재라는 레닌주의 원칙을 훼손시키며 재건된 정당들을 정부 구성에 참여시켰다. 그는 소련군 병력들이 부다페스트에서 철수하는 문제를 협상했고, 혁명군으로 구성된 민족전위대를 구성했다. 이제 20여 개의 일간지가 나타났고, 나지가 엄격히 통제하고 있는 당 신문도 헝가리 반혁명은 '영국과 미국 제국주의자들'이 선동했다는 소련의 주장을 반박했다.[62]

소련 지도부가 보기에 이제 모든 일이 너무 진행되었다. 소련에서는 열띤 토론과 많은 불확실성을 안은 채 10월 31일 결정적인 간섭을 하기로 하는 결정이 내려졌다. 이 결정은 헝가리 정부가 사태의 방향에 영향을 줄

시위를 벌이는 부다페스트 시민들(1956년 10월 25일)

수 있는 모든 능력을 상실했다는 현지 소련 관리들의 보고에 바탕을 둔 것이었다.[63] 이제는 온건파도 헝가리에서 공산주의가 무너질 것을 우려했다. 이들이 보기에 '나지는 언제 양보를 멈춰야 하는지를' 모르고 있었다. 여기에다가 크렘린의 이 '자유주의자들'은 소련과의 충돌의 토양을 양성하고, 폴란드에서 발아하고 있는 민족 공산주의의 맹아를 뿌리 뽑기를 원했다.[64] 나지가 자신 안에서 민주주의자를 발견했듯이, 소련 지도자들은 헝가리 혁명에서 다양성에 대한 관용을 어디에서 끝내야 하는지를 '배우고' 있었다. 처음에 이들은 자신들의 이미지에 대한 국제적 반향을 두려워하여 무력을 사용하는 것을 주저했지만, 이제 그들은 소련 블록 내에서 공산주의 통제는 타협할 수 없는 문제라고 결정한 것이다.

이러한 일들이 벌어지는 동안 나지와 마찬가지로 흐루쇼프도 잠을 이루지 못하며 폴란드뿐만 아니라 루마니아에서 진행되는 해결되지 않은 문제에 대해 고민했다. 이 두 나라에서는 학생 지위로 인해 당국은 헝가리와의 국경을 차단했다. 흐루쇼프는 지식인층이 흐루쇼프의 방향성 상실을 감지하고 세력을 동원하고 있는 체코슬로바키아와 동독을 염려해야 했다. 소련 내에서도 발아하는 소요에 대한 보고도 올라왔다.[65] 흐루쇼프는 세계적 관점에서 생각을 하며 중국의 공산당 지도자 마오쩌둥과 유고슬라비아의 티토의 반응도 예의주시했다. 마오의 시각이 바뀌었을 때 소련 지도부의 시각도 바뀌었다. 10월 30일까지만 해도 마오쩌둥은 헝가리 노동자 계급이 '상황에 대한 통제력을 회복하라고' 촉구했다. 그러나 현지 중국 정보요원들이 비밀경찰이 폭행을 당하고 있다는 보고를 올리자 마오쩌둥은 생각을 바꾸었다.

소련 무장 병력이 혁명을 진압하기 위해 투입되었고, 최종적인 사상자 집계로는 2만 2000명의 헝가리인과 1500명의 소련군 사상자가 발생했다. 그러나 엄청난 병력을 투입하고도 헝가리의 공공생활을 혁명 이전의 정체 상태로 돌려놓을 수 없었다.[66] 평의회 운동은 계속 확장되었고 11월 14일 노동자들은 부다페스트의 퉁스람 전구 공장에서 노동자중앙평의회를 설립했다. 노동자들은 반대파 지식인들과 긴밀한 접촉을 유지하며, 전 장관 이슈트반 비보의 사회주의 이행 프로그램의 실행을 계획했다. 노동자평의회 지도자인 샨도르 발리, 샨도르 라츠는 의회에서 새로운 당 지도자 야노스 카다르와 협상을 했다. 전 내무장관이었던 카다르는 10월 25일 게로를 대신해 당대표가 되었다. 소련의 강제 진압이 시도된 지 3주 후인 11월 23일 정오에 총파업이 선언되었다. 모든 노동자는 작업을 중단했고, 거리는 순찰 군경을 빼고는 텅 비었다. 12월 4일 수천 명의 여성들이 영웅 광장에 모여 행진을 시도했으나 미국 대사관에 도착하기 전 진압되었다. 지방 도시에서도 독립신문들이 몇 주 동안 계속 새로 나타났다. 그러나 노동자중앙평의회는 설고터리안에서 광부들에게 사격을 가한 것에 대한 항의로 총파업을 계획한 다음날인 12월 9일 강제해산되었다. 이틀 후 발리와 라츠는 체포되었다.[67]

이 극적인 11월의 하루 동안 헝가리 지도자들은 어디에 있었는가? 11월 1일 새로운 소련군 사단들이 헝가리에 진입했다는 소식이 임레 나지에게 전달된 11월 1일 그는 헝가리의 중립과 바르샤바조약기구 탈퇴를 선언했다. 당 지도자 야노스 카다르도 그날 사라졌다. 그는 모스크바로 갔다가 다시 나타나서 혁명의 반스탈린주의 성취를 유지하되 공산당의 지도적 역할을 회복하기 위해 '혁명 정부' 수립에 동의했다. 임레 나지는 유고슬라비아에 은신했으나, 대사관을 떠나면서 소련군에 납치되었다. 그는 새로 형성된 소련의 지원을 받은 정권과 협력하기를 거부했기 때문에 1958년 여름 야노스 카다르의 명백한 동의하에 다른 수백 명의 '반역자들'과 함께 처형되었다.

✳ ✳ ✳

이 혁명 시도 이후 헝가리와 폴란드는 기대했던 것과 정반대의 길을 갔다. 혁명의 배신자이자 동료들의 처형자인 카다르는 권력을 공고하게 만들면서 좌파와 우파의 적들을 제거했다. 그는 혁명가들을 단호하게 다루지 않으면 자신이 우파 강경파들에 의해 실각될 것을 우려했다. 그래서 스탈린주의자들이 동독, 체코슬로바키아, 불가리아, 루마니아의 권력을 계속 유지했다. 그러나 1961년 카다르는 사면령을 발해서 혁명 지지자들의 공적 생활공간을 마련해주고, 대중들의 삶을 좀 더 여유롭게 만들기 위해 계획된 경제·문화 정책을 추진하기 시작했다. 사업 분야에서도 개인적 주도권을 발휘할 공간이 마련되었고, 1970년대에는 상점 진열장이 가득 차고, 음식이 넘치는 카페와 상대적으로 개방된 국경과 이념과 외부인에 대한 자유로운 접근이 허용되어 헝가리는 '소련 블록에서 가장 행복한 병영'처럼 보였다.

폭풍 같은 동요가 일어난 1956년 구원자 고무우카는 포즈난의 경제 시위를 급진화시킨 민족적 열정을 대표하는 것처럼 보였다. 이전 정부와는 다르게 그는 외국의 이익에 봉사하는 종복으로 보이지 않았다. 그가 권좌에 올랐을 때 사람들은 더 이상 자유롭게 자신의 의견을 말하는 것을 두려워하지 않았다. "우리 지도부는 줄타기를 하는 동안, 티토는 반대 의사를 표명할 수 있었다"라고 비드고슈치의 당 관료는 말했다. 슈체친 공과대학 집회에서 한 학생은 (소련군에 의한) 폴란드 해방 후 처형당한 수천 명의 조국군대 요원들에게 무슨 일이 일어났는가를 물었다. 포즈난의 시위자들은 'UN 감시하의 자유선거'를 요구했다.[68]

실제로 보면 권력을 잡은 후 고무우카는 즉시 이러한 감정을 억제하고 진압하기 시작했고, 독립을 요구하는 사람들을 '반사회주의적'이라고 비난했다. 고무우카는 폴란드의 티토가 아니었고 카다르보다도 상상력이 많이 부족한 것으로 드러났다. 그는 스탈린주의자를 숙청했지만, 이와 동시에 자유주의자들도 숙청했다. 이것은 그가 사회주의 안에서 새로운 자유의 영역을 열 것으로 희망했던 사람들에게는 뼈아픈 실망이었다. 1957년 고무우카는《포프로스투》를 포함해 해빙 시대의 가장 영향력 있는 잡지들을 폐간했다. 1960년대에 그는 폴란드 경제학자들의 뛰어난 개혁 아이디어에 귀를 닫았고, 그는 경제 계획의 중앙통제를 강하게 유지하며 스탈린 스타일의 거대 산업 프로젝트를 계속 추진했다. 그러나 폴란드 경제가 침체에 빠지면서 그는 당 내부의 비판을 받게 되었고, 우파 민족주의자들의 비판을 받고 수세에 몰리게 되었다. 그는 민족주의자로 출세했다가 민족주의자로 몰락할 수밖에 없었다. 그는 점점 더 교조적이 되고 전지전능한 레닌주의 민족주의자였다.

그러나 그는 폴란드를 스탈린주의로 되돌리는 것은 원치 않았다. 그는 나지의 체포에 항의했다. 그와 폴란드 사회에게 1956년은 결정적인 전환점이었고 자유화는 농촌지역과 교회, 고등교육, 문화에서는 계속되었고, 이런 정책은 헝가리를 포함한 소련 블록 내 다른 국가들과 비교할 때 자유주의적이었다. 사회학 같은 학문 분야는 서방과 접촉을 재개하고, 수월성을 다시 보여주었다. 폴란드 학자들은 파리, 런던, 미국을 방문하고 서로 아이디어를 교환할 수 있었다(미국의 포드 재단은 서방 학자들의 폴란드 체류를 지원했다). 폴란드 영화는 안제이 바이다와 로만 폴란스키 같은 감독을 통해 창조성과 상상력으로 전 세계에 이름을 널리 알렸다. 스탈린의 주술이 무너지자 폴란드 지식층의 정치와 윤리에 대한 전지적 지침으로서의 역사 왜곡도 종언을 고했다.

21장

각국의 공산주의로의 여정: 1960년대

브와디스와프 고무우카는 민족주의 공산주의자로 유명했지만, 1956년 중동유럽에서 민족주의는 전혀 생소한 것이 아니었다. 일례로 스탈린주의자들은 바르샤바와 다른 도시들은 토착적 양식으로 심혈을 기울여 재건하고, 수세기 동안 독일 도시였던 브로츠와프와 그단스크 같은 곳을 치밀한 고고학적 작업을 통해 '고대 슬라브' 성격을 발견하라는 명령을 내렸다. 그러나 민족주의는 여전히 사회주의 건설에 종속되어 있었다. 일례로 민족문화는 그 자체로 가치가 있는 것이 아니라 노동계급에 봉사하는 범위에서 가치가 있었다. 1948년부터 발행된 폴란드 공산주의 교육 지침서는 폴란드어는 학생들에게 적절한 사고를 하는 법을 가르치는 데 유용했고, 이러한 용도의 가장 좋은 전범은 당의 저술이라고 적시했다. 그러나 폴란드어는 독립적인 가치는 없었다. 당원은 먼저 노동 계층에 속해야 하고, 그다음으로 자신의 민족에 속해야 했다.[1]

민족의 축소는 모든 기관의 끝없는 대열에 그대로 투영되었고, 군대보다 지역적 감성이 더 고통을 받은 곳은 없었다. 헝가리와 폴란드에서 소련 군에서 차용한 양식이 전통 군복을 대체했고, 폴란드와 헝가리 후손이 다수 포함된 소련군 장교들은 민족적 위계질서의 최고 자리에 올랐다. 이들은 자신들의 규율, 복무규정, 훈련 교범을 도입하기 전에 공포를 조장하며 군을 재조직하고 장교들을 숙청했다. 1948년 이후 소련 고문단은 모든 상급, 중급 관리들을 '도와주었다'.[2]

1956년 이후 이 모든 것이 다시 원상회복되었다. 고문단은 소련으로 귀환했고, 지역 양식이 강제로 수입된 양식을 대체했다. 동독 군대에서 소련 양식의 군복은 헬멧을 제외하고는 나치 독일군처럼 보이는 군복에 자리를 내주었다. 지역적 또는 '유럽식' 양식은 문화에서도 분명해져서, 사회주의 리얼리즘은 영화·패션·건축에서 국제적 양식에 자리를 내주고 물러났다. 이런 면에서 폴란드인들이 가장 대담해서 스탈린에 의해 사라진 사회주의 전통을 포함해서 지역 전통에 다시 신속히 연결되려는 회복 운동이 일어났다. 20년 동안 입에 올릴 수 없었던 처형된 공산당 지도자들의 이름이 공공장소를 장식했다.

소련 공산당은 '민족적 공산주의'를 축복한 적이 없지만, 1956년과 같은 폭발을 막기 위한 기본 목적에서 실용적 용인이 이어졌다. 1957년 11월 12개 소련 블록 공산당은 프롤레타리아 독재, 계급투쟁, 사회주의 공동체의 협력 필요성, 가장 위대한 사회주의 세력으로서 소련의 인정을 주장하는 결의안을 통과시켰다. 이와 동시에 이 당들은 개별적·민족적 특성과 전통을 고려하는 것이 중요하다고 언급했다. 그 이유는 이러한 것들을 무시하는 것은 프롤레타리아당이 대중으로부터 멀어지게 만들고 사회주의 이상을 흔들기 때문이라고 주장했다. 민족주의는 장려되지는 않았지만, 고삐는 풀렸다.[3]

이전의 사회주의 지배의 민족적 형태에 대한 공간이 열리게 되면서 당 이념은 위축되고 스탈린 시대의 열성적이고 이상적인 당 간부들은 경력 주의자, 관리자, '통치에 관심이 있는 젊은 후속세대'에게 자리를 내주게 되었다고 1960년대 한 내부자가 평가했다.[4] 마르크스주의 원칙은 사라지지 않았지만 더 공허하고 의식적인 문구들로 변했고, 입에 발린 말이 다른 것들을 성취하게 위해 사용되었다. 무엇보다도 스탈린 사후 몇 주 만에 소련 블록 전체가 소비주의에 중점을 둔 고상한 생활수준을 강조하고 나섰다.

새로운 시대를 출범시키는 데 니키타 흐루쇼프보다 큰 역할을 한 사람은 없지만, 이것이 불안정하다는 것을 알아차린 사람은 거의 없었다. 사회주의를 구하기 위해서는 민족주의를 사회주의로 덮는 것은 포기되어야 한다는 것을 그는 인정했다. 그러나 만일 반소련 사상이 주도하게 되면 어떻게 할 것인가? 흐루쇼프는 폴란드 동지들을 특히 염려했다. "폴란드는 사회주의 블록의 주도자 역할을 맡아보려고 하는 것인가?"라며 그는 1957년 고무우카를 조롱했다. 그는 폴란드가 없는 사회주의 블록은 생각할 수 없다고 말하면서도 위협을 잊지 않았다. 만일 폴란드의 지위가 변하면 소련은 전후 국경 문제를 놓고 동독과 이야기를 하지 않을 수 없다고 위협했다. 그리고 '폴란드를 미워하는' 많은 소련 사람들이 있다는 말도 덧붙였다.[5] 폴란드와 소련의 동맹을 정당화하는 연대는 공동의 사회주의 프로젝트는 아니라는 것이 드러났지만, 소련의 신제국주의자는 동독에 의해 제기될지 모르는 실지회복 운동으로부터 폴란드를 보호해주겠다고 약속한 것이다. 그러나 동독의 실지회복 운동은 스탈린이 오데르-나이세 경계선을 폴란드에게 제공한 '선물'로 인해 발생한 것이었다.[6]

폴란드인민공화국은 서방 국가로부터 영토적 요구를 제기 받은 유일한 국가였기 때문에 소련의 힘에 특히 의존할 수밖에 없었다. 그러나 동독의 경우는 다른 방식으로 극단적인 예였다. 동독은 독일에 대한 소련 점령구역에서 탄생한 국가였고, 오데르-나이세 동쪽의 영토를 폴란드와 소련에게 넘겨준 후 남은 독일의 3분의 1을 차지했다. 그러나 다른 사회주의 국가들과 마찬가지로 동독은 '진보적'인 민족 세력의 전통에 국가의 진로를 맡겼고, 독일 전체에서 이를 대변한다고 주장했다. 그러나 동독이 존재하는 궁극적 국시는 사회주의이기 때문에 서독을 지배하는 사상과 다르다는 것으로 존재의 정당성을 주장해야 했다. 그러나 두 독일 모두 프리드리히 대왕은 물론 샤른호르스트 장군과 괴테를 존경했다.

이것은 다른 나라에서는 사회주의 리얼리즘이 약해지거나 망각되었을 때 동독에서는 그 적용이 강화된 것을 의미했다. 문화의 영역 중 국가의 완전한 통제를 받는 곳은 없었다. 가장 두려운 사회주의 리얼리즘 소설도 개인의 창의성을 위한 공간은 남겨놓았다. 일례로 대중 사진의 영역에서 아마추어 사진들의 렌즈는 완전히 전환되지 않은 사회주의 사회처럼 늘 불완전한 주제를 대상으로 했다. 그래서 동독의 사진 잡지들은 스탈린주의 후에 열성이 고조된 사회주의 리얼리즘 교조를 옹호했고, 사진 잡지 편집자들은 기술적 문제에 논의를 한정하고 '이념적·미적·정치적 문제'를 다루지 않는 아마추어 사진 클럽을 질책했다.[7]

이와 대조적으로 주요 폴란드 사진 잡지에서 '사회주의 리얼리즘'이나 '부르주아 사진술' 같은 표현은 1956년 사라졌고, 사진작가들은 기술적 주제나 추상 사진 같은 논란이 많은 주제에 많은 주의를 기울였다. 창작도 이익에서 자유롭지는 못했지만 국제적 경향에 세심한 주의를 기울인 바르샤바 지식계층의 이익에 완전히 초점을 맞추었다. 고무우카가 '수정주의자'라고 알려진 폴란드의 좀 더 담대한 마르크주의 자유주의자들의 날개를 꺾은 후에도 공산당은 예술 잡지들의 내용을 감독하는 '스탈린주의'적 방법으로 되돌아가지 않았다. 당 내외를 불문하고 편집자들이 특별한 관심을 가진 것은 아마추어 사진이었다. 훈련받지 않고 예측할 수 없는 방법으로 폴란드의 사회주의 현실을 포착하고, 쓰레기 같고 일상적인 매일의 생활을 포함해 카메라 렌즈에 잡히는 대로 현실을 담은 '어린이 손에 들린 부서진 식기와 프라이팬 또는 서로의 머리를 잘라주는 나이든 농부들의 따뜻함' 같은 사진에 관심을 기울였다.[8] 동독의 지식인들과 대조적으로 폴란드 지식인들은 사회주의가 아니라 과거의 폴란드 전통과 미래에 관심을 쏟았다. 이들 중 일부는 사회주의자였지만 이들 모두는 서방을 포함한 국제 문화 공동체에 몸을 담은 지식인이었다.

사진 정책은 동독의 거대한 운동의 하위 분야였다. 1957년 임레 나지에 동정적이었던 '수정주의자' 마르크주의자들을 탄압한 후 동독 공산당(독일 사회주의통합당이라는 명칭을 사용했다) 지도자 발터 울브리히트는, 1959년 동독의 석탄, 화학 산업의 중심지에서 열린 작가회의에서 이름을 딴 비터펠트Bitterfeld 방식이라고 알려진 이념적 공세를 이끌었다. 이 운동의 요체는 작가들이 공장으로 가서 일을 하고, 정신노동과 육체노동의 경계를 없애는 것이었다. 노동자들이 작가가 되고, 작가가 노동자가 되어야 했다. 이러한 운동은 인간이 더 이상 '자연의 맹목적 힘에 지배받지 않고', 생산자 공동체는 매일 가장 고매한 인간적 잠재력을 구현해야 한다고 주장한 마르크스가 주장한 '자유의 영역'을 떠올리게 하는 것이었다. 그러나 이 내용을 제외하고는 동독에서는 모든 것이 강압과 사회주의자 이하의 모습을 보여서는 안 되는 국가에 충성한 당 관료들에 의해 추진되었다.[9]

사회주의 사회가 민족들 간의 평화와 형제애를 증진한다고 주장했기 때문에 동유럽 공산당은 민족 전통에 대한 대중적 인기를 높이는 노력에서 모든 인종혐오를 배제해야만 했다. 그러나 모든 민족주의와 마찬가지로 민족 공산주의는 민족의 적 없이 형성된 적은 없었다. 시작부터 반독일적 문구가 폴란드와 체코슬로바키아 프로파간다에 등장했고, 독일 공산당이 1947년 코민포름 창당 대회에서 제외된 것은 우연이 아니었다(프랑스와 이탈리아 공산당은 포함되었다).[10] 동독의 조직인 동독 공산당은 특별한 딜레마에 빠졌다. 국가의 존재 자체를 소련에 의존하고 있는 상태에서 동독 공산당은 몇 세대 동안 독일 민족주의의 표준 수단이었던 반슬라브주의를 채택할 수 없었다. 1955년 창설된 소련 블록의 군사 동맹인 바르샤바조약기구 내의 다른 동맹국 대부분은 슬라브계 국가였다. 어떤 면에서 동독 공산당은 서독을 대상으로 반제국주의 선전의 볼륨을 크게 올림으로써 비슬라브 국가라는 약점을 보완했다. 그래서 동독인들은 더 우월한 독일인들이고 이들이 1961년 8월 서베를린 주위에 쌓은 장벽은 독일의 통합을 강화하기 위한 것이라고 선전했다. 그러나 베를린 장벽의 진정한 목적은 고숙련 노동자들이 서방으로 넘어가는 것을 막기 위한 것이었다. 이러한 이주자로 동독의 노동 경제는 큰 상처를 받고 있었다(1945년부터 1961년 사이 약 300만 명의 독일인이 동독을 탈출했다).[11]

그러나 동독 지도자들은 소련을 향해서 소련 공산당이 자신들의 모델이라고 경건하게 선언하면서도 자신들이 최고의 마르크스주의자고 주장했다. '형제적 관계'라는 상투적이고 의무적인 선전 뒤에서 공산당 지도자들은 사적으로는 폴란드 공산당원들을 '폴란드 놈들Polacks'이라고 부르며 당의 정통성이 위협을 받을 때는 주민들에게 오래된 적개심을 조장했다.[12] 1970년대 동독은 프로이센의 유산을 '민족적' 과거로 고양시켰다. 그러나 자신들을 '사회주의 국가'라고 자만심 넘치게 내세움에도 불구하고 이것은 무언의 민족주의였다. 동독은 독일 전체의 절반도 되지 않았다. 루마니아, 폴란드, 불가리아, 체코와 슬로바키아 공산당과 다르게 동독 공산당은 전국적 정당이 아니었고, 이 당이 통치를 더 오래할수록 통일 독일은 손에 잡히지 않는 미래로 밀려나는 것처럼 보였다.[13]

헝가리: 개방된 사회주의 상상

헝가리 공산당원들은 동독 동지들이 처한 궁지를 잘 이해했다. 수백만 명의 헝가리인들이 국경 넘어 슬로바키아, 세르비아, 루마니아에 거주하고 있었기 때문에 이들도 민족의 일부만 대표할 수 있었다. 민족 카드를 '사용하려는' 어떠한 시도도 위험한 실지회복 운동으로 비칠 수 있었다. 또한 이것은 헝가리 공산당이 2차 세계대전 후 소련이 인정한 트리아농조약의 경계선을 수정하려는 비굴한 실패는 강조할 수 있었다. 1848-1849년 혁명의 유산을 언급하는 것조차도 문제가 될 수 있었다. 그 이유는 당시 헝가리 자유주의자들은 바르샤바조약기구 국가들뿐 아니라(소련도 포함) 유고슬라비아와 오스트리아가 차지한 영토를 포함한 거대한 헝가리왕국을 마자르족이 통치해야 한다고 주장했기 때문이다. 여기에다가 당시 혁명도 1856년 혁명처럼 러시아가 진압했다는 사실도 있었다. 중요한 역사적 사건을 언급하는 것이 어렵기 때문에 헝가리 민족 감정을 이야기하는 것은 아주 비관적이었다. 이런 이유로 인해 헝가리 지도자들은 '국제주의자'가 되었고, 이웃 국가들, 특히 루마니아와 체코슬로바키아의 '민족주의적 이교성nationalist heresies'에 반대하며 다른 국가들에게 '자신들의 국수주의를 비판적으로 검토하라고' 촉구했다.[14]

그러나 교조적인 반민족주의는 카다르 정권이 소련 탱크에 의해 수립된 후보다 더욱 이질적으로 보이게 만들었다. 이로 인해 이것은 해결되지 않은 이념적 갈등이 지속될 공간을 만들어주었고, 그 대표적 예가 1960년 대 초 공산당 역사가 에리크 몰나르가 주도한 논쟁이었다. 여기에서는 민족을 부인하기보다는 절제하는 경향이 보였다.[15] 역사가들은 경제적으로 독립한 헝가리가 19세기에 더 높은 경제성장률을 이루었을지 물었지만 그 대답은 '아니다'였다. 오스트리아와의 경제적 연합은 손해보다는 이익이 많았다. 1918년 헝가리의 분해는 1867년 대타협으로 인한 피할 수 없는 결과였는가? 이 질문에 대한 답도 역시 '아니다'였다. 오스트리아-헝가리제국은 붕괴될 수밖에 없었다. 스탈린 시대의 교조적 평가를 벗어나서 역사학자들은 호르티 정권은 단순히 파시스트적이 아니라 우익 세력들의 혼합이었다고 평가했다. 이것은 1950년대 교조주의를 넘어서는 냉정한 타협적 입장이었다. 1950년대 역사학자들은 제국주의자들이 1919년 헝가리 공화국을 파괴한 후 헝가리 민중을 속이고 호르티의 파시즘을 팔아넘겼다고 주장했었다.[16] 새로운 통합은 선과 악의 등장인물 구별과 인과관계의 연속이 없는 좀 더 복잡한 과거 해석의 결과였다. 공산주의와 노동자운동의 역사도 단순한 판단을 거부하는 좀 더 다양한 접근법을 보였다.

이러한 실용주의는 헝가리 통치자들의 모든 행동을 좌우했다. 민중 봉기를 진압한 후 야노스 카다르의 기본 과제는 스탈린주의를 벗어나되 공산당 지배를 꼭대기에서 바닥까지 재건하는 것이었다. 그는 좌파, 우파 극단주의를 멀리하고 이념적 회색지대를 만들었으며, 자유주의에 일부 문이 열린 기회주의의 불확실 상태를 중지시켰다. 소련 당국은 소련에 '유형' 중인 마차시 라코시를 다시 복귀시킬 수 있다는 위협을 했고, 카다르는 이런 일이 일어나지 않게 기본 질서를 유지했다. 소련 당국은 그의 업무 수행을 긍정적으로 평가하게 되었다. 카다르가 강제적 집단화를 지연시키고 있다고 비판한 소련 대사는 모스크바로 소환되었다.[17] 그런 다음 영리한 카다르는 농업을 사회주의화하는 과정을 완료하고 협동농장에 헝가리의 영농지 4분의 3을 배분했고, 국영농장이 나머지 영농지 대부분을 차지했다.[18] 카다르는 라코시가 실패한 것을 성공시켰다. 그러나 우리가 좀 더 자세히 살펴보겠지만 농업은 더 이상 스탈린주의식이 아니었고, 생산을 증대시키기 위한 갖가지 인센티브가 제공되었다.

이제 사회주의가 무엇을 의미하는지를 궁금해하는 사람들에게 카타르는 1961년과 1962년 자신의 입장을 분명히 밝혔다. 계급투쟁은 전반적으로 과거의 일이 되었기 때문에, 예를 들어 중류 계층 사람들에 대한 대학 입학 차별조치는 중단되었다. 그는 원래 〈누가복음〉에서 생각을 빌려온 망명 비평가의 공신을 차용했다. "우리에게 반대하지 않는 사람들은 우리 편이다." 1956년 혁명 지지자들에 대한 징벌도 중지되었다. 수백 명의 '배신자들'은 이미 교수형을 당했다. 이들 중에는 범죄행위 당시 18세 미만인 젊은이도 포함되어 있었다. 그러나 몇 년이 지난 후에 그는 소련 방문단에게 혁명가들에 의해 살해당한 각 공산당원에 대한 복수를 하고 싶다고 말한 바 있었다. 만일 그것이 사실이었다면 그는 몇 배 더 성공한 셈이었다.

카다르는 공개적인 민족주의는 벽안시했지만, 대신에 사회주의가 헝가리인들의 물질적 이익을 위해 할 수 있는 일이 무엇인지를 모색하면서 정당성을 강화했다.[19] 헝가리를 스탈린주의로부터 해방시킨 다음 그는 자신의 사회주의가 임레 나지가 했을 어떤 일도 능가할 수 있다는 것을 보여주기로 작정했다. 정부는 임금을 인상하고, 낙태법을 자유화하고, 상인과 장인들에 대한 세금을 경감하고, 연금을 올리고 크리스마스와 부활절을 공식 휴일로 지정했다.[20]

생활을 더 낫게 만들겠다는 카다르의 정신은 당 간부들에게도 영향을 미쳤다. 라코시 정권에서 이들은 휴양소, 특별 상점, 수를 헤아릴 수 없는 특전으로 자신들에게 보상을 주었다. 카다르는 이런 특전을 줄였고, 당 최고 지도자들도 여름 별장을 얻기 위해서는 '헝가리아-발라튼 여행사'와 '휴가여행사'에 부탁을 해야 했다. 카다르는 이런 정책을 '공산당의 도덕성을 강화하기 위한' 것이라고 말했다. 중간 관료들은 국영 철도를 50퍼센트 할인된 가격으로 이용하던 특권을 상실했고, 더 이상 관용차와 전화를 개인적 목적에 사용할 수 없었다. 이렇게 해서 당의 권력은 되찾았지만, 스탈린주의의 과거 현상유지status quo ante로의 회귀는 없었다. 좀 더 많은 소비재가 생산되었고, 생활수준은 1957년부터 1960년 사이 3분의 1이 향상되었다. 1960년대 초반부터 텔레비전, 세탁기, 냉장고가 일반 가정에 보급되었고, 평균적 임금 노동자들은 부모나 조부모 시대보다 훨씬 안락하고 안전한 생활을 하게 되었다.[21]

이러한 비민족주의적이고, 소비자 중심의 프로그램은 헝가리가 당면한 특수한 국가적 곤경에도 잘 맞았다. 카다르는 수십 년 동안 위대한 이상, 즉 유럽을 구원하겠다는 나치의 프로젝트와 인류를 유토피아적인 미래로 밀고 가겠다는 소련의 이상을 위해 희생을 강요당한 헝가리인들은 좀 더 손에 잡히는 것을 받아들일 준비가 되어 있다고 생각했다. 사회주의 사회는 이념이 아니라 '국민들에게 더 나은 생활을 제공하고, 국가와 민족이 번영하도록 만들기 위해' 건설되고 있다고 주민들을 설득했다.[22]

이 전략이 성공하도록 만들기 위해 헝가리 공산당은 다른 곳의 동지들보다 더 오랜 기간 동안 더 큰 일관성을 가지고 모스크바의 반대에도 불구하고 경제 개혁에 주의를 돌렸다. 이것을 국가 지도부가 지원을 하고, 다른 국가에서 소요가 일어나는 상황에서도 멈추지 않았다. 사회주의 국가들은 1950년대 초반 제대로 활용되지 않은 자원, 특히 천연자원과 노동을 생산에 투입하여 경제를 빠르게 발전시켰다. 그러나 1960년대가 되자 이러한 방법은 효력을 다했다. 이제 산업 성장은 증가된 생산성과 기술 발전이 좌우했다. 부진한 성장의 문제는 소련에서 더욱 확연히 느껴졌다. 니키타 흐루쇼프는 1961년 10월 소련 공산당은 "앞으로 20년 안에 소련 국민들에게 어떤 자본주의 국가보다 더 높은 생활수준을 누리게 할 것이다"라고 선언한 상태였다. 그는 "이제 사람들이 무엇이 부족해서 고통 받는 상황은 완전히 최종적으로 종식될 것이다"라고 그는 장담했다(부록 표 5, 6).[23]

헝가리는 심각한 불균형에 직면했다. 소련 블록 외 국가들에 대한 헝가리의 부채는 1959년 16억 포린트에서 1963년 41억 포린트로 눈덩이처럼 불어났고, 이 국가들에 대한 이자 지급액은 수출 총액을 넘어섰다. 늘어나는 대외 부채 중 80퍼센트 이상이 3개월 만기 이내의 단기 부채여서 지속적인 재차입을 필요로 했다. 재상환 의무 총액은 수출로 벌어들이는 외화의 두 배를 넘어섰다.[24]

변화에 대한 압력은 농업 부문에 가장 강했다. 그 이유는 헝가리인들의 수입의 대부분을 식품 구입에 사용하고, 식료품의 질은 스탈린주의 치하에서 급격히 하락되었기 때문이다. 1961-1962년 완료된 농업집단화는 상황을 더 악화시켰다. 이후 약 5년 동안 식료품 생산은 1958-1959년 수준을 간신히 유지했다. 주민들에게 집단화를 강요하던 시간은 끝이 났다. 이제 공산당은 주민들이 좀 더 효과적이고 좀 더 양심적으로 일하도록 만들어야 했다.[25]

이에 대한 대응책은 어떤 사회주의 사회도 가보지 않은 길로 방향을 잡는 것이었다. 진실을 과장하기 위해서 카다르는 1960년 흐루쇼프가 각 사회주의 국가는 각국의 곡물 생산을 감당할 중요한 책임이 있고, 식량 부족이 있는 경우 소련은 이를 돕지 않을 것이라고 말했다고 밝혔다. 2년 후 카다르는 동료 당 간부들에게 다른 사회주의 국가들은 헝가리가 본받지 말아야 할 강압적 정책을 썼다고 말했다. 그는 헝가리가 '불가리아 동지들이 한 것과 같은 일'이나 동독이나 체코슬로바키아 동지들이 한 일을 하지 않은 것을 다행으로 여겼다. 동독에서 진행된 강제적인 농업집단화는 수만 명의 주민들을 서방으로 탈출하게 만들었다. 그의 말을 듣는 사람들이 알고 있듯이 이러한 인구 유출로 인해 베를린 장벽이 만들어졌고, 이것은 동방 블록 역사상 가장 당혹스러운 일이 되었다.[26]

강압의 대안은 협의를 하는 것이고, 이것은 지시와 인센티브를 사용하는 것이었다. 이 아이디어는 완전히 새로운 것은 아니었다. 1956년 11월 헝가리 정권은 강제적 곡물 징발을 중단했고, 계급투쟁은 협의에 의한 변화 정책에 자리를 내주었다. 중산층 농민들을 '부농'이라고 죄악시하는 대신에 정권은 이들의 마음을 얻으려고 노력했다. 기존의 집단농장에 가담하기를 거절하는 사람들은 자신들 스스로 농장을 만들고 그곳에서 주도적 역할을 할 수 있었다. 국가는 특정한 작물을 생산하도록 강제하는 대신에 농산물이 정당한 가격을 받을 수 있도록 노력하기 시작했고, 농민들이 가축을 키울 수 있는 규모가 큰 사적 영농지도 허용했다. 1970년부터 시작하여 농민들이 '사적으로' 키울 수 있는 가축의 수에 대한 제한이 없어졌다. 그리고 농민들은 건강 보험 같은 사회 보장의 혜택을 받기 시작했다. 폴란드와 다르게 헝가리는 농업 부문을 적극적으로 육성했고, 농가의 농기계 구입을 재정적으로 지원했다.[27]

농부들은 집단농장에서 일해야만 했지만 농장은 몰수된 농지로만 만들어지지는 않았다. 협동 농지의 4분의 3은 개인 소유였고, 농지 소유자들은 임대료를 받았다. 이것은 사회주의 부문은 국가가 소유한 자산으로만 구성되어야 한다는 마르크스-레닌주의 교조의 핵심에 저촉되었다. 그러나 카다르는 이 교조를 새 현실에 적응시켰다. 1966년 10월 그는 당 중앙위원회에 협동농장에서 사적 소유인 농지도 '사회주의 자산'에 해당될 수 있다는 해석을 내놓았다.[28] 이러한 조치로 상상력이 풍부한 사회주의자인 카다르는 1956년 혁명의 뒤늦은 승리를 선언했다. 그러나 이것은 시작에 불과했다.

1920년대 소련의 신경제정책처럼 축소되지 않고, 헝가리의 농업 개혁은 강화되었고, 농업 분야 이외로도 확산되었다. 당 지도자 카다르는 생산성에서 서방 국가와 성공적으로 경쟁하는 것뿐만 아니라 헝가리를 진정한 노동자의 국가로 만들기를 원했다. 그는 헝가리가 주간 48시간 노동시간을 고수하는 동안 프랑스와 이탈리아의 노조가 노동자들의 근로 시각 단축을 요구하는 것을 관찰했다. 왜 그런가? 카다르는 "그 이유는 노동 강도가 낮기 때문이다!", "만일 우리가 우리 방식을 변화시키지 못한다면 내가 보기에 패배가 우리를 기다리고 있다"라고 1964년 11월 정치국 회의에서 말했다. 그가 생각하기에 개혁은 국가 계획경제로부터 후퇴가 아니라 '마르크스주의 경제 과학'에 기반해서 새로운 형태를 만들고, 가치의 법칙에 더 큰 주의를 기울이는 것이었다. 이것은 '자본주의적 의미에서 시장 경제'와 전혀 닮지 않았다.[29]

같은 해 당 지도부는 학문 분야, 국가, 기업 영역을 대표하는 사람들로 구성된 12개의 실무위원회를 구성했다. 이 위원회는 다음 해 당 중앙위원회 결의안으로 통합된 연구를 내놓았다. 1년을 더 준비한 끝에 1968년 1월 신경제구조라는 이름의 종합경제계획이 발표되었다.[30] 이 계획의 주요 항목은 중앙계획에 의한 생산 분배를 없애는 것이었다. 이것은 정부 당국이 기업에게 무엇을 생산해야 하는지를 정해주는 대신에 가격, 이윤, 세금, 신용, 임금 같은 '조절요인'에 의해 생산이 진행되도록 유도하는 것을 의미했다. 정부는 목표가 있는 계획을 통해 경제 발전에 대한 기본적 결정을 내리지만, 정부는 더 이상 무엇을 생산해야 하는가에 대한 경직되고 상세한 지시를 내리지 않았다.

가격은 점점 더 생산원가와 경제 정책의 의도를 반영했지만, 자유롭게 변동하지는 않았다. 혼합 체계는 세 개의 부문으로 이루어졌다. 하나는 고정가격이 있는 부문이고, 다른 하나는 행정당국이 정한 범위 내에서 움직이는 가격을 가진 부문이고, 마지막은 자유로운 가격을 가진 부문이었다. 생산에 사용되는 국내 천연자원이나 반제품의 70퍼센트는 고정가격이나 최대치 가격에 판매되었지만, 나머지 30퍼센트는 가격이 변할 수 있었다. 그 비중은 감소했어도 경제는 여전히 중공업에 중점이 주어졌지만, 생산의 동기는 바뀌었다. 기업에게는 이윤이 결정적인 경제적 조절요인이 되었고, 기업 성과와 투자 대상의 가늠자가 되었다. 기업의 독자적 활동 범위는 크게 증가되었다. 그러나 실업자를 만들어내지 않기 위해 기업들은 파산할 수 없었다.[31] 그래서 경쟁력이 약한 기업들은 시장경제 상황에서 작동하는 비즈니스가 제공하지 못하는 방식이지만 정부 지원에 의존하게 되었다. 헝가리의 기업들은 제품의 질을 향상시키고, 원가를 낮추고 새로운 제품을 만들어내지 못하는 경우 불이익을 받지 않았기 때문에 이러한 사실은 궁극적으로 성장을 자극하는 개혁의 능력에 제약을 주었다.

그러나 일정 기간 동안 지도자들은 낙관적일 뿐만 아니라 야심에 차 있었다. 이들은 세계적 경쟁에 시험적으로 가담하기도 하고, 국제통화기금과 세계은행 가입을 희망했지만, 미국의 적대적 영향력을 두려워한 소련이 이 과정을 가로막았다. 제3차 경제 5개년계획(1966-1970)은 산업 수출의 50퍼센트 증가를 목표로 삼았다. 그러나 사회주의 국가 경제와의 증가된 교역만으로도 헝가리는 세계 경제의 가혹한 바람에 노출되었다. 성장 전략 산업으로 지정된 화학, 기계제작 산업은 경화로만 수입할 수 있는 부품과 핵심 장비를 필요로 했다. 헝가리의 유명한 수출 상품인 이카루스 버스를 예로 들어보자. 1966년 경제 계획에는 약 6000대의 버스가 루블로 사회주의 국가로 수출되어 13억 포린트의 외화를 벌어들일 것으로 기대되었지만, 이 버스들을 생산하기 위해서는 서방에서 3억 2700만 달러에 해당되는 부품과 장비 수입이 필요했다. 그래서 코메콘Comecon 국가로의 수출이 늘어날수록 달러로 지불하는 수입도 늘어났다. 서방에 수출하기에 적당한 상품이 없는 상태에서 달러 채무는 상환할 수 없을 정도로 늘어났다.[32]

경제 분야에서 이러한 긴장은 헝가리 지도자들이 국내 정책과 대외 정책 고려에서 상정한 과정을 위협했다.[33] 이들이 택할 수 있는 선택은 세계 시장에서 생산성을 확보하든가 아니면 개혁에서 후퇴하여 침체에 빠질 것인가였다. 이렇게 해서 헝가리로 하여금 1980년대 최종적 경제 위기에 빠지게 한 증상이 시작되었다. 헝가리 산업을 경쟁력 있게 만들기 위해 차입한 자금은 점점 더 큰 외채로 이어졌다.

그러나 이것은 거시경제적 상황이었고 일부 분야는 호황을 맞았다. 여행자들이 보기에 멋진 레인코트와 핸드백이 진열된 상점, 미용실, 서비스가 제공되는 레스토랑, 달콤한 과자와 열대 과일이 가득 찬 상점, 자가용을 타고 다니는 잘 차려입은 도시민들은 서구 국가와 거의 다를 바 없어 보였다. 만일 여행자가 폴란드나 루마니아, 소련에서 왔으면 이것은 더욱 분명했다. 헝가리에서 이념은 뒷전으로 밀렸고 스탈린주의 시대의 계급투쟁, 감시, 이념적 무오류성 정신은 '소비자 중심적 가치, 관행, 행동 양식'에 자리를 내주었다. 코카콜라나 청바지는 더 이상 '서구 이상향의 썩은 사과'가 아니었고, 공산주의자들이 그렇다고 말했기 때문에 사람들이 탐내는 물건이 되었다.[34]

폴란드의 레닌주의

때로 헝가리와 함께 소련 지배의 특별한 위협이 된 국가로 여겨지던 폴란드는 놀라울 정도로 다른 길을 갔다. '민족의 반역자'라고 불리기도 한 카다르가 사회와의 화해를 필요로 개혁을 추구한 데 반해, '민족의 영웅'으로 불린 고무우카는 소련에 두 번이나 대항했고, 이로 인해 고통을 받았고, 폴란드의 주권이라는 가장 높은 가치를 구현하는 것처럼 보였기 때문에 개혁을 냉소적으로 바라보았다. 그는 모든 것, 심지어 경제와 농업에 대해 다른 누구보다 더 잘 알고 있다고 생각했고, 그는 아무에게도 귀를 기울이지 않았고, 특히 자신의 생각에 동의하지 않는 사람에게는 더욱 그랬다.

일부는 잘못 방향을 잡은 이념적 공세와 이보다 더 중요하게 경멸적 태만을 통해 1960년대 중반에 그가 성취한 것은 폴란드인들 다양한 십난, 즉 농민, 가톨릭 신자, 모든 종류의 신념을 가지 지식인들, 산업 노동자, 그리고 가장 위험하게 학생들이 가지고 있는 공통적 불만을 연합시킨 것이었다. 1960년대 말 고무우카는 공산주의 블록에서 유일무이한 곤경에 처해 있었다. 그것은 비국가적 행위자들이 국민을 대표한다는 그의 주장을 문제 삼는 대결 상태였다. 이런 오만과 낭비된 기회의 비극은 몇 가지 막幕으로 구성되었다. 처음에는 교회를 소외시키고, 다음으로 작가, 지식인, 학생들, 유대인을 소외시키고, 마지막으로 노동자들 소외시켰다. 그는 1970년 12월 그단스크의 노동자들의 시위를 차갑게 무시하며 사격 명령을 내렸다. 실각하기 직전 이 전지전능한 금욕주의자는 가까운 동료들에게 자신이 생각하는 바를 이렇게 말했다. "당의 입장이 어떻게 되건, 그것은 노동계급과 사회의 입장이다."[35]

거의 집착이 될 정도로 그가 생각한 가장 심각한 도전은 마르크스주의 내에서 민주주의, 공개적 토론, '자유로운 세력 과시'를 요구하는 '수정주의'였다. 이런 것들은 1918년 이전 대부분의 사회주의 운동에 일반적인 것이었다. 그러나 고무우카는 1930년대에 공산주의자가 되었고, 파벌주의에 대한 레닌의 적대감을 그대로 흡수했다. 1964년이 되자 그는 대부분이 유대인이고, 1956년 변화를 주도했던 자유주의적인 푸와위Puławy 집단•과 연계된 사람을 지도부에서 모두 제거했다. 이 집단의 지도자인 로만 잠브로프스키는 1963년 당 중앙위원회 서기 직에서 사임하며, '당 과업의 규칙적이고, 일상적으로 우애적인 방향'이 없는 것에 불만을 토로했다. 고무우카는 그와 전화로도 상의하지 않았고, 자신의 의견과 다른 것은 모두 '짜증을 내며 무시하며' 경제를 사실상 단독으로 지휘했다. 고무우카는 보좌관들로 하여금 채굴된 석탄과 수확된 곡물에 대한 모든 자료를 가져오게 한 다음 생산과 임금의 세세한 부분까지 직접 감독했다. 그는 직접 과학기술연구소의 구조조정 계획을 작성했다. 대부분의 공산주의 국가에서 지도부는 매주 한 번 회의를 가졌는데, 폴란드에서는 한 달에 한 번 회의가 열렸다.[36]

카다르와 마찬가지로 고무우카는 개인적으로는 검소했고, 저택이 아니라 작은 아파트에서 생활했다. 그러나 카다르와 다르게 자신의 이런 특성을 이용하여 대중들에게 좋은 인상을 심으려고 노력했다. 그의 기준은 서유럽의 성장하는 소비자 사회가 아니라 위기로 점철되었던 1930년대 폴란드에 대한 생생한 기억이었다. '그의' 폴란드는 그러한 과거를 뒤로하고 근로자들에게 기본적 안전과 소박하지만 의지할 만한 생활수준을 보장하

• 루블린주에 위치한 푸와위 출신 공산당 지도자들로 폴란드 통합노동당(PZPR) 내 중요한 정파를 이루었다.

는 것이었다. 그래서 고무우카는 그의 젊은 시절의 노동자들이 꿈도 꿀 수 없었던 커피 한 잔은 버릇없는 지식인에게는 사치였고, 그는 커피 수입을 중단한 돈으로 얼마나 많은 공장을 지을 수 있는지를 계산했다. 또 하나의 '사치'는 따뜻한 해변에서 여름휴가를 즐기는 것이었다. 이것은 그가 남부 폴란드의 정유공장에서 자물쇠공으로 일할 때 아무도 꿈꿀 수 없던 사치였다. 그는 자신의 스파르타적 기준을 개인 주택에도 적용해서, 노동자들이 사용하도록 배당된 아파트 건물 구역 내부 설계를 직접 하기도 했다. 부엌에 창문을 내는 것은 장난과 같은 짓이었다.

이와 동시에 인류가 자본주의를 넘어서서 앞으로 전진하고 있다고 믿고 있는 공산주의자인 그는 시장 체제나 반‡사유권과 같은 어떠한 개혁이나 타협에도 반대했다. 이것은 자본주의자 계급이 다시 부상하게 만들어서 역사를 뒤로 가게 만드는 것이었다. 그가 보기에 헝가리 같은 경제 실험은 정치적 안정을 위험하게 만들 수 있었다. 사회주의는 엄격한 당의 통제를 받는 중공업을 의미했다. 이것은 폴란드에 현대적 경제의 기반을 만들어주고, 서방이 점유한 이익을 축소시킬 수 있었다. 고무우카 정권에서 경제계획자들은 소비재 산업과 경공업을 희생하고 금속, 광업, 기계제작, 화학 산업에 투자를 집중했다.[37]

그러나 그의 통치 초기 국제 긴장의 완화로 자원을 군비 생산으로부터 전용할 수 있었고, 폴란드인들의 생활수준은 눈에 띄게 향상되었다. 1956-1957년 실질 소득은 10퍼센트 증가했다. 1958년이 되자 수입은 25퍼센트 이상 상승했다. 도시에서는 소규모 사업을 위한 공간이 열리고 (소규모 장인 가게가 50퍼센트 늘었다), 강제적 농업집단화가 중단되면서 개인적인 사업 주도가 농촌으로까지 확산되었다. 정부는 강제적 우유 배급제도를 중단하고, 농산물 가격도 상승했다. 1959년이 되자 소지시나 육류 부족에 대한 불평이 사라지고, 농업은 2차 세계대전 이후 가장 높은 생산량을 기록했는데, 이것은 거의 전적으로 사적 농업 경영 덕이었다. 많은 농민들이 개인 영농으로 돌아가면서 집단농장의 농업 생산 비중은 계속 낮은 수준에 머물러서, 1957년 15퍼센트, 1960년 13.2퍼센트, 1970년 15.9퍼센트에 불과했다.[38]

그러나 이러한 타협은 일시적인 것에 불과했다. 장기적으로 고무우카나 다른 어떤 레닌주의자도 사적 기업이 사회주의의 일부가 될 수 있다고 생각하지는 않았다. 1980년대 중반까지 소련은 폴란드를 압박하여 완전한 집단화를 강행하도록 만들었고, 사적인 대화에서 다른 나라의 공산주의자들은 폴란드 동지들에게 폴란드가 처한 정치, 경제 곤경의 원인은 사적 농업에 있다는 것을 귀가 닳도록 얘기했다. 그러나 폴란드의 공산주의자들 스스로도 이에 영구히 안주한 것은 아니었다. 1956년에 일어난 일은 독자적 농민과의 평화조약이 아니라 휴전에 불과했고, 고무우카는 약한 소모전을 통해 이익을 얻을 수 있다는 희망을 가지고 저강도 게릴라 전쟁을 벌이고 있었던 셈이었다. 지도부는 명백한 강압은 포기했지만, 농민들을 압박하여 집단화에 순응하도록 하는 것은 포기한 적이 없었다. 1958년 공산당 지도부는 농기계 사용을 감독하는 농민연맹Kolki rolnicze을 결성했다. 시간이 지나면서 이 연맹은 농기계를 수단으로 농민들이 집단화에 응하도록 만들었고, 이를 거부하는 사람들에게는 농기계 대여를 하지 않았다.[39] 이와 유사하게 연금과 보험이 농촌에 도입되었지만, 국영농장에 들어오려는 사람들에게만 적용되었다.

고무우카는 개인적 농업을 증진시키려는 조치는 전혀 취하지 않았고, 투자 재원은 여전히 중공업에 집중적으로 할당되었다. 스탈린주의 시기 (1950-1955), 농업에 할당된 예산은 10퍼센트에 불과했고, 후에 17.4퍼센

베를린 장벽 동쪽을 걷는 고무우카와 치란키에비치(1962)

트(1966-1970), 15.2퍼센트(1970-1975)로 올라갔다. 이에 두 배에 달하는 예산이 교통 발전에 투입되었다. 국가는 농촌에 시장 체제가 발전하도록 허용하지 않았고, 유일한 재원 공급자였으며, 동시에 농산물의 독점 구매자 역할을 했다. 정부는 자재 공급가는 너무 높게, 농산물 구입가는 너무 낮게 책정하여 투자와 생산성을 위축시켰다.[40] 1971년까지는 아무리 큰 계획을 가진 농민이라도 15헥타르 이상의 농지를 구입할 수 없었고, 여러 곳에 떨어진 작은 농지들을 경작해야 했기 때문에 모든 농지를 제대로 잘 경작할 수 없었고, 많은 땅이 경작되지 않은 채 방치되었다.[41] 1977년 국가 농지펀드panstowowy fundusz ziemi에 할당된 1900만 헥타르의 농경지 중 100만 헥타르가 경작되지 않았다. 그리고 농장들은 자주 높은 강제 수납량을 요구받았고, 이러한 관행은 1972년에야 중단되었다.

농촌은 이러한 정책에 대한 복수를 했다. 도시들이 성장하는 동안 농촌은 점점 더 지루한 곳이 되었고, 젊은이들 수십만 명 농촌을 떠나서 뒤에 남은 늙은 농부들은 은퇴하기 전까지 자신의 농토를 간신히 경작했다. 생산성이 떨어지는 농업은 늘어나는 도시 인구가 필요로 하는 만큼의 육류를 생산해내지 못했고, 폴란드의 국가사회주의는 이에 대한 해결책이 없었다. 점점 늘어나는 육류 수요에 대해 정부가 취할 수 있는 유일한 방법은 육류 가격을 높이는 것이었다. 그러나 이런 조치가 취해지자 산업 노동자들이 파업에 돌입했고, 이것은 1980년 대중적 지지가 큰 독립적인 자유노조 운동인 솔리다르노시치Solidarity를 출발시켰다. 정부가 택한 한 가지 방법은 농산물을 해외에서 수입하는 것이었는데, 이것은 폴란드가 충분한 공산품을 수출하는 동안만 작동할 수 있었다. 그러나 폴란드가 생산하는 공산품은 세계 시장에서 경쟁력이 없었기 때문에 곡물을 수입하려면 외국으로부터 차관을 받아야 했다(부록 표 2).

그러나 이러한 전략은 폴란드의 레닌주의자들에게는 금기사항이었다. 카다르와 다르게 고무우카는 자본주의 세계에 의존하는 것을 가능한 피하려고 했고, 그는 농업의 자급자족과 사회주의 블록에서 들여올 수 있는 기술에 의존하여 산업의 자립정책을 추구했다.[42] 헝가리 지도부와 다르게 폴란드 최고 지도자들은 개혁에 저항하고, 명백히 누적되는 문제에도 불구하고 중앙계획경제를 고집했다. 과도한 원자재 소비, 비효과적인 에너지 사용, 노동 증가에 의존한 생산목표 달성(투입할 노동은 충분했음), 생산과정의 소모성 등이 이러한 경제 체제의 문제였다. 폴란드에서 석탄 광산을 하나 만드는 것은 서방보다 두 배의 자금이 소요되었다. 지방 당 지도자들은 효과적인 생산에는 관심이 없었고, 계획이 달성되기만 하면 자신들의 과제가 달성되었다고 생각했다. 문제점을 지적하는 사람은 당 지도부의 권위에 도전을 하는 것이고, 그들 자신이 문제로 낙인찍혔다.

그러나 도시와 노동 계층이 늘어나면서 이런 상황에서도 폴란드 경제는 성장했다. 1965년의 폴란드는 점점 더 현대적 사회의 모습을 보여주었다. 카페, 레스토랑, 영화관이 늘어나고, 남녀 모두 당대의 유행에 따라 치장을 하고, 출산율은 높아지고 기대 수명도 늘어났다. 자동차, 냉장고, 세탁기 수도 늘어나고, 현대화는 농촌의 모습도 변화시켰다. 1955년 농촌의 전력화는 33퍼센트에 불과했지만, 1970년이 되지 90퍼센트까지 전력화가 달성되었다.[43] 그러나 이와 동시에 물건을 사기 위해 줄을 서는 것이 일상화되었다. 이것은 구매 욕구가 달성되지 않은 것을 반영한 것인지, 단순히 하나의 습관이 된 것인지도 불분명했다. 물품 부족이 발생한 경제에서는 사람들은 상점에 물건이 나타나자마자 구입을 하고, 무슨 물건이 판매되는지도 묻지 않고 습관적으로 줄에 서게 된다.

소비자 사회 기준으로 보년 폴란드는 서빙에 비해 뒤떨어졌다. 바르사바의 조명은 파리는 말할 것도 없고 서베를린과 경쟁할 수 없었다(부록 표 5). 그러나 한 부분에서 고무우카는 옳았다. 1960년대의 폴란드는 1930년대의 이상을 넘어섰다. 그러나 인구의 절대다수가 기본적인 생활의 수요를 채우는 데 어려움을 겪고 있었다.[44] 여전히 주거 공간 문제는 전혀 해결되지 못하고 있었다. 1960년부터 1970년까지 350만 채의 주거가 만들어졌지만, 100만 명 이상이 아파트 대기 명단에서 기다리고 있었고, 이 숫자는 더 늘어날 전망이었다.[45]

헝가리의 상황은 사뭇 달랐다. 형식적으로 모든 것은 집단적이었지만, 실제적으로는 많은 집단 농업 형태가 개인이 소유한 농지를 이용하고 있었고, 국가는 상당한 면적의 개인 경작지, 시장 체제, 농산물 다양화, 이익 창출을 허용했다. 그러나 이 모든 것은 일정한 제한 속에 이루어졌다. 그결과 생산성은 점차로 향상되었다.[46] 헝가리 공산당은 장기적으로 시장과 개인 경작지가 줄어들 것으로 기대하고, 그 동안만 실용적 타협을 하려고 했다. 형식으로는 시장 지향 농민들은 집단농장 농민들이었기 때문에 이들을 징벌할 이유가 없었다.

폴란드의 반체제 운동

시간이 지나면서 제대로 작동하지 않는 폴란드 경제는 반체제 운동을 태동시켰다. 경제적 곤경은 사람들을 거리로 나오게 했고, 결과적으로 고무우카와 그의 후계자를 실각시켰다. 그러나 문제는 근본적으로 경제 문제가 아니었다. 그 이유는 기본적 생산자인 농민들은 어떠한 상황에서도 조상으로부터 물려받은 농지를 무신론적인 국가에 헌납하고, 볼셰비키가 만든 집단농장에서 살려고 하지 않았다. 만일 그렇게 했더라면 폴란드는 노동자들로 하여금 파업에 나서고 체제를 마비시키도록 하지 않을 만큼 충분한 육류를 생산할 수 있었을 것이다. 농민들을 징벌하는 것은 폴란드를 징벌하는 것이고, 이것은 폴란드를 대표하여 통치를 한다고 하는 사람들을 위험하게 만드는 것이다.

그러나 문제는 농민을 넘어서서, 농민을 집단농장에 몰아넣은 것이 임무인 당 관료들에게까지 영향을 미쳤다. 폴란드의 당 관료들은 인구 비율상 다른 곳에서보다 적었고, 열의도 떨어졌다.[47] 마르크스-레닌주의의 불길은 다른 곳만큼 활활 타오르지 않았고, 다른 곳보다 빨리 사라졌다. 이렇게 된 한 가지 이유를 찾아내는 것은 어렵다. 궁극적으로 공산주의는 세계를 고통과 착취가 없는 곳으로 변형시키는 것이 최종 목표였다. 혁명은 일어났지만, 그런 세계는 어디에서도 찾아볼 수 없었다. 대신에 한때 민주주의를 외치다가 지금은 자신들의 권력에만 관심이 있는 고무우카 패거리만 있었고, 엘리트 아래에는 무엇보다도 자신의 축재에만 관심이 있는 당과 정부 관료들이 있었다.

고무우카는 자신이 타협을 했다는 사실에도 무감각했다. 당내 좌파와 우파의 도전을 제거한 다음 그는 자신 있게 위협적으로 사회의 생활을 '인도하는' 당의 임무에 대해 말했다. 1958년 그는 영향력이 있는 한 경쟁 기구의 세력을 크게 축소했다. 그것은 가톨릭교회였다. 가톨릭교회가 진보의 과정에 적응해야 하고 사회주의에 대한 희망 없는 투쟁을 포기해야 할 때가 왔다고 그는 주장했다. '중세 시대의 유물인 국가에 대한 교회의 우월권'은 영원히 사라졌다고 그는 선언했다.[48]

그러나 도전은 '교회'라는 단어가 의미하는 것보다 훨씬 복잡했다. 교회에는 고무우카가 사회적 우월성을 과시하는 것을 싫어한 주교들의 위계가 있었고, 수백만 명의 신도들이 있었다. 스탈린주의 시기 동안 공산당은 가톨릭을 완전히 파괴하려고 하지 않았다. 물론 신부들 속에 스파이와 정보원을 심어놓고 1954년부터 1956년까지 수석대주교 비신스키를 연금하기는 했었다. 국가는 1958년까지 기다렸다가 세속화 작업을 시작했다. 십자가를 없애고, 학교에서 종교 교육을 중지시키고, 교회에 출석하는 당원들은 공직을 맡지 못하게 했다(그러나 당에서 축출하지는 않았다).[49] 이제 국가는 본격적인 공세에 나서서 허가가 내려진 교회 건축을 취소하고, 교회가 소유한 건물들을 압수했다.

이로 인한 직접적인 결과는 대중과의 대립이었다. 1960년 5월 서부 폴란드의 젤로나 고라의 '가톨릭 집'에서 진행되던 종교 교육을 담당하던 사제들을 건물에서 추방하려는 시도로 인해 약 5000명의 시민이 거리로 나와 시위를 벌였고, 멀리 포즈난에서까지 파견된 경찰은 곤봉으로 시위대를 무자비하게 해산했다. 그러나 여성들은 가톨릭의 집 내부에 머물며 무릎을 꿇고 계속 기도를 했다. 최종적으로 220명 이상의 시위자가 체포되고, 160명의 경찰이 부상당했다. 공개재판이 진행되어 시위에 참가했던 사람들은 최대 5년 실형이 선고되었지만, 교회는 파괴되기는커녕 약화되지 않았다. 폴란드 남동부 프세미시우에서는 1963년 정부가 오르간 연주자들을 교육시키는 학교를 폐쇄하자 이에 항의하는 폭동이 3일간 벌어졌다.[50] 대규모 시위에 대비하기 위해 3000명의 경찰이 멀리 실레시아에서까지 파견되었다.

가장 큰 시위는 새로운 사회주의 철강 생산 도시 노바후타에서 일어났다. 이곳에서는 1957년 정부가 교회 건축을 허가했다가 이를 최근에 취소했었다. 사회주의 도시에는 교회가 필요 없다는 것이 건축 취소 사유였다. 1960년 4월 27일 신자들이 건축 공사장에 세운 십자가를 파내기 위해 일꾼들이 모여들자, 여자 행인들은 서로 팔을 잡고 십자가를 감쌌다. 그러는 동안 다른 사람들은 진흙덩어리를 던져 일꾼들을 물러나게 만들었다. 그러자 인근 아파트 주민들이 모여서 다시 십자가를 땅에 박아 세웠다. 레닌 철강공장 근무 교대 시간이 되자 군중은 크게 불어나며 폭동이 일어났고, 인근 크라쿠프에서 온 대학생들도 시위에 가담했다. 결국 181명의 경찰이 부상당하고, 거의 500명의 시위자가 체포되었다. 고무우카의 오른팔이나 마찬가지인 제논 클리슈코가 시위 진압 작전을 지휘했다. 진압 작전의 일부로 '건강 통로'라고 불린 통로로 시위자들을 통과하게 만들고 양쪽에서 진압 경찰이 이들을 곤봉으로 구타했다.[51] 그러나 최종적으로 십자가는 원래 있던 자리에 그대로 서 있게 되었다.

일부 관측자들은 고무우카가 불필요하게 반대파를 자극했다고 평가했다. 이 도시들과 다른 곳에서 그는 가톨릭 신자들을 이전보다 더 열심히 교회에 출석하게 만들었다. 그러나 고무우카는 폴란드 국민들을 단합시키는 투쟁이 시작되고 있다는 것을 감지했다. 폴란드의 가톨릭교회는 소련 블록 다른 곳과 비교할 수 없을 정도의 재정적 자립을 유지하고 있었다. 교회는 신학교, 신문과 루블린에는 가톨릭 대학까지 소유하고 있었다. 가톨릭교회는 자신들이 국민을 대변한다는 사회주의 지도부의 주장에 도전할 수 있는 하나의 기구였다. 그러나 교회의 민족주의화는 최근에 일어난 일이었다. 특히 1918년 이전 교회는 폴란드의 민족 독립 투쟁에 특별한 관심을 기울이지 않았다. 로마교황청은 러시아의 차르를 비롯한 모든 세속 권력은 신神으로부터 온다고 가르쳐왔었다.[52]

이런 상황에서 고무우카는 교회와 싸우는 선택을 했다. 그는 주교들이 사회주의가 붕괴할 것을 기대하고 있다는 것을 제대로 알아차렸고, 그는 이들이 보여주지 않는 충성의 표시를 원했다. "교회는 우리와 전쟁을 하고 있다. 그러나 교회는 이 전쟁에서 이길 수 없다. 우리가 이길 것이고, 역사는 당신들을 옆으로 쓸어버릴 것이다. 비신스키는 늘 이것저것을 요구한다. 그는 사람들의 영혼을 지배하려고 한다. 그러나 이 나라에서 사회주의가 영혼을 지배하고 있다. 사회주의는 영혼을 찾아 손을 뻗고 있고, 교회는 이 문제에 아무 권리도 없다!"라고 고무우카는 1959년 가톨릭 지식인에게 말했다.[53]

그러나 교회 조직이 동의하지 않는 것은 바로 이 문제였다. 노바후타에 교회를 건립하려는 투쟁은 신자의 영혼과 폴란드의 영혼을 구하기 위한 투쟁이었다. 크라쿠프 추기경은 역동적인 38세의 카롤 보이티와를 부주교로 임명했다. 그는 다국어를 구사하는 섬세한 인물로 전에 연극배우로 활동했었고 독일 점령 시기에 공장에서 노동을 해서 노동자들과 같이 지내는 것을 편하게 느꼈다. 보이티와가 보기에 국가는 노바후타에서 자신들이 대변한다고 주장하는 계급을 크게 실망시켰다. 1955년 신문기자 리샤르드 카푸시친스키는 이 새 도시를 서술하는 글을 필요했는데, 노바후타는 중심 없는 삶과 돈만이 유일한 가치인 곳으로 묘사되었다. 8명의 남자에게 임질을 전염시킨 것으로 알려진 14살 먹은 창녀는 그가 구토를 할 정도의 저속한 언어를 사용했다.

1977년 봄 크라쿠프의 추기경이 된 보이티와는 노바후타의 십자가가 있던 자리에 세워진 방주 교회를 직접 축복하며 새로운 담론을 제시했다. "이곳은 아무에게도 속하지 않은 도시가 아닙니다. 이곳은 당신 마음대로 할 수 있고, 생산과 소비의 규칙에 의해 조종할 수 있는 사람들의 도시가 아닙니다. 이 도시는 신의 자녀들의 도시입니다." 2년 뒤 그는 다시 한 번 노바후타에 나타났는데, 이번에는 교황 요한 바오로 2세로 이곳을 방문했다. 교황은 "노바후타의 십자가를 지킨 것은 교회를 강하게 만들었고, 기독교 선교의 새로운 지평을 보여주었다"고 말했다.[54] 다음해 이 철강 도시는 독립 자유노조의 요새가 되었다. 교회에 대한 지원은 노바후타 노동자들의 고향인 전통적인 농촌 공동체와 국가가 포장도로, 전기, 학교로 다가간 농촌에서 더 확고했다.

그러나 레닌주의의 반교회적 전투원들을 몰아낸 투쟁은 천년 기념해에 일어났다. 1966년 폴란드 국가 창설 천년 기념은 폴란드 기독교 천년 기념해이기도 했다. 가톨릭교회는 오랫동안 이 해를 기념하는 준비를 해왔었다. 1957년 비신스키는 쳉스토호바에 있는 '검은 성모 마리아' 초상 복사본이 교황 비오 12세의 축복을 받게 했다. 원 초상화는 1652년 모든 것이 끝났다고 여기진 상황에서 스웨덴을 격파한 폴란드군이 전장으로 가지고 갔었다. 폴란드 왕 얀 소비에스키는 성모 마리아를 '폴란드의 여왕'으로 선포했다. 비신스키 추기경은 초상화 복사본이 폴란드 전역을 순례하도록

대주교 카롤 보이티와(세 번째 줄 우측에서 두 번째, 로마, 1975)

했고, 순례 후 이것이 모든 교구에 전시되도록 지시했다. 일부 신자들은 성모 마리아 초상을 집에 모시는 영광을 누리기도 했다. 1966년 6월 정부는 더 방관할 수 없다고 결정하고 이 초상화를 압류하여 쳉스토호바로 돌려보냈다. 사람들은 성모 마리아가 체포되었다고 농담했다. 그러나 초상화 없는 그림들이 순례를 계속했다. 카토비체 교구에서는 주민 3명 중 1명 비율로 이 순례 행사에 참여했다.[55]

이러한 사건들은 20세기 가톨릭의 가장 큰 사건인 2차 바티칸공회 몇 달 후에 일어났다. 공회에 참석한 폴란드 주교들은 독일 주교들에게 편지를 보내 폴란드에서 열리는 기독교 수용 천년 기념행사에 참석하도록 초청했다. 그러나 이들은 편지에 예상하지 못한 결론을 넣어 세계 여론을 깜짝 놀라게 했다. "우리는 용서를 하고, 용서를 구한다." 이제 폴란드와 독일이 화해를 할 시간이 되었지만, 이것은 기독교의 단합을 요구하는 것만큼 유럽의 분열에 반대한다는 메시지를 담고 있었다. 서독인들은 폴란드의 영원한 적이라는 폴란드 공산당의 주장에 대항해서 주교들은 오랜 기간 지속되어온 양국의 우호 관계를 회상하고, 폴란드가 기독교 유럽의 일원이 되었을 때 중세 시대 독일인들이 수행한 조정자로서의 역할을 강조했다. 고무우카는 이 편지가 폴란드를 다시 서방으로 향하게 만드는 시도라고 판단했다.[56]

그는 또한 당이 다시 공격을 시작할 수 있는 황금과 같은 기회를 교회가 만들어주었다고 생각했다. 수천 번의 회의와 수십 개의 논문을 통해 공산당 선전가들은 누가 2차 세계대전을 일으켰는지, 폴란드 국민들이 얼마나 고통을 당했는지를 주교들이 어떻게 망각했는지를 따져 물었다. 폴란드인들은 전혀 사과할 게 없었다. 공식 폴란드 공산당 언론은 폴란드 주교들이 폴란드 민족주의를 '넘어선 것'을 축하하는 독일 신문의 기사를 발췌해서 실었다. 이것보다 더 좋은 배신의 증거가 어디 있겠는가?[57]

1966년 당국은 교회의 기독교 천년 기념행사를 가릴 의도로 대중집회를 조직하고, 바르샤바에서 미사를 마치고 나오는 군중을 폭행하기 위해 진압경찰을 보냈다. 선동자들은 "비신스키 추방!", "배신자!"라는 구호를 외쳤고, 경찰은 100명 이상의 신도를 "질서를 파괴했다"는 이유로 체포했다. 크라쿠프, 그단스크, 루블린에서도 충돌이 벌어졌고, 수백 명이 추가로 구금되었다.[58]

그러나 단계적으로 반교회 운동은 사그라들었다. 1967년 가을 폴란드 당국은 한발 물러서서 보이티와 추기경에게 노바후타에 교회를 건설할 수 있다고 말했다. 반교회 운동은 자멸적인 것으로 드러났다. 국가가 어떤 공세를 취하든 간에 교회는 이에 반격을 했고 새로운 기반을 확보했다. 학교에서 종교 교육을 금한 지 몇 년 안에 400만 명의 아동들이 '우후죽순' 생긴 '교리문답 학교'에 출석했다.[59] 이것보다 더 심각한 것은 지금까지 교회에 대한 공격을 가함으로써 공산 정권은 폴란드 사회의 다른 반체제 집단, 무엇보다도 지식인들로부터 취약한 부문에 공격을 받기 시작한 것이었다.

＊　＊　＊

20세기 초부터 폴란드 지식인의 상당수는 '비신자'로 자신을 내세웠고, 유명한 가톨릭 지식인들조차도 폴란드교회가 상대적으로 후진적이고, 농민 다수의 감정에 좌우된다고 믿는 경향이 있었다.[60] 그러나 지금은 작가와 학자들도 교회와 같이 공동의 목표를 수립하기 시작했고, 그 이유는 폴란드 문화의 생존에 대한 우려였다. 이들은 종교적 상징의 힘이 폴란드 민족성의 언어에 부여해주는 의미를 잘 알고 있었고, 가톨릭 사제들, 특히 교회가 민족의 영혼의 보호자라고 생각한 대학에 있는 사제들과 가까이했다. 반교회 운동은 마르크스주의자 지식인들까지도 실망시켰다. 이들은 고무우카의 대중선동은 그가 권력을 잡은 직후부터까지 거슬러 올라가는 실망스런 이야기의 최근 한 장章이라고 생각했다. 가톨릭과 폴란드 정체성은 서로 상대가 이용하기를 기다리고 있던 목표였고, 반교회 운동은 마침내 이 결합이 일어나게 만들었다.

지식인들을 다루는 데 있어서 고무우카의 약점은 사상의 부재에서 나왔다. 엄격한 당 노선은 사라졌고, 예상한 대로 고무우카는 강력한 중앙화를 원하는 '거친 사람들'을 다시 정부에 불러들였다. 이들 중 대표적인 예로, 줄리안 토카르스키는 전에 중공업부 장관을 역임했고, 1956년 포즈난에서 발생한 노동자들의 분노의 특별한 타도 대상이었다. 이제 토카르스키는 조용히 부총리로 복귀했다. 한때 조국군대와 다른 비공산주의 병사들을 처벌하는 책임을 맡았었던 대중의 혐오를 받는 스탈린주의자 카지미에즈 비타제프스키는 눈에 보이지 않는 곳에 있다가 이제 당 중앙위원회에서 가장 권력이 막강한 인물이 되었다.[61] 그와 비슷한 부류의 사람들이 한때 권력 분산도 무난하다고 말하던 다른 지도자들과 어색하게 뒤섞였다. 이렇게 되자 당 간부들은 고무우카가 규율을 강조할지 온건 노선을 취할지 확신하지 못했다. 그가 채찍을 휘두르며 재촉을 해도 선전선동 책임자인 에드바르트 오차브는 "그것은 좀 더 연구할 필요가 있다"며 시간을 끌었다.[62]

고무우카가 비판을 싫어한다는 첫 신호는 1957년 10월 처음으로 나타났다. 그는 학생들이 발행하는 주간지 《포프로스투》가 당 노선을 따르든지 아니면 사라져야 한다고 말한 후 이를 폐간시켰다. 이로 인해 바르샤바에서 며칠간 폭동이 일어나 500여 명이 체포되고, 180명이 부상당하고, 두 명이 사망했다. 이어서 마르크스주의 수정주의자들에 대한 숙청이 진행되어 1958년 5월까지 당원의 약 16퍼센트가 제거되었다. 폴란드 정부는 학생들과 노동자들 사이에 일어난 운동을 진압하고, 풀뿌리 대표제를 허용하는 '민족평의회national councils' 수립 계획을 취소했다. 고무우카는 잠시 동안 한 명 이상의 후보자를 허용하는 선거제도를 고려했지만, 자유로운 대표자 선택은 사회주의를 위험하게 만들 수 있다며 이를 취소했다. 검열제도는 더 광범위하게 시행되었고, 의회의 모든 결정은 다시 만장일치로 내려졌다. 1960년대 초에 고무우카는 폴란드 지식인들이 서방에서 수입하는 예술과 문학 조류보다 '사회주의 리얼리즘'이 더 우월하다고 주장하기도 했다. 1963년 10월 공산당은 고무우카의 오른팔이자 지식인이 되어보려다가 실패한 자괴감에 시달리는 신경병자인 제논 클리슈코가 이끄는 '이념 검토위원회ideological commission'를 설립했다.[63]

그러나 스탈린식 공포정치는 물론이고 스탈린주의식 통치로 되돌아갈 수는 없었다. 비판적인 지식인들도 사회주의 폴란드 존재 자체에 대해 공개적으로 비판하는 사람은 없었고, 상대적으로 안정된 시기가 이어졌다. 당원 숙청 후 공산당원은 다시 늘어나서 115만 명이었던 당원 수는 10년 뒤인 1963년 230만 명으로 늘어났다.[64] 충성과 희생을 동원하는 당의 능력은 계속 위축되었다. 새로운 당원들은 자신들의 출세에만 신경을 썼고, 영화감독들과 작가들은 당의 노선을 완전히 무시하고, 폴란드 역사의 이질화와 당대의 관심 문제를 파고들었다. 철학자들과 사회학자들은 자신들 분야에서 국제적으로 관심이 쏠려 있는 주제인 인간의 자유나 산업화 결과에 대한 실증적 연구 같은 주제에 매달렸다. 그러나 아직 허용되지 않은 것은 체제에 대한 직접적인 반항이었고, 이것은 몇 가지 악명 높은 탄압 사건을 통해 증명되었다.

1955년부터 지식인들이 모여 자유롭게 토론을 진행하던 '구부러진 원Crooked Circle' 클럽이 1962년 강제적으로 폐쇄되었다. 1963년 당국은 해빙 시대의 가장 중요한 잡지 두 개를 폐간시키고, 이것을 폴란드에서 반동적인 이념과 싸우기 위해 만들어진《문화Kultura》라는 월간지로 대체했다.[65] 책 발간 부수도 1957년 8500만 권에서 1962년 7800만 부로 줄어들었다. 예술가들과 작가들은 내무장관 미에치스와프 모차르 주변에 결집한 국수주의적이고 반지식인 성향의 당내 우파의 커지는 영향력을 우려하기 시작했다.

폴란드 지식인 중 상당수는 국가의 장래에 대한 염려가 점점 더 커졌다. 1964년 34명의 지도적 지식인들은 언론 자유의 헌법적 권리가 존중될 것을 요구하는 공개서한을 발표했다. 이들은 또한 정부의 반지식인 노선이 폴란드의 민족 문화에 미칠 결과에 대해 경종을 울렸다. 정권은 이러한 우려를 논의하는 대신에 이 서한에 서명한 한 지식인을 체포하고 다른 사람들에게는 여권을 몰수하고 출판권을 박탈했다. 몇몇 사람은 더 이상 언론에 언급되지 않았다. 가톨릭계 편집자인 예지 투로비치는 징벌하기 위해 그가 발행하는 잡지인《보편적 주간지Tygodnik Powszechny》에 대한 인쇄용지 공급을 줄여서 발행 부수를 4만 부에서 3만 부로 감소시켰다.[66] 그러나 공개서한은 국제적 주의를 끌었다. 편지 작성자들은 폴란드 최고의 철학자, 가장 인기 있는 시인, 가장 잘 알려진 문학비평가였고, 대중적이거나 전문적인 가장 영향력 있는 사회학자, 경제학자, 역사학자였다. 서명 집단은 너무 명사들로만 구성되어서 이 공개서한을 처음 제안한 작가 자신도 자신을 서명자에 포함시키는 것을 황송하게 생각할 정도였다. 이 서한이 작성될 수 있었던 것은 가톨릭교도이며 프리메이슨 회원이고, 독립적 사회학자였던 얀 요제프 리프스키가 수완 있게 여러 역할을 수행한 덕분이었다.

통치자들이 당면한 문제는 문화 압제에 대한 저항으로 형성되어 온 국가의 문화 명사들을 비난하는 것으로 해결될 수 없었다. 엄청나게 다양한 배경을 가진 사람들이 이 운동에 참여한 것이 더 큰 문제였다. 서명자 중에는 과거 스탈린주의자들, 망명 가톨릭 인사들, 최고의 마르크스주의 수정주의자들뿐만 아니라 마르크스주의와 완전히 동떨어진 방법으로 젊은 세대를 가르치는 교수들도 포함되어 있었다. 한 당 관료는 자신의 일기에 '후진적인 가톨릭 작가(스타니스와프 마츠키에비치)가 진보인사들(얀 코트, 아담 바지크)과 손을 잡은 것은 이 운동을 자멸적으로 만들 것'이라고 썼지만, 사실은 정반대였다. 배경이 어찌되었건 항의자들은 이러한 행동이 자유를 가져오는 것이라고 생각했다. 일부 서명자에게 이것은 스탈린주의에 대한 속죄였고, 다른 사람들에게는 외국 지배(전쟁 중 정복)와 외국 지배라고 느껴졌던 시기(스탈린주의)를 벗어나 마음대로 활보할 수 있는 자유를 뜻했다.[67]

이 시점부터 정치 엘리트와 지식인 계층 사이에 간극이 점점 넓어지는 것과 반정부 세력의 아이디어가 계속 나오는 것을 볼 수 있었다.[68] 정권은 34명의 서명자를 반혁명자로 낙인찍으려고 했지만 이미 정권은 타격을 입었다. 고무우카로서는 이 공개서한은 특히 크게 신경이 쓰였는데, 그 이유는 교회와 마찬가지로 서명자들은 공산당이 국가를 대표하는 권리를 문제 삼았기 때문이다. 젊은 반체제 역사가인 아담 미흐니크는 두 번째 서명자인 마리아 동브로브스카보다 폴란드인들에게 더 큰 인상을 남길 수 있는 사람은 성모 마리아밖에 없다고 썼다.[69] 이들에 대한 반격 전략을 더욱 어렵게 만든 것은 지식인들은 18세기 말 폴란드 분할 시기까지 거슬러 올라가는 가문적 연계가 있다는 사실이었다. 한 사람이 지식층의 모든 사람을 다 알고 있는 것은 불가능했지만, 이들은 이미 서로를 잘 알고 있는 사이였다. 지식인 집단은 어느 사회에나 존재하지만, 폴란드에서 특징적인 것은 이들은 국가 통제, 즉 처음에는 제정러시아와 독일, 다음에는 나치 정권 그리고 현재는 공산당의 통제 벗어나기 위해 형성되고 단결되었다는 점이다.

지식층의 구심점이 된 환경środowiska은 서로 교차하고 중첩될 뿐만 아니라, 한 사람 안에 모든 것이 존재할 수 있었다. 대표적 예로 작가인 얀 요제프 리프스키를 들면 그는 조국군대 전사였고, 애국적인 공학자의 아들이었으며 10대 시절부터 1991년 사망 때까지 다양한 '음모'에 개입했다. 2차 세계대전 중 지하 교육운동, 다음으로 조국군대 바슈타 연대, 1945년에는 '피크위크 클럽Pickwick Club'에 가담했었다. 피크위크 클럽은 바르샤바 중심부에서 벗어난 담배 연기 자욱한 바에서 커피나 보드카를 들며 칼 포퍼나 체스와프 미워시를 놓고 토론을 벌이던 회의주의적인 신실증주의 학생들의 서클이었다. 스탈린주의는 사회가 원자화되어 있다는 것에 신경을 쓰지 않고 학생들은 수도 없는 통제 불가능한 클럽을 만들었다. 어문학자와 사회학자 클럽, 성모 마리아에 헌신하는 가톨릭 클럽뿐만 아니라 다양한 조류의 마르크스주의자들이 클럽을 구성했는데, 과거 조국군대 전사들이 그 근간을 이루었다. 비밀경찰은 때로 이런 클럽 멤버들을 체포했지만, 계속 조직되는 클럽을 막지는 못했다.

1956년 이후 리프스키의 활동은 본격적으로 활발해졌다. 그는 《포프로스투》의 편집장이 되었고, '구부러진 원 클럽'의 지도자가 되었으며, 폴란드 학계에서 일자리를 찾았다가 잃기를 반복했다. 리프스키가 정부가 한때 민족적 극단주의자였던 인물들의 비위를 맞춘다고 비난하자 1959년 당국은 그를 일자리에서 쫓아냈다.[70] 그는 폴란드 작가동맹에서 급여를 받았고, 폴란드의 민주적 반정부 세력을 조직하는 일을 돕고 나섰다. 34인의 공개서한 다음에 59인 공개서한(1975), 노동자 보호위원회 서한(1976), 자유노조 솔리다르노시치 서한(1980), 독립사회민주당 서한(1988)이 나왔다. 이 모든 기간 내내 그는 프리메이슨 조직인 '코페르니쿠스'에 소속되어 있었다.

＊　＊　＊

고무우카에 대한 좀 더 직접적 도전은 극좌파에서 나왔다. 비마르크스주의자인 리프스키는 이들의 노력을 잘 알고 있었지만 그것을 조직하지는 않았다. 스탈린과 절연한 티토와 그의 동지들처럼 1956년 이후 폴란드 공산주의자들은 무엇이 잘못되었는지를 찾고 좀 더 나은 사회를 건설하는 새로운 지침을 찾기 위해 마르크스 텍스트를 샅샅이 뒤졌다. 마르크스주의자 하위집단들이 생겨났고, 이 중 바르샤바대학 철학-사회학과가 가장 강했다. 1965년 젊은 운동가 야체크 쿠론과 카롤 모젤레프스키는 공산당을 노동자들이 자생적 평의회를 통해 반대해야 할 자기만족적 관료주의로 묘사한 '공개서한'을 출판했다. 이러한 '이단적 행위'에 대한 징벌로 당국은 두 사람을 각각 3년, 3년 6개월 형을 선고한 후 먼 곳으로 보내 수감했다. 그러나 이러한 탄압은 도전을 더 양산했다. 대학의 동료들은 이들의 가족들을 돕기 위해 나섰고, 교수, 강사, 학생들은 이 사건을 토론하기 위해 모였다. 그래서 열기는 더 끓어오르고 엘리트 당 조직은 더욱 분열되었다.[71]

쿠론은 좌파 보이스카우트의 지도사였고, 비판적 마르크스주의에 대한 열정을 젊은이들에 전달해서 이들 중 일부는 1962년 당 철학자인 아담 샤프의 후원 아래 '모순을 찾는 클럽Club of Seekers of Contradictions'을 조직했다. 이 조직의 지도자 중에는 아담 미흐니크와 얀 그로스도 포함되었다. 이들이 역사와 사회학을 공부하기 위해 1965년 대학에 등록했을 때 이런 논쟁적 자유사상가들은 당 행사 때마다 당 관료들에게 문제를 제기하는 습관으로 인해 '특공대'라고 알려지게 되었다. 이들은 대학의 혁명적 젊은층의 한가운데 있었고, 미흐니크가 후에 회고한 대로 "다음에 무슨 일이 일어날 것인가"를 늘 곰곰이 생각했다. 이들은 당국이 대학 영역은 침범하지 않을 것으로 생각했기 때문에 안전하다고 생각했다.[72]

특공대는 1966년 10월 21일 폴란드 10월 사건 10주년을 맞아 철학 교수인 레셰크 코와코프스키를 초청하면서 고무우카의 레이더에 포착되었다. 한때 대표적인 마르크스주의 사상가였던 코와코프스키는 지금은 마르크시즘이 비합리적인 믿음에 의해 버티고 있는 신조로 묘사했고, 폴란드의 경우에는 자의적이고 비효율적인 지배를 정당화는 이념으로 묘사했다. 폴란드 주권 문제건, 경제적 불합리성의 제거건, 언론과 집회결사의 자유건, 지도자들은 사회에 대해 책임을 져야 한다는 인식이건 1956년의 약속은 배신당했다고 그는 선언했다. 형법은 정치적 농담과 검열되지 않은 서적을 단순히 소지하고 있는 것도 처벌 대상으로 삼았고, 정부는 경멸의 대상이 된 법규도 옹호했다. 그는 폴란드는 궁핍에 시달리는 사회일 뿐 아니라 유아사망률이 유럽에서 가장 높은 국가라는 것을 지적했다. 특히 이 마지막 지적은 최고 지도자들을 격분시켰는데, 곧 코와코프스키는 당에서 축출되었다. 그러나 최악의 것은 폴란드의 궁핍이 아니라 희망의 부재라고 코와코프스키는 지적했다.[73]

코와코프스키가 느낀 절망감은 좌파 지식인 엘리트층을 관통했다. 반체제 인사들은 한때 당이 출세를 위해 배정해놓았던 유명 인물들이었다. 사회학자 지그문트 바우만과 마리아 히르조비치, 역사가 아담 케르스텐, 브로니스와프 바츠코, 브로니스와프 게레메크, 경제학자 브위지미에시 브루스가 이 그룹에 포함되었다.[74] 그러나 이들은 반체제 운동을 만들기 희망했던 바츨라프 하벨이 후에 쓴 대로 '말 그대로 빙산의 일각'에 지나지 않았다. 이렇게 신앙을 잃거나 잃어버리고 있는 마르크스주의자들을 당에서 제거하는 것만으로는 충분하지 않았다. 이들은 당이 국민의 의지를 구현하고 있다는 주장을 논박할 수 있는 어떤 자리에서건 몰아내야 했다. 이것은 대개 강제적인 해외이주로 귀결되었다.

그러나 강압만이 공산당의 유일한 대응방법은 아니었다. 합법성을 확보하기 위해 새로운 전략으로 고무우카는 새로운 공격 노선을 고안해낸 사람들, 좀 더 정확히 말하면 옛 노선의 사람들을 정부로 끌어들였다. 이 노선은 바로 인종적 국수주의였다.

1956년 10월 이전에도 지도부는 스탈린주의에 대한 대응은 '폴란드식 길'이 되어야 한다는 것을 이해하고 있었다. 이것은 인종적으로 폴란드여야 하고 유대인은 시야에서 사라져야 한다는 것을 의미했다. 보안기관에 유대인 배경을 가진 사람들이 너무 큰 비중을 차지하는 것(1944-1945년 공공보안부 과장의 37퍼센트가 유대인이었다)는 그냥 넘어갈 수 있는 일이 아니었고, "유대인들이 폴란드인들을 체포하고 있다"는 소문까지 돌고 있었다.[75] 1956년 당 정치국 회의에서 전 사회주의자이자 아우슈비츠 수감 경력이 있는 요제프 치란키예비치는 "아리아인종 간부들을 양성해야 한다는 것은 우리 모두가 알고 있고 잘 이해하고 있다"라고 말했다. 같은 해 정치국은 보안, 이념, 경제를 담당하고 있던 유력한 유대인 공산주의자인 야쿠프 베르만과 힐라리 민츠를 해임시켰다.

그러나 유대인 배경을 가진 사람들에 대한 숙청은 스탈린주의자를 넘어 고무우카가 1956년 편을 들었던 푸와위 파벌의 자유주의자들까지 대상으로 삼았다. 이들을 대체한 것은 폴란드를 떠나지 않고 숲에 숨어서 2차 세계대전을 난 '본토 공산주의자들'이었다. 이들은 모스크바에서 전쟁을 나고, 소련 권력에 의해 출세를 한 베르만과 민츠 같은 '유대인 공산주의자들'을 극도로 혐오했다. 인종적·정치적 순수성에 대한 캠페인은 군부로까지 확산되어 군정치부 책임자인 보이치에흐 야루젤스키는 자유주의자('수정주의자')와 유대인을 폴란드 장교단에서 몰아냈다.[76]

이 와중에 고속 출세를 한 미에치스와프 모차르(1913-1986)는 당의 채널을 통해 애국적 불만을 불어넣었다.[77] 노동자 가족 출신으로 소련 군사정보 요원이 되었던 모차르는 '파르티잔'이라고 알려진 일군의 민족주의자들을 모았다. 내세울 만한 고유의 프로그램이 없는 이들은 지식인, 자유주의자, 독일인, 유대인에 대한 혐오감을 부추겼다. 유일한 문제는 소련이 얼마나 이들의 행동을 허용할 것인가였다. 경제도 숨 가쁜 상태에 있었기 때문에 고무우카 자신도 우파의 공격에 취약한 상태였고, 규율과 근검을 넘어서는 아이디어가 없던 그는 '민족'을 도전할 수 없는 가치의 위치로 고양시키고 모든 사람이 측정되는 판단의 근거로 만들었다.[78] 폴란드는 공산주의에서 벗어나지 않았고 모스크바에 충성했지만, 공식 노선은 1930년대의 민족민주당을 반향하기 시작했다. 여기에는 파시스트 우익 파벌인 팔랑가falanga 노선도 포함되었다. 이것이 1959년 요제프 리프스키가 실각하게 된 배경이었다. 그는 한때 팔랑가 파벌의 지도자였고, 인민 폴란드공화국에서 높은 지위를 차지했던 볼레스와프 피아세츠키를 공개적으로 비난했었다. 2차 세계대전 직후 당시 구성되고 있던 공산당 정권은 경건한 가톨릭교도인 피아세츠키에게 가톨릭들이 충성스런 폴란드인으로서 공산당과 협력하는 조직을 운영하게 맡겼다(일례로 독일인을 추방하고 폴란드인들을 서부로 이주시키는 일). 피아세츠키가 운영하는 기업은 팍스PAX라고 불렸고, 자체 신문과 성경 독점 인쇄권을 가진 출판 대기업과 널리 팔리는 세제인 루드비크를 판매하는 기업을 소유하고 있었다. 폴란드-유대인 양극적 대립이 다시 공적 담론에 나타난 것은 이러한 인식을 배경으로 하고 있었다.[79]

인종적 민족주의로의 이동은 즈비그뉴 잘루스키의 저술 이외에는 체계적 이념적 준비 없이 진행되었다. 퇴역 군인이자 기자로서 1962년 폴란드 민족주의에 대한 좌파 비판자들을 목표로 한 책을 출간해서 악명을 얻었다. 당내의 자유주의자들은 잘루스키가 대체 이념을 만들어내고 있다고 말했고, 이것은 사실이었다. 그는 마르크스-레닌주의는 주민들의 충성을 끌어낼 수 있는 힘을 잃었기 때문에 좀 더 오래된 사상을 변형시킬 필요가 있다고 보았다. 마르크스와 레닌이 가르친 것과 대조적으로 역사는 과거와의 완전한 단절을 만들어내지 않고 사회주의자들은 국가의 풍부한 유산에서 교훈을 이끌어내는 것 이외의 대안은 없다고 주장했다. 사회주의자들은 "우리는 하늘에서 떨어진 존재가 아니다"라는 것을 보여주기 위해 역사를 사용해야만 했다. 그는 계급의 연대에 대해서는 한마디도 하지 않았다.[80] 잘루스키의 새로운 주장은 전 당 최고 간부였고, 모스크바에서 교육을 받은 아담 샤프에게 경종을 울렸고, 그는 당의 과제는 국제주의이고, 인종주의와 싸워야 하며, 이것은 유럽에서는 반유대주의와 싸우는 것을 의미한다고 주장했다. 그러나 1960년 말이 되자 그의 관점은 지도부와 마찰을 일으켰고, 샤프 자신이 비판 대상이 되었다.

1967년 모차르의 파르티잔 집단은 고무우카를 공격할 준비를 했다. 그 이유는 고무우카 정권은 당 내외에서 효과적인 견제 장치 없이 민주적 사상이 확산되도록 허용했기 때문이었다.[81] 고무우카는 함정에 빠졌고, 유일한 탈출구는 초민족주의자들ultra-nationalists의 민족주의조차도 넘어서는 것이었다. 그는 폴란드에 남아 있는 보잘것없는 유대인 공동체에 대한 공격에 가담하고 이를 이끌었다. 그 당시 유대인 인구는 대부분의 폴란드 유대인들이 해외로 이주한 후 뒤에 남아 있던 약 2만 명의 나치 인종학살 생존자와 그 가족들뿐이었다. 이들은 폴란드나 공산주의에 충성했기 때문에 아니면 두 가지 다였기 때문에 폴란드에 남아 있었다.

남동부 유럽의 민족공산주의

정도는 달랐지만 불가리아와 루마니아 지도부도 마찬가지로 민족적 아젠다를 이용하여 1956년 이후의 기회와 도전을 자신들의 권력을 공고화시키는 데 이용했다. 두 경우 모두 접근법은 완전히 새로운 것은 아니었다. 2차 세계대전 종전 초기 불가리아 정권은 그리스와의 국경에 있는 이슬람 주민 마을들을 내륙으로 이동시켰다. 1950년 정부는 불가리아 튀르키예인들을 튀르키예로 이주하도록 압박을 가했고, 1951년 말까지 최대 15만 5000명의 튀르키예인이 불가리아를 떠났다.[82]

동유럽 정권 중 불가리아는 다른 나라와 다르게 스탈린주의 시대부터 계속 이어서 한 개인이 권력을 유지하고 있었다. 2차 세계대전 중 레지스탕스(반나치 저항) 운동 지도자였던 토도르 집코프는 1954년 집단 지도체제를 강화하는 운동의 일부로 당 지도자가 되었지만, 2년 후 더 경력이 많은 발코 체르벤코프를 개인숭배를 유지했다는 이유로 물러나게 만들었다. 그 이후 집코프의 권력은 심각한 도전을 받지 않았다. 동독과 체코슬로바키아에서와 마찬가지로 1960년대 초반까지 공포정치와 중공업 위주 정책을 폈던 초기에 통치했던 당 지도부의 단절은 없었다. 정권은 너무 안정적이어서 소련에서 온 관광객들은 외국에 온 것 같지 않다고 농담을 했다. 집코프는 다른 동유럽 공산당 지도자보다 모스크바와 밀접한 관계를 유지하고 있는 것을 자랑스럽게 여겼다. 그는 두 나라는 "하나의 허파로 숨을 쉬고 있고, 우리 혈관에는 같은 피가 흐르고 있어서 두 국가는 이빨과 입술처럼 가깝다"고 주장했다.[83] 그는 불가리아가 소련에 합병될 수도 있다고 제안했지만, 이 아이디어는 소련이 거절했다.

그의 친소련 행보는 지역 주민들에게 어필하는 방법이었다. 러시아는 해방 세력으로 큰 존경을 받아서 불가리아의 동맹이었던 독일은 2차 세계대전 중 불가리아 주재 소련 대사관을 폐쇄할 것을 요구하지 않았다. 그러나 1960년대 불가리아 공산당 지도자들은 스탈린이 살아 있을 때만큼 안전감을 느끼지 못해서 새로운 정권 유지 방법을 찾았다. 불가리아 경제는 체코슬로바키아나 헝가리처럼 소비자주의 관행을 실현하지 못했기 때문에 지도자들은 민족적 정체성을 강조하는 방법을 택했다.[84] 정권의 우려를 증폭시킨 것은 1960년대 후반부터 시작된 인구 감소였다. 이것은 농촌 지역에 주로 거주하는 튀르키예인보다 불가리아인들에게 더 큰 영향을 미쳤다.[85]

소련 20차 공산당대회에서 흐루쇼프가 스탈린 격하 연설을 한 후 불가리아 공산당 중앙위원회는 다시 불가리아 내의 가장 큰 소수민족인 자국 내 튀르키예인들에게 시선을 집중했다. 1956년 4월 당 지도부는 불가리아 튀르키예인들의 '민족주의와 종교적 광신주의'와의 투쟁을 선언했다. 민족적 특성을 나타내는 모든 행위는 사라져야 했고, 이슬람 주민들은 가능한 한 '불가리아인'처럼 보여야 했다. 튀르키예인들의 이름이 슬라브어처럼 발음되도록 만들고, 여인들은 히잡을 쓰지 못하며, 종교적 관습은 계속 유지하기 어렵게 만들었다.[86] 1958-1959년부터 불가리아 정권은 튀르키예어 교육을 중지시켰다.

이러한 운동은 '문화 혁명'이라고 불렸고, 당 관료들이 진보에 대해 보고한 지식인들 대회와 때를 맞추어 시작되었다. 루도젬에서 열린 이러한 대회에서 당 관료들은 1100명의 이슬람 여성 중 700명이 전통적인 이슬람 의상을 더 이상 입지 않고, 160명이 '자신들의 슬라브어(불가리아어) 이름'을 복원했다고 자랑했다.[87] 이 혁명은 소련을 제외하고는 다른 어떤 사회주의 국가보다 먼저 농업집단화를 완수하는 것을 목표로 삼았다. 좀 더 진지한 개념적 운동은 인종적 '단일성'을 지향했지만, 농촌을 좀 더 도시에 가깝게 만드는 것도 포함되었다. 불가리아의 집시들은 방랑 생활이 금지되었고, 사회주의적 환경에 정착하도록 강제되었다. 집시들도 '다른 모든 사람들과 마찬가지로' 불가리아어 이름을 가져야 했다.

1969년 튀르키예는 불가리아 거주 튀르키예인들을 더 받아들이기로 동의했고, 이후 10년 동안 10만 명의 튀르키예인들이 불가리아를 떠났는데, 이것은 전체 튀르키예 주민의 약 10퍼센트에 해당되었다. 불가리아 거주 이슬람 주민들의 이름을 바꾸는 운동은 계속 진행되었고, 이를 거부하는 사람들은 노동수용소로 보내졌다.[88] 1974년 헌법은 통합된 불가리아 사회주의 국가 건설 목표를 내세웠고, 1977년 정부는 불가리아가 "한 인종으로 구성되고, 완전한 동일성을 향해 나가고 있다"고 선언했다. 1956년으로 거슬러 올라가는 인종-민족주의 운동은 '부활 과정'을 통해 1984년 말에 절정에 달했다. 이 운동으로 튀르키예인과 다른 이슬람 주민들은 불가리아 이름을 택할 수밖에 없었다.

1985년 1월 중순까지 30만 명 이상의 불가리아 튀르키예인들이 새로운 이름을 갖게 되었다. 이 운동의 최종 목표는 완전한 동화였다. 보안기관은 이슬람 주민 거주 마을을 봉쇄하고, 공신 신원서류의 교체를 감독했다. 다시 한 번 튀르키예인들은 이에 저항을 했고, 수십 명의 사상자가 나왔다. 1984년 12월 미하일롭그라드에서는 약 40명이 사망했다. 불가리아 학계는 튀르키예 주민들이 불가리아의 기원을 가졌지만, 오스만튀르크 지배 때 강제로 이슬람으로 개종되었다고 주장하는 연구물을 내놓으며 이 운동에 협조했다. 1989년 여름 당국은 튀르키예와의 국경을 개방하고 가능한 많은 튀르키예인이 떠나도록 만들었다. 그해 말까지 37만 명이 불가리아를 떠난 것으로 추산되었다.[89]

또한 불가리아 정권은 이슬람 종교를 약화시키기 위해 모든 노력을 기울였다. 그 한 예가 1950년대 말 이슬람 종교 관리 숫자를 절반으로 줄인 것이다. 불가리아 정교회는 비밀경찰을 비롯한 당국과 협력하고 긴밀한 관계를 유지했다. 최근인 2013년까지도 정교회 공의회의 지도부를 구성

하는 14명의 대주교는 공산주의 시기 비밀경찰과 협력한 기록을 가지고 있었다.[90]

루마니아의 공산주의자들은 권력 유지에 대한 정당성을 주장하는 데 더 깊은 두려움과 불확실성을 가지고 있었다. 1930년대까지 거슬러 올라가는 소련 정권에 대한 비굴한 굴종으로 루마니아 지도자들은 자신들이 루마니아인 민족 국가를 대표한다는 주장에 대해 염려를 하고 있었다. 루마니아 민족 국가 이상은 1830년대부터 독일에서 수입된 경우를 포함하여 중요한 계기 때마다 지도자들의 가장 중요한 이상이었다. 그러나 스탈린주의는 이러한 이상의 예외였다. 헝가리, 폴란드, 불가리아, 루마니아에서처럼 1956년 이후 루마니아 공산당은 '민족'을 위해 봉사한다는 것을 가장 중요한 자랑거리로 여겼다. 그러나 파시스트 같아 보이는 민족주의와 스탈린식의 개인숭배가 결합되면서 루마니아 공산당의 특이한 노선은 갈지자걸음으로 후퇴했다.

브와디스와프 고무우카나 야노스 카다르와 다르게 1956년 루마니아 공산당 지도자였던 게오르게 게오르기우-데지는 스탈린 숭배자였다. 그와 다른 공산당 지도자들은 소련 20차 공산당대회의 폭로에 크게 동요되었다. 그 충격은 이들의 세계관 전체가 무너지는 것과 같았다.[91] 스탈린주의자인 동독의 발터 울브리히트와 마찬가지로 흐루쇼프의 비밀연설 소식을 처음 들은 게오르기우-데지의 첫 반응은 루마니아에 스탈린주의가 존재했다는 것을 부정하는 것이었다. 루마니아 공산당은 1952년 아나 파우커 같은 '모스크바파'를 숙청했기 때문에 이 문제를 해결했다고 주장했다.[92]

무엇보다도 게오르기우-데지와 그의 동료들은 자유화의 대가를 두려워했고, 권력 장악을 공고히 하기 위해 레닌의 전위정당 개념에 의존하여 자신들을 루마니아 독립 보호자로 내세우기로 결정했다. 불가리아와 폴란드에서와 마찬가지로 1956년이 되자 주민들을 상대로 한, 좀 더 공개적인 민족주의 정책이 시행되었고, 소수민족 정책도 '계급 독재에서 인종적 전체주의 정권'으로 원칙이 변경되었다.[93]

이때까지 헝가리의 민족주의는 루마니아 국가 안보에 중대한 걱정거리가 아니었다. 소련은 트란실바니아에 거주하는 루마니아인과 헝가리인 사이의 평화를 원했고, 루마니아 정부는 소수민족의 통합을 강화했다. 그러나 헝가리 혁명은 루마니아 지도자들로 하여금 이러한 통합 정책이 실패했고, 루마니아에 있는 헝가리인들은 헝가리를 자신들의 고국으로 생각하고 있다는 확신을 가지게 했다. 루마니아 보안기관은 위협을 사용하여 통제를 강화했고, '전복적' 민족주의가 발흥하는 만일의 경우를 대비하여 헝가리인 중에 정보원을 모집했다. 대학, 언론, 공장을 가리지 않고 정보원을 고용했다.

헝가리의 현상변경주의의 망령을 조용히 부각시킨 게오르게우-데지는 산업 노동자들 사이의 동요를 차단하고, 필젠이나 포즈난 같은 시나리오를 사전에 제거하고, 자유화에 대한 논의를 막으려고 했다. 이전에는 경제적·사회적 실패로 여겨졌던 상황이 인종적 차원으로 변환되었다. 1956년 헝가리 혁명은 모방할 가치가 있는 자유를 향한 민족적 노력이 아니라 트란실바니아 영유권을 주장하는 마자르 국가 부활의 망령으로 받아들여졌다.[94] 루마니아 당국은 자국 영토에 구부르주아와 지주계급, 가톨릭과 개신교 신자, 사회주의하에서 교육을 받았지만 루마니아의 통치에 불만을 가진 헝가리 학생들, 술집에서 실지회복 노래를 부르기를 좋아하며 집단화에 반대하는 농민들로 구성된 헝가리 제5열이 활동하고 있다고 주장했다. 인종의 적, 정치의 적, 계급의 적은 동일했다.

루마니아에 거주하는 헝가리 주민 수는 1970년대 말 170만 명으로 늘어났지만, 이들이 노동 시장에서 차지하는 위상은 약화되었다. 1950년대 말 루마니아 당국은 클루이/콜로즈바르의 헝가리 대학뿐만 아니라 헝가리어 자치학교도 폐쇄했다.[95] 이로 인해 고조된 헝가리인들의 불만은 루마니아 국가에 대한 이들의 불충성을 확인시켜주는 것으로 간주했다. 반역적 시민이라는 개념은 이러한 인종적 차별에 기반을 두었고, 감옥에 수감된 헝가리인 숫자에 반영되었다. 1956년 전까지는 대부분의 정치범이 철위부대, 농민당, 자유주의 정당을 포함한 불법화된 정치 운동 가담한 사람들이었던 것에 비해 이후의 대부분의 정치범은 인종적 배경 때문에 수감되었다. 1956년 10월부터 1965년 12월 사이 루마니아 내의 헝가리 자치 지역에서 체포된 정치적 적의 4분의 3은 헝가리인이었다.

1957년 7월 게오르기우-데지는 마지막 정적을 제거했다. 그는 헝가리 혁명에서 소련의 입장을 지지하여 모스크바의 조종을 받았다. 그는 임레 나지와 그 동료들이 부다페스트에서 체포된 후 루마니아에 연금되는 것을 돕기까지 했다. 1958년 7월 소련은 루마니아 영토에 있는 마지막 소련 병력 철수 명령을 내려서 게오르기우-데지의 도움을 보상했다.[96]

그러나 루마니아 서부 국경 너머에서 제국 세력에 의해 민족 혁명이 분쇄되는 것을 본 루마니아 지도자들은 자신들의 발로 일어서야 할 필요를 절감했다. 헝가리와 폴란드에서와 마찬가지로 집중적인 숙청이 진행되어 인구에서 공산당원이 차지하는 비율은 3퍼센트까지 줄어들었다. 그러나 폴란드와 헝가리에서와 마찬가지로 이후 집중적인 당원 모집이 진행되어 1965년까지 공산당원은 230퍼센트 늘어났다. 당 인력 관리를 맡은 사람은 니콜라에 차우셰스쿠였다. 젊고 야심에 찬 차우셰스쿠는 게오르기우-데지에게 겸손하고 근면하고 충성심에 가득한 일꾼이라는 인상을 심어주었다. 그는 2차 세계대전 여러 번 감옥에 수감되었고, 레닌주의 교조에 충실한 공산당원처럼 보였다.

이제 루마니아는 국제무대에서 좀 더 자신을 당당하게 내세웠다. 1958년 후반부터 서방과의 교역은 늘어나고 소련과의 무역은 줄어들었다. 유럽공동시장에 대비되는 소련 블록의 상호경제원조기구COMECON에서 루마니아는 좀 더 경제가 발전한 다른 국가들을 위한 농업 기지가 되는 것을 반대했다. 루마니아 지도자들의 이러한 계획은 루마니아를 후진적으로 만들고 다른 국가의 좀 더 조직이 잘 된 공산당뿐만 아니라 자국민들에 대한 해묵은 열등감을 심화시켰다. 1960년에 시작된 6개년 경제 계획은 루마니아의 산업화율을 급격히 상승시켰고, 마르크스주의와 레닌주의는 루마니아의 민족적 발달의 도구가 되었다.[97] 1963년 차우셰스쿠는 외무장관 이온 게오르게 마우레르를 수행해 중국, 북한, 소련 방문을 하여 마오쩌둥, 김일성, 흐루쇼프를 만났다.

1965년 게오르기우-데지가 사망하자 차우셰스쿠가 당 지도자가 되었고, 소련에 복종하는 않는 노선으로 인기를 쌓았다. 마르크스주의의 유토피아주의나 거친 폭력에 의한 권력 정당화는 반공산주의 경향이 강한 주민들을 통제하는 수단으로는 충분하지 않았고, 차우셰스쿠는 극단적 민족주의자가 되었다. 그는 자신과 국가를 동일시하며 개인 권력을 늘려갔다. 루마니아는 적대적 국가들에 둘러싸여 있고, 자신만이 국민을 보호할 수 있는 유일한 힘이라고 차우셰스쿠는 주장했다. 그는 루마니아 공산당 지도부에 젊은 세대를 받아들였고, 이들은 함께 루마니아의 역사적 영웅, 반러시아, 반유대주의적 암시에 대한 숭배를 바탕으로 한 집단적 정체성을 강화해나갔다.[98] 루마니아 지도부는 권력을 유지하기 위해 폭력적 전략을 쓰지는 않았다. 포스트-스탈린주의 시기에 이것은 적절하지 않았을 뿐만 아니라 더 이상 필요하지도 않았다. 이미 이전에 진행된 대중 압제 정책으

로 반대 세력은 분쇄된 상태였다.[99]

  마르크스주의와 레닌주의는 루마니아 공산주의자들로 하여금 역사상 처음으로 정치적 정당성을 주장하게 만들어준 민족주의의 색깔을 띠게 되었다. 이것은 국민에게 어필을 하고 노동자와 지식인들 사이에서 '잠자고 있는 사회적 에너지'를 끌어내는 역할도 했다.[100] 차우셰스쿠는 권력 장악을 공고히 하며, 이전에는 출판 금지가 되었던 작가들의 작품 출판을 허용하며 지식인들과의 협력을 꾀했다. 이것은 완전히 새로운 정책은 아니었지만, 이전보다 강화되었다.[101] 그러나 소련에 등을 돌린 것은 그때까지의 관행을 끊어버린 것이고, 서방에서 차우셰스쿠의 인기를 높였다. 1968년 프랑스에서 노동자들과 학생들의 정권 반대 운동이 거세게 일어나고 있을 때 샤를 드골 대통령이 루마니아를 방문했다. 드골은 강대국인 소련에 대항하여 독자적 노선을 유지하고, 질서가 잘 유지된 것처럼 보이는 루마

엘리자베스 영국 여왕과 니콜라에 차우셰스쿠(버킹엄궁, 1978)

니아에 감탄했다. "사람들을 움직이게 하고 일이 처리되도록 하는 이런 정권은 당신에게 유용하다"라고 드골은 루마니아의 독재자인 차우셰스쿠에게 말하기도 했다.[102] 1969년에는 리처드 닉슨 미국 대통령이 루마니아를 방문했고, 이로부터 9년 후 차우셰스쿠는 워싱턴을 방문하여 국빈 대접을 받은 최초이자 최후의 압제자가 되었다. 지금 되돌아보면 이해가 되지 않지만 지미 카터 미국 대통령도 차우셰스쿠는 뛰어난 인권 옹호자라고 칭송했다.

✳　✳　✳

이것이 스탈린 사후 중동부 유럽의 뒤죽박죽된 상황이었다. 경제 침체가 지속되는 가운데 이 지역에서 국가적 정당성 전략은 헝가리의 경제 개혁을 이끌었고, 폴란드를 아주 유서 깊은 유독성이 있는 민족주의의 한가운데로 밀어 넣었다. 불가리아와 루마니아는 강력한 공산당 지도자들의 통제와 광범위한 보안기관 감시 아래 스탈린주의식의 통제 방식을 유지했다. 불가리아는 외교정책에서 소련과 분리될 수 없었지만, 루마니아는 소련을 거의 적대적으로 대했다. 베를린 장벽 뒤에 고립된 동독은 소련의 가장 모범적인 위성국이 되려고 노력했지만, 이와 동시에 소련 블록에서 가장 강한 경제를 유지한다는 자부심을 가지고 있었다. 이러한 자부심은 검정, 빨강, 황금색인 '동독 국기 색깔의 사회주의 체제'라는 작은 민족주의로 발전했다. 1962년 소련은 체코슬로바키아의 탈스탈린화를 강요했지만, 그 이후 이 나라는 '인간의 얼굴을 한 사회주의'라고 불리는 자신의 길을 갔다. 이것은 처음에는 토착적 민주주의 전통과 진실이 승리한다는 마사리크의 사상을 연결하는 1930년대로 회귀하는 우회로였다.

22장

1968년과 소비에트 블록: 개혁적 공산주의

체코슬로바키아 공산당은 1960년대 인종적 국수주의의 길을 가지 않으면서 민족주의 카드를 사용했지만, 모든 민족주의자들처럼 그들은 자신들이 하는 일이 지역으로부터, 또 세계로부터 수입된 것이라고 생각했다. 1968년 개혁 운동이 절정에 올랐을 때 이들은 '사회주의를 건설하고 발전시키는 우리 체코슬로바키아식 방법'을 실현하고 있는 중이라고 말했다. 이들은 개혁은 '우리의 내부적 일이고 우리 국민의 주권적 의지에 의해 결정된 것'이라고 주장했다.[1] 체코슬로바키아의 프로그램은 '인간의 얼굴을 한 사회주의'로 유명해졌고, 세계 모든 사람들에게 마르크스주의가 계몽된 방법으로 실행될 때 무엇을 의미할 수 있는지를 보여주었다. 그러나 이들의 개혁은 십여 년 전 중단되었던 진보적이고 민주적인 실험으로 되돌아가는 방법이기도 했다. 불행하게도 체코슬로바키아 공산당이 보기에 소련은 안보의 관점에서 사회주의 블록에 대한 정책을 결정했고, 많은 체코인들과 슬로바키아인들이 보기에 진보적인 것은 소련의 강경파에게는 반혁명

적으로 보일 수 있었다.

그러나 모스크바 당국의 인내심 없는 재촉이 없었더라면 체코슬로바키아의 개혁은 전혀 일어나지 않을 수도 있었다. 1956년 이후 체코슬로바키아 공산당은 탈스탈린 운동에 나서지 않고 외형적인 조치만 취했다. 이들은 사회로부터 압력을 거의 받지 않았고 오히려 그 정반대였다. 체코슬로바키아의 공산당 통치는 너무 급진적이고, 지식인과 노동자들에게 너무 인기가 높았고, 민족주의적 선전에 너무 성공적이어서 헝가리의 철학자 아그네스 헬러는 이것을 '과도한 스탈린주의자hyper-Stalinist'라고 불렀다.[2] 동유럽에서 가장 발전한 체코슬로바키아 경제 덕분에 정권이 국민의 지지를 확보할 수 있었기 때문에 이 나라의 스탈린주의는 안정적이었다. 반소비에트 저항의 상징으로 볼 수 있는 폴란드 10월 사태나 헝가리 혁명이 일어난 후 오랫동안 체코슬로바키아 공산당은 프라하 중심부를 내려다보는 블타바 강변 높은 언덕에 거대한 스탈린 동상을 유지했다. 그러나 1962년 니키타 흐루쇼프는 이제 충분하다고 생각하고 동상 철거를 촉구했다. 그런 다음 체코슬로바키아 공산당원들은 스탈린주의에 희생된 사람들을 복권하라고 지시하자 마지못해서 당서기장 안토닌 노보트니는 공포 정치를 조사하는 위원회를 만들었다. 곧 역사학자들은 10년 전 자행된 최고위층 인물들의 체포와 살해에 대한 믿지 못할 사실들을 상세히 밝혀냈다. 이 공포 정치에서 살아난 사람들 일부는 보상을 받았다.

체코슬로바키아 공산당 지도부는 스탈린주의의 문제들에 대한 특별한 두려움이 있었다. 그 이유는 그 시기에 자행된 범죄가 직접적으로 자신들을 가리키고 있다는 것을 잘 알고 있었기 때문이었다. 안토닌 노보트니, 안토닌 자포토츠키, 바츨라프 코페츠키는 당시 벌어진 동료들의 숙청과 사법적 살인을 모두 지지했고, 일부는 형장으로 보낸 동료들이 개인 자산을 빼앗아 개인적으로 축재도 했었다. 잔치가 벌어질 때면 이들은 죽은 동료들에게서 탈취한 은제 식기와 식탁보로 식탁을 장식했었다. 그러나 이들이 관장하는 체코슬로바키아 공산당 조직은 공장과 노동자 계층 지역에 뿌리를 잘 내렸고, 또한 중동부 유럽에서 가장 충성심 깊고, 확신에 차고, 규율이 잡힌 당 요원들을 충원할 수 있는 인적 자원을 보유하고 있었다. 그래서 공산당은 쉽게 흔들리지 않았다.

체코슬로바키아 공산당은 체코슬로바키아 사회 내에서의 도전은 쉽게 처리했다. 1956년 흐루쇼프가 스탈린의 죄상을 폭로한 다음 작가들은 검열의 철폐와 체포된 작가들의 석방을 요구했다. 대학 캠퍼스와 일부 정부 부처, 당 기관은 잠시 동안 비판적 토론의 온상으로 변했다. 정권의 대응법은 비판의 화살을 개인숭배를 조장한 내무장관 알렉세이 체피치카에게로 돌리고, 전 당 지도자였던 클레멘트 고트발트나 다른 사람이 악행에 책임이 있다는 주장을 부정하는 것이었다. 루돌프 슬란스키에 대한 언급도 없었다. 더 중요한 것은 흐루쇼프 비밀 연설 며칠 후 당 지도자들은 주민들, 특히 저소득층의 생활수준을 향상시키는 조치를 취한 것이었다.[3] 발달된 체코슬로바키아 산업 기지에서는 고품질 제품을 계속 생산해냈고, 주민들은 이전 세대들의 희생과 투자 덕분에 상대적으로 풍요로운 생활을 즐기고 있었다.

1960년 초가 되자 체코슬로바키아 산업은 위축되기 시작했다. 1949년부터 1964년 사이 기계 장비의 2퍼센트 미만이 폐기되고, 생산성은 하락했다.[4] 체코슬로바키아 경제는 처음으로 마이너스 성장을 기록했다. 소련 블록 전체가 1960년대 초반 성장 정체의 문제에 맞닥뜨렸지만, 체코슬로바키아의 경우는 가장 극단적인 예였다. 무언가 혁신적인 재사고가 필요했다. 어떤 면에서 보면 침체된 경제와 모스크바의 성급한 탈스탈린주의 요구가 체코슬로바키아를 심각하고도 광범위한 개혁의 길에 들어서게 만들었다.

전쟁 중 마우타우센 수용소에 수감되었었던 오타 쉬크가 이끄는 일군의 체코와 슬로바키아 경제전문가들은 당 관료들과 거리를 두는 결정을 내려야 한다고 주문했다. 당시까지 당 관료들은 효율성이 아니라 생산량 톤을 기준으로 성공을 측정했지만, 이제 경제를 과학자, 기술자, 훈련받은 경영자들 손에 맡겨야 한다고 주문했다. 유고슬라비아, 헝가리에서 나온 아이디어에 발맞추어 쉬크 자문팀은 생산, 가격 책정, 임금에 대한 결정은 전국적 당 조직에서 일하는 현장 사정을 모르는 8600명의 당 관료로 구성된, 책임자가 누구인지 모르는 관료 제도부터 하향식으로 내려오는 것을 중지해야 한다고 주장했다. 그 대신에 공장과 공동체 수준에서 지역적으로 결정이 내려져야 한다고 조언했다.[5]

이들은 기업들이 주민들이 원하는 물건을 생산하도록 만드는 자극을 얻기 위해 시장 체제(무엇보다도 가격)가 도입되어야 한다고 촉구했다. 이들은 이윤을 직접 보유하고(계획경제에서는 중앙으로 보내진다), 피고용자들이 생산 기여에 따라 보상을 받는 것이 중요하다고 보았다. 이와 같은 기본적 변화는 매우 효과가 큰 결과를 가져올 수 있었다. 예를 들어 생산을 위한 현대적 설비를 갖추도록 인센티브를 제공하는 것도 그중 하나였다. 이것들은 체코 지역이 이전의 우월성을 되찾도록 만드는 방법이었다. 그러나 공장들이 좀 더 생산성이 높게 만드는 것은 생산성 저하를 가져올 수 있었다. 현장에서는 불필요한 노동자들을 해고해야 했다.

이러한 개혁 아이디어에 대해 소련 블록의 주도적 경제학자들 사이에 공감대가 형성되었고, 이것은 소련에까지 파급되었다. 모든 곳에서 큰 문제는 노동자들과 거대한 생산 설비를 시장 압력으로부터 보호하는 것이었고, 이것들이 아주 비효율적이라고 하더라도 노동자를 해고하거나 설비를 가동 정지시킬 수 없었다. 포스트-스탈린주의 시기의 공포 정치는 더 이상 택할 수 없었다. 1960년대 중반 경제학자들은 중앙계획경제는 고도의 수학적 계산이나 컴퓨터 계산에 의해 질적 향상을 이룰 수 있다고 생각했다. 이들은 심각한 문제는 생산계획 계산에 사용되는 조악한 방법이라고 생각했다.[6]

스탈린주의자들이 지도부에서 밀려나면서 좀 더 젊고 계몽된 인물들이 문화 정책 관료제에 진입했고, 이들 중 일부는 스탈린주의 시대에 자행된 극단적 조치에 대한 반성과 불만을 가지고 있었다. 새로운 개방성의 신호탄은 1963년 에두아르트 골드스튀커가 주도한 카프카 국제학술대회가 프라하에서 열린 것이었다. 그는 문학 전공 교수이자 스탈린주의 시대 사형선고를 받았다가 우라늄광산에서의 노역형으로 감형된 인물이었다. 그는 문화장관이 되었다.[7] 카프카(1883-1924)는 짧은 생애 거의 전부를 프라하 중심부에서 보냈다. 그는 낮에는 법률사무소에서 일하고 잠시 잠을 잔 다음에 밤새 글을 썼다. 그의 소설은 현대 생활의 뒤틀린 익명성을 고발했고, 불가해하고 무자비한 관료주의에 매몰된 인간 암호를 묘사함으로써 그는 동유럽의 운명을 예언한 것처럼 보였다. 그 당시까지 카프카는 체코 문화생활에서 전혀 이름 없는 존재였고, 그의 작품을 논의하는 것은 그가 예견한 악몽에서 깨어나는 쪽으로 다가가는 것으로 보였다. 카프카 학술대회에 초청된 동독 공산당의 강경파 인사 일부는 불편함을 드러냈다. 그 이유는 이들은 카프카의 도전은 일단 빗장이 열리면 국가사회주의 관료주의에 쓴 약처럼 작용할 것이라는 것을 알았기 때문이다.[8]

이 시기에 체코슬로바키아 영화는 과감한 유머와 사회 비평과 비극적인 과거를 결합하여 국제적 명성을 얻었다. 일례로 〈번화가의 상점Shop on

Main Street〉(1965)은 1942년 슬로바키아 거주 유대인들이 아우슈비츠 강제 수용소로 보내지는 상황을 배경으로 나이든 유대인 과부와 그녀를 내쫓기 위해 그녀의 가게에 파견된 불행한 슬로바키아인의 믿기지 않는 우정을 묘사했다. 체코 영화 〈밀착 감시되는 기차Closely Watched Train〉는 가수 바츨라프 네츠카르의 실화를 바탕으로 나치 점령기간 동안 야망을 가진 철도 역무원의 불운을 묘사했다. 그는 자신이 남자라는 것을 증명하기 위해서 공명심에 가득 찬 서투른 나치 점령행정국Protektorat의 관리들을 여러 명 만난다. 두 영화 모두 아카데미 최우수 외국어영화상을 받았고, 두 영화 모두 2차 세계대전 중 관료주의를 체코슬로바키아의 스탈린주의자들과 비교하고 있다는 것을 누구나 알 수 있었다. 이것은 새로운 체코슬로바키아의 영화 사조를 보여주는 10여 편의 영화 중 두 개에 불과하다. 밀로스 포만의 초기 영화들은 외설적이며 마음에 와 닿는 유미를 보여주었다. 일례로 〈금발 여인의 사랑Loves of a Blonde〉에서는 현대 도시에서 길을 찾으며 프라하의 다리 위로 무거운 가방을 옮겨야 하는 젊은 여인을 등장시켰다. 그녀는 자신을 유혹하고, 따분한 시골 생활에서 벗어나게 해줄 수 있는 기술자를 찾고 있었다. 영화에서 기술자 대신에 음악가가 나타나지만, 그녀는 자신이 일하는 공장의 동료 노동자들에게 자신이 돌아온 것을 어떻게 설명해야 하는가 하는 딜레마에 빠졌다.

　체코와 슬로바키아 지식인, 과학자, 기술자들이 개혁을 추구하는 에너지는 스탈린주의를 해체하는 것뿐만 아니라 체코슬로바키아를 다시 유럽과 세계에 가담시키고, 체코와 슬로바키아 상품이 단순히 소련 블록에서뿐만 아니라 세계적 표준에 다다르게 하는 것을 목표로 했다. 스탈린주의 상황에서 체코슬로바키아 산업은 소련으로부터 수입한 원자재를 가공하는 수준으로 위축되었기 때문에 민족적 자부심은 상처를 입었다. 계획경제의 '광폭의' 발전 전략으로 인해 체코슬로바키아 산업은 서방에서 생산의 기본이 된 생산 자동화 혁명 기회를 놓쳤다.[9]

1966년 체코슬로바키아 과학예술아카데미는 자국의 기계 산업 자동화가 미국에 비해 3-6배 뒤떨어져 있고, 전자 제어에 의한 자동화 체계는 서방 산업경제에 2-3배 뒤떨어져 있다는 조사 결과를 내놓았다. 가장 고수준의 자동화인 인공지능에서 체코슬로바키아의 생산은 미국에 비해서 50배 뒤처졌다.[10]

문제는 두뇌의 부족이 아니었다. 체코슬로바키아와 다른 동유럽 국가의 과학자들은 새로운 아이디어를 내놓았지만, 소련 제국 영향권에 있는 국가들은 지역적인 경쟁적 우위를 발전시킬 수 있는 과학적·산업적 혹은 판매 인프라를 가지고 있지 못했다.[*] 이것은 덴마크나 네덜란드 같은 유럽의 훨씬 작은 국가의 상황과 크게 대조되었다. 일례로 1961년 성탄절에 체코 화학자인 오토 비흐테를레는 세계 최초의 콘택트렌즈를 개발했다. 그는 자신의 집 부엌 식탁에서 아이들의 집짓기 모형과 아들의 자전거 발전기를 가지고 이 제품을 만들었다. 이것은 8년간의 노력 끝에 거둔 결실이었다. 그러나 불행하게도 그가 모르는 사이 그의 고용주인 체코슬로바키아 과학아카데미는 이 제품 특허를 미국 특허발전회사에 팔아넘겨서 발명가인 그와 체코슬로바키아는 20세기 가장 인기 있는 소비재 중 하나인 이 제품으로부터 아무 이익도 취하지 못했다. 체코슬로바키아는 최소한 10억 달러의 외화를 잃은 셈이나 마찬가지였다.

교조적 레닌주의들과 대비되게 체코슬로바키아 공산주의자 개혁가들

---

[*] 소련 과학사 전공인 MIT의 로렌 그래험(Loren Graham)은 《외로운 아이디어(Lonely Idea)》에서 소련을 비롯한 공산권은 새로운 발명품(invention)은 만들어내지만 이를 상업화하여 널리 보급하는 혁신(innovation)은 하지 못한다고 지적했다.

영화 〈금발 소녀의 사랑〉(밀로스 포만, 1965), 마리에 살라쵸바, 하나 브레쵸바 출현

은 자신들의 국민은 다양한 관심을 가지고 있고, 이것은 사회주의의 승리 후에도 다를 바 없다고 주장했다. 음악가, 화학자, 건설노동자는 혁신을 위한 아이디어를 가지고 있었을 뿐만 아니라 중앙계획 관료주의는 기대할 수 없는 다양한 취향, 수요와 제품 필요를 가지고 있었다. 나라 한 지역의 주민들은 다른 지역 사람들과는 다른 음식을 더 선호하고, 연령층에 따라 다른 종류의 음악을 좋아했다. 시장 체제는 특정 집단의 욕망을 잘 반영할 만큼 유연성을 발휘할 수 있고, 생산자와 소비자가 서로 만나서 가치에 대한 인식을 소통하도록 도와줄 수 있었다. 이런 개혁은 생산 수단의 사회주의적 소유는 전혀 문제 삼지 않았지만, 취향과 욕망에 대한 합의를 만들어가기 위해서는 시민들은 공적인 영역에서 자유롭게 말하고 모일 수 있어야만 했다. 개혁자들이 생각하기에 이것도 문제는 아니었다. 주민들

이 자신들의 관심을 세분화하도록 허용하는 것은 사회주의를 강화해줄 뿐이었다.

이 시기 젊은 당 관료들은 전쟁으로 형성된 구세대 관료들이 갖추지 못한 기술을 보유하고 교육을 받았기 때문에 '테크노크라트'라고 불렸다. 그러나 체코슬로바키아 개혁가들은 이상주의를 포기하지 않았다. 이들이 생각하기에 사회주의는 인간이 자신의 잠재력을 최대한 발휘할 수 있는 곳이었다. 이것은 카를 마르크스가 노동의 분화로 인해 발생하는 소외를 다룬 초기 저작에서 상상한 것과 많이 닮은 사회였다. 마르크스의 유토피아적 시각에서 사회주의는 개인이 한 직업에만 축소되지 않고, 여러 부문에서 인간의 개성을 발전시킬 수 있는 곳이었다.[11] 그때까지 동유럽의 경향은 이와 반대되는 것으로 보였다. 당시의 동유럽 사회는 당 관료주의가 지시하는 대로 엄격하게 통제되는 생산라인에서 사소한 작업을 수행하는 노동자들로 인해 소외가 더 늘어나고 있었다. 유고슬라비아에서와 마찬가지로 체코슬로바키아 개혁자들은 시민들을 자극하고 스스로를 지배하는 법을 배우도록 만들기를 원했다. 이렇게 함으로써 당과 국가 관료주의는 점점 더 먼 후견인으로 축소될 수 있었다.

개혁 공산주의자인 즈데네크 믈리나르가 이끄는 전문가들이 이러한 아이디어를 실현시킬 프로그램을 만들면서 이것이 자신들의 절대 통제권을 위협할 것이라는 것을 제대로 깨달은 당 관료들 사이에 경계심을 일으켰다.[12] 당 관료제는 모든 의사결정 기관에서 막강한 지위에 있는 거대한 집단이었다. 이에 못지않게 심각한 것은 시장 개혁의 일부로 각 공장이 다른 임금을 지급하고, 노동자를 해고할 수 있는 상황이 허용되는 것이었다. 이것은 유럽 역사에 전례가 없는 임금과 고용 안정을 누리도록 국가사회주의가 만든 수백만 명의 산업 노동자를 위협하는 것이기도 했다. 이들은 해이해진 노동기강 속에 양질의 값싼 맥주와 보조를 받는 사회 보장과 휴가를 즐기면서 어려운 결정은 당국이 알아서 내리는 생활에 익숙해져 있었다.

개혁을 선호하는 세력은 1967년 여름 다수를 차지하게 되었다. 작가, 슬로바키아인, 공산당 개혁가, 학생들 모두 개혁에 전혀 관심이 없는 당 지도부에 대한 인내가 한계에 이르렀고, 공공생활에서의 변화에 대한 강력한 요구를 개진하기 시작했다. 소련의 지도부는 체코와 슬로바키아의 공산당이 최종적 통제력을 가지고 있다고 믿었기 때문에, 개혁 과정이 진행되도록 허용했다.

1967년 6월 작가들은 연례회의에서 노보트니 정권의 검열 관행을 공격했다. 소설가인 밀란 쿤데라는 작은 나라의 문화의 취약성을 개탄했다. 언어가 없으면 체코인도 없다고 그는 말했다. 검열이 언어를 가로막고 질식시키고 있기 때문에 이것은 체코의 생존에 엄청난 위협을 제기한다. 여기에다가 검열은 체코인들 비롯한 유럽인들이 여러 세대 전에 제거한 압제적 정부 형태로의 회귀를 의미한다고 말했다.[13] 그는 200년 전 중유럽 계몽 시대에 나왔을 말을 다시 한 것이다. "사상의 억압, 심지어 이 사상이 잘못되었을 경우에도 억압은 우리를 진실에서 멀어지게 한다. 왜냐하면 진실은 평등하고 자유로운 사상의 상호작용에 의해서만 도달할 수 있기 때문이다."[14] 실제로 권력분립과 사회의 이익의 정당성은 체코 개혁 공산주의자들에게도 너무 매력이 있어서, 체코와 슬로바키아의 스탈린주의자들이 복제한 소련 체제에게만 급진적으로 보이는 오래된 아이디어였다. 쿤데라는 이것을 중유럽 역사에 대한 이해가 없는 동방의 강대국에서 수입되어온 것으로 묘사했다.

루드비크 바출리크, 파벨 코호우트, 바츨라프 하벨도 마찬가지로 작가들에 대한 정부의 통제를 비판했다. 작가회의는 '예술적 탐구의 자유'와 체코슬로바키아 문화의 계속성을 요구하는 결의안을 통과시켰다. 바출리크는 폴란드의 아담 바지크처럼 공산주의는 인간의 문제를 하나도 풀지 못했다고 말했다. 여기에는 주택과 학교 문제부터 육체노동에 대한 존중, 주민들 사이의 신뢰, 자아 충족에 대한 전반적 만족 등이 포함되었다. 그러나 체코인들은 하나의 민족으로서도 실패했다고 그는 주장했다. "우리는 창의적 사상이나 좋은 아이디어로 인류에 공헌하지 못했다"라고 그는 썼다.[15]

이러한 비판은 당 관료들이 용인할 수 있는 범위를 훨씬 넘어섰고, 9월에 당은 작가들이 반공산주의의 위험을 무시하고 있다고 비판했다. '추상적 자유'에 대한 작가들의 지지는 자유가 계급 관계에 기초하고 있다는 것을 이해하지 못한 것이라고 비난했다. 작가들이 정말 해야 할 일은 문학에서 모든 '부르주아 경향'을 비판하는 것이라고 주장했다. 당은《문학뉴스Literrni noviny》가 '반대파 정치 관점의 기반'이 되었다고 비판하고, 이 잡지의 편집진을 숙청하려고 시도했다.[16]

중앙정부에 적게 진출하고 스탈린주의 시기 숙청에서 '부르주아 민족주의자'라고 박해를 당한 슬로바키아 공산주의자들은 슬로바키아 민족에 대한 경멸을 그대로 드러내는 신스탈린주의자인 노보트니에 반대하는 당내 지식인들과 손을 잡을 준비를 했다. 1967년 8월 북부 슬로바키아 마르틴의 첫 슬로바키아 고등학교 설립 100주년 행사에 참석하러 온 노보트니는 밤중에 차량 행렬을 이끌고 도착했고, '민족 영웅' 묘지 방문을 거부한 채 시인 얀 콜라의 생가가 있는 거리를 차를 타고 질주하며 몇 시간 동안 그를 기다린 시민들에게 손도 흔들지 않았다. 노보트니는 민속박물관에서 선사한 민족의상을 거부하며 부인에게 "보제나, 이런 물건은 절대 받지 마

시오"라고 말하며 관리들을 모욕했다.[17]

폭력성은 훨씬 덜 했지만 폴란드의 포즈난에서 일어난 것과 같은 우연한 사건이 10월 31일 프라하에서 일어나서 변화에 대한 대중의 의식을 일깨웠다. 그날 저녁 프라하공과대학 기숙사에서 전기가 나갔다. 이 대학은 여러 주 동안 이런 문제를 겪고 있었다. 약 1500명의 학생들이 촛불을 들고 거리에 나가 "우리는 빛을 원한다"라는 구호를 외치며 행진했다. 이것은 눈치가 있는 당 관료라면 그 의미를 이해할 수 있는 비유적 요구였다. 보안 병력이 동원되어 시위자들을 구타하며 강제로 해산했다. 학생들이 부상을 입었다는 소문이 병원응급실에서부터 시내로 퍼져나갔다. 놀랍게도 관리들은 문제를 덮으려고 하지 않고, 학생들이 추가적으로 시위를 위협하고 있는 대학에서 회의를 열었다. 1968년 초 내무장관과 프라하 경찰청장은 공식 사과문을 발표했다.[18]

이러한 상상하기 어려운 화해 제스처는 1967년 12월 일어난 변화를 반영한 것이었다. 당 지도부의 권력 투쟁이 슬로바키아 당 제1서기 알렉산더 둡체크에게 유리하게 마무리되었다. 그는 개혁을 지지하며 동시에 노보트니와 기타 스탈린주의자들에게 대항하는 슬로바키아인들도 지원했다. 둡체크는 10월에 당이 국민들과 동떨어져 있고, 좀 더 많은 '사회주의적 민주주의'를 필요로 한다며 도전을 제기했다. 사회주의적 민주주의는 노동자들의 자발적 지원에 의존해야 했다.[19] 아마도 온화한 인물인 둡체크는 노보트니의 실각을 의도하지는 않았던 것 같았지만, 상황은 그에게 유리하게 전개되었다. 노보트니가 둡체크를 민족주의자라고 비난하자 다른 슬로바키아 공산당원들이 둡체크를 지원했고, 구스타프 후사크 같이 민주주의에 대한 열망이 거의 없던 공산당원들도 그를 지지했다. 후사크는 고문에도 불구하고 자신의 죄를 부정하며 9년을 감옥에서 보낸 스탈린주의자였다. 이제 그가 둡체크 편에 선 것이다.

12월 노보트니는 소련 지도자 브레즈네프를 프라하로 초청하여 그의 지원을 기대했다. 그러나 국내에서 도전을 받고, 노보트니가 소련 정치국 내 자신의 경쟁자를 지원한다고 의심한 브레즈네프는 지금의 문제는 지역 공산주의자들 사이의 투쟁이고 자신은 관여할 바가 없다고 선언했다. 그는 46세의 둡체크(애칭 사스차)를 믿을 만한 인물이라고 생각했다. 그 이유는 임레 나지와 마찬가지로 둡체크는 소련에서 교육을 받았고, 어린 시절 부모와 함께 소련에 거주했었다. 1968년 1월 둡체크는 새로운 당 제1서기로 선출되었다.[20]

임레 나지와 마찬가지로 둡체크도 솔직하고 직선적이었다. 연설은 잘 하지 못했지만, 그는 새로운 스타일의 정치로 금방 인기를 끌었다. '무오류'를 주장한 전임자들과 다르게 그는 쉽게 미소를 짓고 한 인간으로서 심지어 수영복을 입고 카메라 앞에 서는 데 아무런 문제가 없었다. 생활에 여유가 있는 배가 나온 중년의 슬로바키아인으로서 선의를 가진 그는 사회주의에 '인간의 얼굴'을 결합했다. 그러나 그는 임레 나지와 마찬가지로 피비린내 나는 공산주의 정치에 취향이 없었고, 다른 당 지도자들이 자신을 배신하려고 한다는 것을 곧 발견하게 되었다.[21]

임레 나지나 후에 소련 지도자 고르바초프와 같이 둡체크는 합의 정치에 대한 취향을 가진 채로 최고 지도자 지위까지 오른 특이한 레닌주의자였다. 그는 곧 '전체 사회-정치 체제에서 가능한 가장 광폭의 민주화'를 성취하고, 자유롭고, 현대적이며, 깊이가 있는 인간적인 사회를 만들겠다는 강한 의지로 소련 지도부를 놀라게 만들었다.[22] 1968년 3월 그는 검열을 철폐했고, 이것은 1956년 이래 동유럽에서 가장 급진적인 변화였다. 이제 체코인들과 슬로바키아인들은 전에는 당 내부 보고서의 주제였던 스탈린주의 시기의 체코슬로바키아의 참상을 대중 매체를 통해 알 수 있게 되었다. 시민들은 서방에서 진행되고 있는 학생 운동과 민권 운동에 대한 격론을 비롯해서 국제 정치에 대한 예리한 분석도 읽을 수 있었다. 시민들은 토마시 마사리크가 사회적으로 진보적인 입장을 취하면서도 반볼셰비키 노선을 펼친 것이 아무런 모순이 없다는 것도 깨닫게 되었다. 대중 잡지들은 미국 대통령 후보 로버트 케네디의 사진을 실었다. 그는 제국주의 지도자가 아니라 현대 유럽 사회 시민들의 합리적 관심이 대상이었다. 체코인들과 슬로바키아인들은 불과 20년 전에 떠났던 세계로 다시 돌아가는 길을 찾고 있었다. '프라하의 봄'의 문화적 격동을 직접 보기 위해 프라하로 몰려오는 수십만 명의 젊은 외국 관광객도 체코슬로바키아가 정상적인 유럽 국가로 되돌아가고 있다는 느낌을 강화시켜주었다.

1968년 4월 체코슬로바키아 공산당은 '행동 계획'을 발표하여 정치 체제 전체를 개혁하고 '민족전선'이라는 사회-정치 기관에 자율권을 부여하는 것을 포함해서 당 전문가들이 여러 해 동안 숙고해온 아이디어를 실현한다고 선언했다. 이 프로그램은 권력을 분산하고 통제하는 필요성을 내세우고, 최고 지도자들을 정상적 선거로 선출하는 것을 포함했다. 또한 경제에 대한 엄격한 중앙통제를 중단하고 '기업들의 독립성'을 보장하기로 했다.[23] 스탈린주의의 자의적 통치에서 배운 교훈을 바탕으로 입헌주의가 시민들의 자유를 보장하는 길이라고 선언했다.[24]

그러나 이것은 아주 애매모호한 문서였다. 행동 계획은 이전의 자유주의적 전통을 되살리되 당의 '지도적 역할'을 다시 한 번 강조함으로써 레닌주의 틀 안에서 시민 자유를 찾겠다는 언명이었다. 당 밖에 있는 사람들은 시민으로서 하층 지위를 갖는 데 만족해야 하는가? 당은 민주화되면 계속 생존할 수 있는가? 공산당은 노동자들의 당이라고 선전되었지만, 노동자들은 개혁 프로그램에서 시장 체제를 약속한 것에 대해 큰 우려를 하고 있었다. 이와 대조적으로 많은 지식인들이 보기에 개혁은 충분하지 않았다. 그러나 이 프로그램은 체코슬로바키아에서 아주 큰 인기를 끌어서 그해 여름 실시된 여론 조사에서 78퍼센트의 응답자가 개혁 프로그램에 찬성했다. 이 프로그램은 당이 '사회적 이익의 모든 부문'을 대표할 수 없다고 선언함으로써 체코인들과 슬로바키아인들이 각종 이익집단을 구성하도록 유도한 셈이었다.[25] 곧 '비당원 활동가' 클럽이 구성되고, 전에 정치범으로 수감되었던 사람들 클럽도 구성되었다.[26] 그러나 이러한 자생적 조직이 사회를 어디로 이끌지는 분명하지 않았다.

검열제가 철폐되자마자 주변 국가의 공산당들은 위협의 목소리를 내기 시작했다. 이들은 특히 체코슬로바키아의 개혁가들이 여름 후반 당대회를 열어 행동 계획을 실행할 새로운 당중앙위원회를 구성하려고 하면서 큰 경계심을 갖게 되었다. 이전의 당대회와 다르게 이번에는 복수의 후보가 출마하는 공개 선거를 실시할 예정이었기 때문에 회의주의자들은 민주적 중앙집중제를 파괴하고 하향식 레닌주의 조직 원칙을 파괴하는 이 방식을 크게 두려워했다.[27] 폴란드와 동독 공산당은 프라하를 방문한 자국 젊은이들 사이에 프라하의 봄이 큰 인기를 끌고 있는 것을 크게 우려했다. 체코 언론은 여행자들이 자국에 돌아와 제기한 위험한 질문을 선도하고 있었다. 여기에는 1945년 이후 민주 정당들을 탄압한 것과 제국주의적 경제 착취, 스탈린주의의 공포정치의 각본을 짜는 데 소련 자문관들이 한 역할 등 소련과 동유럽의 관계 전반에 대한 질문들이 포함되어 있었다. 그러나 핵심적인 위험은 사회주의가 자유화될 수 있다는 단순한 사실이었다.

처음부터 소련 블록 언론들, 특히 동독의 언론은 프라하의 봄에 대한 적대적 보도를 내놓으며 자본주의를 복원하려는 파시스트들에게 문이 열렸다고 주장했다. 체코슬로바키아 지도자들은 1956년 헝가리에서 교훈을 얻었다고 생각했기 때문에 불쾌감을 느꼈다. 임레 나지와 다르게 둡체크는 바르샤바조약기구를 이탈하거나 다당제를 복원하거나 공산당의 지도적 역할을 부정하지 않았다. 그러나 봄에서 여름으로 가면서 프라하의 봄에 대한 위협은 강화되었고 병력의 이동으로 이를 가시화했다. 8월 초 우크라이나 국경 지역에서 열린 회담에서 브레즈네프는 체코슬로바키아가 언론 '통제'를 복원할 것을 요구했고, 2주 뒤 전화통화를 통해 둡체크가 소련 지도자들에 대한 비판을 멈추지 않고 있다고 불만을 쏟아냈다. 그러나 둡체크와 그의 동료들은 압력에 밀려 굴복하려고 하지 않았다.[28] 둡체크는 슬로바키아인들과 체코인들은 일정한 문제를 스스로 결정해야 하고, 언론은 이 중에 하나라고 인내심을 가지고 브레즈네프에게 설명했다. 그러나 이러한 반항적 행동은 이들의 운명을 결정했다.[29]

바르샤바조약기구 군대에 의한 전면적 체코슬로바키아 침공은 1968년 8월 20일 시작되었다. 프라하 공항을 장악한 소련군 공수부대는 바로 체코슬로바키아 당 중앙위원회로 진격하여 둡체크와 여타 지도자들을 체포하고 이들을 비행기에 실어 모스크바로 보냈다. 거대한 규모의 지상군과 기계화 부대의 침공이 이어졌다.* 소련 지도부는 야누스 카다르와 마찬가지로, 소련에 충성하는 공산당원들이 대안 정부를 형성할 것을 기대했다. 그러나 배신자는 아주 소수였다. 군중들의 보복행사를 두려워 이들은 수십만 명의 군중에 둘러싸인 소련군 장갑차에 봄을 숨긴 채 뜨거운 여름 더위를 견뎌야 했다.[30] 시위대는 겁에 질리고 피로에 지친 탱크병들과 논쟁

• 1968년 8월 20-21일 밤 바르샤바조약기구의 4개국(소련, 불가리아, 폴란드, 헝가리)은 20만 명의 병력과 2000대의 탱크를 앞세우고 체코를 침공했다. 체코슬로바키아 부대는 병영에 억류된 상태로 아무 행동도 하지 못했고, 21일 아침 침공군은 체코슬로바키아를 점령했다.

을 벌였다. 탱크병들은 '파시즘'과 '반혁명'을 진압하기 위해 프라하로 출동한다는 훈시를 받았었다. 이러한 토론은 소련군 지휘부에 대한 반란을 촉발시킬 수 있다고 염려가 된 소련 지도부는 이 부대들을 신속히 교체한 후 격리시켰다.

이제 압박은 모스크바에 인질로 잡혀 있는 체코슬로바키아에 당 지도자들에게 가해졌다. 이들 중 일부는 개혁에 대해 애매한 입장을 취했다.[31] 후사크와 같은 일부 지도자들은 자신들을 위한 좀 더 많은 지역 자치를 원했지만, 민주주의는 말할 것도 없고 민권에 대해서는 신경을 쓰지 않았다. 소련 당국은 이들을 하나하나 다루면서 다른 동료들이 이미 말한 것을 밝히겠다는 위협과 약속으로 이들을 회유하고 압박했다. 8월 26일 2차 세계대전 때 군의관으로 참전한 구舊공산주의자이자 유대인인 프란티셰크 크리겔을 제외한 나머지 전원은 체코슬로바키아의 상황을 '정상화'하는 것을 골자로 한 합의서에 서명했다. 이 문서는 '노동계급과 공산당의 주도적 역할을 강화할 필요에 부응하지 않는' 모든 관리들을 숙청하고 언론이 사회주의 이상에 온전히 봉사하도록 다시 통제하에 둔다는 것이 골자였다. 주요 개혁가들은 해임한다는 구두 합의도 있었다.[32]

스탈린주의 시기와 다르게 심문관들은 고문을 사용해서 복종을 이끌어내지는 않았다. 알렉산더 둡체크는 자신의 저항을 국민들이 적극적 반대에 나서라는 신호로 받아들일 것을 우려하고 이로 인해 벌어질 '유혈 사태'에 책임을 질 수 없었기 때문에 이 문서에 서명했다.[33] 그는 1938년과 1948년 전체주의 일당에게 항복할 때 에드바르트 베네시가 취한 행동을 반복한 셈이다. 다른 종료들은 자신들이 문서에 서명하지 않으면 더 나쁜 상황이 벌어질 것을 두려워했고, 자신들의 협력이 소련군을 철수하게 만들 것이라고 희망했다(그러나 소련군은 1991년까지 철수하지 않았다).

소련군의 침공에 항의하는 프라하 카페 종업원들(1968년 8월)

프라하의 시위대와 탱크(1968년 8월)

이성적 판단을 떠나서 더 중요한 일이 모스크바에서 벌어졌다. 8월 26일 저녁 알렉산더 둡체크는 자신이 소련 지도자들에게 계속 항변해봐야 시간을 낭비할 뿐이라는 것을 갑자기 깨닫게 되었다. 논쟁의 핵심은 사회주의가 아니라 소련의 적나라한 통제였고, 그 양상은 1948년 티토와 스탈린 대립의 재연이었다. 둡체크가 계속해서 개혁은 '사회주의를 강화한다'고 설득하자 브레즈네프는 가면을 벗어버렸다. 브레즈네프는 체코슬로바키아는 2차 세계대전 후 '소련 안보 구역의 일부'이고, 이것이 무한정한 미래의 이 나라의 운명이라고 거의 소리치듯이 말했다. 브레즈네프는 둡체크가 연설 내용과 인적 교체를 사전에 자신과 '협의하지' 않은 것에 특히 큰 불만을 나타냈다.

둡체크는 모스크바 합의서를 서명하면서 인식틀을 바꾸었다. 그는 사회주의에 대한 주장을 포기하고 대신에 제국주의 통제가 다시 시작되는 것을 어떻게 약화시킬 수 있을지를 동료들과 숙고했다. 이것은 체코인들과 슬로바키아인들이 수십 년 동안 고민해온 문제였다. 그러나 자신들 세대가 따른 논리는 어떤 타협도 허락하지 않았다. 그들이 내리는 모든 결정은 '더 나쁜 것'이 일어나는 것을 피하기 위한 선택밖에 없었다.

소련 당국은 둡체크에게 일부 개혁가들을 제거하라고 요구하면서 자신들의 의도를 실행에 옮기기 시작했다. 둡체크는 민주주의를 옹호하는 다른 동지들을 의지할 수 있다고 생각하며 이 요구에 응했다. 그런 다음 그는 일부 동료들이 이미 배신한 것을 발견했다. 특히 큰 상처를 입은 것은 스탈린주의 시기 투옥되었던 구스타프 후사크의 배신이었다. 1969년 4월 둡체크가 자발적으로 당 지도자 자리에서 내려오자 후사크가 당 제1서기가 되었다. 둡체크는 자신의 저항이 소련군의 '유혈' 야기에 명분을 줄 것을 우려했다.[34] 그러나 실제적으로 체코인들과 슬로바키아인들의 시위에는 폭력이 전혀 발생하지 않았다. 그러나 체코슬로바키아의 개혁 실험은 가슴 아픈 장면으로 종결되었다. 그 장면은 1969년 1월 대학생인 얀 팔라흐가 프라하 국립박물관 앞에서 자신의 몸에 불을 붙여 분신자살을 한 것이다. 그는 국민들의 양심을 자극하여 검열제에 대해 강력히 저항하도록 만들기로 작정한 작은 집단의 일원이었다. 이 집단 멤버들은 제비를 뽑아서 누가 먼저 분신을 할지를 정했고 팔라흐가 첫 '횃불'이 되었다(집단에서 다른 한 명만 그의 뒤를 따랐다). 팔라흐의 장례식을 보기 위해 시민들은 프라하 구시가지 전체에 모여들었고, 이것은 개혁을 요구하는 마지막 공식 의사 표시였다. 카렐대학 총장은 팔라흐가 '민족의 제단에 바쳐진 제물'이었다고 애도했다.[35]

이제 후사크가 새로운 지도자로 떠올랐다. 둡체크가 자신 편이라고 생각했던 국민의 인기가 높은 루드비크 스보보다 장군이 후사크를 지지하고 나서 한 팀이 되었다. 진실성이 있는 인물로 여겨졌던 그는 국민들이 가장 실망하는 인물이 되어 대통령직을 계속 맡았다. '정상화' 과정은 신속하게 진행되었다. 많은 편의와 제도를 보유하고 있는 부유하고, 현대적 사회는 얻을 것과 잃을 것과 많았다. 아무 문제도 일으키지 않는 사람에게 인생은 즐길 만했고, 주말을 농촌에서 지내며 마실 것과 먹을 것을 염려하지 않아도 되었다. 문제를 일으키는 사람은 극빈한 생활을 하며 아무런 대가 없이 육체노동을 하고 자신의 가장 좋은 시간을 낭비하고 있는 것이 아닌가를 고민하게 만들었다. 지금 우리는 공산주의가 20년 뒤에 무너진다는 것을 알고 있지만, 당시 체코인과 슬로바키아인들은 그런 생각을 할 수 없었다.

후사크는 수수께끼 같은 인물이었다. 그는 8월 29일까지만 해도 프라하의 봄 이상에 열렬한 지지를 표명했지만, 재빨리 브레즈네프 지지로 돌아

피에 물든 깃발을 들고 행진하는 사람들(1968년 8월)

섰다. 고무우카와 마찬가지로 그는 뼛속 깊이까지 레닌주의자였지만, 동시에 민족주의자였다. 1969년 체코슬로바키아를 '두 개의 동등한 민족의 국가'인 연방으로 만드는 새로운 헌법이 발표되었다. 이것은 후사크와 동료 슬로바키아인들이 오랫동안 투쟁해온 목표였고, 개혁 과정에서 효과가 지속되는 성취로 보였다. 체코인들로 하여금 자국이 소련 제국의 서쪽 끝 초소라고 느끼게 만들었던 소련군의 침공은 슬로바키아인들에게는 이정표가 되었다. 후사크는 1950년대 슬로바키아의 이익을 위해 투쟁하다가 고통당한 지역 영웅으로 보였었다. 그는 보잘것없는 노동계급 출신이었지만, 두 연합민족 국가의 첫 대통령이 되었다.[36] 그러나 후사크는 체코인들뿐만 아니라 슬로바키아인들 사이에서도 '정상화' 과정에서 대중 탄압을 실행한 인물로 매도되었다.

1970년 초 당 조직은 검증위원회를 설치하여 각 당원이 '자기 이력서'를 쓰도록 만들어 최근 몇 년간 한 일을 기록하도록 했다. 이 결과, 처음에는 수만 명, 다음에는 수십만 명의 당원들이 출당되었다. 겨울과 봄에 진행된 숙청은 출당 조치에 순응하지 않는 당원들을 모두 처리하지는 못했지만, 이후 진행된 조치는 원 목적을 달성했다. 추정하기에 약 75만 명의 체코인들과 슬로바키아인들이 당을 떠나야 했다. 이들의 가족까지 합치면 약 200만 명이 숙청대상이 된 셈인데, 체코슬로바키아의 인구가 약 1500만 명인 것을 감안하면 엄청난 인적 숙청이었다. 체코슬로바키아 공산당원 숫자는 3분의 1이 줄어들었다.[37] 가장 큰 위협을 받은 분야는 학문과 예술이었다. 이 와중에도 가수 카렐 고트 같은 세계적인 지명도가 있는 인물들은 관대한 처분을 받았다.[38] 브라티슬라바대학의 교수직에서 쫓겨난 밀란 시메치카는 "현재 사회주의 집권당은 보통 이하의, 복종·공포의 전위대가 되었다"라고 말했다.[39]

많은 체코인들은 개인적으로 나치 치하에서 순응하는 데 익숙해졌고, 스탈린주의하에서 더 순응적이 되었으며, 다시 옛날 습관으로 되돌아갔다. 이에서 벗어나는 사람은 다시 한 번 잠재적 적이 되었고, 사람들은 가장 가까운 친구와 신뢰할 수 있는 일가친척들에게만 자신의 속마음을 털어놓았다. 프라하의 봄에 대한 지지가 광범위했기 때문에 수십만 명의 사람들이 출세 사다리에서 자신들 밑에 있던 사람들로부터의 공격에 갑자기 노출되었다. 많은 사람들이 직업적 나락에 떨어졌고, 자신들의 생업을 계속할 기회를 박탈당하거나 고등교육을 받은 사람들이 해야 할 일을 맡을 수 없었다. 둡체크는 튀르키예 대사로 발령되었고, 다음에는 슬로바키아의 산림관리원으로 추락했다. 희곡작가 바츨라프 하벨은 감옥에서 나와서 양조장 노동자가 되었고, 개혁 운동을 지지했던 수백 명의 기자, 철학자, 과학자가 운전사, 수위, 화부(보일러에 석탄을 공급하는)가 되었다. 시메치카는 건설 노동자로 일했다.

'정상화' 정권은 무자비하게 인간의 창의성 파괴에 나서며 공포와 기회주의를 조장했다. 그러나 사람들의 건전한 상식과 가족에 대한 사랑으로 인해 악한과 선인이 서로 섞이고 구별이 어려워졌다. 왜 사람들이 언론의 자유나 민주주의 같은 이상주의적 목표를 위해 자신의 안락함과 복지를 위험하게 만들겠는가? 자신의 자리를 계속 지킨 사람들은 상급자는 압박을 가할 다양한 수단을 가지고 있다는 것을 알게 되었다. 이들의 급여 인상을 거부하거나, 아동들의 복지를 위협하거나, 이들의 업무에 필요한 출장을 제한할 수 있었다. 예술 세계는 1950년대의 공포와 기회주의의 역학으로 되돌아갔고, 서방의 예술가들과 추상적 작품들은 잡지에서 사라지고, 관행적인 사실주의 작품들이 다시 주류가 되었다. '해방자 소련군'이라는 것이 다시 일반 주제가 되었고, 소련군 병사들이 체코 여인들과 춤을 추는 밀로스 악스만의 조각이 그러한 한 예였다.[40] 숨통을 조이는 압박은 모든 분야에서 정치적으로 바람직한 결과를 만들어냈다. 지도적 위치에 있는 사람들은 자신들이 다시 독단주의(즉, 스탈린주의)로 되돌아가지 않고, 반혁명적인 1960년 압제되었던 예술의 '사회적 의무'를 재건하는 것이라고 주장했다. 당시 유행한 추상적이고 신초월주의적 작품들은 "우리 국민들의 이상과 전혀 다른 것이었다"라고 주장했다.[41]

많은 체코슬로바키아인들은 폴란드인이나 헝가리인과 다르게 소련군을 해방자로 생각했었기 때문에 소련군의 침공은 민족적 정체성에 트라우마를 안겼다. 1946년 다원주의적 선거에서 많은 사람들이 공산주의자들을 선출했었다. 그러나 이 트라우마는 체코인과 슬로바키아인들에게만 한정된 것이 아니었다. 둡체크처럼 동유럽 모든 곳의 사회주의자들은 배신감을 느꼈다. 체코슬로바키아 공산당 개혁가들은 자본주의를 다시 살리려고 한 것이 아니었다. 이들은 사회주의를 각 나라 현실에 좀 더 맞도록 만들려고 한 것이었다. 소련은 제국주의적 이익을 위해 이를 무참히 진압한 것이다. 바로 이 시기에 폴란드 공산당은 자신들의 민족주의적 시각을 내세우기 위해 아주 다른 투쟁을 벌이고 있었다. 그것은 유대인 배경을 가진 폴란드인들을 적으로 몰아세우는 것이었다. 이들은 브레즈네프와 마찬가지로 소련이 지배하는 영역에서 '사회주의'는 중요한 것이 아니라는 핵심을 강조하는 것처럼 보였다. 내부에서건 아니면 공산당 관여 없이 지배력이 도전을 받을 때는 대중 탄압 이외의 다른 방법은 생각할 수 없었다. 스탈린주의와 대조되는 점은 지금 사용되는 통제 수단은 덜 폭력적이지만 더 효과적이라는 것이었다.

1968년 3월 폴란드: 수정주의의 죽음

사회적 신분 상승이 느려지고 계급투쟁이 점점 사라지면서, 1960년대 중반부터 폴란드 공산당이 노동자들에게 제공하는 매력은 점점 약해졌다. 이와 동시에 양성평등 정책도 동력을 잃고, 여성들은 직업 위계 체계에서 가사를 계속 책임지는 전통적인 역할로 되돌아갔다. 여성들은 남성들이 지배하는 중공업 분야에 대비되게 낮은 임금에 혜택이 별로 없는 '경공업' 분야에서 일하는 경우가 많았다.[42] 이렇게 되면서 지배자들의 통치 합법성은 민족주의에 대한 호소에 점점 더 의존하게 되었다. 이것은 경제적으로 민족주의의 힘을 높이거나 외국의 위협을 강조하는 방법으로 진행될 수 있었는데, 고무우카는 후자를 택했다.

좀 더 정확히 말하면 그는 생산성이 떨어지는 중공업 중심주의를 계속 고집하고 개혁 경제학자들의 아이디어에 귀를 닫으면서 그 방향으로 갈 수밖에 없었다. 경제 침체에 대한 비난의 화살을 러시아나 독일에 대한 적대감으로 돌리는 것은 금기였기 때문에 고무우카와 지도부는 폴란드 우익에 의해 그간 죄악시되어온 다른 집단에 비난의 화살을 돌렸는데, 바로 그 대상은 유대인이었다. 고무우카는 이 유혹을 떨쳐낼 도덕적 자질과 정치적 상상력을 결여했기 때문에 경쟁자들을 '누르기 위해' 스스로 이 운동에 앞장섰다.[43]

1967년 소련이 이스라엘과 단교를 하면서 반유대주의는 갑자기 유용한 정치적 수단이 되었다. 소련의 하수인인 이집트와 시리아가 6일 전쟁에서 이스라엘에게 패배한 것이다. 6월에 직업연맹에서 행한 중요한 연설에서 고무우카는 폴란드의 제5열이 이스라엘을 지원하고 있다고 비난했다. 그가 모스크바의 지시를 받고 이런 연설을 했다는 직접적인 증거는 없었다. 대신에 그는 폴란드 공산당과 주민들 사이에 강하게 자리 잡은 이스라엘에 대한 동정심을 더 우려했다. 이것은 사회주의 블록과 폴란드의 연대에 나쁜 영향을 미칠 수 있었다.[44] 폴란드 내무부는 폴란드 유대인들이 이스라엘을 지지한다고 결론을 내렸고, 이제 많은 주민들이 소련이 중동에서 겪은 낭패를 은밀히 축하하고 있다는 것을 알았다.

음모에 대한 깊은 의심이 본질인 고무우카의 비밀경찰은 이스라엘에 대한 동정을 폴란드 영토 내에서 활약하고 있는 요원들의 은밀한 활동의 결과라고 설명하려고 했다. 비밀경찰은 노동자들보다 신뢰하기 힘든 지식인들 사이에 시온주의가 확산되는 것에 대한 감시를 강화했다.[45] 이런 배경에서 1967년 가을 군부 내에서 이스라엘에 동정적인 것으로 추정되는 인물들의 숙청이 시작되었고, 곧 다른 부문으로 확산되었다. 당 지도부는 이것을 '반시온주의' 운동이라고 불렀지만, 이것은 고전적인 반유대주의였고, 단지 유대인이라는 이유만으로 숙청대상으로 삼았다. 유대인들이 이스라엘 이민 신청으로 이에 반응하자, 이것조차도 폴란드와 공산주의에 충성하지 않는다는 증거로 삼았다.

이 운동은 뿌리 깊은 반유대주의자들뿐만 아니라 40세 이하의 젊은 당과 정부 관리들의 호응을 받았다. 이들은 더 나이 많은 관리들에 의해 출세가 막혀 있었고, 이들 중 일부는 유대인 배경을 가지고 있었다. 폴란드의 가장 저명한 사회학자인 지그문트 바우만은 이러한 논리를 자신의 가족에게 이렇게 설명했다. 몇 년간 숙청이 없으면 상급자는 부하들보다 몇 년 더 나이가 먹게 되고, 부하들은 승진을 기다리다가 지치게 될 수밖에 없었다.[46] 이들은 다른 모든 사람과 마찬가지로 고무우카의 금욕적인 접근 방식에 지쳤고, 자신들이 노력의 열매를 '맛보고' 싶어 했다. 이들은 제자리에 머물고 있는 생활수준뿐만 아니라 정실주의와 부패로 인해 고통을 받아왔다. 이들도 비좁은 아파트에 살며 도처에 퍼져 있는 궁핍과 알코올 중독 문제를 경험하고 있었다.

그러나 폴란드 국가와 사회에 잠자고 있던 긴장을 폭발 지점으로 밀어낸 것은 주민들 사이의 물질적 불만이 아니었고, 1920년대 쓰인 논란 많은 희곡작품이었다. 1968년 1월 30일 당 지도부는 폴란드의 낭만주의 시인이자 극작가 아담 미츠키에비치가 쓴 〈조상 제사의 전야Forefathers' Eve〉 연극 공연을 중단시켰다. 이 연극은 바르샤바 국립극장에서 이미 열한 번 공연된 상태였다. 이 연극에는 러시아를 비판하는 많은 환유가 들어 있었다. 예를 들어 "러시아 루블은 아주 위험하다"라든가 "모스크바는 악당들만 폴란드에 보낸다"라는 대사가 있었다. 이러한 대사가 나오면 관객들은 자리에서 일어나 환호했지만, 당 지도부는 거의 히스테리에 가까운 공포를 느껐다. 첫 공연 후 고무우카의 오른팔 격인 비밀경찰 수장 제논 클리슈코는 이 연극을 '종교적'이라고 부르고 이것이 폴란드와 소련의 우호에 심각한 타격을 입힐 수 있다고 우려했다.[47] 고무우카가 얼마나 현실 감각을 상실했는지를 보여주는 것은 그의 지도부가 1917년 위대한 사회주의 10월 혁명을 기념하는 행사의 일환으로 이 공연을 승인했다는 사실이다.

마지막 공연 때 학생들이 대거 무대 위로 올라와 커튼이 내려지자 "검열이 없는 독립을!"을 외치기 시작했다. 그런 다음 수백 명의 학생들이 바르샤바 중앙부에 세워진 미츠키에비치 동상으로 플래카드를 들고 행진하며 "검열 철폐!", "우리는 미츠키에비치의 진실을 원한다"라고 외쳤다.[48] 경찰은 잔학하게 학생들을 해산시켰고 30명 이상을 체포했다. 고무우카의 지시를 받은 역사학자이자 전 사회민주당원이었던 교육장관 헨리크 야브원스키는 아담 미흐니크와 헨리크 슐라이페를 대학에서 추방했다. 이들의 혐의는 프랑스 기자들에게 현재 일어나고 있는 사건에 대한 정보를 제공했다는 것이었다. 이것은 법적 근거가 없는 조치였다.

교회를 상대로 한 싸움이나 후에 노동자들을 상대로 한 대결에서 당이 취한 탄압 조치는 소요를 진정시키기보다는 악화시켰다. 2월 29일 작가동맹은 〈조상 제사의 전야〉 공연 금지를 '민족 문화'에 제기하는 자의적인 검열제도가 야기하는 해악을 보여주는 '특별히 우려스러운 사례'라고 비난하는 성명을 발표하고, 민족 문화의 발전을 막고 고유의 성격을 왜곡하며 문화를 말살하는 조치라고 맹비난했다. 당원이 상당수를 차지하고 있는 작가동맹은 학생들과 마찬가지로 당이 정말로 큰 신경을 쓰고 있는 주제에 도전을 제기했다. 그것은 폴란드 자체에 대한 담론이었다. 작가들은 정부에 '유구한 전통을 존중하여' 관용과 창작의 자유를 존중할 것을 요구했다. 소설가인 예지 안제예프스키는 통치자들이 과거를 조작하고 현재에 대해 거짓을 말함으로써 민족을 수치스럽게 만들었다고 비난했다. 불과 10여 년 전만 하더라도 안제예프스키는 당이 자랑하는 작가였기 때문에 그가 한 이런 발언은 당에 큰 타격을 주었다.[49]

역사적으로 러시아와 나치 점령군만이 폴란드 대학 캠퍼스를 영역을 침범했었다. 그래서 3월 8일 바르샤바대학에서 검열제에 항의하는 시위를 벌인 학생들은 자신들이 안전하다고 생각했다. 그러나 당국자들은 학생들보다 국가적 예의에 대한 감각이 없었다. 시위가 벌어지는 대낮에 위장막이 처진 트럭들이 대학 정문 앞으로 몰려왔고, 경찰뿐만 아니라 무장한 '노동자 부대'도 트럭에서 뛰어내려 무자비하게 곤봉을 휘두르며 학생들을 체포했다. 젊은 학생들은 "게슈타포! 게슈타포!"를 소리치며 폴란드 국가와 인터내셔널가를 불렀다.[50]

소련 대사관이 연극 공연 중단을 요구했다는 소문이 퍼졌고, 각 도시와 마을에 학생들이 공격당하는 동안 폴란드인들은 방관하고 앉아 있지 말아야 한다고 선동하는 정체불명의 삐라가 뿌려졌다. 이러한 말이 국민들의 신경을 자극했다. 이후 몇 주 동안 폴란드 각지에서 대학생뿐만 아니라 고등학생과 젊은 노동자들이 거리로 쏟아져 나왔다. 이들은 행진을 하며 구호를 외치고 미츠키에비치 동상이 있는 곳으로 모여들었다. 신문에서 이들을 선동가이자 반사회주의 분자들로 묘사하면서 이들은 더욱 격분했다. 이것은 많은 사람들이 처음으로 지도부의 냉소주의에 대해 직접적 경험을 한 계기가 되었다. 몇 도시에서 시위자들은 구경꾼들에게 이렇게 소리쳤다. "신문은 거짓말을 하고 있다."[51] 라돔과 레그니차에서 폭동이 일어나서 거의 경찰을 압도했고, 그단스크의 학생들은 인근의 엘브라크에서 폭동을 일으켜 경찰병력을 분산시키기도 했다. 일부 지역에서 정부는 경찰을 지원하기 위해 군대를 동원하기도 했다.[52]

1990년대 폴란드 국가 문서보관서와 당 문서보관소 자료가 공개되기 전에는 역사가들은 이 시위의 규모를 짐작하지 못했다. 이로 인해 밝혀진 바로는 이 항의시위가 당시까지 소련 블록에서 일어난 반체제 운동으로는 가장 규모가 컸다는 것이었다.[53] 이와 비교할 수 있는 시위는 1953년 체코슬로바키아와 동독의 정치적 전경에 불을 밝힌 노동자들의 시위 정도였다. 그러나 1968년 세계의 다른 뜨거운 지역들, 파리, 멕시코시티, 프라하에서 시위자들의 에너지는 점차 수그러들었다. 몇 주 동안 진행된 대량 체포, 구조조정, 폐쇄 위협과 엄청나게 늘어나는 경찰병력으로 인해 젊은 이들은 용기를 잃고 항의시위는 수그러들었다. 많은 학생들이 군에 징집되었고, 경찰에 구금된 학생들이 석방되었을 때 이들은 미흐니크의 말대로 '크게 낙담하여' 집으로 돌아갔다.

주요 지식인들도 사정이 크게 다르지 않았다. 이들도 공적으로 자행되는 폭력과 냉소주의 아래서 항의 노력이 시들어가는 것을 보았다. 적나라한 인종적 혐오에 의존하는 공산당의 전술은 이전에 저항운동가들도 공포에 질리게 만들었다. 가톨릭 풍자가인 스테판 키시엘레프스키는 바르샤바 구시가지에서 정치 불명의 공격자들로부터 공격을 당해 무자비하게 폭행을 당해서 그가 의식을 되찾았을 때 자신이 병실에 있는 것을 알게 되었다. 그가 비판한 것 중에는 사적인 통화에서 정권을 '멍청이들의 독재'라고 부른 것도 포함되었다.[54] 폴란드의 유대인 작가인 카시미에즈 브란디스는 너무 겁에 질려서 길거리로 나갈 생각을 하지 못했다. 나치 점령 시기에 깡패들이 숨어 있는 유대인들을 찾아내기 위해서 남자들이 바지를 벗겨 내리는 만행(포경을 했는지를 확인하기 위해)을 저질렀었다. 그러나 브란디스는 외출해야 할 필요가 있다고 생각할 때는 거리로 나가는 것을 주저하지 않았다.

폴란드 정권은 다른 목소리가 들리지 않을 만큼 혐오의 선전 볼륨을 높였다. 정권은 폴란드 문화를 옹호하는 지식인들은 폴란드인들이 아니라고 선전하고, 수십 곳의 공장에서 노동자 대회를 열어서 노동자들의 계급적 분노를 표현하는 수단으로 "시온주의자는 이스라엘로 추방하라!", "학생들은 강의실로 돌아가라!", "노동자들은 선동가들을 용서하지 않는다!"라는 문구가 들어 있는 선전물을 노동자들에게 배포했다. 언론 평론가들은 반유대주의에서 자신을 보호하기 위해 이름을 바꾼 조상들을 가지고 있는 유대인 학생들의 배경을 노출시켰다. 고무우카도 3월 19일 바르샤바 문화궁전에서 열린 광신적인 군중대회에 참석했고, 이 행사는 TV로 생중계되었다. 부부 모두 유대인 학살 생존자인 사회학자인 바우만은 아내인 야니나, 딸들, 가족 친구와 함께 자신의 아파트에서 TV를 보며 고무우카가 사태를 진정시키기를 기대했다. 그러나 고무우카는 오히려 여러 종류의 유대인이 있다고 말했다. 자신을 폴란드인이라고 생각하는 유대인, 자신을 세계시민으로 생각하는 유대인, 세 번째 부류는 시온주의자라고 말했다. 시온주의자들을 그는 이렇게 비난했다.

이들의 충성 대상은 폴란드가 아니라 이스라엘이다. 그러한 사람들은 우리나라를 떠나야 한다. "당장! 지금! 오늘!"이라고 청중들은 큰소리를 질렀다. "그들은 먼저 이민 신청을 해야 한다"라고 고무우카는 엷은 미소를 띠며 말했다. 그러자 "시온주의자는 물러나라!", "지금 당장, 오늘!"이라는 소리와 함께 함성, 외침, 소동 일어났다. 군중은 격분한 폭도로 변했다. 우리의 안락한 방, 평화로운 집에서 우리는 갑자기 큰 위험에 처한 것을 느꼈다. 격분한 폭도들은 대회장을 떠나서 바로 거리로 쏟아져 나올 터였다.

바우만 가족은 무거운 옷장을 옮겨 문을 가로막고, '만약을 대비해' 날카로운 물건들을 준비했다. 그날 밤은 공격 없이 지나갔다. 일주일 뒤에 바우만과 다른 5명의 교수가 학칙을 위반한 혐의로 대학에서 축출되었다. 이런 일은 차르나 폴란드의 스탈린주의자들도 감히 행하지 못한 일이었다.[55] 바우만 가족은 가을로 접어들 무렵 폴란드를 떠났다. 전체로 보아 유대인 출신인 1만 3000명의 폴란드 주민이 이스라엘 이민 비자를 신청했다. 작가인 헨리크 그린베르크는 "이들은 가지고 간 것보다 남겨두고 간 것이 더 많았다"라고 썼다.

이것이 살아남기 위해서 공포를 필요로 한 고무우카가 채택한 인종차별 정책과 폴란드의 가장 사랑받는 시인인 미츠키에비치가 대변하는 훨씬 이전의 사상 사이에서 치른 '폴란드 민족'의 전투였다. 지식인인 안드제이 키요프스키는 자신의 일기에 공산당은 '진정한 시인, 우리에게 가장 가까운 시인인' 미츠키에비치를 두려워했다. 그 이유는 "그가 보수주의, 노예근성, 민족 희망의 붕괴, 우리 전통에 대한 배반을 비판했기 때문이다"라고 지적했다. 미츠키에비치의 연극을 금지한 당국은 폴란드를 검열하기를 원했다. 그러나 그 대신에 학생들이 연극의 다음 장을 썼다. "여기 거리에서 〈조상 제사 전야〉의 5막이 펼쳐지고 있다"라고 작곡가 지그문트 미첼스키는 3월 10일 자신의 일기에 썼다. "이 나라를 지배하는 사람들은 어떻게 해야 할 줄을 모른다."[56]

폴란드 이야기의 어느 판본이 더 끌리는가? 지식인들에게 그 답은 분명했다. 만일 폴란드 정권이 이 시점 이후 어떤 작가로부터라도 지지를 받는다면 그는 2류 작가임이 분명했다. 스탈린주의 시기 중 최고 작가들은 경쟁적으로 당을 즐겁게 하는 시를 썼다. 그러나 지금은 희생을 고무시킬 것이 거의 남아 있지 않았다. 연출된 회의에서 노동자들이 내세우는 구호의 언어는 기괴했다. 그때까지 당의 최고 이념 이론가였던 아담 샤프는 자신의 부인이 폴란드 라디오방송국에서 어떻게 일자리를 잃었는지를 설명했다. 그녀의 경력을 칭찬하는 따뜻한 연설 후에 따뜻한 미소와 격려와 함께 그녀의 동료들은 그녀를 해임하는 데 찬성하는 투표를 했다.[57] 권력을 가진 자들은 생각이 세련되지 않은 노동자들은 확고하게 자신들을 지지한다고 생각했다.

그러나 침체에 빠진 경제로 인해 고무우카의 집권 기반은 허약했다. 1970년 가격 인상이 시행되자 발트해 연안 지역의 노동자들은 파업에 돌입했다. 고무우카는 협상을 하는 대신에 550대의 탱크와 함께 경찰과 군대를 보내 '노동자들을 교육시키려'고 했다. 고무우카는 다시 한 번 민족주의 카드를 사용했다. 정치장교들은 국가에 반역하는 독일인들을 진압하기 위해 출동한다고 병사들에게 말했다. 죄악의 상황은 12월 17일 일어났다. 무장경찰이 그디니아 조선소 아침 교대 시가에 맞춰 출근하는 노동자들에게 아무 이유 없이 사격을 가했다. 45명의 노동자가 사망하고 1165명이 부상당했고, 더 많은 노동자가 체포되었다.[58] 그럼에도 파업은 계속 확산되었고, 곧 고무우카는 '건강을 이유로' 사임했다. 1953년 필젠과 동독, 1956년 포즈난의 경우와 마찬가지로 노동자들은 경제적 불만을 바로 정치적 요구로 전환했다.

폴란드의 국수주의 정권은 파시스트였는가? 샤프는 이것을 '공산주의-신파시스트'라고 불렀다.[59] 폴란드를 자주 방문한 미국 정치학자 즈비그뉴 브레진스키는 마르크스-레닌주의의 부패와 과거 국제주의적 폴란드 공산당과는 아무 관련이 없는 극단적 민족주의로의 회귀의 조짐을 발견했다. 1948년 이후 폴란드 공산당의 공식 명칭인 폴란드 통합노동자당은 독일에 대항해서 소련에 의존하며 인종적으로 단일적인 폴란드를 만드는 작업을 자랑스럽게 추진했다.[60] 그러나 이것은 사회주의자들의 이상이 아니라 민족민주주의자들의 꿈이었다. 1950년대 폴란드 정권은 모스크바의 하인이라고 경멸받았고, '모스크바인들'이라고 비하 당했다. 그러나 이제 폴란드 지도자들이 폴란드인이라는 것을 의심하는 사람은 아무도 없지만, 이들의 통치 권한의 불안정성은 이들로 하여금 현대적 인종주의뿐만 아니라 오래전의 반유대주의 혐오를 재건시킨 민족적 감정을 이용하도록 만들었다.

마지막 20년 시기에 들어서는 국가사회주의의 예측할 수 없는 동력에 대해 이해를 할 수 있게 한 예는 프라하의 봄 진압에 병력 파견을 거부한 소련 블록 국가였던 루마니아였다. 이 나라는 개혁에 대한 동정으로 이렇게 행동을 취한 것이 아니라 독재자의 병적인 자기중심주의로 인해 이런 노선을 취한 것이다. 1068년 8월 21일 대통령 궁전 광장에 모인 10만 명이 넘는 군중들 앞에서 니콜라에 차우셰스쿠는 소련에 공개적으로 항의를 제기하며 상상력과 카리스마를 가진 지도자로 자신을 포장하는 데 성공했다. "바르샤바조약기구 국가의 내부 문제에 간섭하기 위해 무력을 사용하는 것을 정당화할 수 있는 방법은 없다"라고 그는 선언했다.[61] 당시 모든 보도를 보면, 루마니아 사회의 부를 증가시킨 현대화 정책과 맞물린 그의 반+소련 수사는 큰 인기를 끌었다.[62]

브레즈네프 독트린

1968년 9월 브레즈네프는 체코슬로바키아에 대한 소련의 침공이 가져온 신식민주의에 이념적 치장을 했다. 모든 사회주의 국가는 사회주의 전체의 이익을 침해하지 않는 한에서만 앞으로 어떻게 나갈 것인지를 결정할 자유가 있다고 브레즈네프는 말했다. 그러나 공산주의 운동은 '사회주의 세계와의 연계를 약화시키는' 나라를 '무관심으로' 바라보지는 않을 것이라고 경고했다. 체코슬로바키아 지도자들은 스스로를 위한 자치를 말했지만 소련과의 국경으로 나토 군대를 끌어들일 수 있는 위험을 초래하며 유럽의 사회주의 국가들의 '사회주의적 자치'를 위험하게 만들었고, '체코슬로바키아의 형제와 같은 국민에 대한 국제주의적 의무'를 수행하게 만들었다고 주장했다.[63] 소련이 지시하는 길에서 벗어나는 모든 사회주의 국가에 대한 무력 사용을 약속한 이 선언은 브레즈네프 독트린이라고 불렸다.

사실을 보면, 브레즈네프는 스탈린 사후 발전되어온 접근법에 대한 최종적 정의를 내린 것에 불과했다. 단일 정당이 정치, 문화, 경제를 통제한다는 '레닌주의' 원칙이 존중되는 한 국가들은 각사의 진로를 택할 수 있었다. 그러나 이 국가들 사이의 간격은 상당히 커졌다.

비평가들은 체코슬로바키아의 후사크 정권을 신스탈린주의 정권으로 간주했다. 이것은 1950년대의 숨 막히는 정치 통제로의 회귀였다. 경제를 다소 땜질하기는 했을지는 모르지만, 진정한 개혁은 없이 중앙계획경제에 계속 의존했다. 비평가들은 국가 지도자들이 탈스탈린화를 추진하지 않은 불가리아와 동독도 신스탈린주의 정권으로 분류했다. 그러나 이러한 단순 분류는 사실을 오도하기도 한다. 1950년대 이후 분위기는 바뀌었다. 공산 정권들은 통제 방법에서 좀 더 교묘해져서 적나라한 공포정치를 채택할 필요가 없었다. 당 간부들도 스탈린주의의 과감성을 사용할 필요가 없었다. 순진한 이상주의는 사라졌고, 현대화에 대한 청년 같은 흠모는 새로운 철강 도시, 개발되지 않은 자원의 거대한 이동, 문맹과 불평등에 대한 대중 운동에 반영되었다.

이와 대비되게 1970년대는 보수주의가 지배적이었다. 이것은 이전 것을 보존하고 유지하고, 생산라인을 추가하여 성장 모델에 이바지하는 것이었다. 더 많은 철강, 더 많은 시멘트 생산이 목표였다. "앞으로 전진!"이라는 구호는 그대로 남았지만 공허하게 들렸다. 좀 더 정확한 용어는 '실제로 존재하는 사회주의'였다. 브레즈네프가 만들어낸 이 용어는 체코슬로바키아 침공에 충격을 받고 환상에서 깨어난 서구의 좌파들은 비판할 자격이 없다고 말하는 것이었다. 이들은 사회주의에 대해 왈가왈부할 수는 있지만, 소련 블록만이 실제로 사회주의를 보유하고 있었다.

몇 년 동안 동유럽 경제는 계속 성장했지만 1970년대 중반이 되자 경제성장은 느려졌다. 이것은 부분적으로는 에너지 가격 상승이 원인이었고, 다른 면에서는 통제경제가 전자공학과 같은 신산업에서 경쟁할 능력이 없었기 때문이었다. 사회주의 국가들은 자국 국민을 포함해서 아무도 사려고 하지 않는 제품을 점점 더 많이 만들어냈다. 1975년 이후 소련 블록의 모든 국가는 경제성장의 축소를 겪었고, 이 중 폴란드가 가장 큰 침체를 겪었다. 폴란드의 경제성장률은 9.8퍼센트(1971-1975)에서 1.4퍼센트(1976-1980)로 하락했다(부록 표 6 참조).[64] 이와 동시에 오일쇼크 기간 동안 OPEC 회원국들이 석유 가격을 올리면서 거두어들인 엄청난 현금 자산을 서방 은행에 예치하면서 발생한 낮은 외채 이자율을 이용하여 동유럽 국가들, 특히 폴란드와 헝가리는 엄청난 외채를 차입했고, 동독도 경제에 영향을 미칠 수 있는 상당한 외채를 차입했다.

신스탈린주의가 상황을 과장한 표현일 수는 있지만, 동유럽의 두 국가는 스탈린주의에서 벗어나기 위해 다른 나라들보다 더 큰 노력을 기울였다. 폴란드와 헝가리는 레닌주의 국가로 남았지만 1956년 이후 두 나라는 뒤로 후퇴하여 더 이상 고도의 스탈린주의를 위한 개인과 사회의 변형을 추구하지 않았다. 야노스 카다르가 1961년 우리에게 반대하지 않는 사람은 우리와 함께 할 수 있다고 확신에 차서 선언한 것을 기억할 필요가 있었다. 카다르가 이 말을 하자 박수와 조소가 동시에 일어났다. 적극적 반대를 표명하지 않는 사람은 상대적으로 평화로운 상황에서 생활과 행복을 추구할 수 있었다. 이 시기가 되자 카다르는 폴란드의 고무우카와 마찬가지로 좌익과 우익의 반대파를 숙청한 후 안정감을 느낄 수 있었다.

폴란드와 헝가리 학자들은 서방과의 접촉을 재개했고, 정통 마르크스-레닌주의는 이 두 나라의 주도적 사회과학에서 큰 의미를 갖지 않게 되었다. 영화, 연극, 문학은 사회주의 리얼리즘으로 되돌아가지 않았고, 1950년대의 비평적 시각을 위한 공간이 열렸다. 일례로 1976년 폴란드 영화감독 안제이 바이다는 〈대리석으로 만든 사람〉에서 스탈린주의에 대한 반성을 시도했다. 이 영화에서는 당 관료와 선의를 가진 젊은 노동 영웅을 착취하는 야심에 찬 예술가의 충돌을 그렸다. 그리고 이러한 착취가 노동자와 젊은이들에게 비판적인 새로운 의식을 만들어내는지를 그렸다. 동독에서 스탈린주의에 대한 비판은 지도부에게 타격을 줄 수 있었기 때문에 계속 압제되었다. 1989년까지 동독 역사가들은 2차 세계대전 직후 시기를 영광스럽고 아무 문제가 없었던 영웅적인 사회주의 건설 기간으로 묘사했었다. 당시 냉전 말기 동독 공산당 지도자가 된 에리히 호네커는 동독의 스탈린이라고 할 수 있는 발터 울브리히트 아래서 푸른 제복을 입은 자유독일청년Free German Youth 집단을 지도하고 있었다.

폴란드와 헝가리도 경제에 대한 국가 통제 면에서 다른 국가들과 구별되었다. 소련으로부터의 제지에도 불구하고, 야노스 카다르의 기술 덕분에 헝가리는 공산국가 블록 가운에 가장 광범위한 탈중앙화를 진행했다. 1960년대 초반부터 헝가리 지도자들은 집단농장 대신에 유연하고 생산성이 높은 협동농장 제도를 시행했다. 헝가리는 자국에서 개혁 프로그램을 시행할 수 없었던 폴란드 경제학자들의 아이디어를 빌려왔다는 말이 있었다(헝가리도 자체적인 개혁 경제학자들이 있었다). 폴란드는 효과 있는 경제 개혁은 거의 실시하지 않았지만, 거센 저항을 염려하여 지도부는 농촌을 집단화하려고 시도하지 않고, 영농을 농민 개인 손에 맡겼으며 엄격한 가격 통제와 신용 제도를 거의 활용하지 않았다. 이것은 사회주의 국가인 폴란드가 경제의 중요한 부분을 국가 계획경제에서 제외해야 한다는 것을 의미했다.

동독, 불가리아, 루마니아, 체코슬로바키아의 강경파 정권들은 모든 것에 관여하는 이념의 존재로 인해 미니 소련이나 마찬가지였지만 서로 간의 차이점도 있었다. 동독과 불가리아는 1940년대의 원 스탈린주의 간부들을 1980년대까지 유지한 데 반해, 루마니아, 체코슬로바키아는 1960년대 부분적인 자유화를 수용했다. 왜 체코슬로바키아가 카다르와 같은 좀 더 온건한 노선을 취하지 않았는가는 역사가들이 아직 답을 하지 않은 질문이다. 이것은 프라하의 봄의 이상이 너무 강해서 체코인들과 슬로바키아인들은 자신들을 치료하기 위해 더 큰 치료를 필요로 했기 때문인가, 아니면 이러한 이상이 너무 약하게 뿌리내려서 쉽게 이것을 뿌리 뽑을 수 있었는가? 루마니아가 개인숭배에 가까운 특이한 형태의 민족주의 공산주의의 길을 간 것은 숭배의 대상과 관련이 크다. 1972년 북한 방문을 하고 돌아온 니콜라에 차우셰스쿠는 레닌주의는 엄격하고도 중앙화된 규율을 필요로 한다고 확신하게 되었다.[65]

이와 유사하게 체코슬로바키아의 종교 정책도 철저한 획일화로 회귀했고, 체코슬로바키아 정부는 많은 당원들이 주일에 교회에 출석하는 폴란드에서는 생각할 수 없는 교회출석자에 대한 차별조치를 시행했다. 동독은 교회출석자에 대해서는 체코슬로바키아만큼 압제 정책을 펴지 않았다. 그래서 체코슬로바키아의 저명한 가톨릭 반체제 인사였던 토마시 할리크는 1978년 동독의 에르푸르트를 은밀히 방문하여 세례를 받았다. 동독의 교회 위계질서는 기본적으로 그대로 보존되어 있었다(그 후 그는 체코슬로바키아로 돌아와 지하 교회 사제로 일했다).[66] 그러나 동독 당국은 10대 청소년들이 통과 의례로 무신론자 확인 의식Jugendweihe('젊은이들에 대한 축복')에 참여하도록 많은 압력을 넣었다. 이러한 관행은 가톨릭교회가 폴란드를 '서구'에 위치시키는 정체성의 기둥인 폴란드에서는 생각할 수 없는 일이었다. 폴란드 공산당은 단지 자국을 세속화하기 위해 노력했고, 1960년이 되어서야 동방박사 3인 기념일(1월 6일), 예수 승천절(8월 15일)을 일반 노동일로 만들었다.[67] 1961년이 되어서야 당국은 학교에서 종교 의례를 중지시키고, 사회주의 도시에서 성체 축일 행진을 중단시켰다.

프라하의 봄은 당시 유럽을 휩쓸었던 민주적 동원의 일부였던가? 파리와 서베를린의 학생들과 마찬가지로 체코인과 슬로바키아인들은 현대 사회의 다원적 소외에 도전하여 일어나서 관료들과 행정기구들이 자신들의 생을 통제하는 것에 도전했던 것인가? 당의 보호를 받기는 했지만 이들은 풀뿌리 민주주의와 자신들의 목소리를 낼 기회를 원했었다. 그런 면에서 이들은 서독이나 프랑스의 반문화운동의 노선을 따라 행동한 것이나 마찬가지다. 서독의 경우 이것은 1983년 의회에 입성한 녹색당 창당에 중요한 동인이 되었다.

그러나 체코인들과 슬로바키아인들은 프랑스인이나 서독 사람들이 당연하게 여겼던 것을 위해 일어선 것이다. 두려움 없이 자신의 의견을 표현할 권리, 자신이 택하는 책을 읽거나 쓰는 권리, 여행의 자유, 자국의 지도자들이 법에 대해 책임을 지게 만들도록 하는 권리를 이들은 요구했다.

합스부르크제국하에서 선배 세대들이 획득한 이러한 기본적인 권리들이 모스크바에서 수입된 레닌주의적 프롤레타리아 독재에서는 상실된 것이다. 이것이 1970년대에 체코슬로바키아 지식인들이 점점 더 자라나는 '민권', '인권' 의식의 일부로 깨닫고, 유감으로 느낀 것이다. 이것은 다른 모든 것보다 역사의 실현인 노동계급의 권리를 최고의 사회적 권리로 강요한 정권하에서 억압되고 무시되었었다.

그러나 역설적이게도 프라하의 봄 탄압은 레닌주의 독재국가들과 서방의 다당제 국가들 사이의 좀 더 개선된 관계의 길을 열고, 세계 곳곳에 인권에 대한 고양된 인식의 길을 열어놓았다. 소련이 자신의 영향권을 안정화시켰다고 확신하면서 긴장 완화를 위한 서방과의 협상에 좀 더 자신감을 가지게 되었다. 1975년이 되자 모든 나토 회원국과 바르샤바조약기구 회원국 사이에 확산된 데탕트가 헬싱키에서 서명된 여러 합의를 만들어냈다. 전후 정치적 경계선을 인정하는 대가로 동방 블록은 '인권'의 정당성을 인정했다. 아마도 이들은 역사의 전위대라는 자신들의 담론을 믿으며 자신들은 절대 인간에 의해 책임을 추궁당하지 않는다고 생각했을 수도 있다. 그다음 해 소수의 반체제 인사 단체가 폴란드에서 구성되었고, 다음으로 체코슬로바키아에서 형성되었다. 이들은 1968년 불가능한 일로 드러난 국가사회주의의 개혁을 목표로 하지 않았고, 그 대신에 자신들의 정권이 서명한 합의의 언어에 책임을 지게 하는 것을 목표로 했다.

23장

실제 존재하는 사회주의: 소련 블록의 생활

독일 통일과 이로 인한 독일민주공화국의 역사가 사라진 직후 동베를린의 한 역사학자는 수업 시간에 자신들의 조국이었던 동독이 어떤 존재였는지에 대한 토론을 벌였다. 대부분의 학생들은 동독은 사회주의로 간주할 수 없다고 말했다. 사회주의는 평화와 자유 속에 생을 영위하고 사람들이 인간으로서 자신의 가치를 실현하며, 명령을 받기만 하는 것이 아니라 무엇을 생산하고 무엇을 말할지를 스스로 결정하는 사회였다. 마르크스는 '사회'의 손에 경제를 맡기려고 했다. 이것은 개인들이 연합하여 생산 수단을 통제하는 것을 의미했다. 엥겔스는 생산과 분배에 대한 결정권을 한 지배 계급에서 빼앗아 다른 지배 계급의 손에 맡기는 것에 대해 경고했다. 사회주의의 핵심은 노동자들이 스스로를 지배하는 것이었다. 에리히 호네커의 동독이 그런 경우였던 것처럼 보였다.

충분히 타당한 이유를 가지고 이 역사학자는 호네커의 편을 들었고, 그 연장선상에서 레오니트 브레즈네프의 편을 들었다. 동독에 존재했던 사회주의는 현실이었다. 다른 사회주의 정권과 마찬가지로 동독은 시장과 소유에 근거한 착취를 철폐하는 역사상 유일한 사회적 구조를 형성했다. 그 것이 무엇이었는지를 떠나서 이것은 자본주의 체제는 아니었다.[1] 비평가들은 국가사회주의 관료들을 '새로운 계급'이라고 불렀지만, 이들은 소유를 하지 않았고 부를 상속하지도 않았다. 이들은 단순히 통치만 하기 위해 통치하는 것도 아니었다. 가장 심각한 회의주의자인 라코시 집단이나 울브리히트 집단도 차별 없는 사회를 만들기 위해 궁극적인 이상과 어느 정도 관련된 상태에서 통치했다. 이들 모두는 죽는 날까지 자신들이 노동자라고 자랑스럽게 선언했다. 이들은 '자신들의' 계급이 좀 더 고상한 도덕성을 실현하고, 인류를 미래로 이끌고 가도록 운명지어졌다고 믿었다.[2] 이것이 이들이 독일 청소년의 의무적 통과 의례이자 무신론 확인 의례인 성년식Judendweis, Judenweihe 같은 특별한 경우에 설교하는 교리였다.[3] 그러나 이들은 국가가 소멸된다는 마르크스의 원리를 존중했다. 공산주의하에서는 국가가 있을 필요가 없었다. 왜냐하면 사회가 사회주의 공존의 규칙을 배우게 될 것이기 때문이었다.[4]

그러나 노동계급은 당분간 완전한 자기 지배를 할 준비가 되어 있는가? 1930년대의 독일 노동자나 헝가리 노동자들처럼 그들이 나쁜 선택을 하지 않을 것이라고 무엇으로 보장할 수 있는가? 마르크스와 엥겔스는 노동자들에게 사회주의를 건설할 권한을 맡길 것인지에 대한 청사진을 남겨놓지 않았다. 두 사람 모두 생산과정의 개선 자체에서 더 높은 의식이 생겨날 것이라고 가정한 듯하다.[5] 만일 노동자들이 지도를 필요로 한다면 헌신적인 혁명가가 아닌 어느 누가 이것을 제공하겠는가?

동유럽의 국가사회주의 정권은 자본주의 착취와 세계적인 역사적 단절과 내일의 여명 사이의 어느 곳엔가 위치해 있었다. 지도자들은 과거로 돌아가는 법은 없다고 맹세했다. 1980년대 초반 독일사회통합당의 잘펠트 지역위원장은 시내 중심부에 플래카드를 내걸었다. "당신들은 다시는 절대 손에서 놓쳐서는 안 되는 권력을 부여받았다."[6] 공식 선전 문구에 좀 더 자주 등장한 말은 간단했다. "모든 것은 인민의 복지를 위하여!" 이것이 실제로 존재하는 사회주의의 핵심 관심사였고, 존재 이유였다.

우리가 본 바와 같이 이러한 구호는 스탈린 사망 직후인 1953년 제때를 만난 것 같았다. 스탈린의 후계자들은 레닌과 스탈린 유산의 상당 부분을 물려받았다. 당에 의한 중앙계획, 현대는 중공업을 의미한다는 사고, 자신들의 세계관의 궁극적인 우월성 등이 그것이었다. 그러나 이들은 매일의 일상생활의 잔혹한 현실은 부정했다. 스탈린 치하에서 수백만 명이 거의 기아에 가까운 절망적인 빈곤 속에서 생활했다. 소비자에게는 아무 권리도 없었다. 대중의 비참을 강요한 모든 것이 사실은 필요 없는 것이었다. 자원을 소비에서부터 다른 데로 돌리는 것은 전쟁이 임박했다는 스탈린의 교조 외에는 어떠한 정당성도 찾을 수 없었다.

스탈린 사후 일어난 일은 누가 지도자인가를 떠나서 이성적 중도 노선으로 방향을 다소 트는 것이었다. 스탈린 장례식 후 서방 관측자들은 스탈린의 개인 비서였던 게오르기 말렌코프가 통치를 맡는 것이 아닌가 의심했었다. 그러나 몇 주 후 말렌코프는 당의 지도권을 니키타 흐루쇼프에게 넘기고 자신은 총리에 취임했다(원칙은 집단 지도체제라는 것을 독자들은 기억할 것이다). 2년 동안 말렌코프와 흐루쇼프는 경쟁자로서 어떻게 하면 사회주의를 더 잘 건설할 것인가를 놓고 경쟁했다. 두 사람은 각기 다른 강조점이 있었다. 말렌코프는 경공업을, 흐루쇼프는 중공업을 중시했다. 두 사람 모두 사회주의는 소비자 이해에 맞추는 방향으로 가야 한다는 것을 이해했다.[7] 좀 더 높은 생활수준과 인상된 급여, 확장된 복지 혜택으로 좀 더

즐길 만한 생활을 만들어야만 했다.[8]

이후 기간 동안 말렌코프와 흐루쇼프는 농산물 생산을 늘리기 위해 나섰다. 말렌코프는 집단농장 곡물에 정부가 지불하는 가격을 높이고, 개인 텃밭의 경작을 장려하는 방법을 썼고, 흐루쇼프는 아직 경작되지 않은 수백만 헥타르의 처녀지를 경작하는 방법을 썼다.[9] 권력투쟁에서 승리한 흐루쇼프는 1956년부터 1964년까지 아무의 도전도 받지 않고 통치했다. 1964년 브레즈네프가 이끄는 공산당 정치국은 대외 정책에서 실패한 모험, 특히 쿠바 미사일 위기 대실패와 흐루쇼프의 야심에 찬 예측이 필요한 경제성장을 이루지 못한 책임을 물어 흐루쇼프를 실각시켰다. 흐루쇼프는 한 세대 안에 사회주의가 자본주의를 추월할 것이라고 장담했었다. 그는 이상주의자라기보다는 예측 불가능한 인물로 보였다. 그가 의도하지 않게 가르쳐준 교훈은 새로운 사회의 도래에 대한 정확한 예측은 피해야 한다는 것이었다.

브레즈네프는 마르크스-레닌주의 가르침의 순수성을 보존하며 당의 주도적 역할, 중공업에 대한 스탈린주의의 집중을 지켜나갔다.[10] 비판자들은 브레즈네프가 소련을 침체의 수렁으로 끌고 갔다고 후에 비판하게 된다. 프라하의 봄을 진압한 그는 개혁에 한계가 있다는 신호를 보냈다. 개혁 경제학자들이 선호하는 시장 체제는 엄격하게 제한되고 통제되어야 했다. 그와 소비에트 엘리트가 택한 길은 경제 침체를 가져왔다. 그러나 사회주의는 주민들의 생활을 개선해야 한다는 아이디어는 살아남았고, 흐루쇼프 때 시작된 자원의 투자의 재방향 설정은 계속 진행되었다. 1950년대 국내총생산의 25-35퍼센트를 흡수했던 자본 축적은 1960년대부터 약 20-25퍼센트로 줄어들었다.

소비에 할당된 투자 비중은 여전히 높았고, 스탈린주의 시기의 경제자립 정책과 절연하여 공산 정권은 대외 교역에 대해 좀 더 실용적인 접근법을 취했다. 1960년부터 1975년까지 소련의 동유럽으로부터 수입은 6배 늘었고, 수출은 7배 이상 늘었다. 교역 방향도 공산권을 벗어났다. 1960년부터 1975년 사이 서방 선진국으로의 수출은 19퍼센트에서 22퍼센트로 늘어났고, 수입은 21.8퍼센트에서 33퍼센트로 늘어났다.[11] 수입의 상당 부분은 소비자의 수요를 충족시킨 제품이 차지했고, 특히 식료품과 의류 수입이 큰 비중을 차지했다. 동유럽과 소련 공산당은 서방의 음료, 트랙터, 자동차를 자국에서 생산하는 권리를 따냈다.

그러나 이러한 소비자주의consumerism로의 전환은 당 관료들의 아량에서 나온 것이 아니었다. 이것은 1953년 파업 이후 대중 노동계급의 소요가 다시 일어나지 않게 하기 위함이었고, 흐루쇼프의 표현을 빌리자면 노동자들이 "쇠스랑을 들고 공산주의자들을 쫓아내지 않도록 하기 위해서였다". 마르크스주의자라면 탈스탈린화는 노동계급의 항의의 압력으로 인해 예전 통제경제에서 나온 정반합 중 통합이라고 말할 수 있었다. 노동자들이 다시 들고 일어나지 않게 하도록 확실히 만드는 것은 암묵적인 대화를 시작해서 얼마나 많은 사적 소유를 이들이 용인하고, 얼마나 많은 지지를 얻어낼 것인가를 알아내는 것이었다. 포스트-전체주의 시기의 공산주의(바츨라프 하벨이 사용한 용어)는 정권과 사회의 지속적인 대화가 되었다. 양측이 대등한 입장은 아니었지만, 상호 인정하는 거래였다. 정권은 최소한의 '고상한' 유럽적 생활수준을 제공했고, 그에 대한 보상으로 겉으로 들어난 체제 순응을 기대했다.[12] 주민들은 노동절에 행진을 하고 '대중 조직'에 가담하고 정치적 반체제 운동을 자제했다. 이러한 양해를 위반하는 사람들은 사회 계단의 바닥으로 떨어져서 몸이 부서지는 육체노동을 하며 자신뿐만 아니라 자식들의 생활수준을 위험하게 만들 위험을 감수해야만 했다.

다른 모든 협상에서와 마찬가지로 최종 상품인 실제로 존재하는 사회주의는 이런 형태로 나타날 것이라고는 아무도 처음에는 예측하지 못했다. 그러나 이것은 수십 년의 세월 동안 위기와 과거의 지도자들과 세대의 변화를 지나오며 고형화되었다. 이것은 항상 정권과 사회의 타협이었지만, 마르크스-레닌주의 프로젝트와 관련성을 유지했다. 이것은 단순히 강요된 것이 아니라 국가-사회 결합에서 나온 것이었다. 정권 스스로도 '사회주의적 생활양식'은 무엇으로 구성되는지를 알지 못했고, 사회학자 군단을 동원하여 주민 사이에 들어가서 이것을 파악하도록 만들었다.[13]

1960년대 말까지 이러한 사회주의 생화양식의 외형과 리듬은 제국 지배하에서 살던 수백 년간의 경험이 가장 최근의 형식으로 발현된 것이었다. 2차 세계대전 후 동유럽 주민들은 사회주의 세계 체제의 주체인 호모 소비에티쿠스Homo Sovieticus가 되었다. 휴가 중에 만난 헝가리인이나 폴란드인은 물품 부족, 부패, 가끔 벌어지는 정치 테러를 견뎌내는 것이 무엇인지를 금방 서로 이해할 수 있었지만, 이들은 또한 사회적 평등과 안전망에서 살며, 자신의 작업장 동료들과 가족들과 서두르지 않는 속도로 생활을 하는 것이 무엇인지도 알았다.

소비자주의의 위험

소비자주의로의 전환은 반체제 운동을 막는 효과를 거두었지만, 사회주의의 정통성을 훼손하는 두 개의 제대로 인식되지 않은 도전을 제기했다. 첫째, 점점 커지는 소비자 요구를 충족시키기 위해서는 지속적인 경제성장이 필요했고, 이것은 1, 2차 산업혁명에서 3차 산업혁명으로 이동해야 하는 어려운 문제를 극복해야 하는 과제를 안겼다. 이것은 경제성장이 둔화되고 있던(체코슬로바키아에서 본 것과 같이) 1960년대 상황에서는 지난한 도전이었다. 그러나 두 번째로 이 성장은 이 국가들이 결별했던 과거의 자본주의뿐만 아니라, 현재의 자본주의 세계와의 비교되는 상황에서 진행되었다. 마르크스의 예언과 대조되게 자본주의 세계는 쇠퇴하지 않았고, 어려움에도 불구하고 전례 없는 속도로 성장하여 소수의 엘리트뿐만 아니라 점점 더 풍요로워지는 사회에 폭넓게 분배되는 부를 생산해냈다.[14]

포스트-스탈린주의는 라디오와 TV 전파뿐만 아니라 여행을 통한 서방으로의 개방을 의미했기 때문에 서방과 공산주의 블록 사이의 경쟁은 동유럽 주민이 훤히 바라보는 가운데 진행되었다. 1960년대부터 헝가리인, 체코슬로바키아인, 폴란드인들은 철의 장막 너머로 여행할 수 있었다(일례로 1966년부터 헝가리인들은 3년에 한 번 서방을 방문할 수 있었고, 초청을 받으면 2년에 한 번 방문할 수 있게 되었다). 이와 동시에 매해 수백만 명의 서방 관광객들이 프라하, 부다페스트, 동베를린과 다른 많은 동유럽 지역을 방문했다.[15]

동유럽 공산당은 시민들이 해외는 물론 다른 사회주의 국가를 방문할 수 없었던 소련을 모방하지 않았다.[16] 그 대신에 동유럽인들은 전반적인 '긴장 완화'를 서방에 좀 더 가까운 자신들이 역사에 맞는 조치로 응용했다. 프랑스, 영국, 아르헨티나, 미국에는 거대한 폴란드인 이민 사회가 있는데, 폴란드 정부는 이들이 휴가 때나 연수를 위해 폴란드를 방문하도록 장려했다. 이와 유사하게 수십만 명의 헝가리인들과 체코슬로바키아인들이 서방에 거주하고 있었다. 동독은 엄격하게 국경을 통제해서 이에 예외가 되었다. 서독과 너무 가까이 있었기 때문에 동독 당국은 1961년 주민들의 이탈을 막기 위해 베를린 장벽을 만들었던 것이다. 그 이후 65세 이하의 남성은 아주 예외적인 경우(학술대회 등)를 제외하고는 서방을 방문할 수 없었고, 서방에서 동독을 방문하는 것도 제한되었다.

1961년 니키타 흐루쇼프가 공산주의의 승리가 임박했다는 말도 되지 않는 예측을 했을 때 그는 서방과의 경쟁을 바로 도입했다. 그는 21차 공산당대회에 참석한 대표들에게 소련은 20년 안에 어느 자본주의 국가보다 높은 생활수준에 도달할 것이라고 자신 있게 말했다. 그가 이런 낙관주의를 보인 이유 중 하나는 계획경제의 문제는 계획에 있는 것이 아니라 조잡한 계획 작성 방식에 있다고 보았기 때문이다. 당의 전문가들은 수학적 방법과 컴퓨터 계산을 더 많이 사용하면 생산의 양과 질을 모두 향상시킬 수 있을 것으로 예상했다.[17]

그러나 경쟁의 본질은 '생활수준'이라는 것이 무엇을 의미하는지에 달렸다. 자본주의는 수도 없이 다양한 상품을 쏟아냈다. 수십 종의 자동차(매년 새 모델이 나옴), 수도 없는 치즈, 빵, 당과류, 소비용 내구제와 상상할 수 있는 모든 패션의 의류와 광고로 인해 상상이 가능한 모든 종류의 선호를 만들어냈다. 사회주의는 이렇게 머리가 핑핑 돌 정도의 다양한 상품을 만들어내지 않았다. 그 이유 중 하나는 사치품은 높은 프롤레타리아 도덕성에 모순되기 때문이었다. 동독 공산주의자들은 최신 상품을 사려고 달려가는 서방 사람들을 '소비 테러'라고 불렀다.[18] 그러나 소비자 부분을 억누르는 왜곡을 제거하면 스탈린주의의 검소한 자기희생의 정신과 자본주의 문화의 한없는 타락 사이의 균형은 무엇인가? 사회주의 국가의 시민에게는 얼마나 큰 주거공간이 필요한가? 가족은 자신들의 집을 가져야 하는가 아니면 공동주택에 거주해야 하는가? 사회주의 국가의 시민은 차를 몰아야 하는가 아니면 같이 버스를 타고 다녀야 하는가? 이 사람들은 커다란 공동식당에서 같이 식사를 해야 하는가 아니면 때로 레스토랑에서 식사를 할 수 있는가? 레스토랑은 어떤 음식을 제공해야 하는가?

이러한 질문들은 혁명적이지는 않더라도 새로운 것이었다. 국가사회주의를 설립한 사람들은 정권의 목표가 상품과 서비스의 개인적 소비라고 생각하지는 않았지만, 소비를 완전히 무시하지는 않고, 이것을 공산주의 건설 과업에 종속시켰다. 국가사회주의는 생산 노동에 기초한 사회이다. 이것이 노동 장소를 변화시키고 부를 생산하는 일련의 현대적 산업을 만들어내면 분배는 알아서 진행될 것으로 전제했다. 공산주의는 다른 모든 재화가 흘러나오는 보물창고가 될 터였다. 그러나 현재의 상황은 공산주의는 점점 더 먼 미래의 일이 되고, 당 관료들은 그 어느 때보다도 분배 문제에 신경을 써야 하는 상황에 처했다. 사회과학자들은 이러한 정권을 '공산주의'가 아니라 '재분배센터'이고, '수요에 대한' 독재라고 불렀다.[19] 그러나 국가 계획에 의해 수요를 결정하는 당 과료들은 주민들이 원하는 것이 무엇인지를 알고 싶어 했다.

헝가리에서 정부 관리들은 스탈린주의 시기부터 조사를 시작했다. 헝가리 국내 상업부는 조용하게 소비자들이 상품의 질이 향상되기를 원하는 대상에 대한 여론 조사를 실시해서 소비자들의 선호를 조사했다. 동독 공산당도 상업공급부에서 소비에 대한 조사를 했지만, 1961년 소비연구소를 설립했고, 1966년에는 이 연구소 명칭을 시장조사연구소로 바꾸었다.[20]

1950년대 후반부터 동유럽 지역 국가 경제계획자들은 자신들의 인구를 '상품구매자'로 인식하고, 소규모 특정 상품 가게를 슈퍼마켓과 백화점으로 바꾸었다. 수요에 상응할 뿐만 아니라 어떤 면에서는 수요를 만들어내는 '필수품이 아닌' 상품들을 다양하게 구비했다. 1963년 럭서스 백화점이 부다페스트 중심부에 개장했다. 여기에서는 아주 품질이 좋고, 멋지게 포장된 상품들을 종종 아주 높은 가격에 판매했다. 사유화가 진행된 지 몇 년 후 윈도우쇼핑은 다시 도시민들의 유쾌한 경험이 되었고, 동유럽 사람들은 상품의 질에 따라 상품을 구별하기 시작했다. "자신의 사회적 정체성을 구성하는 소비자 선택의 중요성이 점점 커졌다." 국가는 광고뿐만 아니라 구매 조언 잡지 등을 통해 어떻게 무엇을 소비할 것인지에 대한 많은 정보를 제공했다. 아파트 내부 장식, 패션, 요리, 자동차 등 많은 상품들에 대한 정보가 제공되었다. 1973년이 되자 광고는 국가 지출의 3퍼센트를 차지하게 되었다.[21]

소비자주의로 경제가 방향을 튼 덕분에 사회주의 산업은 주민들의 생활을 변화시키는 부를 창출해냈다. 체코슬로바키아인 중 자동차를 소유한 비율은 1970년 19퍼센트에서 1985년 47퍼센트로 늘었고, 냉장고 보유 가구는 1970년 70.1퍼센트에서 1985년 96.7퍼센트로, 칼라 TV 보유 가구는 1976년 0.8퍼센트에서 1985년 26.8퍼센트로 늘어났다.[22] 헝가리 상황도 비슷했다. TV 시청자는 1956년부터 1962년 사이 20배 늘어났고, 자동차 보유 비율은 1960년부터 1970년 사이 11배 늘어났고, 1960년부터 1980년 사이 아파트 수는 50퍼센트 늘어났다. 1960년대가 되자 헝가리 국민 전체는 "사상 처음으로 풍족하고 영양가 넘치는 식사를 즐기게 되었다". 늘어나는 풍요는 계속 높아지는 임금에 반영되었고, 이것은 소비를 진작시켰다. 헝가리 정부는 1956년 혁명 후 임금을 20퍼센트 인상했고, 이후 1970년대 말까지 매년 3-4퍼센트 인상했다. 폴란드에서는 1971년부터 1975년 사이 임금이 41퍼센트 인상되었고, 체코슬로바키아에서는 같은 기간 중 거의 20퍼센트 인상되었다.[23]

일부 고소득 급여 대상자인 전문가와 모델로 제시된 '영웅 노동자'를 제외하고는 스탈린주의는 모든 주민을 일반 기준에 맞게 생활하도록 목표

스탈린 거리를 산책하는 시민들(동베를린, 1950년대 말)

했었다. 이러한 '왜곡'의 시간은 끝났지만, 무엇이 뒤를 이을지는 불분명했다. 주민들은 필요에 의해(기본 요구는 보장되었지만) 보상받는 게 아니라 자신들이 기여한 것의 가치에 따라 보상을 받았다. 그러나 사회주의 국가는 어떻게 가치를 측정할 것인가? 자본주의하에서 의사는 비숙련 노동자의 20배 정도까지 고소득을 올릴 수 있었다. 그러면 사회주의하에서 이들의 급여는 얼마나 높아야 하는가? 만일 의사의 급여가 너무 낮으면, 학생들은 의학 학위를 따는 데 필요한 힘들고도 긴 시간을 인내하지 않을 것이 분명했다. 그러나 국가 계획경제가 사무직 노동자들에게 높은 임금을 배정하면 이들은 계급 차이가 사라진 것으로 간주되는 사회에서 지도적 계급으로 보일 수 있었다.

이런 문제에 부닥친 사회주의 정권들은 수입에서 큰 차이를 두지 않는 해결책을 취했다. 사회주의 사회들의 지니계수(사회적 불평등을 측정하는)는

어린 학생들의 건강한 점심(딜스태트, 동독, 1975)

지구상에서 가장 낮았다(체코슬로바키아는 측정된 국가 중에 가장 낮았다).[24] 지식인들과 당 고위의 특권층은 상품과 용역에 대한 특권적 접근권을 누렸지만, 우리가 좀 더 상세히 살펴보는 바와 같이 이것은 서구 사회의 엘리트들이 향유하는 소비의 혜택과 비교하면 대단한 것은 아니었다. 1980년대 소련 블록의 의사와 기술자들은 숙련 노동자보다 크게 높지 않은 급여를 받았고, 어떤 경우는 더 낮은 급여를 받았다.[25] 그러나 임금 격차가 나타나기 시작했고, 광범위한 비공식 또는 '회색' 경제가 작동하던 폴란드에서는 더 현저하게 나타났다. 계급이 아니라 지위에 따라 생산, 재생산 능력의 차이가 나는 사회의 힘은 정권이 완전히 통제할 수 있는 대상이 아니었다.

소비자주의의 한계

사회주의 평등주의는 강하게 남아 있기는 했지만, 1970년대가 되자 소련 블록은 경제적으로 침체에 빠지고 인류에게 위대한 번영의 길을 보여주지 않는다는 것이 분명해졌다. 1950년대 서방은 스푸트니크처럼 과학과 기술에서 동방 블록이 이룬 성취를 두려워했지만, 20년 후 이 두려움은 약화되었다. 생산에서 큰 진전이 있기는 했지만 사회주의는 단조로움, 선택의 부재와 형편없는 재화의 질이 상징이 되었다. 또한 사회주의는 고유한 스타일이나 생산라인을 만들어내는 능력이 없었다. 사회주의 소비자주의는 서방을 어설프게 모방한 것에 지나지 않았다. 서방에서 국가들은 영민하게 자신들을 '자본주의 국가'가 아니라 '복지 국가'라고 불렀고, 이 국가들은 종종 공산주의 마르크스주의자들의 사촌이라고 할 수 있는 사회민주당이 통치했다.

제품 디자인은 보통 직접 새로 하지 않았고, 서방 제품을 직접 모방하지 않았기 때문에 상품 종류는 달랐다. 소련 블록에서 가장 부유한 국가로 여겨지던 동독에서도 트라반트Trabant와 바르트부르크Wartburg, 단 두 개의 자동차 생산라인만 있었다(각 모델에 대한 대기기간은 몇 년씩 되었다). 냉장고는 크리스탈 한 모델만 생산했다(1968-1969년 노동자 두 달치 월급의 가격에 공급된다고 광고되었지만 종종 재고가 없었다). 1969년 동독 가정의 60퍼센트 정도만이 냉장고를 보유했다.[26] 1970년대 초반 상당한 투자를 한 후에(플라스틱 부품을 생산하기 위해 일본으로부터 엄청난 기계를 수입했다) 동독은 자동 식기세척기를 생산하기 시작했다. 그러나 1972-1973년 1만 3000대를 생산한 후 생산은 중단되었다. 그 이유 중 하나는 아파트 조립 부품을 만드는 국영회사가 부엌에 식기세척기를 사용할 수 있는 전기 배선공사를 하지 않았기 때문이었다.[27] 그래서 동독 주민들은 손으로 식기를 닦고 말려야 했다. 1980년대 초반 동독 가정의 24퍼센트만 칼라TV를 보유했다. 그러나 동독 정권은 스스로 만든 이중성에 의해 TV 공급에 도움을 받았다. 서방 당국 세관이 동독산 TV 반입을 금지하면서 수출용으로 동독에서 만들어진 수천 대의 TV가 동독에서 구입할 수 있게 되었다. 동독 공장은 28가지 특허를 위반한 것으로 드러났다. 왜 이런 제품들을 서방으로 수출하려고 했는지는 우리가 후에 다시 논의할 것이다.[28]

서방과 대조되게 수십 년 동안 동유럽의 소비자 상품의 스타일은 거의 변하지 않았다. 1980년대에 폴란드에는 대체로 두 종류의 딱딱한 치즈가 있었고, 두 종류의 빵이 있었다. 프라하의 쇼핑객들은 이 거대한 도시에서 단지 5-6종의 와인을 볼 수 있을 뿐이었다(맥주의 종류는 조금 더 많았다). 고급 상점에서도 상품은 양적으로 풍요로울 뿐이지 질적으로 다양하지는 않았다. 1980년대가 되자 상품 품귀 현상이 일어나며 상황은 더욱 악화되었다. 상품 부족은 폴란드와 루마니아에서는 만성이 되었고, 동독과 체코슬로바키아에서는 점점 악화되고 예측불허가 되었다. 동독은 물품 부족 현상이 주민들로 하여금, 잼이나 옷을 스스로 만드는 것처럼 필요한 것은 스스로 만드는 기술을 익히게 했다는 불편한 사실을 선전하기도 했다. 1976년 한 기자는 이러한 현상은 '우리 여성들이 여가시간을 의미 있게 사용하는 것'을 보여준다고 쓰기도 했다.[29]

가장 품귀 현상이 심한 것은 전자제품이었다. 기술적으로 단순한 소니 워크맨은 1979년 서구 시장에 나타났지만, 1988년이 되어서야 동독은 300동독마르크(당시 고등교육을 받은 노동자 평균 월급은 1477마르크였다)[30] 가격에 자국산 소형녹음기를 내놓았다. 그러나 월급을 떠나서 이 제품을 원하는 사람은 여러 상점을 찾아 헤매야 했다.[31] 1960년대부터 소련 블록 국가들은 서방 디자인을 불법 복제하며 컴퓨터 기술을 발전시켜왔고, 이러한 사실을 주민들은 서방 TV를 통해 알게 되었다.[32] 소비재 상품은 더 나은 '정상적' 생활의 상징이 되었다. 서방은 새로운 기술로 이동하는 동안 동방 블록은 이전 시기에 고안된 상품에 그대로 머물러 있었다.

동유럽 지도자들은 상품의 다양성과 질의 문제에 대해 잘 알고 있었고, 주민들이 이것을 있는 그대로 서방과 비교하고 있다는 점을 우려했다. 그러나 국가가 경제에 대해 거의 전적인 책임을 지고 있었기 때문에 소비자들은 이러한 문제를 국가 당국의 악의를 드러내는 문제로 해석했다. 이에서 더 나가 정부의 태도를 기술할 때 주민들은 과거 시기 막강한 권력을 가졌지만 경멸의 대상이었던 식민지배 세력에게 사용하던 언어를 사용했다. 주민들은 자신들에게 '던져진' 형편없는 상품에 대해 불평했다. 일례로 거리에서 만난 사람들은 "가게에 쓰레기 같은 물건을 던져놓았어"라고 말했다. 주민들에게 던져진 물건(먹을 수 없는 쿠바산 오렌지 같은)의 형편없는 질은 이러한 상품에 대해 고마워하는 마음을 아예 사라지게 만들고, 이것을 소비해야 하는 주민들에 대한 정권의 태도를 반영한 것이라고 보았다.[33]

종종 아무런 근거 없이 사회주의 국가 시민들은 어떤 때는 맹목적으로 서방에서 온 상품들이 더 뛰어난 것을 당연히 생각했다. 이것은 더 높은 수준의 생활과 더 자유로운 삶을 표상했다. 이런 방식으로 사회주의는 욕망과 상품 사이의 관계에서 자기파괴적인 역학을 만들어냈다. 자본주의 체제하에서는 욕망이 구체적으로 표현되면 이것을 반영한 특정한 실제 상품이 그 욕망을 만족시키기 위해 생산되었다. 이와 대조적으로 사회주의에서는 특정한 초점이 없는 희미한 욕망만이 일어나고 이것은 결핍 속에 계속 유지된다. 서방 국가는 이와 대조적으로 상업적 이익과 '시민 소비자'를 중재시키고, 국가가 필요에 대한 독재를 하지 않기 때문에 필요를 만족시킴으로써 정통성에 대한 훨씬 적은 압박을 받는다.[34]

동유럽 국가들은 엄청난 양의 공짜 상품이나 큰 보조를 받은 상품을 생산하기 때문에 더 큰 고통을 받았다. 주민들은 이것을 당연하게 받아들였고 공산주의가 붕괴한 다음에야 이것을 고마워하게 되었다. 식품, 음료, 전기·수도, 임대료, 교육, 책, 문화(모든 사람이 가장 뛰어난 오케스트라를 거의 무료로 감상할 수 있었다), 휴양소, 체육관, 수영장, 사우나, 의료, 교통 등이 거의 무료로 제공되었다.[35] 서방에서는 개인 소비품으로 여겨지는 이러한 상품과 용역은 동방 블록 주민들이 정권에게 거의 고마움을 표시하지 않은 풍요로움을 만들어냈다. 주민들은 그 대신에 자신들이 가지지 못한 서구 스타일의 상품을 부러워했다.

국가에 대한 경멸감은 사회주의 국가들이 서방 회사들에게 서방 상표로 의류제품을 생산하도록 허용한 관행으로 더 강화되었다. 진jeans 의류뿐만 아니라 식품과 전자제품도 이런 방식으로 생산되었다. 사회주의 국가 공장에서 생산되기는 했지만 이러한 제품들은 서방에서 판매될 목적으로 만들어졌다. 일례로 동독에서 생산된 워크맨은 동독 소비자들에게 판매되기 전에 서독에서 훨씬 싼 값에 팔렸다.[36] 서방 회사들은 낮은 임금과 동유럽 노동자들의 높은 규율의 혜택을 누리며 이런 제품들을 다량 생산해냈다. 이러한 공장에서 일하는 노동자들은 자신들이 만든 제품들이 서방 자본주의 국가의 염가 상품 백화점으로 납품된다는 것을 알았다. 공산주의가 붕괴된 후 서방에서 팔린 일부 제품들은 감옥 수감자들의 노동으로 만들어졌다는 보도도 나왔다.[37] 그래서 이중적 위선이 냉전의 한가운데 자리잡고 있었다. 동방 블록은 계급의 적들을 위해 자신들이 만든 최고의 제품을 소비하지 않고 수출했고, 서방 자본주의자들은 인간의 자유를 말살한다고 비난한 공산주의 체제의 노동자들이 만든 제품을 얻기 위해 서로 치열하게 경쟁한 것이다.

소비를 중요시하는 시민들에 대해 사회주의 국가가 전혀 주의를 기울이지 않은 것을 보여주는 암울한 예는 주거 여건이다. 인류학자인 크리스티나 페헤르바리가 지적한 것처럼 1960년대 모든 구조, 모든 아파트가 획일적으로 동일한 현대주의적 아파트 단지가 소련 블록에 등장했다. 철저한 금욕성은 건축과의 설계 이념과, 성장률을 유지하는 데 어려움을 겪고 있는 경제에서 발생하는 생산 왜곡이 결합된 것이었다. 판에 찍은 듯 동일한 아파트 단지를 집단적으로 거주하는 사회주의 국가 시민들의 평등성을 실현하겠다는 정권의 목표를 반영한 것이었지만, 시간이 지나면서 이것은 인간의 고유한 개성에 대한 독재 정권의 철저한 외면을 반영하는 것으로 보이게 되었다.[38]

사회주의 정권들은 오래된 아파트 건물들을 리모델링하는 데 필요한 자금을 마련할 수 없었기 때문에 수많은 주민들은 새 아파트로 이사하면서, 추운 겨울 날씨에 매일 난방 난로에 넣을 석탄 조각을 들고 계단을 올라야 하는 수고에서 벗어날 수 있었다. 주민들은 천편일률적으로 단순한 아파트를 나무판으로 치장하여 자신들의 집에 아늑한 시골집 분위기를 가미하기도 했다. 그러는 사이 오래된 아파트는 주민들이 다 빠져나가서 창문과 지붕타일 등 모든 것이 급격히 낡아졌다. 일례로 1945년 지역 사령관이 전투 없이 항복하는 바람에 전화를 입지 않은 아담한 동독 도시 그라이프스발트는 정부가 오래된 건물들을 개량할 수 없어서 1980년 시 전체가 해체되었다. 지역 주민들은 평화 운동 때 사용된 구호인 "무기 없는 평화를 만들자"라는 구호를 "무기 없이 폐허를 만들자!"로 변형하여 사회주의를 비꼬는 데 사용했다.

이러한 이길 수 없는 경쟁이 국가사회주의의 종언에 얼마나 기여했는가? 봉쇄된 국경, 지뢰밭과 몇 겹의 철조망 뒤에서도 동유럽 사람들은 서방의 기술적 발전에 대해 상세히 알고 있었다. (사회주의의) 효용성이 (자본주의의) 겉치레 소비주의보다 우월하다는 점을 강조하며 '수요'를 바람직한 방향으로 전환하려는 사회주의 국가들의 모든 노력에서 불구하고, 품질 좋은 상품 이미지는 서방에서 흘러들어왔고, 사회주의가 통제할 수 없는 욕망을 더욱 심화시켰다. 서방 상품들은 더 나은 세계를 그대로 보여주는 것 같았고, 이것을 부정하는 것은 점점 더 설득력을 잃어갔다. 1988년 정치 개혁 압력에 결국 굴복한 폴란드 정권은 반체제 인사들을 협상 테이블로 불러들였다. TV에 중계된 논쟁에서 자유노조 지도자 레프 바웬사는 상대인 공산당 관료들을 이렇게 조롱했다. "서방은 차를 타고 미래로 가고 있는데, 우리는 걸어서 가고 있다." 이 도진에 상대는 아무 반박도 하지 못했다. 다음해에 '솔리다르노시치'로 불린 자유노조 운동은 합법화되었고, 1920년대 이후 처음으로 치러진 부분적으로 자유로운 모든 선거의 공개적 경쟁에서 전승을 거두었다.

국가사회주의에 대한 향수

그러나 이러한 승리가 이야기의 끝이 아니다. 몇 년 후 완전한 자유 속에 행동하고, 조국과 소련의 모든 연결이 끊어진 상태에서(소련은 붕괴했다), 같은 유권자들은 전에 공산주의자였던 정치인을 바웬사의 후임 대통령으로 선출했다. 유권자들은 국가사회주의를 되살리려는 의도는 없었지만, 구정권에 이들이 소중하게 여기는 무엇인가가 있었던 것이 분명했다.

만일 이러한 시각이 공산주의 말기 기능이 정지된 경제에 짓눌린 폴란드를 지배했다면, 이것은 좀 더 여유가 있었던 동독이나 체코슬로바키아에서 더 절실했다. 2013년 체코인 중 약 33퍼센트는 공산 정권이 현 정권보다 낫다고 답했다. 다수(46퍼센트)는 현재의 정권이 과거 정권보다 낫다고 인정했고, 약 22퍼센트는 두 정권이 대체로 거의 같다고 답했다.[39] (공산주의 말기 폭압 정책을 감안하면 더 놀라운 일인데) 이보다 3년 전 41퍼센트의 루마니아인들은 니콜라에 차우셰스쿠가 다시 대통령 선거에 나온다면 그를 뽑겠다고 답했고, 61퍼센트는 공산주의하에서 생활이 더 낫다고 답했다.[40]

동방과 서방의 경쟁은 소비에서의 단순한 충돌 이상의 것이었다. 흐루쇼프가 '생활수준'이란 말로 의미한 것이 무엇이고, 동독 지도자들이 주민들의 '복지'를 얘기할 때 무엇을 의미했는지의 문제로 우리는 되돌아온 셈이다. 생활수준과 복지는 단지 물질적 재화의 공급만을 의미한 것은 아니었다. 국가사회주의는 안전망을 제공했다. 실업은 없었고, 중범죄도 거의 없었으며, 노숙자도 없었고, 마약중독자도 없었다. 기본 식품은 누구에게나 제공되었고, 아파트 임대료는 모두에게 보조되었다. 여성들도 대량으로 직업 전선에 뛰어들 수 있었고, 이것은 전례 없는 일이었다. 복지 혜택이 가장 잘 제공된 동독, 체코슬로바키아, 헝가리에서 여성들은 가족을 돌보며 경력을 쌓을 수 있었다. 남성들보다는 승진이 늦은 것은 확실했지만, 동독에서 출산 후 1년 휴가를 쓸 수 있었고(아기의 해), 다음에는 아동들이 취학연령이 될 때까지 보육원에 아이를 맡길 수 있었다.

서방의 상점 쇼윈도는 피상적인 인상만을 만들어낸 것인가? 자국 주민들이 서방과 비교를 하고 있다는 것을 너무 잘 알고 있던 공산당 언론은 1960년대부터 반격을 시작했다. 국경 너머에 더 좋은 삶이 있다는 것은 실

사회주의 슈베린의 안락한 거실(동독)

제 그곳에서 생존경쟁을 하겠다는 실제 별요가 아니라 뜬소문이나 무지, 아니면 기껏해야 서방에서 생산된 상품을 잠시 본 것에 기초를 두고 있다고 공산당 작가들은 주장했다. 그곳에서 살아남기 위해서는 일자리를 찾고, 살 곳을 찾고 먹을 것을 찾아야 했다. 체코슬로바키아와 동독 정부는 서방에서 생존하는 것은 불안정할 뿐만 아니라 위험하고 외롭다는 것을 주민들에게 확신시키려고 노력했다. 당국자들은 조국의 안전망으로 되돌아오고 싶어 하거나 실제 그렇게 한 사람들의 편지를 언론에 내보냈다.•

체코슬로바키아로 귀환한 사람들은 자신들이 서방에 대한 '환상'을 잃었다고 주장했다. 이들은 서방의 불안정한 일자리와 부족한 사회 보장을 강조했다. 캐나다에서 5년을 살다온 사람은 자신이 건강이 좋지 않거나 생산 요구량을 맞추지 못하면 해고될 수 있었다고 주장했다. 공표된 편지

• 새터민(탈북자)들이 북한으로 되돌아가는 경우 이들을 이용해서 같은 선전이 진행된다.

에는 사람들이 '탈출하고 싶어 하는' 감옥과 같이 사회적 불안정을 성토했다. 1971년 체코슬로바키아의 공산당 일간지인 《붉은 법률Rude Pravo》은 주말 시골 별장, 배구경기, 캠핑여행을 그리워하는 한 불행한 이민자의 예를 기사로 다루었다. 이것은 서방에서 그가 겪은 단순한 일상 반복과 외로움에 대조되는 것이었다.

그래서 체코슬로바키아로 귀환한 것은 진정한 자유로 되돌아온 것으로 묘사되었다. 일부 사람들은 서방에서 '믿기지 않는 정도로 빠른 속도'로 일해야 하는 것에 대해 불평했다. 한 귀환자를 인터뷰한 기자는 이 스트레스는 이상해 보일 것이 틀림없다고 지적했다. "그것은 사실이기 때문에 그런 것이다. 문제를 직시하자, 나는 이곳에서 충분한 돈을 벌고 있지만, 실제로는 거의 일을 하지 않고 있었다"라고 지적했다. 귀환한 한 슬로바키아인은 그는 다음날 해고당할 염려를 하지 않으며 밤에 편하게 잠자리에 들 수 있어서 행복하다고 말했다. 아마도 서방을 감옥으로 표현한 것은 단어를 잘못 쓴 것일 수도 있었다. 그곳은 규칙이 없고, 기회, 도전, 위협, 위험이 정신없이 뒤섞이고 장래를 예측할 방법이 눈에 보이지 않는 장소라는 말이 더 맞았다.[41] 귀환자들은 사회주의의 따뜻한 분위기를 다시 찾은 것 같은 인상을 주었지만, 이것은 계급투쟁이나 산업 생산의 성취와는 아주 간접적으로만 연관된 것이었다.

1968년 바르샤바조약기구 군대가 군사적 간섭을 한 후 체코슬로바키아에서 진행된 '정상화'는 생활수준 경쟁에서 서방에 백기를 든 것이 아니라 경쟁의 대열을 다시 정비하기 위한 시도였다. 사회주의는 불확실성으로부터의 은신처였고, 난민들이 서방에서 임시보호소를 벗어나고 생산적인 삶을 사는 순간부터 맞닥뜨린 염려가 전혀 필요 없는 곳이었다. 사회주의는 일이 전부가 아닌 삶의 방식을 제공해주었고, '자기실현'이 가능하게

해주었다.[42]

역설적이게도 사회주의 사회가 자본주의를 따라가도록 만든 힘은 오늘날 동유럽 사람들이 사회주의에 대해 향수를 느끼게 만드는 바로 그 힘이었다. 기업의 역할은 이익 창출이 아니라 '사회적 평온함' 또는 '사회적 안락함'을 만들어내는 것이었고, 노동력의 약 20퍼센트는 전혀 일을 하지 않는 경영방식을 사용했다. 체코슬로바키아 경제학자였던 오타카르 투렉은 "업무 시간에 다른 일에 참여하거나 사무실의 축하 파티에 참석하는 것이 허용되었다. 만일 경영진이 영리하면 그들은 노동자들의 높은 임금도 감독기관과 협상해서 받아낼 수 있었다"라고 회상했다. 이러한 행태가 공장 문을 닫게 만들 수 있다는 것을 생각한 사람은 아무도 없었다. "일터에서는 편한 생활을 하는 것이 가능했다"라고 그는 말을 맺었다.[43]

'느슨한' 근무 시간은 공장에서 가장 보편인 관행이었지만 사무실로도 확산되었다. 동독 작가인 다니엘라 단의 남편은 1970년대 드레스덴의 연구소에 근무하고 있었다. 매일 점심식사 후 과학자들과 기술자들은(당 1서기를 포함해서) 엘바강 강가의 축구장에서 축구시합을 했다. 인력 담당 서기는 자신의 사무실 문을 열어놓고 지금 벌어지고 있는 일을 안다는 것을 보여주었지만, 오후 레크리에이션을 막기 위한 아무런 조치도 취하지 않았다. 연구소 직원들은 제 시간에 과제를 제출하기는 했다. 담당 부처가 오후 특정 시간에 전화를 받는 사람이 없다는 것을 안 다음에 축구시합 여가는 중단되었다.[44]

이 시기에 정권을 가장 강력히 비판하는 사람들도 사회주의 체제하의 느린 삶의 속도는 좋게 평가했다. "기술 성공을 평가한 세계 통계에서 우리가 가장 높은 자리를 차지한 적은 없다. 그러나 우리는 측정하기 어려운 부분에서는 더 잘한다. 이것을 생활의 예술이라고 부를 수 있다. 자신의 집을 가꾸는 것, 여가 시간을 즐겁게 보내는 방법을 찾는 것이나 따뜻한 태도 등이다. 자신의 샘터에 앉아 석양을 보거나, 정원을 가꾸는 것 친구와 와인 한 잔을 마시는 것은 차로 가득 찬 8차선 대로에서 속도를 내서 어디론가 가는 것만큼 가치 있는 것이다"라고 헝가리의 반체제 인사 게오르게 콘라드가 1982년 썼다.[45] 많은 헝가리 사람들은 일을 다그치는 태도를 가진 사람에 대해 건전한 이교도적 냉소주의를 보였다. 그렇게 부산하게 사는데 무슨 낙이 있겠는가?

이러한 과거를 그리워하는 사람들은 작업장이 일하지 않는 사람을 고용하는 것을 문제 삼지 않았다. 국가사회주의하에서도 이러한 일터의 자유는 보편적인 것은 아니었다. 이것은 루츠 니트하머가 '또 다른 지도 계급'이라고 부른, 자신감이 넘치는 산업 노동자들 사이에 가장 강하게 나타났다. "동독 공산당 지도부는 다른 누가보다도 사업 노동자들을 존중했다"라고 그는 지적했다. 공산 정권은 훨씬 자유롭게 대학에 압박을 가했다.[46] 그러나 과거를 좋게 회상하는 데는 생산성이 떨어지는 사회주의 경제는 기술과 공장에 재투자하지 않고, 공장 기계를 망가질 때까지 사용하고, 에너지와 난방을 갈탄 같은 화석 연료에 의존했기 때문에 산림을 죽이고 공기를 오염시키면서 존재했다는 것을 잊고 있는 것이다. 여기에다가 1970년대 말이 되자 사회주의 경제는 서방 은행에 큰 경화 부채를 지기 시작했고, 이것은 사회주의의 패망을 촉진했다. 그러나 단기적으로 보면 자본주의의 대안이지만 자본주의에 의해 지탱된 사회주의 '생활양식'은 독재를 안정화시키는 데 도움을 주었다.

국가사회주의의 지속적인 위기 대응

경제적·사회적 위기에 대해 게오르게 콘라드처럼 여유 있는 태도를 보이는 것이 가능하지 않은 곳도 있었다. 또한 친구들과 같이 마실 술이 없고, 설탕이나 휴지 같은 기초 생필품을 구하기 위해서 몇 시간씩 줄에 서서 고생을 해야 하는 나라도 있었다. 주민들이 절대적으로 필요로 하는 물건들을 합법적인 방법으로 구입할 수 없었던 때도 있었다. 폴란드에서 사회주의 체제는 자체 비효율성 때문에 종종 작동이 정지되었고, 주민들은 비공식 경로를 통해 원하는 물품과 용역을 찾았다. 1970년대부터 1989년까지 폴란드를 지배한 경제적 옥죄임은 폴란드인들로 하여금 그러한 방법에 통달하게 만들었고, 인류학자 재닌 웬델이 '사적인 폴란드private Poland'라고 부른 국가의 감시를 벗어난 그림자 현실을 만들어냈다.

1980년 폴란드 경제 위기가 최고조에 달했을 때 줄 서지 않고 살 수 있

식당에 딸린 수영장에서 음료를 즐기는 손님들(동독)

는 상품은 식초와 성냥뿐이었고, 마치 어떤 전능한 힘에 의해서 어떤 물건이 상점에 '던져지기만' 하면 긴 줄이 바로 만들어졌다. 정부는 물건 사재기를 막기 위해 배급카드를 도입했다. 주민들이 정말로 원하는 상품인 가죽 제품이나 외투 등은 상점 진열대에는 있었지만 판매되지 않았다. 상점 점원들은 돈 이외에 자신들에게 다른 보상을 해줄 손님을 기다리며 이런 물건을 계산대 밑에 감추어놓았다. 레스토랑은 많은 좌석과 온갖 음식이 올라와 있는 메뉴판을 가지고 있었지만, 이런 외양은 속임수였다. 레스토랑의 절반을 차지한 빈 좌석에는 '예약 좌석' 표지가 붙었고, 5페이지나 되는 메뉴 중 실제 제공할 수 있는 음식은 서너 가지에 불과했다.

가장 중요한 것은 모든 사람이 원하는 것에 대한 접근권을 가지 누군가를 아는 것이었다. 레스토랑 웨이터는 친구 또는 이보다 더 자주 사회주의 사회네트워크의 모든 연계인 친구의 친구를 위해 좌석을 잡아놓는다. 가죽 제품 상점 점원은 핸드백처럼 뛰어나면서도 흔치 않은 물건을 자신의 네트워크 멤버를 위해 '계산대 아래' 따로 보관해놓는다. 아무런 연줄이 없는 사람이 오면 레스토랑 테이블은 그대로 빈 채로 남겨두더라도 이 사람에게 주지 않고, 핸드백도 살 수 없게 된다. 소련 블록 모든 곳에서 식당 웨이터는 서방에서는 이해할 수 없는 특권을 누렸다. "손님은 왕이고, 웨이터는 황제다"라는 말이 동독에서 유행했다. 한 작가는 동독은 "웨이터와 상점 점원의 독재국가이다"라고 말하기도 했다.[47]

폴란드는 물자 부족 경제의 극단적인 예로서 보편적인 현상의 특별한 양상을 보였다. 가장 부유한 나라일지라도 동유럽 각 국가는 폴란드의 비공식 네트워크에 상응하는 사회시스템을 가지고 있었다. 헝가리 사회학자 엘레머 한키스는 '제2의 사회'라는 말을 썼고, 체코슬로바키아의 반체제 인사인 바츨라프 벤다는 국가 통제를 벗어난 세계에 대한 좀 더 정치적인 용어를 써서 '대안 도시국가'라는 말을 썼다. 동독은 외양상 모범적인 사회주의 국가였기 때문에 서베를린에 주재한 미국을 비롯한 서방 사람들도 사고 싶어 하는 물건이 있었다(미국 병사들은 동독 백화점에 진열된 카펫을 좋아했다). 폴란드인이나 루마니아인과 대조되게 동독 주민들은 오래 기다리지 않고 새 아파트를 배당받았다. 이들은 커넥션을 '비타민 B'(Beziehungen; 커넥션이란 뜻의 단어)라고 불렀다. 이것은 절대적으로 필요한 것이었다. 자동차를 수리하거나 하수구나 토스트 기계를 고치거나 상점에서 살 수 없는 부속품을 구할 때 절대적으로 필요한 것이었다.

공적 영역과 사적 영역의 차이를 강조할 수는 있다. 그러나 모든 사람은 일정 부분 양쪽 부문에 걸쳐 생활했다. 어린 아동들조차도 성장기 대부분을 부모가 일터에 나가 있는 시간을 국영 보육 시설에서 보내야 했다. 이런 시설은 모든 사람이 이용할 수 있었고, 보육의 질도 좋았다. 그러나 특이한 점은 공적 영역과 사적 영역이 서로 구별하기 어렵게 혼합되어 있다는 것이었다. '공적' 장소, 일례로 시청은 사적인 상거래회사에 구별하기 어려울 때가 많았다. 공무원들은 자신들의 개인적 문제를 해결하기 위해 전화를 여기저기 거는 게 일상이었다. 재닌 웨델은 바르샤바에서 저명한 역사학자를 만났을 때 "비즈니스와 사적인 업무가 혼합된 전형적인 폴란드식 업무방식을 목격했다. 그 교수는 자신의 비서를 시켜 내 연구에 필요한 자료를 찾아오도록 했고, 그 사이 가족 문제를 나와 얘기하며 내가 가져온 꽃다발에 거듭 사의를 표했다".[48]

웨델은 그 여성 역사학자에게 자신의 연구를 도와달라는 의미로 꽃다발을 선사한 것이었다. 그녀는 커피, 초콜릿을 가져가거나 도움을 제공할 수도 있었다(일례로 영어 텍스트를 번역하는 것). 원칙적으로 말하면 이 모든 것은 공적 서류를 이용하게 해주는 국가 공무원의 업무와는 상관이 없어야 했다. 웨델이 제공할 수 없었던 것은 폴란드 화폐 즐로티는 물론이고 미국 달러였다. 돈은 거래의 실제 성격을 너무 드러내는 거친 선물로 보였다. 핵심은 현금이 필요 없고 양측 모두 서로가 주는 혜택을 섬세한 방법으로 누릴 수 있는 '사적' 관계를 만들어내는 것이었다. "혹시 휴양소 자리가 필요하세요?", "혹시 원문 번역이 필요하세요?", "댁의 자녀가 물리 과외가 필요한가요?" 등등을 서로 물을 수 있어야 했다. 이것이 웨델에게 필요한 거래의 에티켓이었다. 사적인 폴란드에 커넥션이 만들어지면 다음에는 상대의 기본적 기대에 상응하는 행동을 해야 했다. 일례로 '친구'의 기념일 등을 잘 기억하고 있어야 했다. 특별한 도움의 대가로 돈을 주는 것 이외의 다른 방법이 없을 때는 돈을 제공하는 사람은 이것이 상대가 제공한 도움에 대한 대가가 아니라는 인상을 주도록 노력해야 했다.[49] 친구 가족 중 문제가 많은 사람도 이 네트워크에 포함시켜서 그를 도울 방법을 알고 있어야 했다.

돈을 지불하되 가장 중요한 규칙은 이것이 사적 관계에 있는 사람과 관계가 전복되고, 그 사람의 사회적 네트워크가 노출되지 않도록 보호하는 것이다. 상대가 제공한 도움에 대해 금전으로 대가를 치르면 안 되기 때문에 금전이 관여되지 않는 방식으로 상대의 도움에 사의를 표하는 것이 중요하다. 돈 자체는 이익의 상징이었다. '사적' 관계의 특권에 투자되는 영역은 가족과 친구의 범위를 훨씬 넘어서서 슈로보위쉬카 środowiska('환경'이라는 뜻)라고 불리는 하위세계를 형성한다. 폴란드에서 개인 대 개인 관계는 '내 사람 swoj człowiek'이라는 용어로 표현된다. 이 사람은 "긴밀하고, 집중적이며 유용한 상호작용을 자주 하는 사람이다".[50]

동독 경제에서 돈은 중요한 요소였지만, 주로 커넥션을 확보하는 수단으로 쓰였다. 원하는 상품이나 용역을 제공해줄 수 있는 사람과의 연줄이

육류를 사기 위해 줄을 선 시민들(폴란드, 1986)

없으면 돈은 거의 가치가 없었다. "건축 자재나 도자기, 타일, 서방에서 수입된 의류 등은 현금으로 구입할 수는 있지만, 구매자가 이것이 어디에서 누구를 통해 이 물건을 찾을 수 있는지를 알 때만 구입할 수 있었다"라고 다프네 버달은 표현했다.[51]

현금은 비교되는 상품과 용역에 부가되는 가격을 나타내주는 수단의 역할을 했다. 이것은 서로 잘 알지 못하는 사람 간의 거래에서는 피할 수 없는 방법이었지만, 반半합법적인 시장(또는 회색시장)에서는 서방 화폐, 이 중에서도 미국 달러와 독일 마르크가 주로 사용되었다. 1980년대 폴란드에서 청바지 한 벌은 50서독마르크의 가치가 있었지만, 디자인과 스타일에 따라 가격이 차이가 났다. 농촌 지역에서도 주민들은 서방 상품에 대한 식견을 가지고 있었다. 이들은 서방의 이민 사회에 있는 친척들로부터 현지 화폐를 선물로 받거나, 휴가 중에 서방 국가에서 노동한 대가(예를 들어 노르웨이 농촌에서 일한 대가), 회색시장에서 거래를 하거나 노동을 한 대가(예를 들어 기술자가 퇴근 후 사적인 일을 해준 대가)*로 서방 화폐를 얻었다. 1960년대에도 의료 직업 분야는 이런 상황이어서 의사와 간호사는 환자에 대한 특별한 돌봄의 대가나 다른 서비스로 서방 화폐를 개인적으로 받았다. 이렇기 때문에 사회주의 폴란드에서 의료업종은 돈을 잘 버는 직업이었고, 의료 관료주의에 종사하는 사람들은 의대 입학부터 이후 경력에 대한 혜택을 제공하며 '뇌물'을 챙겼다. 1980년대에 의과대학에 입학하려면 소형차 한 대(폴란드 피아트 차) 값이 뇌물이 필요하다는 소문이 돌았다. 물론 성적이 아주 우수한 학생들은 이런 뇌물을 바칠 필요가 없었지만, 성적이 커트라인 근처에 있는 학생들은 뇌물을 마련해야 했다. 의과대학을 졸업하고 의사와 간호사가 되면 뇌물 관행이 더 일반화되고, 공공 진료소나 병원에서 치료를 받기 위해서는 뇌물이 필요했다(동독이나 체코슬로바키아의 상황은 폴란드보다는 덜 심각했다).[52]

많은 일들이 회색시장과 암시장에서 벌어졌지만, 내부인들도 모르는 일들도 벌어졌다. 장래의 '혜택'을 기대하고 미리 뇌물을 주기도 했다. 특별한 가치가 있는 것은 학생 입학, 패스포트 발행, 군 입영 연기, 병원 입원실 마련에 영향권을 행사할 수 있는 사람과의 커넥션이었다. 사람들은 이런 체제에 자신도 모르게 동참했다. 내가 아는 한 사람의 어머니는 암 치료를 받기 위해 크라쿠프의 병원에 입원했다. 그러자 한 간호사가 그녀에게 접근해 서방에서 만든 구두를 사달라고 부탁했다. 그녀는 그 어머니를

• 일례로 폴란드 자유노조 지도자 레프 바웬사는 시위로 조선소에서 해고된 뒤 전기 수리를 해주며 조선소에서 일할 때보다 더 많은 돈을 벌었다.

잘 돌봐준 것은 말할 것도 없다(구두를 사서 사회주의 국가 우편으로 발송했으나 중간에 사라지고 도착하지 않았다).

가족 관계나 친구 관계에 가해지는 압박은 종종 이 관계를 파괴하거나 도덕성 상실을 가져왔다. 폴란드에서 젊은이들은 종종 나이 든 삼촌이나 이모, 고모의 아파트를 유산으로 받을 것으로 기대하고 이들을 돌보는 경우가 많았다. 종종 세 세대가 침실 두 칸짜리 아파트에 거주하는 경우가 많고, 자신이 신청한 아파트를 받기 위해 20년을 기다리는 일이 다반사인 폴란드에서는 이런 관행은 이해할 수 있는 전략이었다. 그러나 이것은 조카들로 하여금 나이든 친척이 빨리 죽게 기대하도록 만들기도 했다.

암울한 상황에 대처하는 전략 중에는 가족과 친구 네트워크를 확장하는 것뿐만 아니라 상상의 범위를 확장하는 것도 포함되었다. 1950년대부터 냉전 말기까지 동유럽 사람들, 특히 폴란드인들은 자신들이 겪고 있는 희망 없는 상황이 오래 가지 않고, 전쟁이 일어나면 이것이 끝나고 구원이 오게 되어 있다고 상상했다. 이러한 상상을 하는 사람들은(많은 사람들이 그런 상상을 했다) 재래식 전쟁이냐 핵전쟁이냐를 따지지 않았다. 1980년대 재닛 웨델이 만난 한 여인은 1981년 12월 폴란드에 계엄령이 내려지자 2차 세계대전 때는 최소한 '희망이 있었다'고 한탄했다. 웨델이 만난 폴란드 사람들은 마지막으로 마실 술과 케이크를 샀다고 그녀는 주장했다.[53] 이들은 지구 종말이 긴장을 완화하고 폴란드를 고립에서 구할 것으로 희망했다.

전쟁을 원하건(폴란드인), 그것을 크게 무서워하건(동독인)을 떠나서 자신들의 삶을 지배하는 힘에 낙담한 사람들은 위기감에 빠져서 엄청나게 술을 마셔댔다. 동독인의 일인당 음주량은 1960년 4.1리터에서 1989년 10.9리터로 높아졌다. 이것은 사실을 말하는 것 같은 '부르주아'의 덕목을 침식했다.[54] 웨델도 자신이 원하는 것을 얻기 위해 일상적으로 거짓말을 하게 되었다. 한번은 매진된 콘서트 표를 구하기 위해 자신의 남편이 미국 대사관에 근무한다고 말하기도 했다. 그러나 거짓은 진실의 여러 겹 속에 묻혀 있어서 거짓말하는 사람의 마음에서도 둘을 구별하는 것은 어려웠다.[55] 언어 자체도 변했다. 역사학자 티모시 가튼 애쉬는 헝가리 국가사회주의의 '앞뒤가 맞지 않는 말'을 '끔찍한 우회적 어법, 난해한 풍자, 비틀어진 은유'라고 불렀다. 지식인들은 "완곡하고, 암묵적이고, 생략적인 은유적인 어법으로 당국을 비판하는 데 익숙해졌다"고 그는 말했다. 그는 사람들이 고도로 섬세한 암시에 싸여 있어서, 회피 어법은 한계 없이 확장되었다.[56]

국가 안보로서 국가사회주의

법망을 피하고 법에 반하는 그렇게 많은 행동이 벌어지는데 사회주의 국가는 이에 어떻게 대처했는가? 국가들은 자신들 나름의 규칙을 적용할 수 있었다. 동유럽 정권들이 전체주의적이라는 평판은 절반은 허구적일 수 있고, 특히 포스트-스탈린주의 시기에는 분명히 그랬다. 그러나 동독의 슈타지Staci(사회안전부)와 같이 정권을 보호하는 역할을 한 비밀경찰은 허구가 아니었다.

슈타지는 소련 블록에서 인구 비율로 볼 때 가장 큰 보안기관이었다. 인구 185명당 슈타지 요원 한 명꼴이었다(소련은 인구 595명에 한 명, 폴란드는 1574명에 한 명 비율). 그러나 이것이 다가 아니었다. 동독 공산당은 슈타지가 비공식 요원을 고용하도록 만들었는데, 그 수는 동독 정권 말기에 11만 명에서 18만 명에 달했다. 수십 년 동안 동독 주민 30명 중 한 명꼴로 어떤 형태로건 슈타지 요원으로 일했다.[57] 슈타지는 규모에서뿐만 아니라 국가 사회 전체를 감시하는 능력에서 다른 국가 보안기관을 능가했다. 동베를린에서만 슈타지는 2만 개의 전화 통화를 동시에 감청했고, 우편물을 검열하는 요원만 600명에 달했다. 수십 명의 요원이 지하철 승객들이 하는 대화를 엿들었다. 슈타지는 냄새를 모아둔 도서관도 가지고 있었다. 반체제 인사의 내복의 체취를 보관해서 탐지견이 지하출판물을 쓴 저자를 찾아낼 수 있었다. 슈타지는 주기적으로 의료기록을 조사하고, 가톨릭교회의 고해성사를 엿들으며, 드레스덴 오페라하우스의 관람석 대화를 엿들었다. 슈타지로부터 월급을 받는 창녀들이 서방에서 온 정치인들과 사업가들을 유혹했다.[58]

이러한 그림자 현실이 사람들의 심리에 어떤 영향을 미쳤을지는 말하기 어렵다. 1990년 이전 주민들은 비밀경찰 조직이 그렇게 클 것이라는 것을 생각도 할 수 없었다.[59] 역설적으로 동독이 서방에 문화를 개방하고, 국제적으로 더 잘 연결이 되었을 때 슈타지의 활동은 확장되었다. 많은 관광객들이 동독, 특히 동베를린으로 쏟아져 들어오면서 서방의 정보 침투에 대한 우려도 증가되었다. 슈타지의 활동은 모두 비밀리에 이루어졌기 때문에 슈타지의 공식·비공식 요원들은 계속 드러나지 않았다.

법적으로 따지면 동독 시민들은 정보요원들을 두려워할 필요가 없었다. 동독 헌법에는 언론과 양심의 자유가 보장되어 있었다.[60] 그러나 슈타지는 일반인들이 무시할 수 없는 존재였으며 수집한 정보를 정부와 당 기관에 전달하여 일터와 학교 등에서의 승진, 진급 등의 결정에 영향을 주었다. 다른 전체주의 정권과 비슷하게 동독 정권은 사람들이 가장 중시하는 것, 즉 가족과 친구를 조종하는 방식으로 주민들을 통제했다. 동독 주민이 공식 조직에 들어오지 않거나 교회나 반체제 그룹에 가담하면 자식들은 의과대학이나 그 밖의 다른 유망한 직업으로 진출하여 자신의 꿈을 실현하는 길이 봉쇄되었다. 국가는 또한 어린 자식들에 대한 염려를 인센티브로 이용했다. 노동절 행진에 참여하고, 공식 조직에 가입하며, 연출된 자리에서 '사회주의적 감각을 가지고' 발언을 하는 사람들은 자신들과 자식들이 혜택을 받는다는 것을 알고 그렇게 했다. 폴란드에서와 마찬가지로 동독에서도 의과대학 입학 경쟁은 치열했다. 그러나 국가사회주의가 만들어낸 부패는 아주 성격이 달랐다. 사적 채널로 사라지는 현금 뇌물을 주는 대신에 의과대학 입학을 원하는 학생들은 3년간 자발적으로 군에 복무해야 했다. 이것은 의무 복무 기간 18개월보다 훨씬 긴 복무였다. 이러한 국가의 기대는 공식적으로 발표된 적은 없지만, 동독 사회와 국가사회주의의 결합에서 자연스럽게 나온 것이었다. 폴란드에서 제공되는 현찰은 국가 공무원들이 자신의 이익을 위해 거두어들이는 혜택이자 뇌물이었지만, 동독에서 이것은 정치적 굴종이었고, 시민들이 자발적으로 제공하고 국가 공무원들이 거두어들이는 준조세 같은 것이었다. 이러한 것이 결합되어 동독은 동유럽에서 가장 긴밀하게 통제되는 거대한 국가조직이 되었다.[61]

상대적으로 섬세한 동독의 정치적 통제 방식으로 인해 적나라한 뇌물과 부패의 여지는 줄어들었지만 이와 동시에 풍부한 소비재 상품은 양날의 칼과 같은 효과를 가져왔다. 한편으로 동독이 주택 공급과 의료서비스에서 거둔 성공 덕분에 동독 주민들은 '개인적인' 커넥션에 덜 의존하게 되었다. 그러나 다른 한편으로 규칙을 따라 움직이지 않는 사람들은 가장 풍요로운 동유럽 사회의 과실을 즐길 수 없었다.

폴란드는 사회 보장뿐만 아니라 국가 안보에서도 실패했다. 한쪽에서 실패가 다른 쪽 실패를 반영했다고 말할 수도 있었다. 폴란드 정권은 정치적 통제로 사회를 지배하지도 못했고, 가장 초보적 수준의 사회 보장을 제공했다. 폴란드인들은 거리에서 노숙자로 지내지는 않았지만, 한 방을 2-3명이 쓰는 열악한 주거 환경에 시달렸다. 폴란드인들은 굶주리지는 않았지만, 영양소가 거의 없는 기본적 탄수화물 식사만 했다. 스탈린 사후 모든 동유럽 정권들이 완전한 사회 통제의 욕심을 거두어들였다면, 폴란드 정권이 이 면에서 가장 멀리 나갔다. 폴란드 정권은 특히 농촌 지역의 통제를 거의 포기하여 거의 모든 농장을 사적 영농에 맡기었고, 이를 가속화했다. 1989년 사적 부문은 건축의 33퍼센트, 상업의 59.5퍼센트, 고용의 47.2퍼센트를 담당했다.[62] 폴란드는 다른 국가에서는 생각할 수 없을 정도의 자유를 지식인들, 예술가들, 교회에 허용했다.

동독이 고도로 발달한 통제체제를 가진 경찰국가에 가장 가까웠다면, 폴란드는 상대적으로 자유로웠다. 특히 1980년 자유노조 혁명 이후 사람들은 공공장소에서도 자신의 생각을 밀할 수 있게 되었다. 사회주의 상점의 진열장은 비었지만, 많은 개인 아파트는 천장까지 지하출판물과 고급 장정 책이 쌓여 있었고, 당의 감시나 관심을 넘어 생동적인 지적·문화적 생활이 꽃을 피웠다. 조직이 훨씬 작은 폴란드 보안기관도 정보원 조직을 운영했지만, 동독에 비하면 인구 비율 정보요원 수가 훨씬 적었다. 폴란드는 지하출판물 인쇄소를 폐쇄시킬 수 있었겠는가? 아마도 그럴 수는 있었지만, 그렇게 되면 반체제 세력의 에너지를 훨씬 강화시켰을 것이다.

폴란드 역사학자들은 이런 차이가 벌어진 이유에 대해 논쟁을 했다. 일부 학자들은 폴란드의 공산주의자들은 조금 차별화되었고, '민족' 쪽에 좀 더 밀착했다고 주장했고, 다른 학자들은 문서적 근거를 내세우며 폴란드 사회가 공산당을 견제했다고 주장했다. 스탈린주의 시기부터 당 프로그램에서 폴란드 공산당은 다른 국가의 공산당과 같은 급진적 의도를 보였었다. 이들은 집단화와 세속화를 추진하려고 했지만, 그 결과에 대해 두려움을 가지고 있었다. 결국 국가는 서방 국가들과 채권자들이 요구한 것을 만족시키기 위해 정치적 압제를 완했다. 1986년 여름 폴란드 정권은 사실상 모든 정치범을 석방했다.[63] 그 시점에 폴란드가 서방에 진 채무는 310억 달러까지 증가했다.

동독 정권은 이와 다른 사회를 통치했다. 국민들은 1953년에 본 잔혹한 압제에 충격을 받았지만 1961년까지는 서독으로 탈주할 수 있었다. 동독에 남은 사람들은 공산 정권과 타협을 하거나 이것을 그대로 받아들일 준비가 된 사람들이었다. 이렇게 동독 사회는 유일하게 주민들이 선택한 체제가 되었고, 당 관료들은 규율이 잡히고 프로이센의 전통을 자랑스러워했다. 약한 국가라는 개념은 금기어였다. 동독 공산당과 슈타지는 규모는 작아도 사회 전체에 퍼진 회색 시장의 존재를 잘 알고 있었지만, 이것을 그대로 두고 공개적인 정치적 도전에만 신경을 썼다. 실제적 파괴 공작sabotage, 대규모 절도, 밀수, 특히 서독으로 보내는 사람들이 주요한 대처 대상이었다. 동독 정권은 서독으로 보내는 정치범 한 명당 10만 서독 마르크를 편취하며 외화수입을 올리고 보잘것없는 반정부 세력을 더욱 약화시켰다.

슈타지의 정책은 모든 것을 알고 통제하지 않는다는 것이었다. 국가 질서를 유지하고 정치적 도전을 무산시키는 데 필요한 만큼만 알고 통제하는 것이 목표였다. 슈타지는 사회주의 상점에 없는 물건들(예를 들어 배터리 충전기나 자동차 부속처럼)을 구입하기 위해 서방 화폐를 사용하는 사람들을 감시하기 위해 요원을 파견하지 않고 교회와 대학 스터디그룹을 감시하는 데 요원들을 활용했다. 슈타지는 낭비가 만연하고 낮은 생산성에 시달리는 경제에는 큰 신경을 쓰지 않았고 국가 정책을 위해 봉사하는 것이 주요 책무였으며, 국가 정책은 국가의 감시를 벗어난 사적 경제가 폭넓게 작동하는 것을 용인했다.[64] 동독 주민들은 노동이 끝난 후 각자 집이나 주말 농촌 집으로 돌아가 가족과 친구들과 함께 안락한 시간을 즐기는 개인적 권리를 누리며 서방 TV와 라디오를 즐겨 시청했다(동독 주민들은 서독 주민 들보다 미국 드라마인 〈댈러스〉나 〈코자크〉를 더 즐겼다).

동독 정권은 '적소適所사회'가 소비자들의 최종적 욕구를 충족시키고 종 종 높은 가격에 서방 제품들을 시장에 '던져 놓는' 것을 허용했다. 1977년 동독 정권은 1만 대의 견고하지만 모양이 좋지는 않은 서독 폭스바겐 래 비트 자동차를 주문하여 그간 충족되지 않은 자동차 수요를 완화시켰다. 이 차는 동독이 생산하는 트라반트보다 세 배나 비쌌다. 당시 동독 주민들 은 주문한 트라반트를 받기 위해 20년을 기다려야 했다.[65] 동독인들은 서 방 화폐를 받고 서방 상품을 파는 국영기업을 통해 서독 마르크를 지불하 고 이 차를 살 수 있었다(또한 서방의 친척으로부터 선물로 이 차를 받을 수도 있 었다). 관례대로 동독 정부가 서방에서 생산된 자동차를 수입한다는 것은 공식 언론에는 실리지 않았다. 자동차는 은밀하게 국경을 넘어 반입되었 다. 그러나 이 차들은 갑자기 동독 차 번호판을 달고 동독 거리에 나타났 다. 동독 정권은 고급 승용차를 수입하지는 않았다. 폭스바겐 차를 모든 운 전자들에게 정부가 주는 메시지는 단수했다. "당신은 다른 사람보다 조금 높은 수준의 풍요를 누릴 수 있지만, 너무 이것을 과시하지 마라." 이것이 슈타지가 보호하고자 한 실제 존재하는 사회주의였다.

동독 주민들은 대규모 부패가 발생하거나 주민들이 '정치적' 이유로 주 목을 끄는 경우 슈타지가 개입한다는 것을 잘 알았다. 1985년 슈타지는 개 신교 목사를 함정에 걸려들게 만들었다. 그 목사는 군비경쟁을 비판하는 연극을 준비 중인 그룹을 지도하고 있었다. 연극의 내용은 동방과 서방 모 두를 비난하는 것이었다.[66] 회색시장에 좋은 연줄을 가지고 있는 사람으로 위장해 목사에게 접근한 슈타지 요원들은 다른 교회에서 철거될 바로크 시대 조각을 받는 조건으로 난방이 되지 않은 추운 교회에 새로운 난방시스템을 설치해주겠다고 제안했다. 그 목사가 이 미끼를 물자 슈타지는 그를 체포해서 기소했다. 그 목사에게는 두 가지 선택이 주어졌다. 동독을 떠나거나 감옥형을 받는 것이었다. 다른 많은 반체제 인사나 잠재적 반체제 인사와 마찬가지로 그는 서독으로 이주했다.[67] 슈타지는 정치적 문제를 해결하거나 스스로 선택한 체제를 사회주의 균형 상태로 돌아가게 하는 데 제2경제를 이용했다.

슈타지는 친밀한 개인 간의 친밀한 관계도 전복시켰다. 슈타지 요원들은 남녀 애정관계에 끼어들거나 결혼 상대자로 가장하여 접근하는 것도 마다하지 않았다. 1990년 개방된 동독 비밀 자료에 의해 유명한 반체제 부부의 남편이 여러 해 동안 슈타지를 위해 일해 온 것이 드러났다. 흑백 사진을 보면 동독의 소규모 인권, 환경보호 그룹이 작은 거실에 모여 앉아 서로의 단합을 과시하며 와인 병을 열고 촛불을 켜며 오랫동안 사용하지 않은 농담을 주고받는 장면이 들어 있다. 그러나 이 모임의 소파와 의자에는 1990년 슈타지의 비공식 요원으로 드러난 사람들이 같이 앉아 있었다. 반체제 인사 3명 또는 4명 중 한 사람은 슈타지를 위해 일한 것이 후에 드러났다.[68] 이들이 제공한 정보가 가치가 있는 것이었냐는 다른 문제였다.

국가 대 사회: 지배자, 부역자, 반대자

후기 사회주의 사회의 도덕성 하락은 높은 도덕성을 가지고 통치하고 있다는 각 정권의 위선에서 연유한다. 이런 주장은 너무 고고해서 실제 통치

과정에서 피할 수 없었던 타협은 위선적으로 보일 수밖에 없었다. 이것은 사회불평등을 나타내는 지니 계수가 세계에서 가장 낮게 나온 것과는 상관없었다. 위계질서가 존재한다는 것은 모두가 잘 알고 있었다. 가장 많은 혜택을 누리는 사람은 국가 관료들과 밀접한 관계를 유지하는 사람, 체제를 자신에게 유리하게 이용할 줄 아는 사람 아니면 서방에 일가친척이 있는 사람이었다. 정권이 정한 규칙을 우직하게 지키는 사람들, 예를 들어 아파트나 자동차를 받기 위해 공식 대기 명당에서 20년을 기다리는 사람들은 뒤에 처질 수밖에 없었다.

여성들도 직업 전선에 나설 수 있게 되었지만, 남자들과 대등한 지위를 누리지는 못했다. 여성들은 전통적 분류에서 보수가 적은 하위직에 상대적으로 많이 진출했다. 1970년 유고슬라비아에서 여성은 면방적 산업 인력의 73.7퍼센트, 의료서비스 인력의 69.7퍼센트를 차지했지만, 도소매업에서 차지하는 비중은 41.4퍼센트에 그쳤다.[69] 만일 여성들이 직업적 장벽을 뚫고 나가도(의학과 같은 분야), 여전히 낮은 급여를 받는 상태로 남았다. 여성들은 경제, 국가, 당 엘리트와 같은 경영진에는 상대적으로 적게 진출했다. 의학 분야를 포함해 석·박사 과정에 지원하는 여성들에 대한 눈에 보이지 않는 차별이 존재했다. 정부 관리들은 여성들이 유급 출산 휴가를 1년 사용하는 것과 국가가 태어난 아동에 대한 돌봄을 담당해야 하는 것 등을 우려했다.

사회경제적 계급에 기반을 둔 사회는 더 이상 존재하지 않지만, 주민들은 일정한 계층이 존재한다는 것을 잘 알았다. 혜택을 받기 위한 경쟁은 최고 지위에 올라가는 신속한 이동뿐만 아니라 느리게 신분 상승하는 데도 관여했고, 연봉뿐만 아니라 재화를 획득할 수 있는 지위에 의해서도 측정되었다. 특권적 휴가, 더 크고 편한 아파트, 좀 더 좋은 차량(동독에서는 트라반트가 아닌 바르트부르크, 체코슬로바키아에서는 바르트부르크가 아닌 슈코다 등등), 일반 상점Konsum이 아니라 고급 식품점Delikatläden 등을 이용할 수 있는 특권이 지위에 따랐다. 이러한 상품을 얻을 수 있게 된 사람은 편안하게 쉴 수 있고, 정원을 가꿀 수 있는 주말 별장을 원했다. 그러나 국가 관료들에게 중요한 것은 단순히 즐기는 것이 아니라 자신의 지위를 재생산하는 것이었다. 1940년대와 1950년대 상대적으로 상향 이동이 공개된 상태에서 상향 이동이 제한된 좀 더 위계질서적인 사회가 나타났다. 1980년대가 되자 동독 주요 대학의 학생들은 노동계급 출신의 조부모를 두었지만, 대학 수학을 한 부모를 둔 경우가 대부분이었다.[70]

서구 모델을 흉내 내는 데 열심이었던 헝가리에서 이런 경향을 가장 잘 나타났다. 1960년대에 정부 관리들은 지위에 따르는 상품 구매를 막을 대안이 없다고 공개적으로 인정했다. 스탈린주의자인 라코시 통치 시기에 개인이 소유한 자동차 수는 2차 세계대전 전 수준에도 못 미쳤다. 자동차를 살 수 있는 수입을 가진 사람들도 차량이 압수될 것을 두려워하여 선뜻 차를 사지 못했다. 이것은 1958-1959년에 바뀌었다. 12년 만에 개인이 보유한 자동차 수는 1만 3000대에서 26만 2174대로 늘어났다(이것은 여전히 프랑스에 비해 훨씬 뒤떨어졌다).[71] 그러나 차량을 소유한 사람은 '주도적' 계급(즉, 노동계급)이 아니고, 새로운 사회주의 부르주아라고 할 수 있는 경제·문화·학문 세계의 지도자들이었다. 당 관료들은 이런 사람들이 자신들의 필요를 충족시키는 것을 막는 것은 옳지 않을 뿐만 아니라 불가능하다며, "안락한 삶을 사는 것은 더 이상 죄가 아니다"라고 말했다.[72] 그러나 이 시기에 불가리아와 루마니아는 여전히 '동일화homogenization'를 설교하고 시행하고 있었다.

그러나 정권을 불문하고, 이웃보다 더 잘살려는 투쟁은 서방 상품 사재

동독 고급품 상점 진열대

기로 이어졌다. 블루진 의류는 특별히 인기가 있었고, 서방에 친척을 둔 동독 주민들은 이런 상품을 얻는 데 특히 유리한 상황에 있었다. 이들은 중고 의류(그러나 다른 의류보다 훨씬 세련된) 보따리를 주기적으로 받았고, 때로 서방 화폐도 받았다. 이런 커넥션이 없거나 서방 화폐를 얻을 수 있는 위치에 있지 않은 동독 주민들은 자신들이 사회주의에 의해 배신당하고, 잘사는 사람을 따라갈 수 없는 2등 국민이라고 느끼게 되었다. 공산당 교조를 신봉하는 사람조차도 서방 상품의 유혹을 떨치지 못했다. 계급투쟁의 철칙을 지킨다는 정치국원들도 메르세데스-벤츠가 아니라 운전사가 딸린 볼보를 타고 다녔다. 최소한 스웨덴은 중립국이었다.

베를린 장벽이 무너진 후 사람들은 이런 지도자들이 얼마나 수수한 생활을 했는가를 보고 놀랐다. 견고하게 지어졌지만 화려하지 않은 2층집에 살고, 벽에는 복사본 그림이 걸려 있으며, 대량 생산된 도자기, 식기, 가루를 사용하고, 사회주의 국가에서 생산된 세탁기와 냉장고를 사용했지만, 칼라TV는 서방 수입품이었다.[73] 정치국원들은 신선한 과일을 즐기고, 서방에서 만든 치약을 사용하며 줄을 서서 물건을 살 필요가 없었다. 동독당 제1서기인 에리히 호네커는 업무가 끝난 후 집에 돌아와 서독 맥주를 즐겼고, 급사는 그의 부인 마르고트(광신적 이념 신봉자로서 교육장관직 수행)이 즐기는 서독 담배가 떨어지지 않도록 챙겼다. 권력 2인자의 부인인 엘리스 슈토프는 쇼핑광이었다. 그녀는 매일 지도자 거주 구역 상점에 들려 새로운 상품을 살폈다.[74] 그러나 이런 제한적인 특권에 대한 소문도 주민들의 분노를 일으켰다. 왜냐하면 지도자들은 높은 도덕적 기준을 지키며 산다고 주장하고 있었고, 노동자들에게 건성으로 설파하는 언어와 완전히 동떨어진 생활을 하고 있었기 때문이다.

＊　＊　＊

그러나 이러한 감정을 실제 정권 반대 운동으로 옮기는 일은 쉽지 않았다. 정권 반대란 무엇인가? 국가의 정책에 대한 모든 행동, 심지어 생각까지도 포함되는 것인가? 이론적으로는 전체주의적 국가를 지향하는 정권이 한계를 만나는 모든 사항이다. 이런 정권들은 제레미 벤담의 전지전능한 감시자panopticon처럼 '사회의 모든 개별 구성원을 감시하고 통제하려' 시도해왔고, 이에 대한 사회의 반응은 감시를 피하는 것이 가능할 때는 그렇게 하고, 그렇지 못할 때에는 거짓에 거짓으로 대응함으로써 자신을 보호했다.[75]

그러나 모든 거짓이나 회피가 정권 반대는 아니었다. 블루진 바지를 입고, 일터에서 게으름을 피우고, 버터를 사서 모으고, 불법적으로 외환을 구입하고(회색 경제에 참여하는 모든 행동), 체제에 순응하지 않거나 심지어 체제 전복적인 모든 행동은 암묵적 정권 반대였고, 이것은 이론상으로만 존재하는 것으로 치부되었다. 이러한 행동은 실제 존재하는 사회주의에 적응하는 방법이었고, 그것을 안정화시키는 데 도움을 주었다.

그러나 지식인 반체제 운동은 명시적이었고, '지하에서' 스스로 조직한 사람들의 의지적 반항이었다. 반체제 인사들은 지하에서 좀 더 평화 지향적이고, 환경에 덜 피해를 주고, 속임수가 덜한 대안적인 정치적 질서에 대한 아이디어를 만들어냈다. 일부 지식인들은 이러한 행동을 한 대가로 감옥에서 오랜 세월을 보내야 했다. 그러나 지도적 반체제 인사들은 사회질서는 여전히 자신들을 포함한 사회 모든 요소로부터 협력에 의존하고 있다는 것을 잘 알고 있었다. 헝가리의 게오르게 콘라드는 "우리는 모두 한 연극의 배우들이다. … 이 연극 공연은 일류는 아니지만 견딜 만하다."[76] 체코슬로바키아의 반체제 인사는 지르지나 쉬클로바는 국가와 사회의 상호침투에 대해 말했었다. 공산당이 막강한 조직으로 모든 거리, 공장, 아파트에 침투해 있을 때, 반체제 네트워크는 종종 할 수 있는 만큼 도와주는 '고상한' 체제 순응자들의 도움을 받아 도시와 농촌으로 영향력을 확장해 나갔다. 이러한 예로 들 수 있는 것이 국가가 운영하는 출판사에서 일하는 편집자들이 '불법적' 저자의 책을 가명으로 출판해주고, 인세를 지급해준 것이다.[77] 정부 관리들은 반체제 인사가 겨우 끼니를 이을 정도로 지원해주었다. 그러나 이것은 아무도 이를 알아차리지 못하는 한에서만 그렇게 했다.

이에 반대되는 역학도 있었다. 1980년대 초반 쉬클로바는 감옥에 수감되어 있었는데, 의과대학에 재학 중이던 그녀의 딸은 학년에서 최고의 성적을 올렸다. 그녀는 상을 받아야 마땅했지만 의과대 학장은 그녀의 이름을 의과대 공지판 최우수 학생 명단에 올릴 수 없었다. 의과대 교수들은 그녀의 성취를 인정하는 다른 방법을 만들어냈다. 그녀의 어머니가 '멀리가 있기' 때문에 그녀는 할머니와 남동생과 함께 살고 있었다. 학교 당국은 그녀에게 '사회적 장학금과 아파트 임대료 및 전기세'를 지급해주었다. 개개인의 고매함을 반영한 이러한 인도주의적 제스처는 전체주의 체제를 견딜 만하게 만들어주었고, 그래서 이것이 지속되는 것이 가능하게 만들어주었다. 뛰어난 학생이 불공정한 차별을 받았지만 그래도 분노를 느끼지 않고 이것을 받아들일 수 있었다. 학교 당국의 이러한 해결책은 그녀를 행복하게 만들어주었다.[78]

좀 더 세속적인 경험이 정권이 체제 내의 모든 사람을 관여시키는 힘을 잘 보여주었다. 몇 년 전 이 학생은 블루진 바지를 꼭 갖고 싶어 한 적이 있었다. 그러나 블루진을 구입할 수 있는 유일한 곳은 외화로 물건을 구입하는 국영상점인 투젝스Tuzex뿐이었다. 당시 쉬클로바는 병원에서 청소 일을 하고 있었다. 그녀는 암시장에서 서방 화폐를 구하는 데 성공했지만 이 돈을 들고 바로 상점에 가서 청바지를 살 수는 없었다. 대기 줄이 길었고, 그녀의 딸이 바지를 입어볼 시간도 없었다. 좌천된 반체제 인사인 그녀의 친구 한 사람이 이 상점에서 일하고 있다는 것을 알았다. 상점 직원들은 상점의 영업시간이 끝나고 이 소녀가 입어보도록 해주었다. 다음날 그녀가 대기 줄에서 자기 순서가 왔을 때, 자신의 딸이 입어보았던 청바지를 구입할 수 있었다. 모든 일이 잘 풀린 것이다.

며칠 후 그녀가 다니는 고등학교의 교사가 흥분한 상태로 그녀를 호출했다. 그녀가 입은 청바지 상표에 작은 미국 국기가 들어가 있었던 것이다.

국영상점은 미국 국기가 들어간 청바지를 미국 달러를 받았고 팔았지만, 이것을 국가사회주의 학교에 입고 올 수는 없었다. 이것을 막는 법은 없었지만, 쉬클로바는 작은 미국 국기 부분을 잘라냈다.

1968년 유명한 반체제 인사였던 쉬클로바에게 이 사건은 전체주의가 내부적으로는 어떻게 작동하는지를 보여준 경우였다. '우리'와 '그들'을 나누는 분명한 경계선은 없었다. 게오르게 콘라드가 말한 것처럼 사회주의 사회는 전체적으로 하나로서, 각자 노력의 정도는 달랐지만 모든 사람들이 서로 연결되어 한 방향으로 이끌어가고 있었다. 우리가 본 경우는 현대적 10대가 되고 싶어 하는 소녀로부터 반체제 인사인 어머니와 반체제 인사 친구(국영상점에서 일하는)와 국가 공무원(학교 교장)으로 확대되어가는 모습을 보여준다. 쉬클로바는 후에 "내가 당시 할 수 있는 일은 학교 교장 선생님을 만나서 그녀의 얼토당토않은 요구를 거부하고 문제를 일으키는 것이었다"라고 썼다. 아무도 이 일로 인해 그녀를 체포할 수 없었다. 쉬클로바는 자신이 아무 법도 위반하지 않았다고 주장할 수 있었다(미국 국기가 달린 옷을 입는 것을 금지하는 법은 없었다). 그러나 그녀는 학교 교장의 입장을 이해했고, "그녀의 삶에 문제를 일으키고 싶지 않았다".[79]

이 이야기에는 '그들'은 없고 '우리'만 있다. 정부도 비난할 대상은 아니었다. 정부는 청바지에 대한 욕구를 만들지 않았고, 불편하지만 그것을 수용했다. 이러한 욕구는 어디서 온 것인가?

체코슬로바키아의 희곡작가 바츨라프 하벨은 동료 시민들이 소비자 사회의 혜택을 누리기 위해 '거짓'으로 가득 찬 삶은 살고 있다고 썼다. 그는 한 예로 노동절에 "전 세계 노동자여, 단결하라!"라는 플래카드를 내건 야채 가게를 예로 들었다. 야채 가게 주인은 자신의 확신을 표현한 게 아니라, 정권에 대한 자신의 충성을 드러낸 것이었다. 이에 대한 보상으로 정권은 그가 평화롭게 생업을 영위하고, 불가리아에서 휴가를 보내는 것 따위의 후기 사회주의의 혜택을 누리게 해주는 것이다. 하벨은 국가사회주의가 습관적 거짓말을 하도록 만들었다고 비난하지 않았다. "현대적 인간 생활에서 이것을 만들어내는 경향이 있었기 때문에 이런 일은 일어날 수 있었고, 실제로 일어났다. 아니면 최소한 이러한 체제에 대한 용인이 이루어진 것이다"라고 하벨은 썼다.[80] 이러한 경향은 사회주의나 자본주의에서 나온 것이 아니라 현대성 자체에서 나온 것이다.

하벨이 이러한 상황을 혹평했다는 사실은 이 체제가 변할 수 있다고 생각했다는 것을 보여준다. 정권의 압제를 받았지만 주민들은 고상함을 잃지 않았고, 자신들의 거짓으로 가득 찬 생활을 할 때 이것이 손상된다는 것을 알고 있었다. 그러나 그의 호소는 사회주의 체코슬로바키아에서 목격한 지옥 같은 안정에 대한 암울한 진단이었다. 하벨, 쉬클로바와 다른 10여 명의 반체제 인사들이 양심을 일깨우고자 노력을 하는 동안 1700만 명의 동료 시민들은 자신들의 일과가 끝난 후 즐길 수 있는 자유를 위한 값싼 타협을 했다. 스트레스가 거의 없고 상대적으로 풍요로운 생활은 많은 상품과 값싼 맥주와 많은 물건으로 채운 주말 오두막, 고상한 여흥, 가족생활의 모든 즐거움과 안정을 제공해주었다.

그러면 이것은 사회주의 권역 밖에서 수백만 명의 사람들이 즐기는 생활양식과 얼마나 다른가? 얼마나 많은 사람들이 가정의 평화를 위험하게 만들고, 자신들이 보기에 아무런 변화를 가져올 수 없는 행동을 해서 국가의 감시를 초래할 것인가? 하벨은 비평가들로 하여금 도덕성에 집중하도록 충격을 주었다. 하벨이 보기에 반란을 막는 것은 '자신들의 영적·도덕적 신념을 위해 물질적 확실성을 포기하려고 하지 않는 사람들의 소비 지향적 경향'이었다. 그러나 하벨은 너무 단도직입적으로 대안만 제시한 것은 아니었는가? 자식들을 키우며 교육시키는 안전한 가정생활은 단순히 '물질적 확실성' 이상 중요한 것이 아니란 말인가? 만일 야채 가게 주인이 반체제 운동에 가담한다면 이러한 안전은 바로 위험에 처할 수 있었다. 신념의 기준은 무엇인가? 철학자인 페트르 레제크는 "만일 우리가 하벨이 제시한 정당성의 기준을 적용하고, 그의 진단에 근거해서 모든 일을 다시 하려고 한다면 우리는 시민 대부분을 TV나 다른 세속적 생활에서 멀어지게 만들어야 했다"고 썼다.[81]

그러나 독재 체제하에서 사는 사람들은 공포의 세계에 살고 있었다. '사실을 말하는 것'은 소비재 상품을 구입할 수 없게 만들 뿐만 아니라 계속 반복하는 경우 말하는 사람을 감옥에 보낼 수도 있었다. 정치적 압제에 대한 두려움은 주민들의 일상생활에 별 역할을 하지 않을 것처럼 보였을 수도 있지만, 이것은 늘 사람들을 조심하게 만들었다. 지하출판물 조사에서 '두려움'을 느끼며 사는가에 대한 질문을 받은 프라하의 한 여성은 자신은 회사에 늦는 것을 두려워한다고 대답했다. 그녀는 간통은 자신이 은닉할 수 있기 때문에 두려워하지 않는다고 했다. 자신의 의견을 솔직히 말하는 것은 어떠한가? 그녀는 "나는 이것에 대해서는 겁쟁이나 마찬가지다. 더 중요한 것은 나는 편한 생활을 원하기 때문에 나는 그런 일에는 일체 관여하려고 하지 않는다. 나는 늘 그런 일에서 멀리 떨어져 있으려고 한다"라고 대답했다. 그러나 보일러에 석탄을 부어 넣는 일을 하는 사람은 더 이상 추락할 곳이 없기 때문에 마음대로 자신의 의견을 말했다.[82]

정권도 공포로 지배되었다. 정권은 1968년 8월과 1956년 11월을 잘 기억하고 있었다. 반체제 인사 의사인 프란티셰크 야누흐는 다음과 같이 썼다.

지금 우리 정권은 모든 것을 두려워하고 있다. 정말 모든 것을 두려워한다. 정권은 살아 있는 사람을 두려워하고 … 죽음 사람을 두려워하고 그들에 대한 기억도 두려워한다. 정권은 장례식과 무덤을 두려워하고, 젊은이를 두려워하고 늙은 공산당원을 두려워하고, 비당원을 두려워하고, 지식인을 두려워하고 노동계급을 두려워한다. 이들은 학문, 예술, 영화를 두려워하고, 연극, 책, 레코드판을 두려워한다.[83]

노동계급과 1953년 대중 봉기에 대한 두려움은 왜 동독 정권이 소비재 상품 공급에 대한 모든 불만을 모니터하는 이유를 설명해준다. 그러나 동독 노동자들은 1953년의 잔혹한 압제를 기억하고 있기 때문에 다시 봉기를 일으키지는 않았다.

하벨의 "진실에 살아야 한다"라는 주장보다 더 논란이 많은 것은 모든 사람은 '어떤 식으로든 정권의 희생자이면서 지지자'라는 주장이었다.[84] 쉬클로바의 딸과 수백 명의 학생 및 교사들을 감시하던 고등학교 교장 사이에 차이점이 있었는가? (작은 도시를 감시하는) 슈타지의 대령과 (당의 규율에 복종하는) 평범한 당원 사이의 책임은 분명히 있었고, 이들과 아무 조직에도 가담하지 않은 산업 노동자 사이 또는 환경과 인권 문제를 논의하는 젊은 그룹을 보호한 개신교 목사 사이의 차이는 더 컸다.

소외된 젊은이들이 모일 장소를 제공한 이 목사는 이들을 사회주의 국가의 생활에 '통합시켜'주었다고 주장할 수도 있다. 그러나 이것은 일부만 진실이다. '희생자이자 지지자'가 된 개신교 목사의 방식은 학교 교장의 방식과는 달랐다. 목사는 주민들이 비판적으로 생각하는 방법을 제한하기보다는 확대시켜주었다. 그 효과는 당장은 보이지 않는 듯했지만, 헝가리와 체코슬로바키아 반체제 인사들이나 폴란드의 지하 대학이 벌이는 조용한 활동처럼 이것은 체제를 크게 불안정하게 만들 수 있었다. 이들은 공적으로 선전된 거짓말 뒤의 생활과 진실이 있다는 느낌을 고무시켜주었기 때문이다.

루마니아

하벨의 진단은 루마니아에서는 다른 세상의 일이었다. 루마니아는 신스탈린주의의 동독 비밀경찰 국가, 기능이 정지된 폴란드 경제, 라틴아메리카의 민족주의-권위주의적 독재의 가장 나쁜 면이 결합된 정권이 통치를 했고, 이것을 새로운 경악의 수준으로 끌어올렸다. 루마니아 사회주의의 한 학생 지도자는 이것을 민족주의적 스탈린주의라고 불렀다. 공산권 국가 어디에서보다 공포가 주민들 일상생활의 일부가 되었다. 루마니아인들은 정치적으로 건전하지 않은 발언을 한 사람은 감옥으로 사라지거나 그 이후 완전히 사라질 수 있다는 것을 알았다. 루마니아 정권하에서 투옥된 총 50만 명의 정치범 중 10만 명이 감옥에서 사망한 것으로 추산되었다.[85]

정부의 테러는 늘 눈에 보이는 것은 아니었다. 34세(1987) 때 루마니아를 떠난 노벨상 수상 작가인 헤르타 밀러는 자전거를 타고 가면서 시골 마을과 도시 거리를 바라보는 것을 좋아했다. 어느 날 심문을 받고 있던 그녀에게 심문관은 자전거 타는 사람들에게 사고가 일어났다고 말했다. 그런지 얼마 지나지 않아 트럭 한 대가 그녀의 자전거를 깔아버렸다. 그래서 그녀는 자전거를 팔았다. 그녀가 미용실에 갔을 때 미용사는 자전거를 타고 왔는지를 물었다. "내가 자전거를 탄다는 것을 그녀가 어떻게 알았는가"라고 밀러는 생각했다. 그녀가 자신의 아파트 문을 열고 들어갔을 때

냉장고 위에 있던 그릇에 친구가 메모를 남긴 것을 발견했다. 그녀는 어떻게 아파트에 들어왔는가? 그날 밤 그녀 머리가 막 빠지기 시작했다. "미행자들은 위협을 가하기 위해 물리적으로 그곳에 있을 필요는 없었다"라고 그녀는 후에 회상했다. "미행자의 그림자는 물건들에 드리웠고, 공포를 이 물건들에 심어놓았다. 자전거, 머리 염색, 향수병, 냉장고 같은 당신이 소유한 모든 물건이 미행자가 현화한 것이다. 당신의 집에서 당신이 가진 물건과 무엇을 하든 당신은 미행자가 당신 눈을 들여다보고 있고, 당신도 그의 눈을 들여다보고 있다는 것을 느끼게 된다."[86]

헝가리 작가 이슈트반 외르시는 이런 사건에 대한 애기를 듣고, 헝가리의 비밀경찰은 헝가리 지식인에게 공포를 주기 위해 자전거 사고를 일으키는 것 같은 방법은 쓰지 않는다고 말했다. 그러나 하벨의 비판 내용과 마찬가지로 그럴 필요가 없었다고 그는 덧붙였다. 사회주의 국가는 이런 방법을 쓸 필요가 없을 만큼 강했고, 이것은 1956년 맺어진 타협과 관련이 있었다. 이 타협에 의해 지식인들은 혁명을 입에 올리지 않았고, 임레 나지와 다른 수백 명의 인사를 처형한 사람들의 통치권을 인정한 헝가리 지식인들은 동유럽 다른 국가들에 비해 훨씬 큰 창작의 자유를 누렸다. 양 진영의 협업은 아주 긴밀해서 주요 지식인들은 정기적으로 당 관료들과 식사를 했다. 한 사람은 정치국원이 없으면 '소화액'이 나오지 않는다고 말하기도 했다.[87]

루마니아는 처음부터 별종은 아니었다. 1970년대 초까지 차우셰스쿠 정권은 정치적 순응을 높아지는 생활수준으로 보상했었다. 그러나 그 이후 외국 부채를 지지 않으려는 정권의 정책과 상승하는 에너지 가격으로 인해 루마니아의 1인당 국민소득은 줄어들기 시작했다. 1981년부터 빵, 설탕, 식용유 같은 기본적 생필품에 대해 배급제가 실시되었고, 다른 상품도 공급이 크게 제한되었다(폴란드는 1976년부터 1985년까지 설탕, 버터, 육류, 쌀, 밀가루 등 다양한 기본 물품에 대해 배급제를 실시했다). 다음해 물가는 급격히 올랐고, 정권은 사전 경고 없이 하루에도 몇 차례씩 전기를 끊었다.[88] 루마니아인들은 밤이면 춥고 어두운 아파트에서 식구들과 웅크리고 모여 있어야 했고, 낮 시간에는 식품을 사기 위해 긴 줄에서 기다리느라 진이 빠졌다. 루마니아인들은 근대 이전 시대로 되돌아간 것 같았다. 이것은 국가 권력에 무엇을 의미했는가? 루마니아의 심리학자 라두 클리트는 "생존하는 데 온 신경을 쓰는 사람들은 사회생활에 관여할 능력이 떨어졌다"라고 썼다.[89]

여유로운 생활에 대한 기대는 빨리 사라졌고, 이상한 방식으로 돌연변이처럼 변했다. 어느 날 아침 세계적으로 유명한 내분비학자인 스테판 밀쿠 교수는 자신의 아들과 딸로부터 기분이 좋아진 이유를 연락받았다. 캐나다에 살고 있는 아들은 자신이 원하던 차를 사게 되어 행복했다. 루마니아에 살고 있던 딸은 줄 서지 않고 치즈를 살 수 있는 상점을 발견하고 기뻐했다. 그녀는 자신과 부모님을 위해 치즈를 잔뜩 사왔다.[90] 치즈를 살 수 있다는 생각에 기뻐하는 사람들은 제한적 기대를 품는 지평선에 성공적으로 다다른 것이라고 밀쿠는 결론 내렸다. 그러나 대부분 시간 동안 치즈, 아니면 과일, 생선, 당과류를 살 수 있다는 생각은 실현될 수 없는 꿈이었다.

루마니아 정권은 주민들이 무서워하는 세쿠리타테Securitate라고 불리는 비밀경찰을 이용하며 정치적 통제를 유지했지만, 그에 대한 보상으로 제공해주는 것은 없었다. 만성적인 결핍은 가난해진 국민들에게 차우셰스쿠의 자아도취와 국수주의를 배경으로 통치자의 전지전능함에 대한 인상을 심어주기 위해 계산된 것 같아 보였다.[91] 언론은 통치자의 천재성과 자비에 대한 얼토당토않은 주장을 점점 더 쏟아냈고, 오래된 교회 건물과 값을 짜 질 수 없는 보물 같은 건축물들은 지도자의 개인적 영광을 드러내는 거대한 사회주의 리얼리즘적 궁전들에 자리를 내주기 위해 파쇄기로 파괴했다.[92]

성인 인구 30명당 한 명꼴인 세쿠리타테는 소련 블록에서 가장 큰 규모 였다. 1980년대의 경제 파탄으로 인해 다른 동유럽 사람들은 당연하게 여 기는 것들을 제공하지 않는다고 위협하며 비공식 요원들을 모집할 수 있 었다. 일례로 생명을 위협하는 질병을 치료하는 사람들에게 필요한 약 공 급을 중단할 수 있다고 위협했다.[93] 아니면 필요한 물건을 구입하기 위해 암시장을 이용하는 사람들을 비밀경찰이 시키는 대로 하는 요원으로 만 들 수 있었다. 헤르타 뮐러는 티미쇼아라의 '사적 시장'에서 '지나치게 높 은 값'을 치르고 견과류를 샀다는 혐의로 체포되었다. 유치장에서 그녀는 양초를 훔치거나(정전 때문에), 못을 훔친 사람들을 만날 수 있었다. "작동 원리는 가능한 한 많은 사람들을 범죄자로 만들어서 위협에 굴복하게 만 드는 것이었다."[94] 아동조차도 이런 시스템에서 벗어날 수 없었다.[95] 동유 럽 다른 곳에서는 상황이 너무 달랐다. 동독에서조차 반체제 인사는 따뜻 한 난방이 되는 아파트에서 살며 필요한 물건을 살 수 있는 충분한 수입이 있었다. 만일 이들이 체포되면 이들은 서방으로 신속히 추방되었다.

그러나 동독과 체코슬로바키아, 불가리아에서와 마찬가지로 정치적 통 제는 드러내놓고 폭력적이지는 않았지만 스탈린주의 시기보다 더 효과 적으로 수행되었다. 당시는 정부가 반대자들을 강제수용소로 보내고 촘 촘한 고발자 연락망을 만들었었다. 공개적 테러는 확신보다는 약함을 보 여주는 신호였다.[96] 동독은 교육제도를 모든 단계의 정치적 통제에 맞추었 다. 더 높은 교육을 받기를 원하는 사람일수록 정권에 대한 더 높은 복종 이 요구되었다. 의사라 할지라도 지도적 위치에 가기 위해서는 당원이 되어야 했다. 당원은 규율에 복종하고 자기에게 주어진 '임무'를 완수해야 하는 병사와 비슷했다.

루마니아 여성들은 정권의 가학성을 보여주는 민족주의적 논리를 극명하게 드러내는 고통스런 고난을 당했다. 동유럽 다른 국가의 여성들이 직업과 가정이라는 '이중의 부담'을 지고 살았다면 루마니아 여성들은 여기에 또 다른 과업을 맡았다. 그것은 가능한 많은 자녀를 출산하는 것이었다. 정권은 루마니아의 민족적 단일성을 강화하기를 원했다. 1966년부터 국가는 낙태를 범죄화했다. 동유럽 다른 국가에서는 1950년대부터 1970년대 초반까지 낙태가 범죄가 되었지만, 낙태를 원하는 여성은 자신이 임신한 것을 검사하기 위해 의사를 만나야 했다. 이 검사는 화이트칼라 여성들이 근무하는 사무실보다는 공장에서 더 자주 시행되었고, 좀 더 모욕적이었다. 이것은 암묵적인 계급 구조를 보여주었다.[97]

피임도구 사용은 불법은 아니었지만, 루마니아는 피임 도구 생산을 중단했다. 1980년대가 피임도구를 사는 것이 아주 어려워졌다(헝가리와 유고슬라비아산 콘돔은 암시장에서 비싼 값에 팔렸다). 루마니아인들이 가지고 있는 공포에 새로운 공포를 더하는 것은 임신이었다. 한 사건을 보면 세쿠리타테는 잘못된 낙태 수술에서 여성이 회복하는 것을 도와준다고 나섰지만, 낙태 수술을 시행한 사람의 이름을 밝혀야 했다. 그 여성은 낙태를 도와준 사람 이름을 밝히지 않아서 죽도록 방치되었다.[98] 1965년부터 1989년 사이 9000명 이상의 루마니아 여성이 비보건적인 상태에서 낙태 수술을 받다가 사망했다.[99] 때로 의사들은 낙태를 자연 유산으로 기록하여 임산부를 보호했다.[100] 루마니아인 수를 늘리겠다는 정권의 집착이 가져온 결과의 하나는 원하지 않는 아동들의 출산이었고, 이런 아동 수천 명은 시설이 형편없는 고아원으로 보내졌다. 1990년 이 고아원들이 세상에 공개되었을 때 많은 사람들이 큰 충격을 받았다.

산아 증가 정책은 루마니아 정권의 민족주의 정책의 한 부분에 불과했다. 차우셰스쿠 정권은 헝가리인 거주 마을을 파괴하고 놀랄 정도로 독자적인 외교정책을 펼쳤다. 루마니아 정부는 소련의 올림픽 보이콧에 아랑곳하지 않고 1984년 로스엔젤리스 올림픽에 선수단을 파견했다. 또한 차우셰스쿠는 1985년 소련 권좌에 오른 미하일 고르바초프가 시행하는 모든 개혁 아이디어에 저항했다.

차우셰스쿠 정권이 강제적인 궁핍을 강요하는 동안 비밀경찰은 주민들을 철저히 감시했다. 주민들은 혐오하는 지도자들을 사랑한다는 거짓 삶을 살아야 했다. 그러나 잠재적 반정부 세력을 통제하기 위해 충분한 '혜택'을 제공했다. 일례로 교회 위계질서의 최상부는 위협과 특전이 결합된 부패의 온상이 되었다. 루마니아에서 세력이 가장 큰 루마니아 정교회는 특히 친정권적 성향을 보였지만 규모가 작은 헝가리 개혁 교회의 주교와 고위직은 철저한 통제를 받았다. 겉으로는 정권을 지지하는 듯 보였지만, 다른 동유럽 주민들이 느끼는 것보다 훨씬 큰 불공정에 대한 분노가 확산되어 1989년 가을에는 격렬한 시가전이 벌어졌다. 이것은 가장 압제가 심했던 곳이 발화점이 되었다. 교회 자체 위계질서에 불만이 많았던 헝가리 교회의 하위 사제들과 박해와 멸시의 특별한 목표가 되었던 헝가리인들이 모여 사는 지역이 반정부 폭동의 진원지가 되었다.[101]

＊ ＊ ＊

이 장의 시작 부분 제시된 논쟁에 대한 답은 결론이 내려질 수 없어 보인다. 오늘날 사회주의가 의미하는 바나 그 이유를 떠나서 사회주의를 옹호하는 사람들은 동유럽의 구정권들은 인간의 자유를 증진시키는 데 실패했기 때문에 사회주의 정권으로서의 자격이 없다고 말할 가능성이 크다. 그러나 사회주의가 의미하는 바나 그 이유를 떠나서 사회주의를 혐오하는 사람들은 구정권들이 실패한 이상의 본질을 제대로 구현했다고 말할 것이다. 모든 시대의 사람들처럼 이 사람들도 자신의 시대의 렌즈를 통해 과거를 바라본다. 무너진 정권들이 스스로를 사회주의 정권이라고 불렀다는 사실은 그대로 남아 있고, 그 정권의 지도자들은 자신들이 더 나은 미래를 향해 나가고 있다고 믿고 있었다. 이들은 가장 기본적인 의미에서 사회주의를 구현했다. 그것은 자본주의가 아니라는 점이었다. 사실을 들여다보면 이 국가들은 역사상 처음으로 시장을 사회의 경험의 구석으로 밀어 넣었다. 그러나 '사회주의'란 단어의 제대로 된 사용이나 잘못된 사용보다 더 중요한 것은 주민들의 기억이다. 그러나 모든 기억과 마찬가지로 이 기억은 가능하면 긍정적인 면에 초점이 맞추어진다. 그 이유는 우리가 논의한 그 시기는 회고자들이 젊었을 때였고, 따뜻하게 기억될 가치가 있는 것이 정치적 체제를 떠나서 발생할 가능성 있는 시기였기 때문이다.

5부

공산주의에서 반자유주의로

24장

공산주의의 해체

1989년 동유럽의 혁명은 사실상 모든 것을 조직하고 경험하는 복잡한 방법에 종식을 가져왔고 가장 기본적인 활동조차도 모든 게 새로워졌다. 학생들은 러시아어 대신에 서구의 언어를 학습했고, 그때까지 '금서'로 분류된 책들을 읽었다. 누가 교회를 나가는지, 그곳에서 무슨 설교를 듣는지에 대해서 아무도 신경 쓰지 않았다. 개인 비즈니스 공간이 생기고 몇 달 만에 광고회사와 작은 상점들이 우후죽순처럼 생겨나며 시골 마을도 모습이 바뀌었다. 가판대에서는 번쩍거리는 연예 잡지들이 판매되고, 포르노 잡지도 팔았다. 식당들은 피자나 태국 국수 같이 '이국적인' 음식을 팔았다. 수십 년 동안 아무 칠도 되어 있지 않던 아파트 건물 주변에 비계가 높이 올라가고, 그 아래에는 독일제, 이탈리아제 승용차들이 아직 자갈로 포장된 길 위를 달렸다. 여름이 되자 주민들이 해변으로 떠나 도시는 텅 비었고, 일부 주민들은 서방으로 휴가를 떠났다. 유럽을 나누던 경계선은 허물어졌다. 나는 베를린 장벽이 무너진 이틀 후 프라이드리히스트라세에서

기차를 갈아타던 엄마가 아이에게 하던 말을 기억한다. "학교 가면 이번 주말에 네가 다른 나라에 갔다 왔다고 말해도 돼." 이것은 부족한 표현이었다. 서베를린을 방문한 그 어린이는 다른 나라가 아니라 다른 세계를 방문한 것이었다. 그러나 얼마 지나지 않아 새로운 현실의 어두운 면이 드러났다. 동유럽 사람들은 일자리를 찾을 수 없었다. 거리에 다시 폭력이 난무했고, 이것은 종종 다른 인종을 대상으로 삼았다.

천지개벽과 같은 이런 변화가 어떻게 일어난 것인가? TV 화면은 1989년 거리를 메운 엄청난 군중을 보여주었다. 그러나 오랫동안 그랬던 것처럼 외양은 진실을 가렸다. 1789년 프랑스, 1917년 페트로그라드(현 상트페테르부르크), 1986년 마닐라에서 '시민들'이 정부의 새로운 말고삐를 쥔 것이 아니었다. 이와 유사하게 1989년 11월 9일 베를린 장벽 주변에 모여든 군중들이 공산주의를 분쇄한 것이 아니었다. 당 간부들은 몇 주 전 권력과 국경검문소에 대한 통제력을 잃었다. 동독 공산당 대변인인 귄테르 샤보프스키가 TV에서 여행 규정에 대해 잘못 발언하는 바람에 국경이 무너지고, 이미 상당히 진행된 권력의 이동을 확인하고 가속화시켰다. 약 2주 후 수십만 명의 시위대가 체코슬로바키아 거리로 쏟아져 나왔지만, 그로부터 몇 주 후 닫힌 문 뒤에서는 권력의 주인만 바뀌었다. 1990년 여름이 되자 새로운 엘리트가 혁명가들이 결코 상상하지 못한 신자유주의와 배타적 민족주의를 선호하는 새로운 체제를 만들어가기 시작했다. 루마니아에 혁명가들은 자신들의 이상을 위해 투쟁하다 죽어갔지만, 모든 소요가 진정되고 나자 '승리자들'은 한 무리의 공산주의자들이 다른 한 무리의 공산주의자들로 대체된 것을 보게 되었다. 그러나 국가사회주의는 모든 곳에서 다양한 모양의 다원주의에 자리를 내주었다.[1]

구체제가 이렇게 붕괴할 것으로 예상한 사람은 아무도 없었고, 자신들의 목표를 달성하기 위해 정교한 계산을 한 행동도 없었다. 1989년 초만 해도 변화는 일당제에 기초한 계획 경제를 조금 손보는 정도로 그칠 것으로 예상되었다. 2월까지만 해도 베를린 장벽을 넘어 탈출하려는 동독 사람이 사망했었다. 1989년 민주적 반정부파는 기존 정권에 인권, 정치적 다원주의, 언론의 자유, 집회의 권리를 존중하게 만드는 '좀 더 큰 자극'을 주려고 시도했다. 민주 정파도 민주주의로의 이행을 기대하지 못했다.[2] 폴란드의 노련한 자유노조Solidarity 혁명가들은 1989년 6월 총선에 후보자를 낼 수 있게 되자, 이들은 소련의 통제를 받는 자유화된 공산 정권에 자문적 역할을 할 것으로 기대했다. 1989년 10월 동독의 시위자들은 서방에는 존재하지 않는 민주적 사회주의를 원했다. 이들은 동독이 바르샤바조약을 이탈해서(이 일은 1년 뒤에 일어났다) 나토와 연계된 유럽공동체의 일원이 될 것이라고는 생각도 하지 못했다.

　1989년의 붕괴는 공산당 내부에 깊이 침투한 질병과 수십 년 동안 쌓여온 사회적·경제적 위기로 인해 발생한 것이었다. 공산 정권에는 믿음이 가장 중요했다. 서구의 현대성에서 국가는 경제성장과 사회 안정을 돌보는 후원자 역할을 하는 합리성에 기반한 비즈니스 모델에 가깝다면, 동유럽 모델은 궁극적 진리를 찾았다는 주장에 기반한 정통성을 가진 종교라고 볼 수 있다. 국가가 운영하는 인쇄소는 '나는 왜 살아 있는가?' 같은 기본 질문에 해답을 주는 선전물들을 찍어냈다. 그러나 1980년대가 되자 공산주의는 사람들이 기도하는 법을 잊었을 뿐만 아니라 가장 기본적인 교리에 대해 냉소하고, 이것을 위선적이고 허구적이고 해롭고 현실에 맞지 않는 것이라고 생각하는 교회가 되었다. 체제 마지막 기간에 당 관료나 시민 모두 공산당이 통치권을 가지고 있다고 생각하지 않게 되었다. 왜냐하면, 이러한 통치권은 이제 거의 아무도 받아들이지 않는 역사에 대한 비전을 바탕으로 하고 있었기 때문이었다. 1980년대 말이 되자 체제 지도층 중에 아직도 공산주의에 신앙을 가지고 있는 사람은 순진하거나 이보다도 더 형편없는 사람으로 간주되었다. 동독인들이 즐겨 말한 농담에 의하면 당 관료는 믿음, 지식, 정직성이라는 세 가지 특성을 결코 같이 가지고 있을 수 없었다. 지적이고 정직한 사람은 절대 믿지 못하고, 믿음을 가지고 있으면서 지적인 사람은 정직할 수 없었다. 믿음을 가지고 있고, 정직한 사람은 절대 지적인 사람이 될 수 없었다.

이념의 위기는 사람들이 그것에 집착했다는 것을 의미하지는 않는다. 서구에서처럼 대부분의 위기는 국가에 대한 희미하면서도 가끔 일어나는 의식 사이로 커진다. 사람들은 도처에 게시된 소련과의 영원한 우정이나 공산주의의 필연적 승리를 강조한 붉은 글자로 된 간판을 무시했다. 소련 스타일의 통치는 무한히 지속될 운명을 타고났기 때문에 어느 날인가 체제를 떠받드는 '사상'이 소련 블록 국가 시민들에게 더 이상 전혀 현실성이 없게 느껴졌다.

사회주의는 그 어느 때보다 견고해 보였던 1970년대 초반에도 사상적 회의를 피할 수는 없었다. 사회주의 학교에서는 정부가 주민들의 복지를 책임진다고 가르쳤지만, 소비재 상품의 부재는 주민들이 체제에 대해 불만을 품고 있는 정치적 사실이었다. 흐루쇼프가 드러낸 서방과의 물질적 경쟁에서의 패배는 점차적으로 더 나은 미래에 대한 믿음을 잠식하기 시작했다. 철의 장막 반대편의 체제를 잘 알지는 못했어도 동유럽 주민들은 서방의 더 많은 부, 군사적 힘, (역설적으로) 사회 복지는 좀 더 높은 도덕성을 구현한 정부로부터 나온다는 것을 깨닫게 되었다.[3] 이것이 동유럽 주민들이 왜 시장 자본주의로 맹목적으로 달려갔는지를 설명하는 데 도움이 된다.

당 관료와 주민들에게서 믿음이 잠식된 것이 1989년 아무도 국가사회주의란 거대한 체제를 보호하거나 구하려고 하지 않은 상태에서 그렇게 깔끔하게 붕괴되었는지를 설명해준다. 썩어가는 구조가 속을 다 드러낸 것이다.[4] 그러나 이것이 당시 진행된 노선대로 혁명이 일어났는지를 설명하지도 못한다. 무엇보다도 이것은 왜 권력 이양이 그렇게 평화적으로 진행되었는지를 설명하지 못한다. 1989년 각 개인은 선택권을 가지고 있었다. 그리고 수천 개의 작은 결정 등, 일례로 어느 특정한 날에 라이프치히의 어느 특정 교회가 평화적 시위의 장소 역할을 하고, 헝가리의 '철의 장막'의 어느 한 부분의 철조망이 절단되고, 바르샤바에서는 자유노조원들이 TV에서 생방송 토론을 하는 것이 허용되고, 베를린 장벽의 한 검문소가 열린 이 모든 것이 없었다면 그 결과는 전혀 달랐을 것이고, 훨씬 폭력적이었을 수도 있었다.

폴란드: 사회 대 국가

1970년대 초반으로 들어설 때 궁극적 대단원의 신호를 알아본 사람은 거의 없었다. 사회주의 경제는 수십 년 동안 성장했다. 1971년 새로 동독 지도자가 된 에리히 호네커는 전임자인 발터 울브리히트로부터 거의 부채가 없는 경제를 물려받았고, 체코슬로바키아에서 루마니아에 이르기까지 사회주의 시민들은 부족하기는 하지만 현대적 안락함에 익숙해졌다.[5] 루마니아인들은 후에 1960대 말과 1970년대 초반을 '황금의 시기'로 기억하고, 폴란드인들은 1970년대 초반을 자신들의 벨 에포크belle époque로 기억했다.

그러나 1970년대 말이 되면서 동독은 다른 사회주의 국가들(소련을 포함하여)과 마찬가지로 엄청난 부채를 지기 시작했다. 체코슬로바키아는 높은 생활수준에도 불구하고 주민들이 점점 더 비관적이 되어갔고, 1980년대 말이 되자 여론은 '날카롭게 비판적이 되었다'.[6] 헝가리의 경제는 1970년대 말까지 모든 부문에서 성장을 보였다. 1950년부터 1983년까지 국민소득은 네 배 증가해서 지수로 따지면 1950년을 100으로 보면 1983년 493까지 증가했다. 거의 비슷한 시기에 소비자 지수는 100에서 323으로 증가했고, 헝가리는 '빈곤이 만연한 상황을 완전히 뒤로 했다'.[7] 그러나 1980년 이후 4년 만에 노동자들의 실질 소득은 6퍼센트 감소했다. 헝가리는 소련 블록에서 전화, 자동차 같은 내구재 소유율이 (체코슬로바키아, 동독 다음으로) 세 번째였다. 그러나 이런 동유럽 지도적 국가들과 서유럽의 차이는 줄어들 기미를 보이지 않았고, 1980년대 말 전화는 1:3, 개인 소유 자동차는 1:4 비율이 되었다.[8]

소련 블록 정권들의 초기 성공은 주민들이 계속적인 생활수준 향상을 당연히 여겼기 때문에 이 정권들을 위험에 빠뜨렸다. 사회주의는 이미 달성되었고, 뒤로 되돌아갈 수는 없었으며, 이미 '얻은 것'을 희생할 이유도 전혀 없었다. 국가가 외환 수지 적자를 보였다는 이유로 사회주의 시민들에게 희생을 강요하면 공산주의 도그마는 아무 미래도 없었다. 1989년 이후 헝가리 개혁NEM의 설계자였던 레조 니에르스는 "공산당은 주민들에게 필요한 변화는 단기적으로 꼭 행복한 것은 아니라고 말할 힘이 없었다. 우리는 정치적·사회적인 주도세력이 될 수 없었기 때문에 개혁은 막다른 골목에 다달았다"라고 회고했다.[9] 지도자들 중에 가장 용기 있는 사람들은 실험자들, 가능한 것을 조정해보는 사람들, 관리자들이었다. 이들은 마르크스주의자들이라고 보기는 어려웠고, 혁명가는 더더욱 아니었다. 국가수반이 아주 연로한 인물이라는 사실 자체도 체제가 필요한 새로운 것을 배울 능력이 없다는 인상을 강화시켜주었다.

누적되는 위기의 신호 중에 에너지 문제가 가장 핵심적이었다. 1973년 석유 가격이 상승했지만, 소련 공급자들은 즉시 동유럽 경제에 압박을 가할 수 있는 엄청난 가격 인상을 수요자에게 떠넘기지 않았다. 일례로 헝가리는 1976-1980년 동안 소련에 대한 수출을 예정보다 6억-8억 루블 증가시켜야 했고, 이것은 서방 시장에 판매할 상품을 고갈시켜서 무역 경상 수지를 악화시켰다. 이 문제를 해결하기 위해 가격 인상이라는 내핍 조치는 동독처럼 안정적인 국가에서도 사회적으로 수용될 수 없었다.[10] 유일한 해결책은 외국에서 차입을 하는 것이었고, 동방 블록은 대출을 해주려고 하지도 않고, 해줄 수도 없었기 때문에 서방에 도움을 청해야 했다. 헝가리와 폴란드는 1970년대 서방으로부터 차입을 크게 늘렸는데, 두 국가는 자국의 수출 산업이 세계 시장에서 경쟁력을 얻게 되어 부채를 상환할 수 있을 것이라는 헛된 기대를 가지고 차입을 했다.[11]

폴란드는 사회주의가 당면한 문제 한가운데에 있었다. 1970년 12월 브와디스와프 고무우카가 불명예스럽게 퇴임하면서 에드바르트 기에레크가 권좌에 올랐다. 그러나 그는 발트해 연안의 항구 도시인 그디니아, 그단스크, 슈체친에서 파업을 진행 중인 노동자들에게 최악의 경우 발포하라는 명령을 내렸다.[12] 대중영합주의 성향을 지닌 광부 출신의 기에레크는 파업자들에게 일터로 돌아오도록 호소했다. 그는 국가가 노동자들의 이익을 위해 노력할 것이라고 보장했고, 서방 채권단도 중간에 나서서 그를 도왔다. 1970년대 초반에 벌어진 오일쇼크가 산업화된 국가들에게는 큰 도전이 된 반면, 부유한 산유국들의 소위 '오일 달러'가 넘쳐 들어오는 은행들에게는 큰 대목이었다. 기에레크는 야심차지만 궁극적으로는 경쟁력이

발트해 연안 시위의 희생자인 즈비셰크 고드레프스키의 시신을 옮기고 있는 노동자들(그디니아, 1970)

없는 사업을 벌여서, 특히 철강, 조선, 자동차 산업에 재정지원을 했다. 폴란드 정부는 차입한 대금의 상당 부분을 소비재를 수입하는 데 사용하여, 폴란드인들은 몇 년간은 비교적 잘살게 되었다.

채무를 상환해야 할 시점이 되자 폴란드 정권은 1970년 12월 고무우카가 실시한 것과 같은 조치를 취했다. 그것은 소비재 가격을 올리는 것이었다. 설탕 가격은 100퍼센트, 육류는 3분의 2, 치즈와 버터는 50퍼센트 가격이 상승했다.[13] 1976년 6월 25일 중부 폴란드의 중소 도시 라돔에 있는 발테르 금속공장의 노동자들은 작업을 거부했다. 이들이 받는 급여의 절반은 식품 구입에 나갔고, 갑작스런 가격 인상은 즉각 큰 분노를 야기했다. 곧 이들의 파업은 인근 24개 공장으로 확산되었다. 오전 10시, 2만-2만 5000명의 노동자들이 라돔의 공산당사 앞에 모여들었다. 지방 당서기는 가격 인상을 철회해달라는 자신의 청원에 대한 바르샤바로부터의 지시를 기다리고 있다고 말했다. 그리고는 철회 조치가 없을 것이라는 것을 아는 그는 몰래 청사 뒷문으로 빠져나갔다. 정오가 되자 기다리는 데 지친 노동자들은 공산당사로 진입을 시도하여 당 관료들이 도망친 것을 알게 되었다. 이들을 정말 화나게 만든 것은 자신들이 몇 년 동안 구경도 하지 못한 햄통조림과 기타 고급 식품들이 당사 식당 안에 쌓여 있는 장면이었다. 이들은 이 식품들을 창밖의 군중들에게 던지고, 당사에 불을 지른 다음 소방수들이 불을 끄러 오지 못하도록 도로를 막았다.

폴란드 당국은 멀게는 루블린, 우쯔, 바르샤바에서 경찰을 출동시켰고, 시가전은 한밤중이 되어서야 끝이 나고 질서가 회복되었다. 이 과정에서 두 명의 시위자가 사망했다. 바르샤바 인근 우르수스의 트럭 공장에서도 파업이 발생했고(노동자들은 바르샤바-파리 국제 철도 노선을 막는 데 성공했다), 파업자와 시위대 숫자는 7만-8만 명으로 추산되었다.[14] 정부는 황급히 가격 인상을 철회했다.

기에레크는 소위 폴란드 사회와의 '계약'이라는 통치 방식을 포기하고 소위 '우범세력의 우두머리들'을 찾아내어 징벌했다. 라돔에서만 약 1000명의 노동자가 해고되었고, 수백 명이 감옥형을 선고받았으며, 많은 사람이 구타를 당했다.[15] 스탈린주의가 지속되는 기간 동안 폴란드 시인 체스와프 미워시는 평범한 사람을 다치게 하는 지도자들에게 경고를 발했다. "마음 놓지 마라. 시인이 지켜보고 있다." 1976년 시인들이 권력자들이 하는 짓을 지켜보았고, 법학, 경제학, 역사학자들과 가톨릭 사제 한 사람이 노동자 수호위원회KOR를 설립했다.[16] 처음에 14명의 멤버로 시작한 이 위원회는 여러 세대를 아울렀고(가장 연로한 멤버는 1888년생이었다), 노동자들에게 의료와 재정 지원을 해주었으며, 노동자들이 자신들의 권리를 모르는 나라에서 가장 중요한 법률적 자문을 해주었다. 시인 스타니스와프 바란차크는 후에 1989년 폴란드 반체제 운동으로 이어지는 시작이었던 노동자수호위원회는 단순한 동정심에서 시작되었다고 회고했다. 이 단체는 반체제 역사학자 아담 미흐니크의 아이디어로 만들어진 것이었다. 그는 우르수스 재판을 참관하다가 판결이 내려지자 노동자의 부인들이 비명을 지르는 것을 들었다. 노동자들은 '파괴공작'을 했다는 이유로 1년 형, 2년 형, 5년 형에 처해졌다. 눈물을 멈추고 정신을 차린 그는 자신과 친구들이 할 수 있는 일이 있을 것으로 생각했다.[17]

노동자들과 도시 지식인들의 소요는 폴란드가 안고 있는 경제 문제가 일부 겉으로 드러난 것에 불과했다. 이러한 궁극적 원인은 식품 정책이었다. 1960년대 농업 생산은 매년 2-3퍼센트씩 증가했지만, 수요를 따라가기에는 부족했다. 1970년 재앙 이후 새로운 지도자들은 '농촌 개방 징책'을 약속했다. 농촌에 산업재 공급을 늘이고 농산품에 지불하는 가격을 올리겠다고 약속했다. 첫 3년간 농업 생산을 늘어나고, 농민들의 생활수준도 높아지면서 고무우카 집권 후 첫 3년을 연상시켰다. 공식 담론도 개인 농장을 장려하는 방향으로 바뀌었다. 그러나 어느 순간부터 기에레크는 낮은 생산성에도 불구하고, 큰 비중을 차지하지 않는 사회주의화된 농업 부문을 중시하기 시작했다.[18]

결국 이념이 지배하기 시작했고, 정부는 개인 농장에 투자를 하지 않았다. 개인 농장은 작은 규모를 벗어나지 못해서, 개인 농장의 3분의 2가 5헥타르 미만이었고, 농기계나 비료를 제대로 공급받지 못했다. 장래에 대한 확신을 가질 수 없었던 농민들은 가능한 경우 도시로 이주했고, 더 이상 농업에 투자를 하지 않았다. 그렇게 되자 휴경지가 늘어났고, 농업 생산성은 거의 제자리걸음을 했다.[19]

특히 문제가 심각한 것은 가축용 사료 생산이었다. 1977-1978년의 흉작으로 인해 폴란드는 1500만 톤의 곡물을 서방으로부터 수입해야 했다.[20] 이 대단해 보이지 않는 사실들이 치명적이었다. 왜냐하면 두 지도자, 처음에는 고무우카, 다음에는 기에레크를 실각시킨 두 번의 위기는 육류 부족으로 시작되었기 때문이다. 정부는 육류 가격을 올림으로써 수요를 줄이려고 했다. 기에레크는 육류, 특히 돼지고기의 인질이 되었다. 가격이 낮아지면 농부들은 돼지 사육을 줄였다. 돼지고기 공급을 늘이기 위해서 가격을 올려야 했지만, 정부가 가격을 올리면 노동자들이 들고 일어났다. 1980년 거대한 파업 물결이 일어난 배경에는 훈제 베이컨 같은 일부 육류 가격의 상승이 있었다. 한 노동자는 이렇게 말했다. "전쟁 전 우리는 빵 문제를 겪었지만 이제는 빵에 무엇을 넣어 먹어야 하는지가 문제다."[21]

공산당은 집단화 농업의 실패에 대한 대가를 치르고 있었다. 만일 당이 곡물, 유제품, 육류에 생산에 대한 적절한 계획을 세우지 못하면, 어떤 계획도 세울 수 없었다. 농촌 지역은 농업이 집단화되지 않았다. 그 이유는 스탈린주의 시대에도 공산당은 집단화에 대한 실제적·잠재적 저항을 감당할 수 없었고, 이를 실행하는 경우 정부가 당면하게 될 적대적 전선을 상대할 용기가 없었기 때문이었다. 교회, 지식인 계층, 산업 노동자, 거대한 농민층이 적대적 전선을 형성할 수 있었다. 1970년대 일어난 일은 이 집단들이 연합하여 당이 부술 수 없는 거대한 밀집 집단을 만든 것이었다.

✳ ✳ ✳

폴란드에서 이러한 거대한 저항을 불러일으킨 위기는 소련 블록에서 유일무이한 사례였다. 다른 나라에서는 경제가 이렇게 급작스럽게 추락하지 않았다. 1970년대 초반은 외국에서의 차입 덕에 경제 사정이 좋았지만, 1970년대 말에는 물품 부족과 소득 삭감이 만연했다. 폴란드 정부는 1976년 배급카드제를 도입하여 1989년까지 이를 유지했다. 설탕, 쌀과 같은 기본 식품의 부족을 배급제로 대처했다. 그러나 정치적 동원은 자동적으로 일어나지 않았다. 지식층 내부는 깊이 분열되어 있었고, 이들을 농민들과 분리시키는 거리감도 컸다. 사람들을 조직하고 희생을 고무시킬 지도력과 새로운 아이디어가 필요했다. 여기서 폴란드 상황은 더 큰 맥락에서 바라보아야 한다. 소련 블록 전체에서는 1970년대 민권, 특히 인권 운동이 일어났다. 1976년 프라하의 봄이 무참히 진압당하고, 같은 시기 고무우카가 모습이 흉한 초민족주의를 주저 없이 과시하면서 많은 동유럽인들에게 덮친 방향 상실과 낙담에 대응해서 이러한 운동이 일어났다.

브레즈네프와 그의 동료들은 자만심에 찬 태도로 이러한 상황에 맞섰다. 반체제운동을 진압하고 개량 마르크스주의자들의 모든 희망을 빼앗은 이들은 '데탕트Detente'라고 알려진 긴장 완화 기간 동안에 여러 조약을 체결하며 자신들의 국제적 입지를 '강화하려고' 움직였다. 1975년 나토 국가 지도자들과 바르샤바조약기구 지도자들이 헬싱키에 모여 유럽안보협력회의를 개최한 것이 이러한 행동의 절정이었다. 이 회의에서 소련이 얻은 것은 전후 유럽의 국경을 인정받은 것이었다. 소련은 오데르-나이세 경계선과 소련의 서부 국경을 인정받았다. 서방이 얻은 것은 소위 '바스켓-III'라고 알려진 인권 협약이었다.

인권 협약은 냉소주의를 반영한 것인지 이후 태만하게 방기된 것인지 분명하지 않다. '철의 장막'을 따라 장벽과 지뢰밭을 구축한 마르크스-레닌주의자들은 이동의 자유를 존중한다고 엄숙하게 약속했다. 종교 신봉자를 차별하면서 양심의 자유를 존중한다고 약속했고, 자유롭게 자신의 의견을 말하는 사람을 입막음하고 투옥하면서 이들은 언론의 자유를 보장했다. 그러나 이러한 모든 위선은 완전히 새로운 것은 아니었다. 바스켓-III에서 소련과 동맹국들은 1948년 인권에 대한 보편 선언에 이미 들어 있지 않은 것을 새롭게 확인한 것은 없었다. 공산 블록 국가들이 인권을 옹호할 것을 공개적으로 약속하고 그 문안을 자국 신문에 발표한 것은 솔직하지 못한 것과 불필요한 것 사이의 중간에 속하는 것으로 보였다.[22]

시인들은 권력자들이 국내에서 학정을 펴는 것을 보고 있는 동안 시민들, 특히 지식인들은 헬싱키에서 전해진 메시지를 진지하게 받아들였다. 인권이 아름다운 것은 하나의 인권이 다른 인권과 결부되었기 때문이다. 인권은 함께 지켜지거나 전혀 지켜지지 않을 수 있었다. 노동자수호위원회 활동가들이 노동자들의 파업권을 위해 일어났을 때 이들은 침해받는 것은 단순한 사회적 권리가 아니라 집회결사의 권리, 즉 인권이라고 주장할 수 있었다. 체코슬로바키아 당국이 신앙의 권리를 압제하면 이것은 기본적 인권인 표현의 자유는 체코슬로바키아에서는 허구라는 것인 분명해졌다. 만일 세속적(심지어 반종교적) 반체제 인사가 인권을 옹호하고 싶으면 이들은 신앙의 권리를 위해 일어나야 했다. 교회는 단순히 잠재적인 동지가 아니라 필요한 동지였다. 이와 유사하게 지식인과 교회는 노동의 신성함을 방어해야만 했다. 노동자에게 임금이나 주거가 부정되는 경우 이것은 사회적 권리이자 인권 침해였다.[23]

그래서 인권은 마르크스주의 세계관이 붕괴한 이후 모두가 사용할 수 있는 통합권 세계관을 제공해주었지만 이상에 목말라하는 지식인들에게 매력적으로 다가왔다. 이것은 모든 종류의 정치, 무신념을 비롯한 모든 종류의 신념과도 양립할 수 있었다. 이것은 동유럽에서 이전에 어떤 이념도 달성하지 못한 다양한 집단을 연합시킬 수 있었다. 그 이유 중 하나는

헬싱키 정상회담에서의 헬무트 슈미트, 에리히 호네커, 제럴드 포드, 브루노 크레이스키(1975)

인권은 1948년 UN헌장에 포함된 민족적 권리와 분리할 수 없었기 때문이다.[24]

노동자수호위원회 활동가들은 폴란드의 지식인 반대 진영의 폭을 반영했지만 이들은 그 진영의 한 하위부분이었다. 1970년대 초 일부 도시에만 집중되었던 이 정권 반대 운동은 야체크 쿠론과 문화장관을 역임한 브와디스와프 비엔코프스키 같은 과거 마르크주의 수정주의자들과 세속 좌파, 1968년 박해를 받은 젊은이들, 엘리트 작가, 예술가, 배우, 학자들 잡동사니로 구성되었다. 여기에 신부를 포함한 가톨릭 신자와 2차 세계대전 중 조국군대 멤버와 지하저항운동 참가자들도 뒤섞여 있었다. 젊은이 중 일부(안토니 마치에레비츠, 피에트르 나임스키 등)는 애국적 스카우트 집단에 소속되어 있었고 일부 나이 든 사람은 스탈린주의의 희생자였다. 이러한 반체제 인사들은 자신들의 역사를 '아는 것'에서 그치지 않았다. 역사는 몇 세대를 거슬러 올라가고 과거의 투쟁과 연결되는 무용담이었다. 일부 인사들은 1차 세계대전 때 성인이 되어 독일과 러시아에 대항하는 음모에 가담했었다.[25]

노동자수호위원회 구성 1년 전에 광범위한 지식인 정권 반대 연대가 동원되도록 만든 것은 1952년 채택된 헌법 개정에 대한 공산당의 논의였다. 마르크스-레닌주의 교조에 발맞추어 헌법개정안 초안은 자신들이 보기에는 너무 상식적인 문구를 넣었다. 그것은 폴란드가 소련과 '형제애적 연대'를 되돌릴 수 없게 연계되었다는 문장이었다. 이 구절은 반체제 인사들로 하여금 폴란드가 영구히 소련의 올가미에 감겨 있다고 생각하게 만들었다. 그리고 이때는 전 세계 모든 국민들이 식민주의적 지배에서 벗어나려고 하는 시기였다.[26] 이 초안에 대한 첫 반응은 수십 명이 지식인들이 돌아가며 항의시위를 벌인 것이었고, 이 중 가장 잘 알려진 것은 1975년 말 나온 '51인 편지'였다.

이 편지에 대한 아이디어는 반체제 변호사이자 한때 《포프로스투》 편집장을 맡았던 얀 올세프스키였다. 그와 야체크 쿠론, 그리고 젊은 사회학자 야쿠브 카르핀스키가 이 편지의 편집을 맡았다. 그리고 세계적으로 유명한 경제학자인 에드바르트 리핀스키가 12월 5일 이 편지를 폴란드 의회 사무처에 전달했다. 이 편지에 서명한 지식인들은 폴란드 헌법의 양심, 신앙, 노동, 정보, 학문, 교육의 자유를 보장할 것을 요구했다. 이러한 자유는 인권과 분리될 수 없었고, 이것은 민권과도 교집합을 이루었다. 노동의 자유는 자유로운 조합(노동조합)을 결성할 자유를 의미했고, 교육의 자유는 대학이 스스로 학사를 관장하는 권리를 의미했다. 정보의 자유는 표현의 자유와 검열의 종식을 의미했다. 이주 몇 주 동안 수십 명이 서명자로 추가되었다. 이러한 운동을 추진한 배경으로 작용한 힘은 폴란드가 일관된 민족으로 살아남을 수 있을까 하는 염려였다. "우리는 시민의 자유를 존중하지 못하는 경우 우리 사회가 민족적 의식을 상실하고, 민족적 전통이 단절될 수 있다고 믿는다. 이것은 우리 민족 존재에 대한 위협이다"라고 서명자들은 선언했다.

그러나 이 기치cause는 폴란드에만 한정된 것이 아니었다. 양심, 신앙, 노동, 정보, 교육의 자유는 헬싱키 선언에서 보장된 것이었기 때문에 "국제적 중요성을 가지고 있다. 그 이유는 자유가 없으면 평화와 안보도 없기 때문이다".[27] '인권'을 강조하는 또 하나의 장점은 국제 사회가 최소한 폴란드 같은 국가들의 존재를 의식하고 폴란드 반정부파가 사회주의를 개혁하는 데 맞닥뜨린 막다른 길에서 빠져나올 출구를 마련해줄 수 있었다. 그 시점 전에 반정부파는 두 방향으로 움직이고 있었다고 아담 미흐니크는 썼다. 마르크스주의 수정주의자들은 당 내부에서 변화를 이끌어내려고 했고, '신실증주의자'는 좀 더 많은 자유를 얻기 위한 노력의 일환으로 정권과 함께 일하고 있었다. 이것은 로만 드모프스키가 제정러시아와 협력한 것과 같은 맥락이었다. 그러나 1968년 사건은 공산당이 두 전략 모두에 무감각한 세력의 통제 밑에 있다는 것을 보여주었다. 한 역사학자는 인권을 마지막 유토피아라고 부르기도 했지만, 폴란드 반정부파는 민족적 자기주장을 위한 노력의 마지막 대안이었다.[28]

하나의 권리는 다른 권리를 필요로 했기 때문에 인권은 폴란드 사회가 민족을 위해 함께 일어나고 공산 정권에 대항하여 힘을 합하게 만들어주는 완벽한 장식이었다. 10년 전만 해도 좌익 지식인들과 가톨릭 주교들이 공통의 목표를 갖는 것을 상상할 수 없었다. 이제 주교단은 헌법 개정안에 반대하는 첫 집단에 들어갔다. 주교단은 소련에 영구적으로 연결되는 것은 무신론을 폴란드의 항구적인 힘으로 만들 것을 두려워했다. 다음 해인

1976년 교회 지도자들은 노동자들의 권리 옹호를 위해 목소리를 높였다. 주교들은 노동자들이 겨우 살아가는 생활을 위해 싸워야 하는 상황에 처해 있다고 주장했다. 또한 정부에 대한 노동자들의 자유로운 의사 표현 권리를 옹호하고 나섰다. 정부는 생산자보다 생산 자체를 더 중요시하고, 인간보다 물질을 더 중요시하고 있다고 비판했다. 주교들은 주일인 1976년 11월 28일 해고되거나 체포된 노동자들의 명단 수집을 지시했다. 이에 대한 호응으로 반체제 인사들은 폴란드 의회에 UN 인권헌장에 보장된 신앙의 자유에 대한 정부의 탄압을 비판을 전달했다.[29]

미흐니크는 큰 영향을 미친 자신의 에세이에서 이러한 접근법을 '새로운 진화주의'라고 불렀다. 글의 제목이 암시하듯이 활동가들은 변화에 대한 희망을 포기한 것이 아니라 자신들의 노력이 효과는 시간이 지나야 나타날 것이라는 예상을 인정했을 뿐이다. 현재 중요한 것은 국가나 당의 강력한 통치자에게 호소하는 것이 아니라 "국민들에게 어떻게 행동해야 할지에 대한 지침을 주는 것이다. … 아래로부터의 압박보다 당국을 더 잘 교화시키는 것은 없다". "모든 저항 행위는 우리가 민주주의적 사회주의의 프레임을 만드는 데 도움을 준다"라고 그는 결론 내렸다.[30]

시간이 지나면서 이런 언명은 일부 반체제 인사들이 보기에 너무 좌편향적인 것으로 보였지만, 잠시 동안만 그럴 뿐이었다. 미흐니크는 현재 일어나고 있는 일, 즉 다양한 사회적 집단들이 함께 힘을 모으는 것에 대한 냉정한 분석을 행동 촉구와 결합했다. 1970년대 후반 압박은 사실상 모든 이해집단에서 가중되었고, 점점 심화되는 경제 위기가 이를 더욱 심화시켰다. 때로 대중적 반체제 움직임이 보이기는 했지만, 대부분 표면 아래에 멈춰있었다. 노동자수호위원회는 '비밀 지하 대학들'을 조직했는데, 이것은 고발자나 경찰보다 한 걸음 앞서서 매주 각 아파트를 옮겨 다니며 대중들이 관심이 있는 문제에 대한 세미나를 개최하는 것이었다. 우리가 본 바와 같이 이러한 전통은 1880년 반체제 인사인 교육가 야드비가 다비도바에게로 거슬러 올라간다.[31]

몇 주 만에 전국적 사회 운동으로 확장된 노동자수호위원회와 다른 반정부 집단들(예를 들어 '인권과 민권 방어 운동')은 수백 종의 책, 잡지, 신문을 출간했다. 1980년까지 지하출판사인 노바Nowa는 각각 최소 200쪽 분량의 책을 54권의 책을 출간했다. 폴란드의 국경은 상대적으로 개방되어 있어서 학생들은 영국, 이탈리아, 서독의 레스토랑 등에서 일하며 여름방학을 보냈고, 외국 서적을 폴란드로 반입했고, 이 책들은 폴란드어로 번역되었다. 여러 세대의 사람들이 독자적인 네트워크를 구성해 비공식 뉴스를 전파했고, 노동자들 사이, 특히 발트해 연안 지방 노동자들 사이에는 권리 옹호 네트워크가 형성되었다. 이들은 지하에서 결성되고 있는 '자유 노조'의 존재를 알리는 신문을 발행했다.[32] 또한 폴란드 전역에 학생연대위원회라고 불리는 비공식 운동이 확산되었다.

＊　＊　＊

잠시 동안 폴란드의 움직임은 체코슬로바키아와 헝가리에서 반향과 유사한 운동을 촉발시켰다. 두 나라 모두 1970년대 중반부터 작가, 학자, 예술가들이 조직한 작은 집단들이 국가의 통제를 받지 않는 조직의 형태를 모색하고 있었다. 두 국가 모두 반체제 인사 대부분은 이전에 공산주의자였던 전력이 있었다. 체코와 슬로바키아의 반체제 인사들을 동원하도록 만든 사건은 폴란드의 라돔과 우르수스 파업보다는 덜 극적이었다. 1976년 체코슬로바키아 당국은 '우주의 플라스틱 주민'이라는 명칭을 가진 록그룹을 "사회 안정을 방해한다"는 이유로 체포했다.[33] 이 그룹은 오랜 기간 사적인 장소에서 통해 정부의 검열을 받지 않은 노래들 연주하고 있었지만 이 노래들은 체제 전복적인 내용을 담고 있지는 않았다. 이 록그룹의 체포에 분노해서 나타난 규모가 작은 운동도 체제 전복을 목표로 하고 있지 않았다. 이 집단은 후에 '77헌장' 그룹이라고 불리게 된다. 이 그룹의 첫 조직자들은 철학자, 작가, 역사가, 경제학자였고 이들은 '우리나라와 전 세계의 민권과 인권 존중을 위해 개인적으로 집단적으로 노력하고자 하는 의지'로 통합되었다. 이들은 조직이라기보다는 '다양한 의견, 신념, 직업을 가진 다양한 사람들의 느슨하고, 비공식적이고 개방된 연합'이라고 할 수 있었고, 이들의 행동은 단순했고, 이들이 저지른 '범죄'도 단순했다. 이들은 체코인과 슬로바키아인들이 인권 존중을 요구하는 성명서인 자신들의 '헌장'에 서명할 것을 촉구했을 뿐이다. 이 단체의 첫 대변인은 극작가인 바츨라프 하벨, 철학자 얀 파토츠카, 전 외무장관 이리 하예크였다.[34]

1989년까지 1445명의 체코슬로바키아인들이 헌장에 서명했다. 후사크 정권은 서명자 거의 모두에게 해고에서부터 투옥까지 여러 형태의 징벌을 내렸다. 헌장에 서명한 사람들과 그 가족들은 지속적인 학대에 시달려야 했고, 이들은 자신들의 아이디어를 소규모 지식인 집단의 경계 밖으로 전파하는 데 실패했다.[35] 체코인과 슬로바키아인들인 '헌장 서명자들'에 대해 알게 된 것은 정부가 라디오와 TV를 통해 이들을 범죄자화했기 때문이다. 당국은 '반反헌장'을 만들어 여기에 서명할 사람들을 모집하기까지 했다. 서명을 거부한 사람 중 하나인 역사학자이자 작가인 얀 우르반은 교사직에서 해임되었고, 이후 12년을 벽돌공으로 일하다가 시민포럼의 대변인이 되었다. 이런 변화는 1989년 공산주의 붕괴 기간에 일어났다. 그러나 우르반이 26세의 나이에 반체제 인사들을 비난하는 것을 거부했을 때 그는 이 체제가 끝날 것이라는 생각은 할 수 없었다.

이와 대조적으로 폴란드에서는 모든 계층의 사람들이 큰 반향이 없는 공개편지를 일관되게 지지해왔다. 노동자수호위원회도 감시 대상이었기 때문에 종종 적극적 탄압을 받았다. 국제적 평판을 신경 쓴 폴란드 정부는 '자제력'을 보였다. 적극적 탄압이 거대한 외채를 갚기 위한 외국 차입을 끌어들이는 데 줄 악영향을 고려했다.

그러나 1977년 5월, 노동자방어위원회의 크라쿠프 지회 멤버인 대학생 스타니스와프 피야스가 자신의 아파트에서 떨어져 사망하는 사고가 발생했다. 경찰은 그가 취해서 추락했다고 발표했지만, 그의 친구들은 타살 혐의를 제기했다. 오늘날까지 이 사건의 전모는 밝혀지지 않고 있다.[36] 그러나 노동자방어위원회는 이제 순교자를 갖게 되었다. 약 5000명의 학생들과 노바후타의 노동자들이 5월 15일 그의 장례 미사에 참석했다. 장례식 후 검은 기를 든 일군의 시위대가 그의 시신이 발견된 곳으로 행진하여 묵념의 시간을 가졌다. 그날 밤 9시 군중들은 다시 그 장소에 모여 촛불과 검은 깃발을 들고 비스와강 언덕 위의 바벨성으로 행진했다. 군중의 수는 최대 1만 명으로 추산되었다. 보안경찰이 군중 틈에 많이 끼어 있었지만, 유혈 사태를 염려한 이들은 적극적인 제지를 하지 않았다. 학생들도 경찰의 도발에 대응하지 않았다. 바벨성에 다다르자 한 학생이 학생연대위원회의 구성을 발표하는 선언문을 낭독했다. 그 자리에 모인 사람들은 묵념한 후 국가를 불렀고, 군중은 평화롭게 해산했다.[37] 다른 도시에서도 대학 당국의 경고에도 불구하고 학생들은 장례 미사 후 행진을 하는 비슷한 행사를 개최했다. 브로츠와프에서는 약 5000명의 학생들이 성당에서 미사를 진행한 후 그중 절반 정도는 요한 23세의 동상으로 걸어가서 크라쿠프에서 받은 성명문을 낭독했다. 우쯔와 포즈난에서 이와 유사한 학생들 행사가 벌어졌고, 바르샤바에서는 약 700명의 학생들이 그 전해 노동자들에게 가해진 폭력을 공식으로 조사할 것을 요구하는 결의안에 서명했다.

같은 달 당국은 10여 명의 활동가를 체포하며 노동자수호위원회에 대한 압박을 시작했지만, 이로 인해 전에는 노동자수호위원회와 연관이 없던 사람들까지 포함된 단식투쟁이 시작되었다. 노동자수호위원회를 해체하려는 시도는 이 단체를 더 유명하게 만들고 규모를 확장시키는 결과를 가져왔다.[38] 당 지도자 기에레크는 자신이 만든 덫에 갇혀버렸다. 그는 서방 지도자들을 만날 때 이들에게 좋은 인상을 주어 신용공여를 얻어내려고 노력했지만, 이들 중 일부 정치인, 특히 미국의 지미 카터 대통령은 기에레크에게 인권을 존중하겠다고 약속한 것을 상기시켰다. 노동자수호위원회 활동가인 야체크 쿠론은 이탈리아 공산당수 엔리코 베를링구에르를 만나서 기에레크 정권의 인권 침해 상황에 대해 제동을 걸 것을 요청했다. 이 모든 상황이 폴란드 정권의 자제를 유도했고, 노동자수호위원회는 이런 상황의 도움을 받았다. 유고슬라비아 베오그라드에서 서방 지도자들을 만나기 직전인 1977년 7월 노동자수호위원회 활동가들을 석방한 기에레크는 자신이 '폭도'로 보이는 것을 원하지 않는다고 말하기도 했다.[39] 그러는 사이 노동자수호위원회의 활동을 모르는 약 4만 명의 노동자들은 크라쿠프 추기경 보이티와(1978년 10월 교황 요한 바오로 2세로 선출됨)가 집전한 노바후타의 새 교회의 봉헌식에 참석했다.[40]

폴란드 외 동유럽 국가에서는 반체제 운동은 기껏해야 수천 명의 개인이 참여한 은밀한 움직임이었고, 체코슬로바키아와 헝가리에는 소규모 단체들이 활동했다. 1979년 부다페스트에서는 수백 명의 지식인들이 '77 헌장'에 대한 지지를 표명했고, 점차적으로 지하출판을 포함한 반체제 지하운동이 헝가리에서도 진행되기 시작했다. 초기 단계부터 헝가리 반체제 운동가들은 민족 문제와 헝가리인들이 많은 관심을 가지고 있는 다른 나라에 거주 중인 헝가리 디아스포라에 대한 문제에 구체적 입장을 가지고 있지 않았다. 이로 인해 이들은 현실에서 동떨어져 있다는 비판을 받기도 했다.[41] 그러나 폴란드에 널리 확산된 지하출판물과 심화되는 경제 위기로 인해 모든 사회 영역의 폴란드인들이 단합하면서 체코슬로바키아와 헝가리의 주요 반체제 인사는 널리 알려지게 되었고, 특히 바츨라프 하벨은 체코슬로바키아인이나 헝가리인들보다 폴란드인들에게 더 잘 알려졌다.

✳   ✳   ✳

2년 후인 1978년 10월 로마 교황청에서 열린 추기경 회의에서 카롤 보이티와 추기경을 교황 요한 바오로 2세로 선출하면서 폴란드 사회의 단합은 크게 증진되었다. 폴란드 정부는 모스크바에 보이티와가 '맹렬한 반공산주의자'라는 경고를 보냈다. 그러나 공산주의자를 포함한 대부분의 폴란드인들은 기적과 같아 보이는 이 쾌거에 축배를 들었다. 1979년 여름 요한 바오로 2세는 경제 위기가 절정에 달한 조국에 첫 순례 방문을 했다. 8일간의 공식 일정을 소화하며 수십만 명의 군중 앞에 선 그는 폴란드인들로 하여금 이제 상황이 달라질 수 있다는 확신을 갖게 만들었다. 그는 주님이 내려와 땅, 즉 '폴란드 땅'을 변화시켜달라고 기도했다. 군중은 흰 사제복을 입은 점잖고 확신에 찬 교황의 직접적 언어와 감출 수 없는 불안에 당혹해하는 정부 관리들의 혼미한 언어의 대조를 직접 목격했다. 한 소년은 "이전에는 말 같은 말을 나에게 한 사람이 없었다는 것을 깨달았다"라고 말했다.[42]

교황의 방문으로 폴란드인들은 자신에 대한 인식이 바뀌었다. 이것은

1956년 라즐로 라이크의 이장 행사가 헝가리인들에게 끼친 영향과 비슷했다. 거대한 군중 사이에서 폴란드인은 자신들이 오랫동안 느껴왔던 것을 확실히 알게 되었다. 그것은 자신만 혼자 불만과 낙담 속에 고통받아온 것이 아니라는 사실이었다. 대중 조직은 아직 생각할 수 없는 단계였지만, 반체제 활동가들은 부상하는 반체제 운동을 감지하고, 자신들의 힘을 느낄 수 있었다. 반체제 인사인 야체크 쿠론은 이것을 '각성'의 순간이라고 불렀다.[43] 요한 바오로 2세는 폴란드인들에게 소비자가 아닌 인간으로서 자신들의 고귀함을 가지고 도전을 할 것을 설득했고, 이것은 이후 십 년간 폴란드 땅에서 일어나는 공개적·비공개적 저항운동에서 초월적인 자기희생을 고무시켰다.

경제 침체는 계속 심화되어 당의 기능도 마비시킬 정도가 되었다. 1980년 열린 잘 연출된 폴란드 노동자동맹당Polish United Workers' Party의 8차 당대회에서도 비판의 소리가 나왔다. 당대회가 끝났을 때 공식적으로 변한 것은 아무것도 없었다. 그러나 회의 과정을 지켜본 사람들은 개혁 운동이 공산당원들의 지지도 받을 수 있다는 것을 깨달을 수 있었다. 특히 상향 이동이 정지된 중간급 당원들의 동요는 컸다. 폴란드 공산주의자들은 정통 마르크스-레닌주의자로 보기는 어려웠다. 당원의 4분의 1은 정기적으로 교회에 출석했고, 4분의 3은 자신을 신자라고 생각했다. 체코슬로바키아나 동독에서는 무신론이 당 밖에서도 표준적 관행이었다.[44]

1980년 7월 폴란드 공산당 지도부는 넓게 퍼진 국민들의 불만을 심각한 정치 위기로 만드는 조치를 시행했다. 노동자들의 노동 기준을 높이고 국영상점에서 판매되는 육류 가격을 인상했다.[45] 즉각적으로 폴란드 전역 공장의 노동자들은 작업을 멈추었다. 파업 노동자들의 전술은 위원회를 구성하고 새로운 조치에 따른 손해를 임금으로 보상해줄 것을 요구했다.

과거 노동자 소요로 일어난 사태의 심각성을 잘 기억하고 있는 지도자들은 공장 경영자들에게 노동자의 요구를 수용하도록 지시했다. 그러나 임금 인상 소식이 퍼지자, 더 많은 노동자들이 파업을 시작했고, 작업장으로 복귀했던 노동자들 일부도 다시 파업에 동참했다. 노동자수호위원회 같은 지하조직들은 정부의 보도 금지에도 불구하고 노동자들의 파업 소식을 여러 공장에 퍼뜨렸다. 파업에 동참한 작업장 수가 늘어나서 8월 초에 150개 공장에서 파업이 일어나자 당 지도자 기에레크는 TV에 나와 노동자들을 동료 폴란드인이라고 부르며 폴란드의 경제는 임금 인상을 감당할 수 없다고 호소했다. 그러나 그의 말에 귀를 기울이는 사람은 거의 없었다. 불만은 당 조직에도 깊이 자리 잡고 있었기 때문에 파업을 막으려는 적극적인 노력은 시도되지 않았다. 기에레크는 무력을 사용하지는 않았고, 파업의 파도가 발트해 연안까지 확산된 상태에서 소련의 크림반도로 휴가를 떠났다.*

8월 14일 그단스크 조선소의 오전 작업반은 노동을 거부했고, 그날 오후 노동자들은 1970년 파업을 이끌었던 레프 바웬사를 조선소 담벼락으로 넘어오게 했다. 바웬사는 조선소에서 선동적 연설을 한 죄로 파면되었지만, 카리스마와 대중적 위트가 담긴 연설로 거의 무위로 끝날 뻔한 파업에 새로운 불씨를 지폈다. 조선소 노동자들은 점거 파업을 선언하고 임금 인상과 정치적 이유로 파면된 노동자들의 재고용, 경찰에 버금가는 가족 수당, 그리고 (바웬사에게 특히 중요한 사안인) 1970년 희생자들을 위한 기념비를 세워줄 것을 요구했다.[46]

조선소 경영진이 노동자들의 요구에 굴복하고 바웬사가 파업이 성공으

---

* 기에레크는 휴가를 빙자하여 크림반도에서 휴양하고 있던 브레즈네프를 만나러 간 것이다.

교황 요한 바오로 2세의 공개 미사에 모여드는 군중, "신이 교황과 나라를 보호하신다"라는 깃발을 들고 있다 (1979년 6월)

로 끝났다고 선언한 8월 16일 진실의 순간이 나타났다. 집으로 귀가하는 수천 명의 노동자들이 조선소 정문으로 쏟아져 나왔다. 그러나 젊은 간호사이자 지하신문 편집장인 알리나 피엔코브스카가 메가폰을 붙잡고 노동자들에게 조선소로 다시 돌아가도록 요청했다. 이 노동자들은 그단스크의 다른 작업장이나 작은 작업장에서 파업을 벌이고 있는 동료들을 잊은 것인가? 그들의 요구 사항은 아직 관철되지 않았다. 남성들이 대부분인 조선소에서 다른 세 명의 여성 동료, 안나 발렌티노비츠, 헨리카 크지보노스, 에바 오소브스카의 도움을 받은 피엔코브스카는 자신의 아버지를 포함한 수십 명의 노동자들의 발걸음을 되돌려서, 그단스크 조선소의 점거 파업은 다른 작업장의 노동자들과의 연대 속에 계속되었다.[47]

파업 운동은 인근의 그디니아로 확산되어, 십여 개의 공장이 파업에 동참했고, 요구 조건은 늘어났다. 언론에 대한 자유로운 접근, 정치범 석방,

자유노조 허용, 피엔코브스카의 노력 덕분에 보건 혜택의 향상 등이 요구에 포함되었다. 노동자들이 생각하기에 이러한 자유노조 운동은 단순히 노동자들만의 운동이 아니었다. 이것은 폴란드 인권 운동의 절정이었다. 자유노조를 결성할 권리는 민권이었고, 이것은 언론과 출판의 자유뿐만 아니라 '모든 신념을 표현하는 대중 언론의 존재'를 의미했다.[48]

발트해 연안 지역 노동자들은 10년 전의 비극의 교훈을 기억했다. 당시 노동자들은 작업장을 떠났기 때문에 실탄 사격을 포함한 경찰의 진압 작전에 속수무책으로 당했다. 이번에 노동자들은 작업장에 집결한 상태로 외부에서 음식을 반입했다. 사회주의 재산을 보호해야 하는 공장 전문은 사회주의 국가의 노동자들을 방어해주었다.[49] '점거 파업'은 노동자들에게 안전한 은신처를 제공하는 것을 넘어 값비싼 생산 장비를 인질로 잡는 효과가 있어서 공장 봉쇄를 막았고, 포위 상대에 있는 노동자들의 시기를 높였다.

곧 발트해 연안 도시인 그단스크, 그디니아, 소포트를 연결하는 약 5만 명의 노동자를 대표하는 '공장 간 파업연대위원회'가 결성되었다. 이들을 감정적으로 연결해준 것은 1970년 파업 진압 때 사망한 노동자들에 대한 기억이었다. 8월 17일, 10년 전 파업 때 사망한 네 명의 노동자를 기리는 커다란 목제 십자가가 그단스크 조선소 정문 앞에 세워져 축성祝聖되었다. 이 장소는 성소가 되었고, 매일 새로운 꽃이 헌정되고, 밤에는 촛불이 이 장소를 밝혔다. 파업 노동자들의 정중한 태도는 자발적인 알코올 금지로 나타났다. 술병을 소지한 노동자가 발견되면 술을 쏟아버리고, 소지자의 이름이 조선소 스피커로 방송되어 그에게 모욕을 주었다.

언론에 대한 자유로운 접근과 독립 자유노조 요구는 모든 폴란드인들이 바라는 것을 표현한 것이고, 이전 파업과 다르게 이번 파업은 거래로 무마시킬 수 없었다. 공장 간 소통 채널이 만들어졌기 때문에 당국은 문제 작업장을 고립시킨 후 돈을 쏟아 붓는 전술을 쓸 수 없었다. 정부는 발트 해 연안 공장에 대표를 파견했지만 이들은 노동자들로부터 불신을 받았다. 독일에 대항했던 전쟁이 자유를 위한 투쟁이었다면 정부는 왜 노동자수호위원회 활동가들을 체포하는가? 정부는 왜 그단스크로 통하는 전화선을 차단했는가?

알리나 피엔코브스카는 단순한 계략을 써서 파업 노동자들의 요구를 바르샤바로 전달하는 데 성공했다. 그녀는 철도역 안내창구의 공식 전화를 사용할 수 있는지를 담당자에게 물었다. 그녀가 바르샤바와 연결되자 그녀는 야체크 쿠론에게 파업 노동자들의 요구조건을 큰소리로 전달하는 것을 담당 공무원과 전화 대기 줄에서 기다리던 모든 사람은 가만히 듣고 있을 수밖에 없었다.[50] 이 철도역과 그단스크의 대부분의 장소에서 폴란드 공산당은 휴가 허가를 받지 않은 채 자리를 이탈한 상태였다. 다음날 파업 노동자들의 기본 요구는 서방 언론에 의해 폴란드로 전달되었다. 쿠론은 바르샤바에 있는 자신의 아파트에서 서방 언론과 계속 접촉하고 있었다.

정부 대표인 미에츠스와프 야겔스키가 그단스크 조선소에 도착했을 때, 그는 공장 정문 밖에서 차에서 내려 화가 난 노동자들이 양쪽에 늘어선 통로를 인디언 형벌을 받듯이 통과해서 협상 장소로 가야 했다. 바르샤바와 실시간 연락할 수 없고, 단지 "가서 문제를 해결하라"는 지시만 받은 그는 큰 모욕을 당하고, 곧 노동자들에게 사과를 해야 하는 입장이 되었다. 그도 2차 세계대전 중에 큰 고난을 겪은 '선량한 폴란드인'이었다. 정부는 단계적으로 노동자들에게 양보해서, 통신선을 복구하고, 협상 과정을 방송할 수밖에 없었다. 8월 27일 정부는 신문들은 노동자들이 제시한 21개항 요구조건을 보도했다.[51] 정부가 질서를 회복하려고 무력을 사용하지 않고 이러한 조치를 취한 것은 소련 블록 역사에 혁명적 발전을 가져왔다.

바르샤바로 돌아온 야겔스키는 공장 간 연대파업위원회가 그단스크의 모든 것을 통제하고 있고, '사회'가 이를 전적으로 지지하고 있다고 보고했다. 노동자 대표들은 타협에 관심이 없었고, 공산당은 자유노조를 허용할 것인가 하는 단순한 질문을 반복했다. 노동자들은 불법적으로 행동하지 않고 '우리가 서명한 제네바협약'을 준수하고 있다고 야겔스키는 보고했다. 그는 정부가 양보해야 하지만, 열심히 노력하면 새로 결성된 노조에 침투할 수 있을 것으로 생각했다. 8월 말까지 파업은 서쪽의 슈체친과 남쪽의 브로츠와프, 우쯔, 실레시아 공업지대로까지 확산되었다. 총 70만 명의 노동자들이 700여 공장에서 파업을 벌였다. 야겔스키는 노동자들과 타협안에 서명하라는 지시받았다.[52] 합의안에 서명하는 바웬사는 교황 요한 바오로 2세의 사진이 실려 있는 커다란 기념 펜으로 서명을 했고, 이 장면은 TV로 중계되었다.

9월 초 에드바르트 기에레크는 '건강상 이유'로 사임했다. 새로운 노조는 솔리다르노시치라고 불렀다. 새 노조는 노동자들을 대표할 권한을 가졌지만, '폴란드 사회주의 체제의 기초가 되는 생산 수단의 사회적 소유 원칙'을 인정했다. 노조는 폴란드에서 폴란드노동자연합당의 주도적 역할도 인정하고 '국제적 동맹의 기존 체제'도 인정했다.

이렇게 해서 자유노조와 공산당의 격동의 공존 기간이 시작되었다. 야겔스키가 후에 회고한 대로 폴란드 정부는 독립적 노조가 세력을 마음대로 확장하는 것을 원하지 않았었다. 몇 달 지연 끝에 자유노조 지부가 설립되기 시작했으나, 때로 충돌도 일어났다. 일례로 비드고슈치에서는 1981년 봄 노조 대표들이 구타당하는 사건이 발생했으나 총파업은 간신히 억제되었다. 자유노조 지부들은 합의안의 존중되도록 만들기 위해 자주 경고 파업을 했지만, 이들이 활동은 평온하기 진행되지 않았다. 폴란드 국경 너머에서는 소련과 그 동맹국들, 특히 동독과 체코슬로바키아가 폴란드의 '사회주의의 적들'에 대한 형제애적 무력 사용을 위협했다. 1980-1981년 겨울 양측의 상호비방이 절정에 다다르면서 세계는 숨을 죽이고 사태를 바라보았다. 폴란드 국경에 탱크들이 집결했지만, 공격은 없었다. 1981년 2월 귀족 집단 출신으로 직업군인이 된 국방장관 보이치에흐 야루젤스키가 총리가 되었다. 10월에 그는 기에레크의 후계자인 스타니스와프 카니아를 대신하여 공산당 제1서기가 되었다.

자유노조와 정부는 추락하는 폴란드 경제의 책임을 서로에게 떠넘겼다. 1981년 가을이 되자 폴란드 대부분 지역에서 배급카드나 긴 줄 없이 살 수 있는 물품은 성냥과 식초가 전부였다. 자유노조가 그단스크에서 1차 총회를 준비하는 동안 전례 없이 추운 겨울 날씨가 닥쳤다. 자유노조 지도자들이 한자리에 모인 기회를 이용해 야루젤스키는 탄압에 나서서 계엄령을 선포하고 노조 지도자들을 수감했다. 군대가 치안을 담당하며 폴란드 전역에 이동과 회합이 금지되고, 경찰은 수십 명의 활동가들을 찾아 나섰다. 카토비체의 우에크 광산에서는 노동자들은 군경의 시설 점거에 저항하다가 실탄 사격을 받았다(9명 사망, 21명 부상).

고르바초프: 스탈린주의 통치 도구에서 민주주의 태동?

차가운 폴란드 계엄령 바람은 얼어붙은 냉전의 가장 낮은 지점으로 불어왔고, 레이건 미국 대통령은 임기 첫해를 보내고 있었다. 중유럽 국가들은 강대국들이 철의 장막을 따라 동독뿐만 아니라 서독에도 새로운 세대의 대량 살상 신무기들을 배치하거나 배치한다고 약속하는 것을 지켜보았다.
1982년 연로하고 병약한 브레즈네프가 사망했다. 소련 통치권은 유리 안
드로포프(1984년 사망)로 넘어갔다가 다시 한 번 노쇠한 콘스탄틴 체르넨
코(1985년 사망)에게로 넘어갔다.

지속적 지도자 위기 속에서 개혁가인 미하일 고르바초프가 1985년 3월
권좌에 올랐다. 일부 사람들은 그가 등장한 것은 중동부 유럽, 특히 폴란드
에서 발생한 항의에 대한 대응이라고 말했다. 그러나 사회주의 세계 전반
에 번진 경제 위기는 소련의 강대국 지위를 위험하게 만들었기 때문에 구
조적으로 좀 더 깊은 곳에서 움직인 힘이 어떤 종류건 개혁가의 등장을 촉
진시켰다고 볼 수 있다. 사람들을 아연케 한 것은 소련 체제가 이런 개혁
가를 만들어냈다는 사실이었다. 1956년 헝가리 혁명 진압 당시 현지 대사
였던 안드로포프가 고르바초프의 후원자였다. 스탈린주의와 신스탈린주
의 시기 당 조직에서 살아남고 출세를 한 사람들에 둘러싸인 고르바초프
는 자유로운 의견 교환의 장점을 믿고 있었다. 그는 비판이 사회주의를 강
하게 만들 것이라고 생각했다. 1987년 소련 공산당 중앙위원회 회의에서
그는 "우리가 숨 쉬는 공기와 같은 민주주의를 우리는 필요로 한다"라고
말했다.[53] 이와 동시에 고르바초프는 마르크스주의의 본질적인 변용에서
동기를 부여받았다.

고르바초프는 동유럽이 군사·정치·경제 자원을 낭비하는 하수구가 되
지 않기를 바랐다. 그러나 그는 위성 국가들을 단순히 문제로만 보지는
않았다. 인간적인 사회주의에 대한 믿음은 그로 하여금 프라하의 봄에 대
해 호기심을 갖게 만들었다. 고르바초프는 모스크바대학 시절부터 개혁
공산주의자인 즈데네크 믈리나르의 개인적 친구였다. 그러나 고르바초프
는 교조주의에 사로잡히지 않아서 동독의 레닌주의자들을 높이 평가하기

도 했다. 동독 공산주의자들은 높은 생활수준을 가진 안정된 국가를 유지하고 있었고, 주민들은 육류, 아파트 주거 공간, 보건 혜택을 누리고 있었다. 이 모든 것은 모스크바, 바르샤바, 부쿠레슈티에서는 부족한 것이었다.

고르바초프만이 겉으로 드러난 동독의 경제적 성공을 찬양한 것은 아니었다. 1987년 주로 통계 숫자만 들여다본 서방 경제학자들은 동독이 경제 발전의 주요한 지표인 1인당 국민소득에서 영국을 앞질렀다고 평가했다. 1988년에도 한 멀쩡한 서방 신문이 동독을 경제 강국이라고 묘사했다. 다른 공산권 국가와 마찬가지인 큰 채무(1인당 채무액 기준으로)는 잘 알려져 있었지만 성장과 지속적인 '성공'에 장애로 여겨지지 않았다. 동독 경제가 절름발이 같았던 것은 이미 '오래된 과거의 일'이라고 1987년 서방 기자 피터 메르세부르거가 썼다.[54] 그는 동독이 실업과 사회 불안정 문제를 해결한 번영하는 국가로 불특정한 미래까지 계속 발전될 것이라고 상상했다. 그는 동독의 낮은 주택 임대료를 찬양했는데, 이것은 주택에 대한 소극적 투자를 반영한 사실이라는 것을 고려하지 않았다. 통계 자료를 자세히 들여다보면 좀 더 냉정한 결론을 내릴 수 있었지만, 그렇게 하는 사람은 거의 없었다. 동독은 폴란드보다 훨씬 부유했기 때문에, 동독도 뿌리 깊은 문제를 가지고 있다는 것을 아무도 믿지 않았다. 동독의 1인당 국민소득은 소련보다 40퍼센트나 높았다.[55]

동독 경제의 성공은 환상이었다. 동독 정부는 지탱하기 힘든 부채를 지고 있었고, 수리비용이 없어서 세계적 수준의 건축 유산(그라이프스발트, 바이마르, 브란덴부르크)을 헐어버렸다. 동독은 정부가 큰 투자를 한 분야에서도 경쟁력을 유지할 수 없었다. 동독 정부는 1970년대부터 반도체 부분에 큰 투자를 했다. 1988년 9월 25만 명의 노동자가 17개의 복합공장 Kombinate에서 일을 했고, 140억 동독 마르크가 투자되어 동독 최초의 1메가바이트 마이크로칩을 생산해냈다. 이 성과는 국가 언론에 크게 보도되었지만, 이것은 서방 기술에 한참 뒤진 것이었다. 도시바는 이미 2년 전부터 1메가바이트 칩을 대량 생산하고 있었고, 당시에는 4메가바이트 칩을 개발하고 있었다.[56]

상대적으로 높은 생활수준은 운 좋은 환경에 의해 가능한 것이었다. 그것은 이미 존재하고 있었던 강력한 산업 기반, 1950년대의 집중 투자, 1970년대와 1980년대에 시행된 생산단지Kombinate의 합리적인 조직 개혁이었다. 서독도 동독을 통일 독일의 일부로 생각했고, 유럽연합 시장에 완전한 접근을 허용하고 몇 차례 대규모 차관을 제공했다. 그러나 동독 지도자들은 더 이상의 개혁은 필요 없다고 생각했다. 동독 이념 담당 당 책임자인 쿠르트 하게르는 동독은 더 많은 개방성과 구조개혁을 위해 고르바초프식의 계획은 필요 없다고 말했다. 당신 이웃이 새 벽지를 바른다고 해서 당신도 따라할 필요는 없다고 주장했다. 동독 지도자 에리히 호네커는 고르바초프를 조롱하기도 했다. "그 젊은 친구는 겨우 1년 동안 정책을 만들어왔는데, 이미 자신이 소화할 수 있는 것 이상을 시도하고 있다."[57]

헝가리의 개혁

고르바초프는 사회주의가 작동하도록 만드는 데 관심이 많은 헝가리 공산당 내의 개혁적 사고를 가진 실용주의자들을 더 친밀하게 느꼈다. 예리하게 들여다보지 않는 관찰자들이 보기에 이들은 성공한 것처럼 보였다. 헝가리 도시들은 소비재 상품이 넘쳐나서, 방문자들은 서방과 큰 차이를 느끼지 못했다. 유럽 최고의 음식 일부가 1980년대 부다페스트 레스토랑에서 제공되었다. 영국 역사가 나이젤 스웨인은 공산주의가 붕괴하기 몇 년 전 출간된 중요한 책에서 헝가리 체제를 '살아남을 수 있는 사회주의 feasible socialism'라고 불렀다.[58]

헝가리 개혁의 시작은 임레 나지로 거슬러 올라간다. 그는 스탈린주의의 명령적 구조는 합리적 의사결정을 막는다고 생각했지만, 우리가 21장에서 본 바와 같이 카다르 정권이 1968년 1월 1일 '새로운 경제구조NEM'라고 불리는 광범위한 개혁을 시작했다. NEM은 기업의 의사결정 수준을 높이고, 일부 가격은 상품의 가치를 반영하게 만들고 생산성을 제고하기 위해 인센티브를 도입했다. 정부는 정량적 지시가 아니라 기업이 선호하는 여신 공여, 가격 책정, 조세제도를 보장하면서 생산을 간접적으로 통제했다. 정부는 또한 대외 무역 독점을 통해 헝가리 시장을 세계 시장으로부터 보호했다.[59]

개혁이 성공한 첫 부문은 농업이었다. 이것은 유연한 가격제와, 국영농장이 아니라 사적 영농기업이 큰 역할을 하는 협동농장을 만들어낸 상대적으로 온건한 헝가리식 농업집단화 덕분이었다. 1960년대 말만 해도 헝가리의 농장들은 곡물을 수출하고, 육류, 채소, 과일 생산 증가를 보였다.[60] 가장 중요한 혁신은 협동적 자치였고, 이것은 경제 전반에 큰 파장을 미쳤다. 경영자들은 자신들이 원하는 방식으로 협동농장을 운영할 수 있었다. 농업 부문 전반으로 확산된 이 제도는 각 지역의 특성에 맞는 다양한 형태의 협동농장을 탄생시켰다. 현지 농민들은 자신의 농지에서 가장 잘 자랄 수 있는 포도나 곡물 종류를 가장 잘 알고 있었다.

개혁이 농업의 생산성을 높인 것은 사실이지만, 이것은 또한 심각한 위험부담도 초래했다. 정치 체제는 평등성을 핵심으로 내세우고 있는데, 농장 노동자들 사이에 차등이 생겨나기 시작했다. 농민들은 일한 시간이 아니라 생산성에 의해 보상을 받았고, 이것을 실제로 운영한 사람에게 재산이 넘어가면서 소작농이 생겨났다.[61] 그러나 이 모든 개혁에도 불구하고 헝가리의 농업은 생산성과 효율성에서 서방에 훨씬 뒤떨어졌다.

처음 시도된 개혁은 이념적 문제도 그대로 드러냈다. 공산주의는 생산 수단의 국가 소유를 기본으로 했고, 사회주의는 철강과 콘크리트에 바탕을 둔 사회였다. 정부는 NEM을 일시적인 조치로 생각했고, 진정한 시장 체제에 대한 열의는 없어서 개혁 경제학자인 야노스 코르나이는 이것을 '연성재정제약'이라고 불렀다. 회사는 파산할 수 없었기 때문에 경영자들은 조세와 가격 정책을 실제적인 제약이 아니라 단지 '거래를 가능하도록 만드는 회계적 관계'로만 생각했다. 이렇게 되면서 국가는 '결과가 뻔한 모든 도덕적 해이'를 감당하는 '보험회사'가 되었다. "보험에 든 사람은 자신의 재산을 보호하는 데 덜 주의를 기울이게 된다." 연성재정제약은 효율성이 떨어지는 회사를 건설적인 파괴로부터 보호해서 결과적으로 혁신을 가로막았다.[62]

1985년 미하일 고르바초프가 소련의 권좌에 올랐을 때 부다페스트 상점 진열장의 화려한 외양에도 불구하고 헝가리의 경제 개혁은 성공스토리가 아니었다. 서방 회사들과 파트너십을 포함해서 시장 체제는 헝가리가 서방과 경쟁할 수 있게 만들지도 못했을 뿐 아니라 안정적인 경제성장을 이루어내는 데 실패했다. 연성재정제약은 지속적이면서 예측하기 어려운 물자 부족을 야기했다.[63] 철강과 석탄같이 전통적으로 중시되어온 부문은 좀 더 유망한 분야까지 부담을 주었고, 헝가리는 전자 공업이나 플라스틱 공업 같은 새로운 산업 분야의 발전을 따라가지 못했다. 상황을 더욱 나쁘게 만든 것은 거대하고 비생산적인 당과 보안기관 조직이었다. 각 기업에는 당의 노선을 준수하는지를 관리한다는 명목으로 완전한 급여를 받는 당 관료들이 배치되었다. 프롤레타리아의 독재는 인간을 노동 분화와 자본의 지배로 인한 소외에서 인간을 해방시킨다는 물질적 풍요를 만들어낼 희망이 보이지 않았다. 1980년대가 되자 단순히 살아남는 것이 프롤레타리아 독재의 목표가 되었다.

헝가리가 개척한 개혁이 살아남을 수 있었다고 가정해도 노동자들이 이 개혁을 지지할 것인가의 문제가 있었다. 다시 말하면 사회주의를 구할 수 있는 유일한 아이디어가 자신들이 봉사해야 하는 계급의 이익에 반하는 것처럼 보였다. 1960년대 말부터 노동자들은 소비주의에 의해 자신들의 입지가 위협받는다고 느꼈다. 개인적 주거 건설이 그러한 예였다. 노동자들은 이러한 생활양식을 받아들이기 위해서는 좀 더 오랜 시간 노동을 하고 가족들과 보내는 시간을 줄여야 했다. NEM은 가격이 가치를 반영하도록 허용했기 때문에 육류, 유제품 같은 상품의 가격은 올라갔다. 1970년대 내내 '유사시장'이 우후죽순처럼 생겨나면서 사회적 분화가 심화되었고, 1980년대가 되자 노동자들의 수입은 제자리걸음을 하는 동안 심지어 공장 내에서도 사유화가 확산되었고, 노동시간은 늘어났다. 실업도 다시 나타났다.[64]

1979년 이후 NEM은 더 이상 '제도'가 아니라, 국가의 대외 부채와 국민과의 사회적 계약(정치적 수동성의 대가로 사회적 보장과 고상한 생활수준을 보장한다는)을 이행하는 데 실패한 당의 부담으로 인해 헝가리가 전복되는 것을 막는 임기응변적 구제 조치였다. NEM이 사회주의 국가에 가장 자기파괴적인 역할을 한 것은 헝가리를 동방과 서방의 교역에 깊이 발을 들여놓게 만들어 서방 은행으로부터 차입을 하게 만든 것이었다. 시간을 벌고 정치적 안정을 유지하는 대가는 허리가 휘어지는 단기, 장기 부채 상환이었다.[65]

부다페스트의 화려해 보이는 상점을 들여다보는 고르바초프의 시선에서 감추어진 사실은 헝가리는 경제 위기의 문제를 해결한 것이 아니라 국내외적으로 이것을 쌓아놓고 있었다는 것이었다. 미래도 암울했다. 통지 체제의 이념적 원칙(당이 통제권을 쥐고 '자본주의'가 다시 등장하는 것을 허용하지 말아야 한다는 것)과 경제적 합리성(당에서 점점 더 존중되고 있는)이 결합하여 위태한 혼합물을 만들어냈다. 이것은 사회주의를 포기한 것도 아니고 자본주의를 수용한 것도 아닌 체제였다.

당시 이러한 발전이 다가오는 종말의 전조라고 생각한 사람은 아무도 없었다. 헝가리 반체제 인사 작가인 게오르게 콘라드는 1980년대 초반 체제가 좀 더 "자기 확신이 생겼다"고 말했다. 이것은 이교도까지 통합하여 이들을 '대화'와 '의견 교환'에 초대했다. 정권은 특정한 희망과 요구를 가지고 있는 헝가리 사회와 영구직인 교조를 유지할 것을 기대하고 있는 소련 지도부 사이를 중재하는 필수적인 존재가 되었다. 실용적이고 좀 더 젊은 당 관료들은 서방 라디오방송을 막지 않고 시민들이 서방으로 여행하고 서방 신문을 읽는 것을 허용했다.[66] 많은 사람들은 이러한 느슨한 통제가 더 깊이 자리 잡은 힘을 보여주는 영민한 계산이라고 생각했다. 1980년대 말이 되자, 해외 망명 역사가인 미클로스 몰나르는 사회 거의 모든 부문에 자율적인 기구들이 생겨나는 것을 목격했다. 신앙 공동체, 문화 단체, 노래와 민요 그룹과 현대 음악 밴드가 우후죽순처럼 생겨났다. 그는 이 모든 사회적 다원주의가 '체제의 안정성과 체제가 여론으로부터 받고 있는지'를 설명한다고 보았다.[67]

"소련제국은 모든 내부적 어려움에도 불구하고 견고하고, 붕괴를 향해 가고 있지는 않다"라고 콘라드는 결론 내렸다.[68] 소련은 재래 무기와 핵무기로 서방을 불안하게 만들고, 마르크스주의 이념은 북대서양조약기구 내에서도 수많은 지지자를 가지고 있는 강대국이었다. 여기에다가 미국과 대등한 핵전력 보유에 성공한 소련은 주민들이 식민지배에서 벗어나려고 애쓰는 아시아, 아프리카, 중미 지역에서 영향력 확보를 위해 경쟁하고 있었다. 1980년대 전 세계 인구의 3분의 1인 마르크스-레닌주의 정권하에서 생활하고 있었고, 그 숫자는 늘어나는 것처럼 보였다.[69] 베트남은 미국을 꺾고 큰 승리를 거둔 상태였다. 남아시아, 동남아시아, 중동, 아프리카, 중남미에서 수백만 명의 주민들이 국가사회주의를 호의적인 시선으로 바라보고 있었고, 소련 자문단은 모잠비크, 시리아, 니카라과에 주둔하고 있었고, 쿠바 병사들이 앙골라에서 대리전쟁을 치르고 있었다. 세계 모든 것에서 좌파 국민들은 소련 지도자 고르바초프의 성공을 기원했다.

스탈린 시대에 단절되지 않은 연계가 있는 동유럽 지도자 사이에서 고르바초프의 인기는 좀 더 제한적이었다. 헝가리 외에 고르바초프의 중요한 동지는 폴란드 지도자들이었고, 그중에는 1981년 노동자 소요에 탱크를 파견한 야루젤스키 장군도 포함되었다. 고르바초프와 마찬가지로 야루젤스키도 온건한 지도자였다. 그는 1969년 이후 체코슬로바키아의 구스타프 후사크가 만들어낸 '정상화'를 벽안시했고, 폴란드인들에게 온건한 체제 순응을 요구했다. 폴란드 공산당은 공개적인 항의 시위는 금지했지만 지하출판물은 크게 통제하지 않아서 지하출판은 계속 진행되고 점점 더 활발해졌다. 1980년대 말이 되자 일부 지하출판가들은 자신들의 책에 칼라 장정을 넣기 시작했다. 바르샤바에서 발행되는 지하신문 《가제타 마조브세Gazeta Mazowsze》는 매주 5만-8만 부가 발행되었고, 수천 명의 활동가들(대부분이 젊은)이 이를 배포했다. 자유노조는 고위지도자들은 수시로 구금되었지만, 지하에서 계속 활동을 했고, 주로 여자들이 활동을 주도했다.[70]

1978년 발표된 큰 영향을 끼친 에세이에서 체코슬로바키아의 극작가 바츨라프 하벨은 동료 시민들에게 이들이 현실 왜곡을 자동적으로 앵무새처럼 반복할 것이라는 정권의 기대에 항거하도록 고무했다. 그는 거짓의 힘을 분쇄할 것을 촉구했다.[71] 솔리다르노시치는 폴란드에서 이 일을 해냈다. 사람들은 공포를 떨쳐내고, 계엄령이 발령된 뒤에도 식당, 열차 칸, 이발소, 대학 세미나에서 자신들의 의견을 계속 거침없이 말했다. 당국은 반체제 운동이 공개적으로 표현되는 것은 탄압했다. 일례로 크라쿠프의 바벨성에서 열린 1791년 5월 3일 헌법 공포 연례 기념식은 탄압했지만, 다른 경우는 뒤로 물러났다. 당국은 폴란드인들을 체제에 충성하는 시민들로 만드는 의도나 능력이 거의 없었다.

솔리다르노시치는 폴란드만 변화시킨 것이 아니라 소련 블록을 변화시켰다. 1년 반 동안 이 운동은 노동자들의 국가라고 자신을 내세우는 국가에서 자유노조를 설립하는 과업을 이루었다는 것을 것은 전 세계에 알려왔다. 자유노조 운동은 노동자들은 전위정당이 대표하는 단일한 이익을 가지고 있다는 레닌주의 교조를 훼손했다. 동독과 체코슬로바키아 언론은 부정하려고 애를 썼지만, 자유노조는 공장에서 시작된 것이지 자본의 음모에 의해 만들어진 것이 아니었다. 자유노조가 존재한다는 사실 하나만으로도 폴란드 공장 노동자들은 텅 빈 식료품 가게, 비좁은 아파트, 파괴된 환경을 배경으로 자신들의 생각을 분명하게 확실하게 말할 수 있었다. 국가사회주의는 주민들이 고상한 삶을 영위할 수 있는 환경을 만들어내는 데 실패한 것이다.

소련 블록의 모든 국가는 나름대로 다양한 문제를 가지고 있었지만, 폴란드에서 이 모든 문제가 드러났고, 이에 대해 가장 결연한 반대가 일어난 곳도 폴란드였다. 1980년대가 되자 폴란드는 거짓의 정권을 무너뜨릴 방법을 찾으려고 애를 쓰는 다른 동유럽 국가의 반체제 인사들과 잠재적 반체제 인사들의 메카가 되었다.[72] 만일 폴란드의 반체제 운동이 없었더라면 소련의 개혁가 고르바초프가 등장할 수 있었는지 알 수 없다. 그러나 우리는 동독이나 체코슬로바키아처럼 통제된 사회 블록은 변화에 핵심적인 대안을 제시할 수 없었다는 것을 알고 있다. 이와 동시에 계획 경제의 가능성에 대한 여러 실험을 진행한 카다르의 헝가리는 국가 사회주의 경제를 개혁하려는 시도의 운명을 잘 드러냈다. 그것은 지속적인 물자 결핍이거나 감당할 수 없는 부채거나 둘 다였다.

루마니아: 민족적 사회주의

고르바초프의 통치 방식은 스탈린주의와 정반대였다. 그는 동유럽에 대한 소련의 통제를 중단하기로 했다.[73] 그러나 동유럽 지도자들은 소련의 지지가 권력 기반이었기 때문에 이것은 역설적일 뿐만 아니라 자기 파괴적인 시도였다.[74] 헝가리와 폴란드 경계를 넘어 자유를 확산시키는 것으로 보인 고르바초프는 공산당 지도자들에게 공포를 불러일으켰다. 그가 체코슬로바키아, 동독, 루마니아를 방문했을 때 눈에 들어온 결과는 당혹스런 불협화음이었다. 1987년 봄 고르바초프가 프라하를 방문하자, 군중들은 "고르바초프! 고르바초프!"를 연호했다. 고르바초프는 후에 이 광경을 동료 정치국원들에게 다음과 같이 술회했다. "후사크가 내 옆에 있었지만, 마치 그의 존재는 보이지 않는 듯했다. 나는 계속 그를 내 앞으로 가게 만들었고, '후사크 동지와 나는'이라는 표현을 계속 썼지만, 사람들은 이에 반응하지 않았다." 그는 동독에서도 이와 유사한 상황을 맞았다. 그곳에서도

"사람들은 당 지도부의 정치적 시각과 수준보다 앞서 있었다."[75]

고르바초프는 체코슬로바키아와 동독에서 지도자들에 대해 조마조마했던 반면에 루마니아에서는 정권뿐만 아니라 국민들에 대해서도 걱정을 했다. 1987년 5월 루마니아 방문 후 그는 동료들에게 이렇게 술회했다. "차우셰스쿠와 내가 사람들 있는 곳으로 가면 그들의 반응은 태엽을 감은 뮤직박스 같았다. '차우셰스쿠-고르바초프!', '차우셰스쿠-평화' 그 소리를 들으면 머리가 터질 지경이었다." 후에 그는 소리를 지르는 사람들은 버스로 광장에 동원되었다는 소리를 들었다. "인간의 존엄성은 아무 가치가 없었다. 나는 어디를 가든 사람들과 정상적인 대화를 나눌 수 없었다"라고 그는 후에 회고했다. 차우셰스쿠는 루마니아는 아무 문제도 없기 때문에 아무 변화도 필요하지 않다고 생각했다. 차우셰스쿠는 "믿기지 않을 정도로 무례했다. 그의 자만심과 자화자찬은 황당할 정도로 대단해서 그는 사람들을 가르치고 훈계하려고만 했다."[76]

그러나 1960년대 차우셰스쿠는 소련 지도자들을 당황하게 만든 이력이 있었다. 그는 바르샤바조약기구 국가들과 함께 체코슬로바키아를 침공하는 것을 거부했다. 루마니아는 소련 블록 국가 중 처음으로 서독과 국교를 맺었고(1967), 유일하게 중공과 우호적 관계를 유지했으며, 6일 전쟁 이후 이스라엘과 우호 관계를 유지했다. 이러한 루마니아의 고집을 보고 서방은 차우셰스쿠를 독립적인 정치인이라고 치켜세웠다. 사전 각본에 의해 고르바초프가 방문하는 곳마다 새로운 단장을 했지만 루마니아의 쇠락을 고르바초프의 눈에서 감출 수 없었다. "국민 1인당 육류 소비는 1년에 10킬로그램에 불과하다. 항시적 전기, 난방, 식품, 소비재의 부족에 시달리고 있다"고 모스크바로 돌아온 그는 정치국에 보고했다.[77]

민족 지도자로서 차우셰스쿠의 인기는 1960년대 후반 루마니아의 경제 성공에 의해 강화되었다. 루마니아는 서방의 복지 국가와 크게 다르지 않은 현대화 과제를 수행해가는 것으로 보였다. 폴란드 반체제 인사 미흐니크조차도 차우셰스쿠가 통치하는 루마니아는 초기에는 사회주의에 더 나은 길을 희망을 제시했다고 말했다.[78] 이러한 정책의 핵심은 사고와 행동의 후진성을 털어버리고 국민으로 하여금 현대적 경제생활 추구와 핵가족 생활에 나서도록 만드는 것이었다. 1960년대 후반 루마니아인들은 부모 세대보다 잘살게 되었다. 더 이상 농촌 생활이 아니라 포장도로와 상하수도가 갖추어진 도시 생활을 하고, 문자해독률도 높았다. 냉장고, 세탁기, 자동차 같은 현대적 문명의 이기를 갖춘 사람도 늘어났다. 상대적인 풍요는 국가적 독립성과 결합되어 정권에 대한 지지를 강화했고, 수천 명의 주민들이 공산당에 지원했다. 1980년대가 될 때 루마니아 성인의 23퍼센트가 공산당원이었는데, 이것은 소련 블록에서 가장 높은 비율이었다.[79]

루마니아 공산당은 좀 더 행정관료 중심적이고, 과제 집중적이며, 목표 달성에 집중하고, 더 이상 '이념에 몰두하지' 않는 것처럼 보였다. 그러나 탈정치적인 관리주의는 눈을 속이는 면이 있었다. 1970년대 초에 차우셰스쿠는 정적들을 '스탈린주의자'라고 비난하며 제거하고 도전받지 않은 지도체제를 확립했다. 1971년 북한 방문이 하나의 전환점이 되었다. 북한에서 그는 브레즈네프의 소련 블록에서는 찾아볼 수 없는 순수한 독재주의와 규율을 목격했다. 그 후 그는 이념적 엄격성과 민족에 대한 의무를 결합하기 시작했다. 차우셰스쿠는 루마니아 가치의 방어자가 되어서 지적 세계주의를 비난하고 역사가 유구한 루마니아 영토에서의 루마니아의 단결을 강조했다.[80] 루마니아 역사가들에 의하면 카를 마르크스도 "수천 년을 거주해온 땅에서 루마니아 국민의 역사성, 역사적 단일성과 지속성을 강조했다".[81]

1964년부터 루마니아 언론이 암묵적으로 시사한 루마니아가 소련의 위협을 받고 있다는 선전도 차우셰스쿠 정권에서 강화되었다. 그는 1968년 체코슬로바키아 침공을 루마니아를 위험하게 만드는 것으로 해석했다. 차우셰스쿠 정권은 2차 세계대전을 한편은 독일인과 라틴족, 다른 한편은 슬라브족(폴란드인, 러시아인, 체코인)의 전쟁으로 해석한 동방 블록의 대중적 담론에 도전하기 위해 역사를 재해석했다. 위의 이론 대신에 루마니아인들은 아주 오래된 고대에서부터 슬라브족과 마자르족의 희생자였다는 역사 해석을 했다. 이제 루마니아인들은 과거에 오스만튀르크에 대항한 것처럼 소련에 대항하고 있는 것이다. 통치 정당화 전략은 루마니아 지도자들 중 가장 강한 차우셰스쿠만이 국민들을 보호할 수 있다는 주장에 기반을 두었고, 이것으로 인해 비판적인 지식인들의 충성도 확보했다.[82] 지금 되돌아보면 루마니아의 독재정은 기능 마비였고 잔인했지만, 1970년대 니콜라에 차우셰스쿠는 다른 공산당 지도자들이 달성하지 못한 것을 성취했다. 다른 지도자들이 더 나은 생활수준으로 엘리트들의 지지를 '확보'했다면, 차우셰스쿠는 인종혐오라는 오래된 전통과 연결된 인기 있는 이념적 결합을 제공했다.

1974년 11월 차우셰스쿠는 대통령이 되어 권력을 한 손에 쥐고, '노동계급의 영웅'이자 적들로부터 루마니아 영토를 지켜온 '위대한 루마니아 지도자들의 계승자'로서 개인숭배를 완성했다. 1978년까지 경제는 중공업 다변화로 고속 성장을 했지만 곧 한계에 다다랐다. 철강과 화학공업에 대한 집중 투자로 물적·인적 자원이 낭비되었다.[83] 그러나 차우셰스쿠는 에드바르트 기에레크나 에리히 호네커가 절대 누리지 못한 절대 권력을 유지했다. 그는 자신이 요구하는 물질적 희생은 외부의 압력으로부터 루마니아를 보호하는 데 필요하다고 주장했다.

지식인들도 차우셰스쿠를 '천재적 인간'이라고 칭송하며 부지런히 그의 이름으로 나오는 논문을 썼다. 차우셰스쿠의 부인인 엘레나도 대필자를 여럿 두고 있었다. 아무도 루마니아 과학아카데미의 쇠락, 1975년 수학 연구소 해체, 1977년 역사기념물위원회의 해산을 항의하지 않았다. 아마도 가장 타격은 컸던 것은 1978년 강행된 학교 교육제도 개악에 지식 계급이 순응한 것이다. 새 법에 의해 학교는 산업 생산 기지의 일부가 되었다. 그러나 문제는 비등하고 있었다. 1977년 지우 지역에서 3만 5000명의 광부들이 은퇴 연령 연기와 초과근무에 대한 불만으로 항의시위를 벌였고, 이 소요는 차우셰스쿠가 직접 광부들을 설득한 후에야 진정되었다.[84]

1980년대 초반이 되자 차우셰스쿠의 위상은 기울기 시작했다. 폴란드, 헝가리 지도자들과 대비되게 그는 사회를 자유화하지 않았고, 루마니아 민족을 강화한다는 명목으로 헝가리 주민들 마을을 불도저로 밀어버리고, 출산율을 높이기 여성의 출산 자유를 억압하는 등 인권 유린을 했다.[85] 아마도 차우셰스쿠 정권에 가장 직접적인 타격을 준 것은 국제 유가 상승이었을 것이다. 차우셰스쿠는 거대한 석유화학 공업 프로젝트를 추진하면서 값비싼 외국 원유 의존도가 높았고 갈라치와 찰라라지의 철강 공장을 가동하기 위해 외국으로부터 철광석을 수입해야 했다. 이것은 루마니아가 감당할 수 없을 정도로 외채를 증가시켰다.[86]

1983년이 되자 루마니아의 외채는 약 100억 달러로 늘어났다. 이것은 예외적인 현상은 아니었다. 헝가리, 폴란드, 동독, 심지어 소련도 이 시점에 거대한 외채를 지고 있었다. 그러나 루마니아에 특이한 현상은 지도자를 숭앙하는 주민들이 독재자가 요구하는 모든 희생을 감당할 것이라는 것을 전제한 정권이었다. 차우셰스쿠는 국내의 식량 부족은 아랑곳하지 않고 외화를 벌어들이기 위해 식량을 서방으로 수출했다. 그는 산업 분야

(수출용 상품을 생산하는)로 에너지를 돌려서 민간부문은 전기와 연료가 부족했다. 이런 정책으로 인해 주민들은 추운 집과 어두운 거리를 10년 이상 견뎌내야 했다. 1980년 국제통화기금은 루마니아인의 생활수준이 전년도보다 20퍼센트 하락했다고 평가했다.[87] 동독과 마찬가지로 루마니아도 외화를 받고 자국민들을 서방으로 팔아넘겼다.[88] 이것은 루마니아 주민들이 겪어야 하는 악몽과 같은 세월의 시작에 불과했다.

헝가리와 폴란드에 자유화 물결이 불자, 루마니아는 반대로 주민들에 대한 통제를 강화했다. 1983년 모든 타자기는 정부에 등록하라는 명령을 내렸다. 니콜라에 차우셰스쿠는 루마니아의 명예를 지키고 외국 간섭으로부터 보호하기 위해 희생이 필요하다고 주장했다. 어떤 면에서 보면 차우셰스쿠는 전 세계를 상대로 싸웠다. 우선 국내에 거주하는 이민족인 트란실바니아의 헝가리인들, 다음으로 헝가리 자체, 다음으로 소련에 도전했다. 소련은 루마니아가 코메콘과 바르샤바조약 합의를 '위반'하고 있다고 비난했다. 다음으로는 헬싱키협약을 준수할 것을 요구하는 서방 국가들과 대립했다.[89] 차우셰스쿠 개인숭배는 나치 독일과 스탈린의 소련 외에는 유례를 찾아보기 어려웠고, 루마니아 언론은 그를 '루마니아 역사상 가장 위대한 지도자'로 치켜세웠다.

그러나 1985년 3월 차우셰스쿠는 당황할 수밖에 없었다. 고르바초프가 지도자가 되면서 소련은 갑자기 루마니아인들에게 위협이 아니라 희망의 근원이 되었다. 1987년 루마니아를 방문한 고르바초프는 동원된 '소리꾼'들의 정해진 함성에도 불구하고 국민들 사이에 인기 있는 인물이 되었다. 루마니아 국민들은 자신들의 감정을 감추고 있기는 했지만 루마니아의 '재조직perestroika'을 원하고 있었다.[90] 자아도취에 빠진 차우셰스쿠는 기본적 진실을 무시했다. 그는 소련과 갈등을 빚고 있기는 했지만, 그와 그의 실정이 가능해주도록 보장한 것은 이미 브레즈네프 독트린, 즉 레닌주의적 통치를 보장하는 소련이었다. 만일 고르바초프가 브레즈네프 독트린을 철회하면 비밀경찰과 당 외에 차우셰스쿠를 루마니아 국민으로부터 보호할 기제는 없었다. 만일 국민들의 충성이 철회되면 그는 어떻게 될 것인가?

다른 소련 블록 지도자들과 마찬가지로 차우셰스쿠는 1985년 3월 콘스탄틴 체르넨코 장례식에서 경고를 받았었다. 당시 새로 당서기장이 된 고르바초프는 소련 블록 지도자들에게 소련은 그들의 주권을 존중하지만 각 지도자들은 각국에서 전개되는 상황에 책임을 져야 한다고 말했었다. 1986년 11월 추가로 고르바초프는 소련은 무력간섭으로 도움을 주지 않을 것이기 때문에 동유럽의 공산당 지도자들은 자국 국민들의 신뢰를 얻어야 한다고 언명했다.[91] 2년 후 고르바초프는 UN 총회 연설에서 "무력 또는 무력 사용의 위협은 외교정책의 수단이 될 수도 없고, 되어서도 안 된

라이사 고르바체바, 니콜라에 차우셰스쿠, 미하일 고르바초프, 엘레나 차우셰스쿠 (1988년 10월)

다. … 선택의 자유 원칙은 필수불가결이다. … 명분이나 본질을 가리고 있는 수사적 위장을 떠나서 각 국가에게 선택의 자유를 부정하는 것은 지금까지 성취된 불안정한 균형을 뒤집을 것이다. … 선택의 자유는 보편적 원칙이다. 어떠한 예외도 있을 수 없다. 이 원칙은 자본주의 진영과 사회주의 진영 모두에 적용된다"라고 연설했다.[92]

25장

1989년

1989년 11월 말, 체코슬로바키아에서는 혁명이 시작되었다. 수천 명의 시민들이 매일 각 마을과 도시 중심부로 나와 1당 지배체제의 종식을 요구했다. 11월 23일 저녁 영국 역사학자 티모시 가튼 애쉬는 지도자로 부상하고 있는 반체제 인사 바츨라프 하벨과 만난 자리에서 당돌한 예측을 했다. 공산주의 전복은 폴란드에서는 10년이 걸릴 것이고, 헝가리에는 10달, 동독에서는 10주가 걸릴 것이지만, 체코슬로바키아에서는 단 10일이 걸릴 수 있다고 말했다. 그의 말은 과장으로 드러났지만, 심한 과장은 아니었다. 한 달 조금 지난 시점에 하벨은 체코슬로바키아의 대통령이 되었다.[1]

1989년 혁명은 각국에서 점점 시간이 짧아졌을 뿐만 아니라 연쇄작용처럼 서로에게 영향을 주었다. 가튼 애쉬가 하벨과 얘기를 나누는 동안 베를린 장벽이 양방향으로 개방되었고, 폴란드에는 비공산주의 정권이 들어섰다. 체코인들과 슬로바키아인들은 이 사실을 TV를 통해 알았고, 지도자와 국민 모두 흥분했다. 구스타프 후사크와 동료들은 자신들이 조용하게 물러나는 것이 좋다고 결론 내렸다. 이들은 역사를 아는 사람들이었고, 이들이 보기에 역사의 평결은 자신들에게 불리했다. 몇 지도자는 과거의 악행에 대한 책임을 지기보다는 스스로 사퇴했고, 권력을 아직 쥐고 있는 지도자들은 시민사회 지도자들과 조용히 뒤로 물러나는 방법을 협상했다. 1989년 12월 공산당 의원들이 대부분을 차지하고 있는 체코슬로바키아 의회는 만장일치로 하벨을 새 대통령으로 추대했다. 1990년 새해 아침 하벨은 프라하성에서 국민들에게 연설을 했다. 그는 얀 아모스 코메니우스와 토마시 마사리크가 영감을 준 말을 했다. "민족, 당신들의 정부가 당신들에게 되돌아왔습니다." 그해 후반부 자유 총선이 진행되었다.

1989년 9월 동독 시위자들이 10주의 혁명을 시작했을 때, 그들은 동독 지도자들이 평화롭게 사라질 것이라는 생각을 전혀 하지 못했다. 에리히 호네커와 노쇠한 동독 공산당 지도부는 모든 변화에 계속 반대했다. 이들 중 한 사람이자 호네커의 후계자감인 에곤 크렌즈는 6월에 베이징을 방문해 중국 공산당이 천안문 민주주의 시위를 진압한 것을 축하했다. 그러나 동독 국내의 통치는 불안했고, 베를린 장벽을 건설한 1961년 이후의 암묵적 양해에 기반하고 있었다. 그것은 수동적인 주민들은 고상한 생활수준을 제공받는 조건으로 정권에 정치적 순응을 한다는 양해였다. 그러나 1989년 여름 남쪽 지역에서 일어나는 일들은 동독 주민들이 더 이상 수동적인 주민들이 아니라는 것을 보여주었다.[2]

1989년 6월, TV를 보는 동독 주민들은 오스트리아와 헝가리 관리들이 두 나라 경계선에 처진 철조망을 큰 절단기로 자르는 것을 보았다. 철조망이 잘려나갈 때마다 동독 주민들은 자신들의 삶의 기본적 방식이 바뀌고 있다는 것을 느꼈다. 헝가리는 동독 주민들이 여권 없이도 방문할 수 있는 나라였다. 이제 동독인들은 헝가리-오스트리아 국경을 통해 베를린 장벽을 우회해 서방으로 갈 수 있다는 것을 알았다. 6-7월 수십만 명의 동독인들이 '휴가' 명목으로 차를 몰고 헝가리로 간 다음 헝가리-오스트리아 국경을 도보로 넘어갔다. 일단 오스트리아로 들어간 다음에는 빈의 서독대사관에서 아무 질문도 받지 않고 서독 여권을 받아서 무료로 제공되는 버스를 타고 서독으로 간 다음 그곳에서 자유로운 생활을 시작할 수 있었다. 이들은 더 이상 베를린 장벽 뒤에서 저주받은 생활을 할 필요가 없었다.[3]

후에 밝혀진 바로는 서방 TV가 잠재적 난민들을 잘못 인도한 것이었다. 국경의 장벽은 여전히 무너지지 않고 있었고, 헝가리 국경 경비대는 1969년 양국 간 합의에 의거해 오스트리아로 탈출하는 사람들을 체포해서 동독으로 송환하고 있었다. 그럼에도 불구하고 일부는 탈출에 성공했고, 1989년 7월부터 헝가리는 다른 규정인 국제난민협약을 따랐다. 이 규정에 의하면 헝가리에 들어온 동독 주민들은 헝가리에 잔류할 수 있었다.[4] 9월이 되자 이렇게 헝가리에 유입된 동독 주민 숫자는 수십만 명에 이르렀고, 헝가리 관리들은 이들이 자유롭게 국경을 넘어 오스트리아로 가는 것을 허용하라는 서독의 큰 압박에 시달렸다. 이것은 아직 동맹국인 동독과의 관계 악화를 가져올 것이 뻔했다. 이러는 사이 동독 내부에서도 압력이 커지고 있었다. 동독 주민들은 정권이 체코슬로바키아와 국경을 봉쇄해서 1961년 8월 당시 정권이 한 것처럼 갑자기 장벽을 쌓아 동독 주민들을 고립시킨 것 같이 자신들을 고립시킬 것을 우려했다. 절망에 빠진 일부 동독 주민들, 특히 남부 지역 주민들은 수십 년 동안 상상할 수 없는 일을 했다. 그들은 거리로 나와 시위를 벌이며 변화를 요구한 것이다.

그러면 왜 헝가리 관리들은 일방적으로 철의 장막에 탈출구를 만든 것인가? 이에 대한 해답은 가튼 애쉬가 말한 열 달의 시간에 있었다. 자유노조 혁명은 1980-1981년 폴란드 사회를 변화시켰다. 헝가리에서는 자유화 운동이 좀 더 단계적으로 진행되었고, 1988년에 유사한 결과가 나타났다. 그것은 공포에서 해방된 사회였다. 헝가리 주민들은 서방으로 여행할 수 있게 되었고, 국내에서도 자유롭게 의견을 말할 수 있었으며, 고르바초프의 소련과 마찬가지로 공식 언론에도 정부를 비판하는 기사가 실렸다. 1989년 5월 오스트리아와의 국경을 개방하기로 한 결정은 결정이라고 부를 수도 없었다. 국경 경비대의 한 장교가 정부에 국경 방어물을 수리해야 될 때가 되었다고 보고했다(즉, 철조망이 녹슨 부분을 교체하는 것). 더 이상 역할을 하지 못하는 지뢰도 새로 깔아야 했다. 그러나 이를 시행할 돈이 없는 상태에서 다음의 질문이 나왔다. 왜 이 문제를 신경 써야 하는가? 헝가리인들은 원하는 만큼 자주 오스트리아로 여행할 수 있고, 빈의 백화점은 헝가리인들로 가득 찼는데, 주민들이 탈출하는 것을 막기 위해 설치한 철조망은 아무 의미가 없었다. 여기에 또 하나의 문제는 서방에서만 생산되는 스테인리스 철조망을 새로 설치하기 위해서는 외화가 필요했다.

헝가리인들이 이 지점까지 오게 된 것은 1956년 이후의 사건이 배경이 되었다. 카다르 정권은 고상한 생활수준과 최소한의 이념적 압박으로 주민들을 진정시켰다. 그러나 1980년대가 되자 이 역학은 추동력을 잃게 되었다. 경제는 침체되었고, 갚아야 할 엄청난 외채가 쌓였다. 헝가리 정부는 '자본주의적' 양보를 했다. 500명까지 고용할 수 있는 개인 회사와 서방과의 합영회사 설립을 허용했다. 그러나 이러한 개혁은 인플레이션 같은 '자본주의적' 문제를 만들어냈다. 1987년 인플레이션은 17퍼센트(실제 수치는 두 배 정도였을 것)에 달했다. 급여와 연금은 인플레이션을 따라갈 수 없었고, 과거의 악마적 부작용이 다시 나타났다. 그것은 사회적 양극화로 인구의 약 20퍼센트가 최저생활 수준 밑에서 생활했다.[5]

이것을 여전히 사회주의라고 부를 수 있는가? 만일 그렇지 않다면 사회주의 정당에 의한 전체주의적 지배는 어떻게 정당화될 수 있는가? 위기가 너무 크게 확대되면서 통치자들은 시민층이 해법을 스스로 찾도록 만드는 것 이외의 다른 방법이 없다고 생각하게 되었다. 불가피한 체제 전환의 고통에 대한 책임은 서로 나누어 가질 필요가 있었다.

공산주의가 붕괴된 후 미하일 고르바초프는 야노스 카다르를 '민주적 성향'을 가졌고, '국민들이 자신의 삶의 방식을 선택할 자유를 존중한' 지도자라고 평가했다.[6] 그러나 1988년이 되자 카다르도 걸림돌이 되었다. 그는 문제를 파헤치는 것이 사회주의를 강화하기보다는 파괴할 것으로 두려워했기 때문에 고르바초프가 약속한 개방성을 추진할 수 없었다. 나이 든 카다르의 두려움을 감지한 고르바초프는 점잖게 그가 좀 더 역동적인 후계자에게 자리를 넘겨줄 것을 촉구했다. 1988년 봄 카다르는 '공산당수'라는 상징적이면서 좀 더 '행정적인' 직책을 맡으면서 자리에서 물러났고, 당 중앙위원회에서도 좀 더 급진적인 인사들이 카다르의 지지자들을 대체했다.[7]

카다르의 뒤를 이어 당 서기장이 된 카롤리 그로스는 자신이 변화에 뒤처지고 있는 것을 발견했다. 1988년 11월 당 중앙위원회는 검열을 폐지하고 당에서 특권을 누리고 있던 관료들은 정부로 보냈다. 그는 사회주의가 주도적 틀이 되기는 했지만, 다당제 정치 체제를 수용했다.[8] 해가 바뀔 때 헝가리는 두 개의 자치적 정치조직을 수용했다. 하나는 헝가리 민주포럼이고 다른 하나는 자유민주주의자연합이었다. 두 조직은 약 1만 명의 회원을 보유하고 있었다. 두 조직은 다른 새로운 운동의 우산 역할을 했다. 예를 들어 독립 노조, 다시 결성되고 있는 소상인연합이나 사회민주주의자들 조직을 후원했다.[9] 1989년 봄 학생들은 청년민주주의연맹을 창설하여 관제 청년조직에 도전했다. 12월까지 21개의 새로운 정치 결사가 생겨났다.[10] 그러나 이 단체들은 아직 뿔뿔이 흩어져 있었고, 이해관계도 다양

해서 이들을 대안세력이라고 부르기는 힘들었다.[11]

야루젤스키가 통치하는 폴란드처럼 헝가리도 막다른 골목으로 들어갔다. 한편으로 정권은 '사회'의 제한적인 대의체제를 허용함으로써 고통스런 개혁을 정당화하려고 했다. 개혁, 특히 스스로를 민주적이라고 부를 수 있는 개혁은 하향식으로 추진할 수는 없었다. 다른 한편으로 새로운 결사들이 대표하는 사회는 권력에 따르는 책임을 맡는 것을 주저했다.[12] 개혁은 오랫동안 보조를 받아온 식료품 가격 상승을 가져온다는 것을 누구나 잘 알았다. 사람들은 실업 발생에 대해 무엇이라고 말할 것인가? 여러 해 동안 당내 개혁파는 사회로부터의 폭발을 막기 위한 변화를 요구해왔었지만, 개혁 프로그램이 손에 닿을 듯한 지금 시점에서 보면 개혁은 너무 감당하기 힘든 과제로 보였다. 그 이유는 더 많은 자유에 따르는 피할 수 있는 부담을 사회가 어떻게 감당할지 아무도 알 수 없었기 때문이다.[13]

그러나 이러한 흥분되는 제도적 변화 한가운데서 수십 년 동안 공개적으로 언급되지 않는 역사적 사건들이 중앙무대로 튀어나왔다. 헝가리인들은 아직 가보지 않은 길에 발을 들여놓기 전에 이들은 자신들이 어디에서 왔는지를 정확히 알고 싶어 했다. 집중적인 조사 끝에 대표적인 개혁가인 미클로스 네메스 총리는 1945년부터 1962년까지 시행된 농업집단화 시기에 100만 명의 농민들이 체포되거나 징벌을 받았다는 사실을 밝혔다.[14] 그러나 파괴력을 가진 폭탄은 헝가리 혁명이었다. 당 서기장 그로스가 1월 스위스를 방문하는 동안 개혁가인 임레 포즈게이는 1956년 사건을 '민중봉기'라고 불렀다. 지난 25년 동안 소련 블록의 모든 관리들은 이 사건을 반혁명 이외의 다른 말로 묘사한 적이 없었다.[15] 1956년 반역적인 죄인은 임레 나지가 아니라 소련과 야노스 카다르를 포함한 소련의 헝가리 동지들이었다. 당 조사위원회는 5월에 이와 같은 조사 결과를 발표했다.[16]

이제 카다르 정권에서 권력의 자리에 오른 사람은 모두 자신들의 경력이 민족적 혁명의 탄압과 사법적 살인과 기만 위에 이루어졌다는 것을 인정하지 않을 수 없었다. 당 서기장 그로스뿐만 아니라 그의 측근인 야노스 베레츠와 기요르기 페지티도 이에 연루되었다.[17] 문제는 스탈린주의에 국한된 것이 아니었다. 카다르도 스탈린의 희생자였고, 가장 적극적인 탈스탈린주의자였다. 문제는 더 깊은 곳에 있었다. 선출되지 않은 소수집단이 모든 사람에게 가장 좋은 것을 알고 있다는 레닌주의 사상이 문제였다.

이제 헝가리 사회는 '민주적 집중제'라는 레닌의 방식을 포기한 토착적인 사회주의의 사회민주적 사상에서 시작되는 자신들의 전통으로 돌아올 수 있었다. '종파'를 금지한 레닌의 교조를 깨고 개혁가들은 1988년 공산당 내에서 자신들의 분파를 만들기 시작했다. 다음 해 여름 당 지도부는 헝가리 공산당을 볼셰비키 '조직적 무기'에서 폭넓은 정치 운동으로 변화하는 것을 관장했다. 1989년 9월, 12만 명에서 20만 명의 공산당원 당원증을 반납했다. 공산당은 수십 년 동안 장악했던 조직인 군대, 경찰뿐만 아니라 노동 현장에서도 물러났다.[18]

당이 개방적 입장을 취한 바로 그 이유 때문에 당은 점점 더 수세에 몰리게 되었다. 1989년 3월 반대파는 약 15만 명의 시민들이 1848년 혁명을 기념하는 가두시위에 나오게 만들 수 있었다. 6월 정권은 '민족원탁회의'의 창설을 허용했다. 여기에는 공산주의자뿐만 아니라 새로운 공적 부문의 여러 단체들(반대파 집단과 정당들)이 모여 체제 이행의 문제를 논의했다.

6월에 처형된 지 31년 된 임레 나지와 네 명의 동료들 시신이 속이 빈 여섯 번째 관과 함께 이장되는 행사가 진행되었다. 이 관은 카다르 정권에서 교수형을 당한 몇 명의 10대 청소년을 포함하여 1956년 혁명의 다른 희생자를 상징했다. 이 행사를 보기 위해 약 25만 명의 시민들이 부다페스트 중심부로 모여들었고, 더 많은 시민들이 TV로 중계되는 행사를 보았다. 임레 포즈가이와 미클로스 네메스 같은 공산당 개혁가들은 민족적 화해를 호소하는 관을 메는 사람 역할을 했고, 나지와 같이 기소를 당했던 미클로스 바사르헬리는 단당에 올라 역사적 심판 민족적 단합과 헝가리인들이 지금 가지고 있는 '자유롭고 민주적인 사회로의 이행 기회'를 활용할 것을 연설했다. 7월 6일 임레 나지는 공식적으로 복권되었다. 그날 죄의식에 쫓기던 카다르는 오랫동안 앓고 있던 병에 무릎을 꿇고 사망했다.[19]

헝가리 민족원탁회의에서 개혁가들이 정권을 위한 협상을 세력 중 우위를 차지했고, 실패한 경제 정책의 책임 부담을 덜어내기 위해서 자유선거를 실시하는 것을 두려워하지 않았다. 6월 중순부터 9월 말까지 지속된 협상에서 개혁가들은 '1당제에서 대의민주주의'로의 이행을 수행할 것이라고 약속했다. 그러나 헝가리 국민들은 이전에 압제자였던 사람들에게 전위적 사회주의 개혁가의 왕관을 씌워주지 않았다. 협상을 통한 혁명이 가능하다고 느낀 유권자들은 1990년 3월과 8월에 치러진 선거에서 공산당을 각각 의회와 대통령직에서 밀어냈다.[20] 총선에서 43퍼센트를 득표한 헝가리 민주포럼이 23퍼센트를 득표한 다른 중도우파 정당들(자유민주주의연맹)과 연정으로 새 정부를 구성했다.

헝가리, 폴란드, 베를린 장벽 붕괴

사회주의에 민주주의가 필요하다는 고르바초프의 확신이 없었다면 1989년 동유럽 혁명은 불가능했을 것이다. 그러나 폴란드와 헝가리 외의 국가에서 공산당 지도자들은 고르바초프의 생각을 금기사항으로 생각했다. 그래서 헝가리와 폴란드의 개혁가들이 아니었으면 아마도 레닌주의는 오늘날까지 유럽에서 살아남았을 수도 있다. 폴란드와 헝가리가 여러 달 동안 '협상을 통한 혁명'을 완수해서 궁극적으로 다당제 정치체제로의 돌파구를 마련했다는 사실은 소련을 비롯한 다른 국가들에서도 민주화가 시작되는 것을 가능하게 만들었다.[21] 헝가리와 폴란드가 이러한 선구적 역할을 할 수 있었던 좀 더 깊은 이유는 두 국가가 1950년대에 충분히 소비에트화되지 않았다는 데 있었다. 이것은 또한 전통적 시민사회 제도가 완전히 뿌리 뽑히거나 전복되지 않고 남아 있었다는 사실과도 관련이 있다. 1956년 혁명과 같은 이전의 경험을 바탕으로 헝가리인들은 1989년 폴란드인들을 모방했다. 그러나 이번에 헝가리인들이 배운 교훈은 자신들에게 이익이 되었다. 원탁회의 아이디어는 1989년 폴란드 자유노조와 정부 간의 협상의 결과로 나온 것이었다.[22]

그러나 이러한 협상을 강제화한 혁명적 불꽃의 자극은 노동자들로부터 나왔다. 상대적으로 평화로웠던 몇 년이 시간이 지난 후 1988년 여름 발트해 연안 지역에서 파업이 시작되었고, 폴란드 내무장관인 체스와프 키슈차크 장군은 계획경제를 개혁하는 어려운 과정에 협력을 확보할 수 있다는 희망을 가지고 자유노조 지도자들을 만났다. 몇 달의 준비 끝에 1989년 2월 정치 단체 대표들은 현재의 대통령궁에 설치된 거대한 원형 탁자에 둘러앉아 협상을 시작했다. 여기에는 비공산주의 정당, 노조와 가톨릭 같은 공식 기구 대표들도 참석했다. 4월에 협상 대표들은 선거를 치르기로 합의했고, 이 선거에서 자유노조는 하원 의석 35퍼센트를 놓고 공개경쟁을 할 수 있게 되었다. 나머지 65퍼센트의 의석은 자동적으로 공산당에 배정되었다. 그러나 소련의 일간지 《이즈베스티아》가 담담하게 분석한 대로 공산당은 다수당이 될 수 없었다. 그 대신에 그 의석은 분할되어야 했다.

전체 의석의 38퍼센트는 공산당에게 돌아갔지만, 나머지는 수십 년 동안 동면하고 있었던 군소정당들이 차지했다. 공산당은 대통령직만 확실히 유지할 수 있었다.[23]

소련 블록의 다른 어느 나라도 이 정도까지 사태가 진전되지 않았고, 블록 내의 교조적 레닌주의 정권과의 단절은 보는 사람의 숨을 멎게 할 만큼 극적이었다. 소련의 언론도 자유노조 지도자 레흐 바엔사와의 인터뷰를 실었고, 타협점을 제공한 폴란드 가톨릭교회를 칭찬했다. 그러나 동독 정부는 폴란드에 대해 보도한 러시아 신문이 국경을 넘어오는 것도 허용하지 않았다. 그 전해 가을 당국은 소련 언론을 독일어로 요약한《스푸트니크》의 수입도 금지했는데, 동독 시민들은 이미 서방 TV 보도를 통해 많은 정보를 얻고 있었기 때문에 쓸데없는 노력을 한 셈이나 마찬가지였다.

그러나 이제 폴란드 자유노조는 엉성한 지하조직을 이용해 두 달간 선거운동을 해야 했다. 자유노조의 가장 용감한 지도자도 자신들이 정권을 장악하리라고는 상상하지 못했다. 그들은 4년 뒤에 실시되는 자유선거 때까지 기껏해야 공산당과 권력 분점을 할 수 있을 것으로 생각했다. 유권자들도 극적인 변화를 기대하지는 못했다. 한 기자는 주민들이 경제 기적은 독일이나 일본에서나 가능하지 우리나라에서는 가능하지 않다고 하는 말을 옆에서 듣기도 했다. TV 편성국은 주민들이 레알 마드리드와의 축구 경기에 더 관심이 있을 것으로 생각하고 원탁회의 마지막 협상 과정을 중계하지 않았다.[24]

그러나 1989년 6월 4일 투표가 끝났을 때 모든 사람이 놀랍게도 공산당은 자유 경쟁이 허용된 모든 의석을 상실해서 정부를 구성할 수 있는 다수당이 되지 못했다. 몇 주간의 협상 끝에 자유노조 후보가 총리를 맡아서 자유노조 정치인들과 다른 비공산주의 정당 대표로 구성되는 정부를 구성하기로 합의가 이루어졌다. 군소정당들은 수십 년간 정부에 충성하는 하수인 역할을 하다가 새로운 생명을 얻게 되었다. 합의에 의해 공산당은 보이체크 야루젤스키가 맡은 대통령직은 유지할 수 있게 되었다. 이렇게 해서 1989년 8월 24일 2차 세계대전 후 동유럽 최초의 비공산주의 정부 수반이 탄생하게 되어 가톨릭계 지식인인 타데우시 마조비에츠키가 정권을 잡았다.

대부분의 동독인들은 서방 TV를 항시 시청하고 있었기 때문에 폴란드에서 벌어지는 일을 깊은 관심을 가지고 지켜보았다. 이들이 목격한 어떤 것도 사회주의 승리라는 공식 메시지에 비추어보면 앞뒤가 맞지 않았고, 베를린 장벽이 유럽을 분단하는 힘을 준 것은 바로 이 이념이었다. 소련 블록에 있는 두 국가가 어떻게 갑자기 프롤레타리아 독재를 희생하고 '뒷걸음질 칠' 수 있단 말인가?

폴란드에서 돌파구가 마련되기 5일 전 동독 주민들은 500여 명의 동료 주민들이 헝가리-오스트리아 국경에 서 열린 '범유럽 피크닉pan-European picnic'에 참가하는 것을 중계하는 TV에서 눈을 떼지 못했다. 이들은 헝가리 전통 수프 굴라쉬를 먹은 후 가방을 싸서 부다페스트의 서독 대사관에서 발급받은 여권을 가지고 여유 있게 국경을 넘었다. 이 행사를 조직한 헝가리인들은 '자유로운 중부 유럽이 되돌아온 것'을 축하했다. 이제 작센과 브란덴부르크에서 온 손님들은 기념품으로 철조망 절단한 조각을 들고 새로운 생활로 데리고 가는 버스에 올라탔다. 이 행사 조직자 중에는 오토 폰 합스부르크*가 있었다. 이렇게 해서 그의 가족은 118년 전에 실패

• 오토 폰 합스부르크(Otto von Habsburg, 1912-2011)는 오스트리아의 마지막 황태자로 합스부르크제국 붕괴 후 다양한 정치 활동을 펼쳤다. 2차 세계대전 중에는 오스트리아 지하저항 운동을 이끌며 난민 구호에 힘썼고, 전후에는 유럽 통합에 헌신했고, 유럽연합 의원을 지냈다.

프라하의 서독 대사관에 몰려든 동독 난민들(1989년 9월)

한 것을 보상했다. 이번에 그들은 독일 통일에 중요한 역할을 한 것이다.[25]

9월 초가 되자 헝가리로 넘어온 동독 주민 수는 15만 명을 넘어섰고, 헝가리 정부는 에리히 호네커의 호소를 무시하고 이들이 오스트리아로 떠나는 것을 허용했다. 오스트리아로 넘어간 동독인들은 버스와 기차를 타고 서독의 새로운 집으로 출발했다.[26] 동독 공산당은 개혁 조치를 심각하게 고려하는 대신 수백 명의 슈타지 요원을 헝가리로 보내 난민들을 위협했다.[27] 그런 다음 동독 정부는 동독 주민들의 헝가리 여행을 금지했다.

이렇게 되자 동독 주민들은 아직 국경이 열려 있는 나라인 폴란드와 체코슬로바키아를 망명처로 택했다. 9월 중순까지 약 4000명의 동독 주민이 프라하 소재 서독 대사관에서 망명처를 찾았다. 이것은 새로운 인도적 위기를 만들어내고 10월 9일 정권 수립 40주년을 기념하려는 동독 정권에 큰 당혹을 안겨주었다. 수십 명의 동독인들은 동쪽으로 탈출하려고 시도했다. 이들은 오데르강을 헤엄쳐 동독에 도달했다.[28] 9월 말 동독 출신인 서독 외무장관 한스-디트리히 겐셔는 프라하의 서독 대사관 부지에 머물고 있는 동독 주민들 문제 해결 방법을 찾기 위한 협상을 시작했다. 이들이 서독으로 갈 수 있는 출구가 마련되었다. 그러나 여기에는 한 가지 제약이 있었다. 정치적으로 불안정한 동독 지도부는 난민을 실은 기차가 체코슬로바키아-서독 국경을 넘어 직접 서쪽으로 향하지 말고, 처음에는 북쪽으로 향발하여 드레스덴, 카를-마르크스-슈타트와 플라우엔을 지난 다음 남쪽으로 방향을 틀어 호프에서 국경을 넘을 것을 요구했다. 이렇게 되면 동독 당국(자신들의 통치 정당성에 대한 국제적 인정에 대해 불안해하고 있는)은 동독 시민권을 가진 난민들을 '방면'할 수 있었다.[29]

그러나 이러한 우발적 사건도 동독 내에 이미 끓고 있는 가마솥 같은 상황을 더 뜨겁게 만들었다. 수천 명의 주민은 9월 30일 고속으로 동독 영토를 관통하고 있는 14량의 기차에 올라타려고 시도했다. 플라우엔에서는 지방 경찰병력은 지역 주민들이 시 기차역으로 몰려드는 것을 막을 수 없었다. 수십 명이 부상당하고 많은 주민들이 체포되었다. 4일 후 동독 당국은 체코슬로바키아와의 국경을 봉쇄했고, 많은 사람들은 동독이 칠레와 같은 군사 독재 체제가 될 수 있다고 우려하거나 에리히 호네커가 니콜라에 차우셰스쿠식의 압제 정책을 시작할 수 있다고 염려했다.

폴란드와 헝가리와 대조되게 동독에는 정권이 (그럴 마음을 먹었다 하더라도) 위기 탈출 방법을 협상할 수 있는 반대파가 거의 없었다. 폴란드의 자유노조원은 1000만 명에 달했지만, 동독의 민권 운동가는 수백 명에 불과했고, 거의 동베를린과 라이프치히에만 몰려 있었다. 소규모 반정부 집단들이 개신교 교회의 지원을 받아 1970년대와 1980년대에 나타나서 인권, 환경, 평화 운동을 시작했지만, 비밀경찰이 침투했고 엄격한 감시를 받았다. 이들 중 좀 더 의지가 강한 운동가들은 체포되어 서방으로 추방되었다. 일례로 1982년 예나에 독자적인 소규모 평화운동 집단이 나타났지만, 그 활동가들은 감옥에 수감되거나 서방으로 이주 중 하나를 선택해야 했다. 이 운동 지도자 중 한 사람인 작가 롤란트 얀은 이런 위협에 굴복하지 않았다. 1982년 그는 "폴란드 국민들과 연대를!"이란 글귀가 적힌 깃발이 달린 자전거를 타고 시내를 돌아다녔다. 이 죄로 그는 독방에 수감되고 잠을 자지 못하는 형벌을 받았다. 관리들은 그의 딸을 고아원으로 보낸다고 위협했다. 하지만 그는 해외로 이주하는 데 동의하지 않았다. 그러나 정부는 그에 대해 참을 만큼 참았다고 결론 내렸다. 1983년 슈타지 요원들은 그를 쇠사슬에 묶은 채 특별 기차 칸에 태워서, 이 칸을 베를린-뮌헨 급행열차에 연결했다. 그가 서독에 무사히 도착한 다음에야 철도원들은 슈타지 요원들이 남겨놓은 열쇠로 그 열차 칸을 열고 얀을 구해낼 수 있었다.

그는 서베를린에 정착한 후 예나에서 온 다른 반체제 인사들과 힘을 함께 지역 TV방송인 '젠데르 프라이에스 베를린Sender Freies Berlin'에서 일했다. 1989년 이후 슈타지 요원들이 그곳에서도 그를 감시했다는 사실이 드러났다. 요원들은 그가 즐겨 시간을 보내는 카페를 도청하고, 그의 딸이 학교 가는 길을 미행했다.[30]

얀의 강제추방은 위선에 가득 찬 행위였다. 서독 정부가 동독 시민권을 인정하지 않는 것은 수십 년 동안 독일 양국 관계 회의에서 동독 관리들이 제기한 불만이었다. 그러나 동독 시민들을 다루는 것이 너무 힘들어지자 동독 지도자들은 서독이 자동적으로 '전 독일' 시민권을 부여할 것을 확신하고 자국민들은 국경 너머로 보내버렸다. 단 하나의 독일 시민권만 존재한다는 것이 서독 정부의 확고한 입장이었고, 1913년에 통과된 법에 근거를 두고 있었다. 이것은 헝가리를 통해 오스트리아로 탈출하는 동독 주민들이 서독에 도착하면 즉각 완전한 시민권을 획득한다는 확신을 갖게 해주었다.

1989년 헝가리를 통해 서방으로 탈출한 동독인들은 의도하지 않았지만 고국에 남아 있는 동포들에게 간절한 용기를 주었고, 이것은 특히 할레와 비테르펠트 같은 소도시를 포함한 오래된 산업 중심지 광역도시이면서 도서관과 학문의 도시인 남부의 라이프치히에서 그랬다. 도시 시설의 방기와 파괴로 라이프치히 주민들의 불만은 계속 커지고 있었다. 건물들은 무너지고 있었고, 환경 파괴도 심했다. 이 지역의 화학공장들은 필터를 최소한으로 사용하고 산업과 개인 주택에 난방을 공급하기 위해 대기를 오염시키는 갈탄을 사용하고 있었다.

그러나 1989년 라이프치히의 집회에 모이는 군중이 늘어난 것은 역사가 깊은 힘이 아니라 우발적인 사건과 몇 명의 개인의 자유로운 결정에 의해 촉발되었다. 1982년 부목사인 귄터 요한센은 실수로 라이프치히 교외의 프로브스데이다의 저녁 모임에 두 집단을 동시에 초청했다. 한 집단은 60대들이 모이는 성경공부였고, 다른 집단은 10대들이었다('젊은이 모임'). 그는 이 실수를 이용하여 임기응변적으로 두 집단 간의 대화를 주선했다. 당시에는 새로 재개된 군비경쟁으로 동유럽 주민들 사이에 큰 우려가 생긴 때였다. 특히 미국과 소련이 독일 땅에 핵미사일을 배치하기로 한 결정이 큰 우려를 자아냈다. 많은 사람들이 무력감을 느꼈다. 노인 집단은 젊은이들이 금지된 평화 스티커('칼을 녹여 쟁기로'란 문구가 새겨진)를 붙이고 다니면서 당국을 계속 자극하는지를 알고 싶어 했다. 젊은이들은 자신들의 세계가 군사화되고 있다고 설명했다. 소녀들도 준군사캠프에서 사격술을 배워야 했고, 소년들은 당국의 요구를 따르지 않으면 대학 입학이 거부될 것을 두려워했다. 이것은 이들이 7살일 때 공식회된 정책으로 '인민군대'에 자원하여 3-4년을 복무해야 대학 입학 허가를 받을 수 있었다.

두려움과 무력감에서 저녁 기도회를 열자는 아이디어가 나왔다. 요한센은 라이프치히의 개신교 교구목사(가톨릭교회의 주교와 동일)를 만났고, 감독은 라이프치히의 거대한 기차역에서 멀지 않고, 대학과 세계적으로 유명한 콘서트홀(쿠르트 마주어가 지휘하는 게반트하우스)에 가까운 곳에 있는 멋진 고딕교회의 목사이자 개신교 감독을 만났다. 이들은 매주 월요일 오후 5시 성니콜라스 교회에서 기도회를 진행하도록 주선했다.[31] 이렇게 해서 새로운 제도가 탄생했다. 처음에 기도회에 모인 인원은 얼마 되지 않았지만, 기도회는 여러 해 동안 계속되었다. 요한센 목사는 그곳을 떠났지만 감독은 정례 기도회를 1989년 여름까지 이어나갔다. 이때가 되자 다른 종류의 초조감과 불안감을 가진 새로운 세대가 기도회에 모여들었다.

우리는 슈타지가 남긴 기록 덕분에 얼마나 많은 사람들이 기도회에 모였는지를 알 수 있다. 9월 4일에는 800명, 2주 후에는 1000명, 9월 25일에는 8000명, 10월 2일에는 2만 명이 모였다. 처음에는 두 집단이 교회를 나서며 시위를 했다. 한 집단은 해외 이주 허가를 요구했다('우리는 나가고 싶다!'가 구호였다). 그러나 점차적으로 첫 집단을 압도한 다른 집단은 동독에서의 개혁을 요구했다('우리는 이곳에 남는다!'가 그들의 구호였다).[32] 사복과 정복 경찰들이 진압봉과 경찰견을 동원하여 시위를 막아섰고, 매번 수십 명이 체포되었다. 그러나 기도회 참석자 숫자가 늘어나면서 주로 젊은 참석자들이 시위를 벌였고, 구시가지를 감싸고도는 주도로를 행진하여 기차역까지 행진했다. 1989년 10월 9일에는 수만 명의 시민이 평화로운 기도회와 시위에 참가할 것으로 예상되었다. 전 세계 TV 시청자들은 경찰이 어떤 조치를 취할지를 초조하게 지켜보았다. 몇 달 전 중국 지도자들은 베이징에서 일어난 친민주 세력의 시위를 사상자 발생을 신경 쓰지 않고 무자비하게 진압했었다.

라이프치히 시민들은 이틀 전인 동독 창립 기념일에서 동베를린과 드레스덴에서 소규모 집단이 가두시위를 벌였다가 일어난 일을 잘 알고 있었다. 시위자들은 무자비하게 구타당했다. 10월 7일 시위에서 예외적으로 폭력 사태가 일어나지 않은 곳은 바이에른 국경 지역에 있는 공업 도시 플라우엔이었다. 이곳에서는 약 1만 5000명의 시위대가 개혁을 요구하는 시위를 벌인 후 평화롭게 해산했다. 이렇게 된 것은 이 시의 교구 목사의 노력 덕분이었다.[33] 동독 남부의 다른 도시들처럼 플라우엔도 오염된 대기와 물자 부족으로 고통을 받고 있었지만, 9월 30일 14칸의 기차를 타고 이곳을 통과해서 자유를 찾아 남쪽으로 간 동독 난민들로 인해 분위기가 고조되어 있었다. 그러나 당시까지 동독에서 일어난 시위 중 가장 규모가 컸던 10월 7일 시위는 연장 제작공인 쇠르그 슈나이더라는 한 젊은이가 없었다면 일어나지 않았을 것이다. 그 전 주에는 그는 시민들에게 개혁과 기본권을 위해 시위에 나서도록 촉구하는 수십 장의 유인물을 돌렸다. 그 결과 수천 명의 시민들이 비가 오는 토요일 오후 시 중심으로 모여들었다. 시 당국은 그날 동독 창립일을 기념하기 위해 시민들을 모이게 했기 때문에 모여드는 군중에 대해 아무 조치도 취하지 않았다. 시민들 사이에는 지도자가 없었다. 그러나 한 시민이 "우리는 개혁을 원한다"라는 구호가 적힌 깃발을 펴자 경찰이 그를 구타하기 시작하면서 모여든 시민들은 시위를 시작했다. 거대한 군중은 시내 중심부를 돌며 시위를 했고, 최종적으로 시 권력의 중심부인 시청으로 행진했다. 그곳에 있던 관리들은 어떻게 대처해야 할지를 몰랐다. 충분한 탄약으로 무장한 경찰들이 시위대가 시청을 습격하는 경우를 대비해서 관리들을 보호했다.

다행히도 평화주의자인 교구 목사 도마스 퀴틀러는 양 측 사이의 대치선을 넘어가서 자신이 잘 알고 있는 시당 1서기와 대화를 나누었고, 며칠 내로 시민 대표들을 만나겠다는 약속을 받아냈다. 그는 메가폰을 잡고 시민들이 요구가 수용되었다며 시위대를 진정시킨 후 시위대가 평화롭게 해산하도록 만들었다. 몇 주 후 플라우엔에도 원탁회의가 구성되었고, 이후 모든 동독 도시가 뒤를 이어 원탁회의를 구성했다.

그러나 이 단계에 도달하기 전까지 동독 정권은 권력을 유지하기 위해 공개적으로 무력을 사용하려 했고, 10월 9일 라이프치히에서 무력 진압을 시도했다. 아직까지 논란의 대상이 되는, 알 수 없는 이유로 당국은 뒤로 물러나서 당시까지 가장 규모가 큰 시위인 7만 명이 모여 아무 사고 없이 시위를 하는 것을 허용했다.[34] 호네커의 후계자로 지목된 '젊은 관료'에곤 크렌즈(큰 미소로 유명한)가 후에 이런 평화적 시위를 허용한 공을 인정받았지만, 실제로는 다음의 세 요인이 큰 작용을 했다. 첫째, 시당 1서기와 저명한 지휘자 쿠르트 마주어 등 6명의 중요한 지역 인사들의 개입이었다. 쿠르트 마주어는 평화를 위한 호소문을 작성해서 라디오에서 낭독했다. 두 번째 요인은 잘 훈련된 병력과 경찰(앰뷸런스도 대기 상태였다) 지휘관 중 누구도 유혈 사태에 대한 책임을 지기를 회피하여 행동을 피한 것이었다. 세 번째는 시위가 평화 기도회로 시작되었다는 사실이었다. 10월 9일 시위는 비폭력의 상징으로 손에 촛불을 들고 교회 문을 나선 수천 명의 시민이 시위에 앞장섰다.

롤란트 얀이 서독으로부터 밀수한 카메라 덕분에 시위 광경은 동방과 서방의 TV 시청자에게 전송되었다. 이들은 다음날 동조 시위에 나섰다. 이들은 누가 만들었는지 모르는 "우리가 국민이다!"라는 구호를 사용했는데, 이 구호는 실제 들리는 것보다 훨씬 대담하고 도전적이었다. 수십 년 동안 동독 정권은 나라를 뒤덮은 포스터나 모든 선전물에서 자신들의 국민들을 대표한다고 선전해왔다. 일례로 정권의 사회 정책 구호는 "국민의 복지를 위해 모든 것을!"이었다. 이제 라이프치히의 거리에서 국민들은 정권의 주장이 거짓이었다는 사실을 선포하며 "당신들이 국민이 아니라 우리가 국민이다"라고 외치고 있는 것이다.

급진적 변화를 촉구한 소련 지도자 고르바초프와 시급한 변화를 요구하는 상황이 없었더라면 플라우엔과 라이프치히의 시위는 일어날 수 없었을 것이다. 그러나 이것은 변화를 원하고, 그날이 아니면 이것이 결코 오지 않으리라는 믿음을 가진, 이름 모르는 수천 명의 시민들의 용기가 없었더라면 일어나지 못했을 것이다. 이들은 경찰과 군인들이 사격을 가할 수도 있다는 것을 알면서 행진을 하며 구호를 외쳤다. 이 시점 이후 경찰과 군대는 무장해제가 되고, 위협할 능력을 상실한 것처럼 보였다. '사회주의적 인간 공동체'의 의지를 시행한다는 정권의 주장은 분명한 허구로 드러났다. 일주일 만에 라이프치히의 월요일 시위 참가 인원은 30만 만 명으로 늘어났다. 수십만 명의 동독 시민들이 다른 도시에서 시위에 동참했다. 시위에 참여한 남녀노소는 종종 평화의 신호로 손을 높이 들었다. 일주일이 조금 지난 시점에 대부분 80세가 넘은 동독 공산당 지도부는 사임했다.

시위대는 깃발과 구호에 국가사회주의 복지 체제와 정권에 의해 어린 애 같은 취급을 받는다는 것을 혐오한다는 것을 고상한 독일어로 표현했다. 이들은 어린이가 아니라 어른mündig(글자 그대로 하면 '말할 입을 가진 사람'이란 뜻)이라는 것을 선언했다. 한 깃발에는 호네커의 후계자인, 커다란 미소를 자랑하는 에곤 크렌즈를 조롱하는 글귀가 적혔다. "할머니, 대단히 큰 이빨을 가졌군요"라는 같은 글귀 위에 있는 요람에 크렌즈를 그려 넣었다.

헝가리와 폴란드에서와 마찬가지로 다양한 이익을 대변하기 위한 조직들이 나타났다. 이 중 가장 잘 알려진 것은 베를린에서 활동하는 반체제 인사들이 결성한 새포럼New Forum이었다. 동독 남북 모든 지역에서 이 단체의 지부가 결성되었고 '민주주의 실행Democracy Now', '민주적 각성Democratic Awakening' 같은 시민단체들이 결성되었고, 사회민주당이 다시 출범했다. 자유당과 기독민주당처럼 공산당에 협력한 어용 정당도 수십 년 동안의 복종으로 위축된 팔다리를 다시 폈다. 후에 독일 총리가 되는 앙겔라 메르켈은 '민주적 각성' 결성에 도움을 주었다. 이 조직은 처음에는 동독 기민당CDU과 결합했다가 후에는 헬무트 콜이 이끄는 서독 기민당에 흡수되었다(1990년 초반 메르켈은 '나는 헬무트 콜이 이끄는 서독 기민당과 아무 일도 하고 싶지 않다'라고 친구들에게 말했었다).[35] 당분간 별로 주목을 받지 못하는 에곤 크렌즈가 이끄는 공산당도 민주주의와 권리라는 새 언어를 말하려고 시도했고, 당명을 민주사회당으로 바꾸었다(크렌즈는 12월에 좀 더

라이프치히의 시위자들(1989년 10월)

라이프치히의 월요일 시위(1989년 10월)

독립적인 드레스덴 당 지도자 한스 모드로로 대체되었다).

11월 9일, 충격적인 사건이 혁명의 거품을 가라앉혀버렸다. 미리 치밀히 준비되지 않은 기자회견을 진행하던 동독 정부 대변인 귄터 샤보프스키는 동독 주민들의 여행 자유화에 대한 규정에 대한 질문에 답변을 했다. 한 기자가 언제부터 새 조치가 효력을 발생하는가라고 묻자 그는 즉시 효력이 발생한다고 대답했다. 이 뉴스를 들은 동베를린 시민들은 서베를린으로 통하는 검문소로 몰려들었다. 몇 주 전만 해도 베를린 장벽 근처에 모인 사람들은 수분 만에 체포되었었다. 지금은 장벽 근처를 순찰하는 경비병들이 전혀 보이지 않았다. 곧 군중들은 본홀메르스트라세 지역 국경검문소를 경비하는 소수의 병력을 압도할 정도로 몰려들었지만, 이들이 취할 조치에 대한 명령은 어디에서도 내려오지 않았다. 경비병들은 군중에게 사격을 가하거나 서베를린으로 통하는 국경검문소를 개방하든가 양자택일을 해야 했다. 당시 현장에 있던 슈타지 책임장교인 하랄트 예거는 아무도 아무런 지시를 내리지 않는 상황에서 후자를 택했다. 본홀메르 국경검문소는 28년 만에 처음으로 양방향 통행이 가능해졌다(다른 국경검문소도 개방되었다). 어떻게 보면 모든 동독 국가 관리들 중 가장 이념이 투철한 국경 경비대가 새로운 독일로 이행하는 첫 역할을 한 것이다. 예거는 그 자리를 빠져나와 감정을 누르지 못하고 조용히 울고 있는 동료를 위로했다. 지난 25년간 그들의 수행한 임무는 무슨 의미가 있었는가? 그들은 이제 동독은 끝났다는 것을 알았다.[36]

몇 주 안에 동독에는 서독 신문이 쏟아져 들어왔고, 군중의 분위기를 감지하고 이것을 형성해 나간 새포럼의 반체제 정치인들보다 수백 광년은 앞선 것 같은 세련된 서방 정치인들이 들어왔다. 라이프치히 월요일 지위의 구호에는 언어적으로는 단순하지만 역사적으로는 극적인 작은 변화가 삽입되었다. 시민들은 "우리가 국민이다"라는 구호 대신에 "우리는 하나의 민족이다Wir sind ein Volk", 즉 서독과의 통일을 원한다는 구호를 외쳤다. 일부 좌파 운동가들은 민족주의가 민주적 혁명을 대신했다고 말했지만, 동독 주민들은 미래에 대해 염려했다. 40년간 사회주의가 만들어놓은 폐허 속에서 사회 전체로서의 유일한 희망은 서독, 무엇보다도 서독 화폐인 도이치마르크DM가 와서 자신들을 구하는 것뿐이라고 생각했다. 라이프치히 시위에 나타난 한 플래카드가 이러한 분위기를 잘 대변했다. "도이치마르크가 우리에게 오든지 아니면 우리가 그곳으로 간다." 12월 말 드레스덴에 온 헬무트 콜 서독 총리가 동독에서 첫 연설을 했을 때 그의 거대한 체구는 동독 지도자 모드로를 압도했다. 군중들 사이에서는 "헬무트, 우리를 구해주세요!"라는 연호가 터져 나왔다.

시간이 가면서 동독으로 넘어오는 수가 걷잡을 수 없이 늘어났다. 1990년 3월 치러진 자유선거에서 동독 주민들은 서독 정당을 대상으로 투표를 했고, 콜의 기독민주당이 승리를 했다. 기민당은 가장 빠른 일정으로 정치적·경제적 통일을 약속했다. 동독에서 탄생한 새포럼은 존재감이 없이 사라져버렸고, 후에 녹색당과 선거연합을 했다.

* * *

베를린 장벽이 무너진 다음 세계의 시선은 갑자기 민주주의 국가인 오스트리아, 서독, 폴란드와 민주화되고 있는 헝가리와 동독에 둘러싸인 신스탈린주의 체제인 체코슬로바키아로 모아졌다. 심지어 동쪽 이웃 국가인 소련에서도 활발한 언론과 선거에 대한 논의가 진행되면 시민 사회가 작동하고 있었다. 동독 지도자들과 마찬가지로 구스타프 후사크 대통령과 밀로스 야케쉬 당 제1서기가 이끄는 체코슬로바키아 공산당은 고르바초프의 개혁은 자신들과는 아무 상관이 없다고 주장했다. 1989년 몰래 녹음된 대화에서 야케쉬는 체코슬로바키아가 '담장의 마지막 기둥'이 되었다고 불평했다.[37]

헝가리 정권과 마찬가지로 체코슬로바키아 정권은 이전의 개혁 운동을 탄압한 바탕에 정통성을 유지하고 있었다. 실제로 사회질서 전체가 알렉산더 둡체크와 1968년의 자유 운동을 지지하고 개혁에 대한 희망을 버리지 않고 다른 개혁가들을 비난하지 않은 체코인과 슬로바키아인 모두를 탄압하면서 유지되고 있었다. 한때 저명한 기자였거나 철학자였던 사람들은 현재 광부나 트럭 운전사로 일하고 있었다. 둡체크는 슬로바키아 산림관리소의 배관공으로 일했다. 그러나 프라하의 봄은 사회주의를 전복하는 것이 아니라 개선할 것을 주장했었다. 그래서 그것은 미하일 고르바초프와 그의 동료들에게 모델처럼 보였다. 1987년 고르바초프를 수행해 프라하를 방문한 소련 외무부 대변인 겐나디 게라시모프는 페레스트로이카와 글라스노스트를 프라하의 봄과 구별시키는 것이 무엇인가라는 질문을 받자, '19년의 세월'이라고 대답했다.[38]

독일어를 거의 잊어버린 체코슬로바키아인들도 TV를 통해 북쪽 이웃인 동독에서 진행되는 드라마를 지켜보고 있었다. 그러나 프라하 시민들은 빠르게 전개되는 사건을 직접 목격하게 되었다. 9월 중순 시내 중심부는 동독인 난민들의 텐트촌처럼 변했다. 동독인들이 타고 온 차가 프라하 좌안의 거의 모든 주차장을 차지했다. 10월 초 이들은 모두 사라졌지만, 이들은 2실린더의 작은 트라반트 차 말고도 강력한 이미지를 남기고 떠났다. 자유로운 생활을 위해 안락함을 버릴 용기를 보인 것이었다. '77헌장'에 서명한 후 정원사와 야간 경비원으로 일하고 있던 역사가이자 작가인 페트르 피다르트는 자신의 인상을 이렇게 기록했다.

자유와 비자유 사이의 거리는 프라하의 좌안 거리에서 측정할 수 있다. 나는 서독대사관에서 몇백 야드 떨어진 곳에서 다른 체코슬로바키아인들과 바짝 붙어 서서 아무 말도 하지 않고 눈앞의 장면을 보며 긴 밤을 보냈다. 그것은 당신이 스스로를 위한 자유를 찾길 원한다면 당연히 해야 하는 행동이었다.[39]

아주 규모가 작은 체코슬로바키아의 반정부파는 1988년 8월과 10월, 1989년 1월 소규모 시위를 주도했다가 모두 바로 진압되었지만, 표면 밑에서는 동요가 있다는 느낌을 주었다.[40] 폴란드, 헝가리, 이제는 동독에서 나타난, 소련이 더 이상 레닌주의 정권을 지탱해주지 않는다는 증거에 비추어 볼 때 1989년 11월 항의 시위운동을 촉발하는 데는 작은 불꽃 하나만 필요했다. 그러나 중요한 인물들이 행동에 나서야 했고, 이것은 용기와 창의성을 필요로 했다. 동독에서와 마찬가지로 처음 시위에 나선 사람들은 자신들이 합법적으로 가두에 나설 수 있는 사건을 이용했다. 동독에서는 국가 창설일(10월 7일)과 라이프치히 평화기도회(10월 9일)가 그 기회가 되었고, 프라하에서는 나치 지배에 항의하던 1000명 이상의 학생들이 집단수용소에 수감된 1939년 11월 17일을 기념하는 행사가 그 기회가 되었다. 끓어오르는 동요를 감지한 당 지도자들은 행사를 연기하기를 원했지만, 살을 에는 11월 오후의 추위 속에 1만 5000명의 학생들이 행진을 하기 위해 운집하면서 지도자들의 공포는 현실화되었다. 학생들은 변화를 외쳤고, 애국적인 노래를 부르며 경찰들을 향해 열쇠고리를 흔들며 감옥에 수감된 사람들에게 감옥문이 열릴 수 있다는 것을 알렸다. 학생들은 아무 무기도 들지 않았다는 것을 보여주기 위해 두 팔을 올리고 행진했지만, 경찰은 진압봉과 경찰견을 사용하여 학생들을 무자비하게 진압했다. 한 학생이 이 과정에서 사망했다는 소문이 돌았다.

1967년과 마찬가지로 경찰이 방어력이 없는 학생들에게 부상을 입히는 장면은 수만 명의 다른 체코슬로바키아인들로 하여금 그렇지 않았으면 집에 있게 만들었을 불확실성과 두려움을 떨쳐버리게 만들었다. 며칠 만에 군중은 수십만 명으로 늘어났고, 학생들뿐만 아니라 직업 배우들도 파업을 하며 플래카드와 포스터를 만들었다. 11월 19일 새로운 민간 사회 운동 집단인 동독의 새포럼에 자극을 받은 '시민포럼'이 치노헤르니 클럽 연극극장에서 결성되어서 '77헌장'에 서명한 반체제 인사들이 여기에 가담했고, 이들 중 가장 평범하게 보이는 극작가 바츨라프 하벨도 여기에 가담했다. 대중 연설 경험이 없는 하벨은 거대한 군중 앞에서 연설할 때 스피커로 울려 퍼지는 자신의 목소리에 당황하기도 했다.

11월 21일 정부는 '원탁회의'에서 협상을 시작했다. 바로 몇 주 전만 해도 총리인 라디슬라프 아다메치는 바츨라프 하벨을 '제로zero'라고 불렀었다.[41] 11월 29일 연방 의회는 공산당이 사회에서 주도적인 역할을 한다는 조항을 무효화했다. 아다메치 정부는 사임했고, 12월 10일 대부분 비공산주의자 장관들로 구성된 새 정부가 구성되었고, 온건파인 슬로바키아 공산주의자 마리안 칼파가 총리를 맡았다. 일부 비공산주의자들은 의회로 '회유 흡수되었고', 12월 29일 의원 대부분이 관제 선거로 당선된 의회는 바츨라프 하벨을 찬성 329표, 반대 0표로 대통령에 선출했다(일부 의원들은 최근까지도 하벨의 투옥을 요구했다).[42] 곧 자격을 잃게 되는 '의원들'은 흐라드차니 궁전에서 열린 연회에서 외교관들과 다른 고관들과 함께 하벨의 대통령 취임을 축하했다. 프라하의 고딕식 성당의 마당에서 열린 감사 미사에서 불가지론자인 하벨은 스스로를 축복하는 것 같았고, 공개재판의 희생자였던 프라하 대주교는 눈물을 흘렸고, 많은 반체제 인사들도 같이 울었다.[43] 체코 필하모니는 자주 연주되지 않는 데두엠Te Deum을 미국 원주민의 북소리에 맞추어 연주했다.

다른 동유럽 국가의 혁명가들과 마찬가지로 체코슬로바키아 혁명가들은 그해 가을 자신들의 목소리를 다시 찾았을 때 기대하지 않았던 품위를 만들어냈고, 또한 역사의 지속성을 보여주었다. 이들의 뉴스레터와 공지문은 마사리크의 언어를 반복했다. 혁명가들의 '상징체계'에서 가장 성스러운 단어는 '인간성'이었다.[44] 1990년 1월 말까지 200개 이상의 정치 결사가 체코슬로바키아에서 합법화되었고, 시민포럼(슬로바키아에서는 '폭력에 반대하는 민중'이라고 불림)은 6월 선거에서 46.6퍼센트를 득표했다(공산당은 13.6퍼센트를 득표했다).

동독 정권과 마찬가지로 체코슬로바키아 정권도 진압봉과 최루탄을 넘어 탄약을 사용하면서 사태를 진압할 의지와 확신이 없다는 것을 발견했다. 잘 무장된 두 강경 정권은 거의 저항 없이 권력을 내놓는 것을 받아들였다. 라이프치히 시위 초기 구타와 10월 초 동베를린과 드레스덴의 강경 진압 그리고 11월 17일 '대량 학살'(실제로는 프라하에서 아무도 죽지 않았다)과 함께 신스탈린주의자들은 마지못해 그러기는 했지만, 정치 무대를 조용히 떠났다. 체코슬로바키아에서의 권력 이양은 '벨벳 혁명'이라고 불렸다.

조금 더 남쪽, 전에 합스부르크제국의 영토였다가 지금은 루마니아라고 불리는 나라에서는 요동이 없는 독재자가 시위를 진압하기 위해 무장 경찰을 파견하고, 폭력 진압으로 인해 수백 명의 인명이 희생되었다. 이곳의 상황은 북쪽의 이웃나라들과 다르게 엽관제적인 정권은 사회와 완전히 분리되었다. 오랜 기간 동안 요구된 비정상적인 희생, 예를 들어 전기와 가스는 하루 몇 시간 동안만 공급되었고, 이로 인해 분노와 공포감, 적극적인 정권 혐오가 쌓여갔다. 차우셰스쿠는 공산당 밖은 물론이고 당내 집단의 의견도 무시했다. 북쪽의 다른 국가들과 다르게 루마니아에서는 국가의 이익에서 사회의 이익을 구별할 반대파는 민간 사회에서 전혀 부상하지 않았다. 차우셰스쿠는 상시적으로 경쟁자들을 제거하고 모든 반대파의 뿌리를 뽑아 "놀랄 정도로 원자화된 루마니아를 만들었다. 이곳에서는 공포와 불신이 인간관계를 지배했다".[45] 정권과 정권 지지자들은 피할 수 없는 체제 심판이 이루어지면 자신들이 불의와 고통에 책임을 져야 한다는 것을 알았기 때문에 절박한 심정으로 정권 수호에 나섰다. 1989년이 되자 소외는 루마니아 전역의 현상이 되어 한 곳에서 시위가 일어나면 다른 곳으로 바로 퍼졌다. 처음에는 희생자 숫자가 공포를 주었지만, 후에는 이것 때문에 시위가 격화되었다.

전에 합스부르크령이었던 트란실바니아에서는 궁핍뿐만 아니라 지역의 헝가리 문화 파괴로 가장 큰 고통을 당해서 수시로 시위가 일어났다. 헝가리 주민들이 거주하는 마을을 없애고, 주민들을 동부 루마니아로 이주시키는 일이 자주 일어났다. 12월 중순 대중의 인기가 높은 헝가리 개혁주의 목사 라즐로 퇴케스를 티미소아라에서 추방하는 계획을 세우면서 주민들의 분노가 커졌다.[46] 그의 회고록에 따르면 개혁 교회의 위계체제는 그의 독자적 목소리를 제압하려는 국가의 계획과 공모했다. 그는 상부의 동의에 관계없이 독자적으로 행동하여, 그 한 예로 자신의 교회에서 종파 합동 연합예배를 드렸다.

12월 15일 그의 관사 근처에서 텐트를 치고 농성하던 항의자들이 시내 중심으로 행진하여 공공건물을 장악하고, 상품이 넘치는 비밀경찰 요원 전용 상점을 약탈했다. 다음날 보안 세력은 시위자들에게 사격을 가했지만, 이것은 혁명의 불씨를 끄는 대신에 불길이 확산되도록 만들어서 더 많은 시민들이 시내 중심부로 모여들었다. 시위자 중 많은 사람들은 헝가리와 유고슬라비아의 방송을 들으며 정보에 접근할 수 있었던 헝가리어 사용자들이었다. 이들의 시위 소식은 철도 노동자들과 교대 투입되는 군병력을 통해 동부지역과 국제 언론으로 전달되었다. 12월 18일 니콜라에 차우셰스쿠는 그의 마지막 지지 세력인 신정 정치 체제의 이란을 방문했다. 부쿠레슈티 소재 소련 대사관을 통해 점점 더 커지는 소요 소식을 접한 소련 외상 셰바르드나제는 차우셰스쿠의 실각을 환영할 것이라고 말했다.[47]

12월 20일 오후 귀국한 차우셰스쿠는 티미소아라에 비상사태를 선포하고 시위대는 외국 첩보 기관을 위해 일하는 테러리스트들이라고 주장했다. 그런 다음 그는 부쿠레슈티에서 친정부 집회를 조직했다.[48] 최근까지 당에 의해 대중 집회에 동원된 사람들은 독재자를 찬양하는 아부의 표현을 했지만, 이제 그들은 차우셰스쿠의 사임을 요구하고 나섰다. 12월 21일 저녁 차우셰스쿠는 보안 병력을 보내 시위대를 해산하려 했고, 이 과정에서 수백 명이 부상했다. 다음날 군대가 시민 편으로 돌아섰고, 차우셰스쿠와 엘레나는 헬리콥터로 탈출했다. 잘 알려지지 않은 상황에서 헬리콥터는 시골 지역에 착륙했고 차우셰스쿠 부부는 체포되었다. 이들은 바로 군법회의에 회부되어 사형 선고를 받고, 크리스마스이브에 TV로 중계되는 가운데 총살당했다. 그러나 보안 병력과 군대의 지원을 받는 시민들 사이의 전투는 12월 27일까지 계속 되었고, 다른 도시로도 확산되었다. 혁명 과정에서 총 1104명의 루마니아인이 목숨을 잃었다.[49]

지도자들을 서둘러 처단한 이유에 대한 설명 중 하나는 이들이 새로 부상하는 도전자인 '구국전선Front of National Salvation'에 대항한 반혁명을 기도

할 수 있다는 것이었다. 구국전선은 12월 22일 군중들이 당 중앙위원회 건물과 부쿠레슈티 TV방송국을 점거할 때 갑자기 라디오방송을 통해 자신의 존재를 알렸다. 구국전선은 반체제 인사들은 물론 민간 사회의 지도자들로 구성되지 않았다. 이 단체는 전에 당에서 고위직을 차지한 사람들로 구성되었고, 그중 일부는 차우셰스쿠에 의해 숙청된 인물들이었다. 이 중에 주도자로 나선 것은 한때 당 관료였던 이온 일리에스쿠였다. 그는 경찰과 군대 지휘관들의 지지를 받았다. 일리에스쿠는 첫 연설에서 차우셰스쿠는 '가슴, 영혼 또는 상식이 없는 사람이고, 국가를 파괴하고 국민들에 대해 최악의 죄악을 계속 저지른 중세적 광신자'라고 비난했다.[50]

당시에도 루마니아 혁명은 정상으로 보이지 않았다.[51] 두꺼운 겨울 코트를 걸치고 권력이 막강한 지도자라기보다 가난한 노인 같이 보이는 차우셰스쿠 부부를 카메라가 중계하고 있는 가운데 소름 끼치게 처형한 것 말고도, 부쿠레슈티 군중집회에 모인 시민들이 갑자기 차우셰스쿠 앞에서 마음이 바뀐 것, 군대가 갑자기 차우셰스쿠에게 등을 돌린 것, 어디에도 보이지 않던 반정부 세력이 갑자기 나타난 것 모두가 쉽게 이해되지 않았다. 티미소아라의 퇴케스 목사조차도 자신이나 다른 사람이 통제할 수 없게 갑자기 상황이 이상하게 바뀐 것에 대한 유감을 표했다. 아마도 정찰 내의 선동자들의 역할이 있었을 수 있었다. 이 혁명은 당내 차우셰스쿠의 경쟁자들이 지휘한 것인가? 이것은 다른 사람이 연출한 드라마에 군중들이 자신도 모르게 배우의 역할을 한 것인가? 후에 미국과 소련 정보 당국은 반차우셰스쿠 세력의 활동에 대한 정보를 가지고 있었다는 소문이 돌았다.

그 이후 좀 더 넓거나 깊은 음모가 있었다는 주장을 뒷받침할 증거는 나오지 않았다. 한 가지 분명한 것은 이전에 고위직을 차지했던 사람들은 차우셰스쿠가 사라지기를 바랐다는 것이다. 그러나 이들 자신도 그해 늦가

경찰과 탱크에 맞서고 있는 시위대(부쿠레슈티, 1989년 12월)

을에 일어난 혁명적 사건들에 경악하고 압도되었다. 이들은 사건이 전개되는 동안 잘 적응해 자신들을 깊은 트라우마를 겪은 사회의 구원자로 내세웠다.[52] 루마니아 혁명은 계획과 자발성이 결합되어 일어났다. 티미소아라 예에서 자극을 받아 일어난 반대파 지도자들은 부쿠레슈티 시위가 반차우셰스쿠 시위가 되기를 희망했다. 그들의 희망은 현실이 되었다. 수천 명의 시민들은 12월 21일 지시받은 대로 부쿠레슈티 중심부에 모였고, 이들인 반독재 시위를 할 계획이 없었고, 독재자를 전복시킬 계획은 더더욱 없었다. 그러나 다른 사람들, 특히 젊은이들이 독재자의 하야를 요구하기 시작하자, '왕족' 부부와 그 측근의 독재 밑에서 오랜 세월 고통스런 궁핍을 받아온 시민들은 큰 개인적 위험을 아랑곳하지 않고 갑자기 결연하게 행동했다.[53]

불가리아는 신스탈린주의의 붕괴의 마지막 변이형을 보여주었다. 가장 갑작스럽고, 피상적이며, 준비가 안 된 혁명이 일어났다. 토도르 집코프가 이끄는 공산당 지도부는 1950년대까지 이어지는 권력 승계 구도를 이어왔고, 이것은 한 번도 개혁 시기로 단절되지 않았다.[54] 차우셰스쿠와 마찬가지로 집코프는 친인척을 당과 정부의 최고위직에 앉혔다. 딸 류드밀라는 문화부 장관에 임명되었다가 1981년 석연치 않은 상황에서 사망했다.

1980년대의 루마니아 정권을 연상시키는 집코프의 통치는 소련 블록 이웃 국가들로부터도 항의를 야기 시킨 인종적 국수주의가 가장 큰 특징이었다. 1984년부터 지도부는 불가리아 남부와 북동부에 거주하는 튀르키예계 소수민족 주민들을 강제로 동화시키는 작업을 시작했다. 먼저 당국은 주민들이 이슬람식 이름을 슬라브식으로 바꾸도록 강요했다. 그러나 이 조치는 강한 반발을 불러일으켜서 '질서'를 회복하기 위해서 탱크까지 동원해야 했다. 이것은 2차 세계대전 후 불가리아에서 가장 큰 군사작전이었다. 다른 인종주의 국가와 마찬가지로 불가리아 정권은 튀르기예계

목숨을 건지기 위해 도주하는 시위대(클루지나포카, 루마니아, 1989년 12월)

소수민족은 실제로 외국인들이 아니라 강제적으로 이슬람으로 개종된 불가리아인 후손들이라고 주장했다.[55] 루마니아에서와 마찬가지로 불가리아 지도부는 심각한 경제 상황으로부터 주의를 돌리기 위해 민족주의를 이용했지만, 차우셰스쿠의 자아도취적 개인숭배는 따라가지 못했다.

그러나 루마니아와 다르게 이념적 교조주의를 유지하는 불가리아 정권은 소련에 대항해 자국의 이익을 방어한 역사가 전혀 없었고, 오히려 정반대였다. 소련 방식에 대한 모방이 너무 노예적이라 소련 사람들은 불가리아를 '16번째 연방공화국'이라고 불렀다. 이런 배경에서 고르바초프의 등장은 불가리아 지도부에게 매우 당혹스런 일이었다. 동독과 체코슬로바키아 정권처럼 불가리아는 이미 개혁을 완수해서 페레스트로이카나 글라스노스트를 필요로 하지 않는다고 주장한 불가리아 지도자들은 새롭고 혼란을 주는 소련의 노선에 형식적 호응을 했다. 그러나 "진정한 민주화와 글라스노스트에 관해 말한다면 그런 조짐은 전혀 보이지 않았다"고 고르바초프는 후에 기록했다.[56] 결국 끝까지 불가리아 지도자들은 정치범수용소와 거대한 비밀경찰 조직을 유지했다.

불가리아 지도자들은 루마니아의 차우셰스쿠처럼 살인적인 압제를 하지는 않았다. 1989년 초 소규모 반정부 집단이 형성되었고, '페레스트로이카와 글라스노스트를 지지하는 토론클럽'이나 '에코 글라스노스트'처럼 일부는 공개적으로 친소련적인 주장을 내세웠다. 압제받는 튀르키예계 주민들은 불가리아 지식인들이 단결할 수 있는 명분을 제공해주었다. 11월 초 반대파 집단 지도자들은 소피아에서 회의를 열고 인권 옹호 프로그램 지지를 선언했고, 인권과 신앙의 권리를 옹호하는 결사가 여기저기서 생겨나기 시작했다. 대중들이 갖고 있던 특별한 염려는 환경 파괴 문제였다. 11월 3일 에코 글라스노스트는 1만 2000명이 서명한 지도부 교체 요구서

를 의회에 제출했다.[57]

1989년 봄 튀르키예계 주민 거주 지역에서 대규모 시위가 발생했다. 정권은 이를 무자비하게 진압했지만, 튀르키예계 주민들이 불가리아를 떠나도록 제안했다. 집코프의 예상을 뛰어넘어 34만 4000명이 이 제안을 받아들여서 불가리아는 8월 22일 국경을 봉쇄할 수밖에 없었다. 이 대실책은 은폐될 수 없었고, 외국 언론에 그대로 보도되어 집코프에 대한 소련의 신뢰가 무너졌다. 11월 10일 공산당 내 집코프 경쟁자들은 쿠데타를 일으켜 집코프를 해임함으로써 고르바초프와 대화의 길을 열어놓았다.[58]

이렇게 되자 불가리아 거리에서는 연일 시위가 벌어졌다. 11월 18일, 5만 명의 주민이 소피아에서 민주주의와 자유선거를 요구하는 시위를 벌였다. 이후 벌어진 일은 루마니아에서와 마찬가지로 갑자기 민주주의를 내세운 옛 당 관료들의 통제 속에 진행된 체제 전이였다. 집코프가 실각한 지 한 달 후인 12월 7일 반대파연합Union of Oppositional Forces이 구성되었다(이것은 독재자가 여전히 통치하는 가운데 정치적 반대파가 결성된 폴란드, 헝가리, 체코슬로바키아, 동독, 심지어 루마니아와 대조되었다).[59] 이것은 후에 민주주의로의 이행에 나타난 난관의 전조가 되었다.

공산당의 후계 조직인 불가리아 사회당은 1990년 6월 치러진 첫 선거에서 승리했다(총 400백 석 중 사회당이 211석을 차지하여 144석을 획득한 경쟁세력 민주세력연합을 눌렀다).[60] 그럼 왜 '포스트-공산주의자들'이 이렇게 좋은 결과를 얻게 되었는가? 이들은 불가리아에 뿌리 깊은 강한 좌파적 성향과 친소련적인 전통에 도움을 받았고, 전 외무장관 페타르 믈라데노프를 중심으로 결집한 새로운 지도부의 단합도 중요한 역할을 했다. 다른 국가들의 '전' 공산주의자들과는 다르게 이들은 이국적 세력으로 간주되지 않았다. 그리고 분열된 반대파는 강력한 지도자를 배출하지 못했다. 그러나 선

거는 공정하게 치러졌기 때문에 이것이 불가리아 공산주의 독재의 최종적인 결말이 되었다.[61]

* * *

뭔가 새로운 상태로의 이행은 이제 시작된 셈이었고, 여기에는 동유럽 지역 전체가 다 해당되었다. 사람들은 1989년 혁명에 대해 말하지만 그 과정은 그해 전에 시작되었고, 그 시점을 훨씬 넘어 현재 우리 시대에까지 영향을 주고 있다. 가장 이른 혁명적 사건은 1980년 8월 폴란드인들이 1000만 명에 달하는 자유노조 운동을 일으켰고, 정권은 이를 불법화하기는 했지만 강제로 진압하지 않았던 것이었다. 1980년대 말 폴란드에서 파업이 발생하자 개혁적인 공산주의자들은 자유노조 간부들을 불러 (부분적인) 자유선거 '해결책'을 협상했다. 자유노조의 지속적인 힘은 소련 블록 전역이 주민들에게 국가사회주의는 레닌주의를 넘어섰고, 레닌주의와 모순되기 때문에 손을 봐야 한다는 것을 보여주면서 이 사건의 반향은 폴란드를 넘어서 퍼져나갔다.

이것이 이야기의 한 줄기이다. 어떻게 동유럽 주민들이 다른 주민들에게 공동으로 겪고 있는 고난의 성격을 보여주고, 또 어떻게 그것으로부터 탈출할 수 있는가를 보여주었다. 또 다른 이야기 줄기는 공산당들 내부에서 일어났다. 고르바초프라는 가장 중요한 정치인을 포함한 자유주의자들뿐만 아니라 헝가리와 폴란드 사회주의자들은 변화에 대해 토론하고 변화를 준비했다. 그중 법률의 개혁을 통한 변화가 한 예였다. 고르바초프가 없었다면 공산주의는 계속 되었을 것이고, 아마도 다른 형태로 변질되었을 것이다. 동독, 체코슬로바키아, 불가리아, 루마니아에는 개혁가들이 없었고, 이것이 이 나라에서 일어난 1989년 사건들이 헝가리나 폴란드보다 더욱 폭발적(그리고 혁명적)으로 보인 이유이다. 한 저자는 헝가리의 체제 이행을 '협상을 통한 혁명'이라고 불렀다.[62]

고르바초프의 개혁을 촉구한 '구조적' 원인은 경제 문제였다. 모든 동유럽 국가들은 커가는 외채로 인해 점점 더 외국 은행 의존도가 높아졌고 해결책이 보이지 않았다. 1980년대 폴란드는 외채 이자를 갚기 위해 사력을 다하고 있었다. 서방 채무를 거절하고 이로부터 자유로웠던 유일한 국가는 루마니아였다. 루마니아는 1982년 모든 외채를 상환하고, 1917년의 러시아를 연상케 하는 길로 들어섰다. 문제는 폭발이 일어날 것인가가 아니라 언제 일어날 것인가였다. 연쇄반응으로 일어난 1989년 혁명의 특징으로 인해 티미소아라에서 불꽃이 일어나자 이어진 대단원은 민주주의라는 '담론' 틀을 바탕으로 발생했지만, 결과는 공산주의자들이 서로 자리를 바꾸는 것으로 끝났다.[63] 민주적 통치로의 실제 이행은 1990년대 말까지 기다려야 했다.

그래서 1988-1989년 발생한 혁명의 연쇄작용 혹은 혁명의 '눈사태' (빙하 일부가 붕괴되는 것보다 빙하 전체가 바다에 떨어진 것과 같은)를 이야기할 때 역사학자들은 당시 아무도 변화의 범위를 알지 못했다는 것을 마음에 새겨두는 것이 좋다. 그 이유는 폴란드 반체제 인사건 헝가리의 사회주의 개혁가건 당시 행위자들은 오늘날 우리가 선명히 보이는 것을 알아차릴 수 없었다. 그것은 당시 현상의 국제적 차원이었다. 더 큰 역학에 대해 이해를 한 첫 국민은 체코슬로바키아인들이었다. 동독 기차가 1989년 10월 체코슬로바키아를 통과하고, 베를린 장벽이 11월 초에 무너졌지만, 프라하가 외국 카메라가 현장에 있는 상태에서 혁명의 세트가 되었다. 이것은 너무 갑작스러운 것이라서 주요한 질문이 제기되고, 답이 나오는 데 한 주반이면 충분했다.

초국가적 동요와 발효에는 세 번째 차원이 있다. 그것은 서방이 동유럽에서 한 역할이다. 서방 국가들은 1980년 반체제 인사들과 개혁 공산주의자들을 지원한 미국 대사관의 작업에서 시작해서 1990년대에 진행된 정치적 변화를 세심하게 모니터링했다. 폴란드 다음으로는 헝가리가 선두주자였다. 헝가리 출신인 사업가 조지 소로스는 1980년대에 조국인 헝가리에 열린사회재단Open Society Foundation을 합법적으로 설립했다. 그는 헝가리 과학아카데미와 협력하여 기술적 장비(복사기 같은), 장학금을 지급하고, 서방 민간조직과의 접촉을 제공했다.[64] 공산주의가 붕괴되기 전에도 헝가리는 이렇게 친민주적인 비정부기구NGO와 네트워크가 형성되었다. 슬로바키아와 불가리아의 권위주의적 지도자들이 몰락한 것은 이 나라에서 적극적으로 활동하던 비정부기구와 유럽연합 관리들의 역할 덕분으로 돌릴 수 있다.

점증하는 외채에 대한 동유럽 국가들의 반응과 서방 채무공여기관의 압력으로 보면 좀 더 오래된 과거에도 유사한 사례가 있었다. 이전에 유럽 전역에서 사람들이 자유를 위해 대규모로 일어선 것은 1848년 봄이었다.[65] 이 위기는 유럽 전체를 휩쓴 흉작과 경제적 침체, 민주적 동요와 이로 인한 국경을 초월한 정치적·지적 동요가 일어난 다음에 발생했다. 프랑스에서 일어난 사건들은 유럽인들이 공동으로 바라던 기회가 충족되어야 한다는 신호를 보냈고, 프랑스혁명의 소문이 나폴리, 만하임 또는 부쿠레슈티로 퍼지자마자 학생, 노동자와 기타 도시 혁명가들이 이에 호응했다. 이러한 열정은 상대적으로 짧게 지속되었다. 구체제는 제거되지 않았고, 1848년 여름부터 이탈리아와 프라하에서 다시 주도권을 잡았고, 다음 해 혁명은 진압되었다.

1848년 혁명이 봉건주의의 족쇄를 벗어버리려는 도시 계층의 시도였다면, 1989년 혁명은 반생산적이고 작동하지 않는 것으로 드러난 사회주의 이름의 현대화를 벗어버리려는 사회 전체의 노력이었다. 1970년대부터 동유럽 지역은 경제적으로 낙후되기 시작했고, 오늘날 우리가 분명히 알고 있는 것처럼 동독과 소련 외에서는 공산당 관료주의조차도 오래전부터 신념에 근거한 헌신을 포기했다.

1989년은 1848년과 비슷한 시나리오를 제공하는 듯 보였지만 더 행복한 결말을 맺었다. 이것은 1848년 혁명 약 10년 후인 1860년대 초 합스부르크왕조가 마주친 딜레마와 유사한 면도 있었다. 당시 재정 위기가 최고조에 달한 합스부르크왕조는 런던과 파리의 채무자를 만족시키기 위해 헌법 개혁을 단행해야만 했다. 이와 유사한 방식으로 폴란드와 헝가리 정부는 국제 교역 체계에서 낙오되는 것을 막기 위해 자국을 건전한 재정 바탕으로 되돌려놓아야 하는 시급한 도전에 직면하여 1990년 자유로 가는 길을 택해야 했다. 그러나 1990년 초 폴란드가 경험한 초인플레이션은 합스부르크 관리들이 상상하거나 해결할 수 있는 것을 뛰어넘은 20세기적 현상이었다.

26장

폭발하는 동유럽:
유고슬라비아의 국가 승계 전쟁

1989년 동유럽 주민들은 새로운 정치적 삶에 뛰어들었다. 그해 6월 수백만 명의 폴란드인과 수십만 명의 헝가리인들은 다른 종류의 정권하에 살고 싶다는 욕구를 표현했다. 폴란드는 공산당에 반대하는 표를 던짐으로써, 헝가리는 처형당한 지도자의 이장식에 참여하는 것으로 이것을 표현했다. 두 나라 모두에서 시민들은 새로운 정당, 신문, 결사, 사업을 만들어냈다. 동독과 체코슬로바키아에서도 많은 것이 유사했지만, 지금 와서 보면 훨씬 작은 혁명적 집단들이 정부와 독립적으로 민주화 운동을 벌였다. 일례로 그들은 공식 선거를 재검표할 것을 적극 요구했다.

그러나 1989년 가장 격렬했던 국민들은 유고슬라비아인들이었다. 6월 28일 100만 명 이상의 세르비아인들이 1389년 전투 기념지인 코소보 폴례 Kosovo Polje에 모여들었다. 이것은 사회주의 시대와 유고슬라비아 역사에서 가장 기록적인 광경이었다. 어떤 면에서 이 군중은 현 정권의 하야를 요구하는 시위를 벌였지만, 이상하게도 이들의 영웅은 공산당 지도자인 슬로보단 밀로셰비치였다. 그는 전에는 은행가였지만 지금은 민족주의 선동가가 되었다. 군중은 코소보에 대한 세르비아 민족의 표면적 권리를 요구한 것이었다. 그래서 동유럽 대부분 국가들이 서방과의 평화로운 재결합의 길을 가고 있을 때 유고슬라비아, 즉 세르비아뿐만 아니라 크로아티아와 슬로베니아에서는 인종적 민족주의라는 이름으로 다민족 국가를 해체하는 힘이 모아지고 있었다.

세계 언론은 북쪽에서 일어나고 있는 공산주의 붕괴에 너무 정신이 팔려서 완전히 성격이 다른 이 스토리에 큰 주의를 기울이지 않았다. 그 한 이유는 두 현상이 매우 유사해 보였기 때문이었다. 밀로셰비치가 민족 지도자가 되고, 다른 곳에서 민족주의적 정치가 가능하도록 만든 것은 낡은 마르크스-레닌주의가 헌신을 이끌어낼 힘을 잃으면서 발생한 시민사회 동원이었다. 밀로셰비치가 세르비아에서 민족주의적 정치를 주도하는 동안(그 연장선상에서 몬테네그로, 슬로베니아, 보스니아, 크로아티아), 1989년 말 수십 개의 시민사회 조직들이 유고슬라비아 각지에서 조직되었다. 그러나 동독의 "우리는 한 민족이다"라는 구호처럼 새 조직들이 대표한다고 주장하는 '국민'은 인종적 단위였다. 1991년 봄 슬로베니아인들과 크로아티아인들은 투표를 통해 유고슬라비아연방을 이탈하기로 결정했고, 이에 대한 연방의 반응은 무력 대응이었다. 세르비아의 절대자인 밀로셰비치는 이를 막기 위해 탱크, 중포, 군함을 파견했다. 1991년 10월, 수십 년 동안 유럽에서 볼 수 없었던 범죄가 도처에서 일어났고, 이것을 묘사하기 위해 '인종청소'라는 새로운 용어가 사용되었다.

유럽 현대사에 대한 책을 쓴 한 저자는 유고슬라비아를 흔들고 파괴한 힘은 최근의 원인에서 유래된 것이라고 주장했다. 그는 세르비아 민족주의는 '1960년대 말'에 부상했다고 말했다.[1] 이것은 올바른 분석이 아니다.

세르비아인들이 공동의 운명을 가졌다는 믿음, 세르비아에 가해진 가해를 인정할 수 없다는 믿음은 19세기로 거슬러 올라간다. 이러한 믿음은 편협하고 개인적인 이익을 취하는 정치인들이 불러내기 쉬운 잠재적인 힘이었다. 그러나 1960년대 민족적 불만이 변형되는 과정을 거쳤다는 것은 사실이다. 그러나 이것은 세르비아에만 한정된 것이 아니라 크로아티아와 슬로베니아에도 해당된다.

다른 말로 하면, 유고슬라비아의 해체는 한 곳, 한 지도자, 한 시기만 바라보아서는 설명할 수 없다. 원인은 좀 더 깊은 곳에 자리 잡았고, 더 복잡해서 몇 세대를 거슬러 올라가고, 가장 최근의 기원은 1980년대 초반이다. 그러나 좀 더 근원적으로는 1960년대이며 그 시기를 넘어서면 훨씬 이전에 일어난 갈등에 대한 억압된 기억이 원인이 된다. 소련 블록 다른 곳에서와 마찬가지로 유고슬라비아의 비극은 중단되고 실패한 개혁의 비극이다. 1960년대 실패가 처음이고 이것이 1980년대에 반복되었다.

1980년대의 위기가 왜 유고슬라비아에서 '민족주의적' 반응을 일으켰는가는 부분적으로는 유고슬로비아의 복잡한 인종 구성과 관련이 있다. 이것은 대체적으로 단일 민족으로 구성된 중동부 유럽 북동부의 국가들과 대비된다. 체코슬로바키아에는 두 개의 주요 민족이 상호 인정하는 국경을 경계로 분리되었고, 우리가 27장에서 보는 것과 마찬가지로 아주 깔끔하지는 않아도 쉽게 분리될 수 있었다. 이와 대조적으로 유고슬라비아에서는 가장 큰 민족인 세르비아인들이 세르비아공화국 밖의 여러 지역에 거대한 공동체를 이루며 거주하고 있었다. 이러한 이유로 인해 민족주의적인 정치인들은 광범위하게 퍼져 있는 민족적 불만을 자극함으로써 대중적 운동을 촉발할 기회를 갖게 되었다. 세르비아인들의 불만은 오랜 기간 지속된 경제적 불확실성으로 인해 더욱 심화되었다. 코소보에 거주하는 세르비아인들에 대한 인종학살 주장은 슬로보단 밀로셰비치가 권력을 잡기 전에 제기되었다. 이러한 지도자의 부상은 수십 년간 지속되어 온 유럽의 안보 구조의 해체와 맞물려서, 분쟁이 발생하면 누가 이것을 막는 책임을 져야 하는지가 불분명했다. 고르바초프는 '유럽 공동의 집'을 주장했지만 바르샤바조약기구는 1990년 기능이 중단되었고, 나토의 목적은 불분명했다. 유럽연합은 아무런 군사력을 갖지 못했다.

무서운 역설은 1989년까지는 동유럽 국가 중 가장 진보되어 있고, 세계를 향해 있다고 여겨진 유고슬라비아가 정치 투쟁의 격세유전 형태로 보이는 전장이 되었다는 것이다. 이 전쟁에서 포병대는 현대 도시 지역을 포격목표로 삼아서 여러 세대에 걸쳐 만들어진 도시를 파괴하고, 저격수들은 '외국' 인종 시민들을 조준해서 사격했다. 최종적으로 어느 쪽도 이 투쟁에서 승리자가 되지 못했고, 유고슬라비아 지역 전체를 경제적으로 후진시키는 결과를 가져왔다. 그럼 왜 이런 일이 가능했는가가 핵심 질문이다.

＊　＊　＊

가장 근접하고 분명한 원인은 경제적 문제였다. 1960년대 중반 관대한 서방의 지원에 힘입어 유지되던 유고슬라비아 경제가 침체하기 시작하면서 개혁의 압력에 직면했다. 이것은 헝가리의 경우와 마찬가지로 경제의 탈중앙화를 필요로 했고, 이것은 '풀뿌리' 단계에서 수만 개의 공장과 농장의 필요로 능력을 제대로 알지 못하는 중앙 관료들의 손에서 결정이 이루어지는 것을 개혁해야 한다는 것을 의미했다. 개혁에 대한 주요 걸림돌은 내무장관 알렉산다르 란코비치였다. 그는 파르티잔 지도부의 원 멤버였고,

요시프 브로즈 티토 승계 서열 1위로 간주되던 인물이었다. 티토는 충격적인 발견을 이용해 란코비치를 해임했다. 란코비치의 비밀경찰이 티토의 침실에 도청장치를 설치한 것이 발견된 것이다. 1966년 7월 1일 국영 라디오 방송은 정규 방송을 중단하고 란코비치가 당과 정부의 모든 직책에서 해임되었다는 사실을 공표했다. 비밀경찰은 '국가 내의 국가'가 되었다. 티토는 브리오니섬의 휴양소로 소집된 당 중앙위원들에게 스탈린주의 냄새를 물씬 풍기며, 이것이 사실이 아닌가라고 물었다.

그러나 란코비치는 단순히 경찰 수장이 아니었다. 그는 세르비아 이익을 옹호하는 데 앞장 선 것으로 알려진 세르비아인이었고, 그의 제거는 유고슬라비아 내 세르비아의 입지에 타격으로 보였다(오랫동안 대중의 시야에서 멀어지고 당에서 축출된 그가 1983년 사망하자, 공식 발표가 없었는데도 불구하고 수만 명의 시민들이 그의 장례식에 참여했다).[2] 이제 젊은 당 관료들은 진보를 위한 새로운 가능성을 발견했고, 세르비아와 크로아티아에서 다른 소련 블록 국가들과 유사하게 주요 개혁 시도가 나타나기 시작했다. 그러나 헝가리와 대조되게 유고슬라비아의 정치적·경제적 권력의 이양은 명시적으로 인종적 단위들을 이롭게 할 수밖에 없었다. 그 이유는 유고슬라비아의 여섯 공화국은 법률에는 명시적으로 나타나지 않았지만 인종적으로 구획되어 있었기 때문이다(공화국들은 '인민들'과 동일한 경계선을 갖는 것으로 간주되었지만 인민의 의미는 분명하지 않았다).[3] 만일 유고슬라비아연방의 권력이 축소되면 공화국들이 새로운 국가가 될 수 있었다.

개혁 운동은 크로아티아에서 가장 강하게 일어났다. 이곳에서는 경제 자유화에 대한 동경이 크로아티아인들이 생각하는 경제적 차별과 분리될 수 없었다. 크로아티아는 가장 많은 외화를 벌어들였지만 이것의 상당 부분을 수도인 베오그라드(세르비아공화국의 수도이기도 하다)에 보내야 했다.

다른 공화국들은 이것을 지리적 문제로 보았다. 절경의 해안을 가지고 있는 크로아티아는 많은 관광객들을 모았다. 그러나 이것은 크로아티아 주민들의 고된 노력이나 다른 장점과는 큰 관련이 없었다. 그러나 크로아티아인들은 관광 수입이 빠져나가는 것을 마치 개인적인 모욕처럼 느꼈다. 다시 한 번 많은 사람들의 민족적·인종적 불만을 마치 이것이 자신의 가족에 영향을 미치는 것처럼 생각했다. 1920년대 민족적 불만이 점증하는 가운데 크로아티아인들은 다민족 영토에서 평화를 지키는 유고슬라비아의 역할과 이웃 국가들의 실지회복 운동으로부터 크로아티아 민족의 존재를 지켜준다는 의식을 잊었다. 그러나 경제 자료는 분명한 것을 보여주고 있었다. 유고슬라비아의 대외 무역과 재원은 베오그라드에 집중되어 있었고, 베오그라드의 엘리트들은 경제력을 강화시키며 연방 내에서 세르비아의 주도권을 확실히 하는 데 은행과 정부 부처에서의 자신들의 입지를 이용했다.[4]

크로아티아의 개혁 운동은 크로아티아의 봄(1970-1971)이라고 불렸지만, 개혁의 파도는 크로아티아를 넘어서서 슬로베니아, 세르비아의 젊은 개혁 공산주의자들, '자유주의자들'과 '직업 관료들'(문제를 해결해야 하는)을 자극했다.[5] 크로아티아에서 가장 유명한 인물은 미코 트리팔로와 사브카 다브체비치-쿠차르였고, 세르비아에서는 라틴가 페로비치와 마르코 니케지치였다. 트리팔로와 페로비치는 법학 교수였고, 다브체비치-쿠차르는 경제학 교수였으며(그는 존 메이너드 케인스를 주제로 박사논문을 썼다), 니케지치는 고위 외교관이었다.[6] 티토보다 한 세대 젊은이들 모두는 젊은 시절 파르티잔 저항운동에 뛰어들었고, 반反단일주의의 논리를 받아들이고, 다른 공화국과의 대결보다는 협력을 선호했다. 이들 중 아무도 '민족주의적'이라고 간주되지 않았고, 모두가 현대화주의자였으며, 젊음과 열정으로 대중들의 인기가 높았지만, 자신들이 대변하고 있는 크로아티아와 세르비아의 (원심력적) 감정을 무시할 수는 없었다. 또한 군대와 유고슬라비아 공산주의자 동맹 같은 강력한 연방 기구도 무시할 수 없었다. 모두가 티토 원수의 신임을 유지하는 데 특별한 신경을 썼다. 티토는 연방의 균형과 통합을 유지하는 것을 자신의 임무로 생각했다.

란코비치 사망 후 좀 더 자유주의적인 분위기에서 중앙 통치에 대한 불만은 민족적 색채를 띠게 시작했다. 크로아티아 문화단체가 192년부터 발행한 주간지《마티차 흐르바츠카Matica Hrvatska》는 민족적 시각을 반영했다. 1만 부가 발행되는 이 주간지는 놀라운 사실들을 발표했다. 일례로 크로아티아 수도 자그레브의 경찰 중 56.5퍼센트가 세르비아인이었고,[7] 크로아티아 경찰, 군대, 비밀경찰의 3분의 2가 세르비아인이라는 사실과, 세르비아인은 크로아티아 인구의 14퍼센트를 차지하고 있었지만 주요 직책의 40퍼센트를 차지하고 있다는 것을 밝혔다. 또한 유고슬라비아 내에서 크로아티아인들의 입지도 약화되고 있었다. 1918년 크로아티아인은 인구의 28퍼센트를 차지했지만, 1970년에는 이 비율은 21퍼센트로 줄어들었다.[8] 1967년 발행된 세르보-크로아티아어 사전은 공동의 언어라고 간주되는 크로아티아어 어휘보다는 세르비아어 어휘를 더 많이 실었다고 크로아티아 지식인들은 분석했다. 크로아티아 작가들은 크로아티아인들에게 세르비아 표준어를 강요하는 것과 크로아티아인들의 민족성 약화에 대한 우려를 표명했다. 크로아티아 작가들이 문화적 자위행위 수단으로 자신들의 고유한 정자법을 만들자 세르비아 언어학자들은 크로아티아 내 '보호받지 못하는' 세르비아인들에 대한 우려를 담은 공개편지를 베오그라드에 전달했다.[9]

1969-1970년이 되자 크로아티아에서는 '대중운동'이 일어났지만, 개

자그레브에서 연설하는 다브체비치-쿠차르(1971)

혁 지도자들은 이를 인도하지도 않고 비판하지도 않았다. 정치적 집회에서는 크로아티아의 격자무늬 국기(2차 세계대전 후 처음으로)를 흔들고 민족주의적 노래를 불렀다. 이것은 개혁 반대자들에게 기회를 열어주었다. 비밀경찰은 크로아티아 개혁가들이 망명 중인 우스타샤 지도부와 접촉하고 있다는 암시를 주었고, 이러한 암시는 세르비아 신문에까지 나왔다.

1971년 가을 상황은 첨예해졌다. 경제, 문화, 정치 '전선들'이 나타난 후에 공산주의자연맹 크로아티아 중앙위원회는 공화국 내 외화보유고의 직접 통제를 요구했고, 약 3만 명의 학생들이 이에 대한 연대를 표시하며 동맹휴학을 했다. 학생들은 다브체비치-쿠차르가 좀 더 강한 주장을 내세우기를 바랐다. 그녀는 학생들에게 강의실로 돌아가도록 촉구했지만 상황을 통제할 수 없었다. 학생들의 시위는 거의 폭동에 이르렀고, '대중운동'은 크로아티아 민족 국가와 독자적 군대 창설과 UN에 크로아티아 의석 확보를 요구했다. 이 모든 요구는 크로아티아 민족 국가로 바뀔 수 있는 크로

아티아 영토 내에 거주하는 세르비아인들의 권리에 대한 문제를 제기했다.[10]

마르크스주의자인 티토는 전에는 다브체비치-쿠차르의 강력한 지원자였으나 크로아티아에서 올라오는 보고에 경각심을 갖게 되었다. 크로아티아에서 부상하는 민족주의는 이성이나 통제를 넘어선 현상으로 보였다. 상황을 더 악화시킨 것은 프라하의 봄을 막 진압한 레오니트 브레즈네프가 티토가 크로아티아의 봄을 종식시켜서 질서를 회복하지 못하는 경우 형제적 지원을 하겠다고 제안하면서 티토를 초조하게 만든 것이었다. 1971년 12월 티토는 보이보디나의 카라예보에 있는 자신의 사냥 별장으로 크로아티아 지도자들을 소환하여 이들의 사임을 요구했다. 경찰의 탄압으로 수백 명이 체포되었고, 1000명 이상이 공산당에서 출당되었다. 반혁명의 중심으로 지목된《마티차 흐르바츠카》도 폐간되었다. 1972년 가을 '균형'을 맞추기 위해 티토는 세르비아, 마케도니아, 슬로베니아 당 지도부의 자유주의자들도 숙청했다. 여기에 함축된 메시지는 후에 고르바초프가 글라스노스트라고 부른 개방성과 관용이 중앙정부가 감당할 수 없는 민족주의적 요구의 문을 열어놓았다는 것이었다. 티토는 엄격한 당의 규율로 되돌아가고, 젊은 관료들의 '무정부주의적 자유주의'를 종식시킬 것을 요구했다. 전부 합쳐서 정치, 경제, 문화 부문에서 약 1만 2000명의 관료들이 자리를 잃고, '평범하고 거의 알려지지 않은 출세주의자들'로 대체되었다. 슬로베니아 역사학자 요제 피리에베츠는 이 과정을 '원시주의의 물결'이라고 불렀다.[11]

이렇게 해서 티토는 지역적 민족주의를 지하로 들어가게 만들었고, 지역적 이익은 표현되지 못할 뿐 아니라 불법으로 만들었다. 1980년대 지역적 이익이 다시 나타났을 때 이것은 더 이상 자유주의적이 아니었다. 그동안 억압되어온 개혁의 유산도 큰 부담이 되었다. 세르비아는 크로아티아의 개혁과 자유화가 우스타샤와 그 범죄의 귀환의 신호가 될 수 있다고 우려했다. 크로아티아인들은 세르비아인들이 장악한 기득권이 개혁을 좌절시켰다고 불만을 가지고 있었다. 낙관주의자는 기회가 사라졌다고 한탄했다. 이 기회는 세르비아와 크로아티아 엘리트들이 상대적으로 개방된 분위기에서 이견을 조정할 수 있는 마지막 기회였다. 후에 나타난 심각한 압박 없이 티토가 제공한 안정성 안에서 협상을 할 수 있는 기회가 사라져버린 것이다. 비관주의자라면 크로아티아의 봄은 일단 유고슬라비아가 자유화와 탈중앙화의 문이 열리면 이 나라의 문제는 아주 다루기 힘들다고 말했을 것이다. 세르비아의 자유주의자들은 좀 더 확장된 자치를 달라는 크로아티아의 요구를 국수주의 때문에 반대한 것이 아니라, 이것이 온건했기 때문에 반대한 것이다. 이들은 크로아티아 민족주의의 유령이 대(大) 세르비아 민족주의와 투쟁하는 자신들의 입지를 약화시킬 것이라는 것을 알았다. 티토 자신은 균형을 유지하기를 원했지만, 그는 숙청당한 사람들에 의해 비난을 받았다(티토의 이름은 직접 언급되지 않았다). 세르비아 작가 도브리차 코시치는 티토를 아무런 도덕적 방향감각이 없는 '스탈린주의자'이자 '허무주의자'라고 비난했다.[12] 코시치 같은 지식인들이 1980년 티토 사망 이후 세르비아에서 부상한 민족주의 물결의 정점을 형성한 것은 이상한 일이 아니었다.

이러는 사이 티토는 그의 사후 위기에 불을 댕기는 국가 문서를 다루고 있었다. 그것은 1974년 헌법이었다. 이것은 세계에서 가장 길고, 가장 복잡한 헌법이었다. 이것은 '단일주의'라고 알려진 죄인, 중앙정부의 권력 집중으로 회귀하는 것이 아니었고, 중앙과 지역이 권력에 균형을 잡으면서 당의 주도적 역할을 다시 확립하면서 각 공화국의 지방의 당의 역할도 강화했다. 지역 당 지도자는 중앙의 통제를 받지 않으면서 각자의 영지를 통치할 수 있었다. 헌법안이 제시한 또 하나의 양상은 세르비아 내의 코소보와 보이보디나의 지위를 고양시켜서 이 두 지역을 준(準)공화국으로 만든 것이다. 두 지역은 자체 의회, 중앙은행, 경찰을 보유할 수 있었다. 지역 주민들, 코소보의 경우 알바니아인들은 지역 당 기구를 통제하게 되었다.[13] 그 결과는 유고슬라비아 인구의 40퍼센트 이상을 차지하는 세르비아인들은 8개의 지역 중 한 곳에 대해서만 명목적 통제를 하게 되었다. 세르비아 철학자로서 니체 전문가인 미하일로 주리치는 이 조치로 세르비아 민족은 네 국가, 즉 세르비아, 몬테네그로, 보스니아-헤르체고비나, 크로아티아로 나뉘게 되었을 뿐만 아니라 세르비아 자체도 사실상 둘로 나누어지게 되었다고 말했다.[14]

1974년 헌법은 두 가지 최악의 결과를 만들어냈다. 당의 통제력을 지속시키면서 불안정한 탈중앙화를 규정한 것이다. 권력은 각 공화국에서 티토에게 충성하는 공산당 관료들에게 권력을 이양했지만, 기본적 경제 문제에 대한 해결은 전혀 없었다.

1980년 5월 티토가 사망하자 중앙 권력은 매년 각 공화국 지도자가 돌아가면서 대통령을 맡는 집단적 대통령제가 이어받았다. 이렇게 되면서 유고슬라비아는 지도자가 없었고, 일관된 통치가 불가능해졌다. 설상가상으로 각 공화국은 연방 내에서 자유비토권을 가지고 있었다. 1981년 3월 유고슬라비아에서 가장 궁핍한 지역인 코소보의 알바니아 학생들은 더 나은 생활여건을 요구하며 시위를 벌였다. 이들은 식당에서 몇 시간을 기다린 다음에야 식사를 할 수 있었다. 이 시위는 곧 민족주의적 시위로 바뀌면서 코소보가 완전한 공화국이 되어야 한다고 요구했다. 학생과 경찰 사이에 폭력적 충돌이 일어났고, 사망자 수는 공식적으로는 57명으로 발표되었지만, 실제 사망자 수는 훨씬 많았다. 시위는 진정되지 않았고 요구는 점점 담대해졌다. 곧 학생들은 "우리는 알바니아인이지, 유고슬라비아인이 아니다!"라는 구호를 외치면서 알바니아와의 통합을 요구했다. 이들의 행동은 1930년대 중부 유럽에서 가장 관용적인 국가인 체코슬로바키아를 떠나 가장 압제적인 정권에 통합되기를 절대다수가 원했던 보헤미아의 독일인들을 상기시켰다. 이 학생들은 세계에서 가장 자유주의적이고 관용적인 공산주의 국가를 떠나서 세계에서 가장 교조적이고 엄격한 공산국가와 통합하는 것을 원한 것이다.[15]

그러나 코소보인들의 인식은 1960년대 말 크로아티아인과 크게 다르지 않은 인종적 차별에 대한 불만이었다. 이 경우 이런 인식은 지위 상실이 아니라, 처음으로 문자해독을 하고 고등교육을 받은 첫 세대인 학생들이 예민하게 감지한 궁핍에 의해 더욱 강화된 것이다(1981년 코소보는 유고슬라비아에서 가장 높은 학생 비율과 가장 높은 문맹률을 모두 가지고 있었다).[16] 1950년대부터 1980년대까지 코소보의 낮은 생활수준은 다른 지역에 비해 더욱 심각해졌다. 코소보 지역은 유고슬라비아 내에서 가장 높은 실업률을 보였고, 민족적으로는 알바니아인들의 실업률이 가장 높았다(알바니아인의 실업률이 높아지는 동안 세르비아인의 실업률은 낮아졌다).[17]

차별을 당하고 있다는 인식은 새로운 것은 아니었다. 전간기 중 유고슬라비아 당국은 코소보에 비세르비아인이 거주한다는 것을 인정하려고 하지 않았고, 2차 세계대전 후 좀 더 관용적인 상황에서 교사들을 알바니아에서 데려와야 했다(1940년 코소보에 252개 학교가 있었는데, 모두가 세르비아어로 교육을 했다).[18] 알바니아인들이 더 이상 압제당하지 않고, 발전을 촉진하기 위해 많은 재원이 투입되었지만, 유고슬라비아 당국은 코소보인들이 정권에 충성한다고 생각하지 않았다. 1950년대 내내 대부분 세르비아인인 경찰은 무기를 찾아내기 위해 코소보 마을을 수색했었다.

그러나 세르비아공화국 행정당국이 취한 어떤 조치도 코소보 내 세르비아 입지의 하락을 막을 수는 없었다. 코소보 지역 내 알바니아인 주민 비율은 1899년 48퍼센트에서 1981년 77퍼센트로 늘어났다.[19] 1961년 26만 4604명이었던 세르비아인 수는 오히려 1991년 21만 5346명으로 줄어들어서 지역 인구에서 차지하는 비율은 23.6퍼센트에서 13.2퍼센트로 줄어들었다. 유럽에서 가장 높은 출산율(1980년대 말 인구 1000명 당 29명) 덕분에 알바니아인 비율은 67.1퍼센트에서 77.42퍼센트로 늘어났고, 세르비아인 숙련 노동자들은 북쪽 지역의 더 나은 일자리를 찾아 이 지역을 떠났다. 식민지 상황과 유사하게 그곳에 남아 있는 세르비아인들은 전문 분야, 특히 기술, 의학, 법률 분야 고위직 다수를 차지하고 있었다.[20]

그러나 세르비아인들도 자신들이 특권을 누리고 있다는 생각을 하지 않았다. 코소보는 세르비아의 민족적 상상에서 아주 중요한 곳이었다. 코소보는 고대 세르비아라고 알려진 세르비아 중심부였고, 세르비아 역사 신화에서 가장 중요한 1389년 전투의 무대였지만, 코소보의 세르비아인들이 추방당하고 있다는 소문이 돌았다. 1980년대 중반 인플레이션이 1000퍼센트에 달할 정도로 경제가 불안정해지자, 많은 세르비아인들(코소보 내부와 특히 코소보 외부)는 경제적·인구적 동향 뒤에 악의적 의도가 있다고 보았다. 1985년 한 세르비아 농부가 항문에 깨진 유리병이 박힌 채 응급실에 후송되면서 경찰이 수수방관하는 동안 알바니아인들이 세르비아인들을 공격했다는 소문이 나돌았다. 세르비아인들은 이 농부가 마스크를 쓴 두 명의 알바니아인들에게 공격을 당했고, 이들은 세르비아인들을 몰아내기 위해 기독교도들에게 모욕을 주는 이슬람식 잔혹행위를 한 것이라는 소문이 돌았다. 알바니아인들은 농부가 자위행위를 하다가 일어난 사건이라고 주장했다. 성폭행과 다른 폭력행위에 대한 소문이 횡횡했고, 곧 세르비아 수도 베오그라드에서는 코소보의 세르비아인들이 당하는 일을 묘사하는 데 '인종학살'이라는 말이 사용되었다.

이 단어는 1986년 개혁 공산주의자들(도브리차 코스치 같은)을 포함한 주요 지식인이 발표한 '비망록'에 사용되었고, 민족주의가 다른 종류의 목표를 압도하고 질식시켜버렸다. 이들은 1차 세계대전 전 세르비아인들을 근거지와 가정으로부터 몰아내기 위해 '야만적인 알바니아인 튀르크기 병대bashi-bazouks'가 저지른 '야만적 테러행위'를 언급했다. 이들은 2차 세계대전 후 이러한 합력이 다시 나타나 강화되었고, "20만 명 이상의 세르비아인들이 강제로 코소보를 떠나야 했다"라는 사실과 상반되는 주장을 했다. 세르비아는 유고슬라비아 내의 공식적인 '국가'이지만, 이 국가는 "코소보 내의 인종학살을 중단시키지 못했고, 세르비아인들이 조상 대대로 살아오던 집에서 쫓겨나는 것을 막지 못했다"라고 주장했다. 세르비아는 세르비아인들이 '인종적 이유로 차별을 받는 것'을 막기 위해 완전한 세르비아인 국가가 될 필요가 있다는 주장도 펼쳤다. 경제 위기도 문제의 한 부분이었다. 세르비아 경제는 "저개발 지역을 위해 자신의 저축 절반을 따로 떼어 놓아왔고, 그 결과 저개발 지역 수준으로 경제 수준이 하락했다"고 주장했다.[21]

이러한 민족주의적 분노는 2차 세계대전 후 기간 동안 정치 엘리트들 사이에 금기였다. 그러나 한 세르비아 공산주의자는 이것을 비난하기를 거부하고 오히려 이것을 자신의 정치적 무기로 삼았다. 그 정치인은 은행가이자 세르비아 공산당수 이반 스탐볼리치의 후원을 받은 평범한 관료 출신인 슬로보단 밀로셰비치였다. 밀로셰비치는 이전에는 민족적 목표에 헌신한 적이 없었지만, 1987년 4월 일어난 사건들을 보면서 민족주의가 자신의 권력 쟁취에 유용하다는 것을 깨달았다. 스탐볼리치는 밀로셰비치를 1389년 전투가 벌어진 코소보 폴례 전쟁터로 보내 현지 세르비아인들의 불만을 청취하도록 했다. 밀로셰비치가 마을회관에서 분노에 찬 세르비아 주민들의 발언을 듣고 있는 동안 회관 밖에서 충돌이 발생했고, 경찰이 진압봉으로 이를 진압했다(이것은 세르비아에서 온 민족주의자들이 도발한 싸움이었다는 것이 밝혀졌다). 밀로셰비치는 밖으로 나가 그의 정치적 운명을 확고하게 해준 말을 했다. "아무도 감히 당신들을 구타할 수 없습니다!" 밀로셰비치가 이 말을 하는 장면은 세르비아 TV에 계속 반복되어 방송되었고, 그는 바로 민중 영웅이 되었다. 그는 정치적 건전성을 떠나 기꺼이 진실을 말할 수 있는 얼마 안 되는 솔직한 정치인이란 명성을 얻었다. 12월 그는 당황한 스탐볼리치를 대통령직에서 몰아냈다.

필리핀의 '시민 권력'을 모방하여 밀로셰비치는 세르비아와 몬테네그로 전역에 '진실의 미팅'이라는 대중 집회를 조직했고, 버스를 타고 온 참가자들은 '반응이 없는' 공산주의 관료제에 대한 분노를 쏟아냈다. 얼마 안 있어 그는 보이보디나와 몬테네그로의 당 지도부도 통제하게 되었다. 1988년 11월 밀로셰비치는 베오그라드 시내에 모인 36만 명의 군중 앞에서 코소보 문제에 대한 연설을 했다. "모든 민족에게는 영원히 가슴을 따뜻하게 만드는 사랑이 있다. 세르비아에게 이것은 코소보다. 그래서 코소보는 세르비아 안에 남아야 한다"라고 그는 선언했다.[22] 그다음 해 봄 그는 세르비아 헌법을 개정해서 코소보의 자치를 종식시키고, 6월 28일에는 천국을 위한 세르비아의 신비적 투쟁을 상징하는 코소보 폴례 전투 600주년을 기념해서 100만 명 이상의 세르비아인이 현장이 모였다.

이 시기에 다른 동유럽 국가에서는 시민운동이 공산주의자들을 몰아내고 민주적 다원주의를 향해가고 있었다. 그러나 유고슬라비아에서는 공산주의자-민족주의자인 독재자가 사실상의 8개의 공화국 중 네 곳에서 통제권을 주장하고 나섰다. 이러한 움직임은 슬로베니아와 크로아티아에서 세르비아가 주도하는 국가에 압도당할 수도 있다는 다급한 우려를 촉발시켰다. 슬로베니아에서는 1988년 다당제가 등장했고, 1989년 2월까지 10개의 정파가 형성되었다. 밀로셰비치의 예를 따라 슬로베니아인들은 공화국 헌법을 개정하여 슬로베니아를 '독립적이고 주권적인 국가'로 만들었다. 슬로베니아 지도부는 유고슬라비아에 잔류하기를 바라지만 국가 형태에 대해서는 협상을 해야 한다고 주장했다. 이 국가는 더 이상 공산주의자연맹이 지배해서는 안 되고, 민주적으로 정당성을 얻는 구성 국가들에 자발적으로 구성되어야 한다고 주장했다.

그러나 이 국가들의 국경은 정확히 어떻게 결정되어야 하는가? 사회주의 유고슬라비아에서 네 번에 걸쳐 개정된 헌법은 '공화국'과 '국민'에 대한 아주 혼란스러운 정의를 내리고 있었고, 두 대상 모두에게 연방 탈퇴 권리를 부여했다.[23] 그러나 모든 사람들은 세르비아 '국민'은 세르비아 경계로 구분되지 않는다는 것을 누구나 잘 알았다. 거대한 세르비아 공동체가 크로아티아, 보스니아-헤르체고비나에도 있었다. 슬로베니아는 1990년 5월 국민투표를 실시하여 유고슬라비아연방에서 탈퇴하기로 결정했다. 이 분리는 상대적으로 쉽게 진행되었다. 약간의 충돌 후 유고슬라비아 군대는 슬로베니아에서 철수했다. 그러나 크로아티아는 상황이 달랐다.

크로아티아의 민주화는 민족주의적 대중선동의 길을 열어놓았다. 가장 영향력이 큰 집단은 프란조 투지만이 이끄는 크로아티아민주연맹HDZ이었다. 밀로셰비치와 마찬가지로 그는 공산당 운동에 몸을 담고, 1941년에 파르티잔에 가담한 후 2차 세계대전 후 계속 군에 머물렀다. 그는 1960년 유고슬라비아의 가장 젊은 장군이 되었다. 그는 밀로셰비치보다 훨씬 오랜 기간 명백한 민족주의자였다. 1946년부터 베오그라드에 거주한 투지만은 파르티잔 투쟁에서 크로아티아인들의 기여를 우습게 보는 세르비아인 장교, 몬테네그로 장교들에 의해 모욕을 겪었다. 1961년 전역을 신청한 그는 크로아티아 수도 자그레브에 있는 노동자운동연구소 소장 직을 맡아서 크로아티아의 과거에 대한 재평가에 노력을 집중했다. 일례로 그는 크로아티아 독립 국가의 공식적 잔혹행위 희생자 숫자를 축소했다. 크로아티아의 봄에 대한 그의 지원이 너무 결정적이어서 그는 연구소장 직에서 파면되고, 1971년 민족주의적 행동으로 감옥에 수감되었다(그는 1981년 다시 체포된 후 스웨덴 기자와 인터뷰를 남겼다).[24]

　1989년 6월 유고슬라비아가 해체 과정에 들어서자 그는 크로아티아민주연맹을 구성하고 역사에 대한 자신의 생각을 정치로 옮기기 시작했다. 1990년 의회 선거 직전 그는 2차 세계대전 중 존재한 안테 파벨리치의 우스타샤 정권은 '독립 국가에 대한 크로아티아인들의 역사적 열망을 표현'한 것이라고 평가했다.[25] 정권을 잡은 투지만의 팀은 크로아티아를 '크로아티아 민족의 주권국가'로 만드는 헌법안을 만들었다. 헌법안은 1990년 말 공식으로 통과되었고, 세르비아인들을 국가 구성원에서 '소수민족'으로 강등시켰다.[26] 이것이 정확히 무엇을 의미하는지는 분명하지 않았다.

　이러한 상황을 크로아티아 동부 지역의 세르비아 민족주의 지도자들이 호기로 활용했다. 보스니아와의 경계에 있는 이 지역은 합스부르크제국의 군사지대였고, 세르보-크로아티아어로 '크라이나Krajina('변방'이라는 의미)라고 불렀다. 이곳에는 수세기 전 조상 때부터 이 지역에 정착한 정교도 세르비아인들이 밀집해서 거주하고 있었다. 과거 '독립적인' 크로아티아 정권인 우스타샤에 의해 이 지역의 세르비아인들에게 저질러진 잔학행위는 아주 잔혹했다. 이제 과거의 죄가 현재의 크로아티아 지도자들과 연계되었고, 이들은 현명하지 못하게 유고슬라비아 국기를 우스타샤와 연관된 체크무늬가 들어간 크로아티아 국기로 바꾸었다. 크로아티아 지도자들은 범죄 전력이 있는 해외 거주 크로아티아인들의 도움을 받고 있었다.[27] 크로아티아 인구의 약 12퍼센트를 차지하는 세르비안 대부분은 타협을 선호하고 있었지만,[28] 지역의 권력을 잡은 것은 가장 급진적인 민족주의자들이었다. 이들은 베오그라드의 지원과 유고슬라비아 연방군의 크닌 군단의 지휘관인 세르비아인 장군 라트코 플라디치가 남긴 무기로 무장했다.[29] 1990년 가을이 되자 세르비아 민병대는 크라이나 지역을 장악하고 크로아티아 경찰을 몰아냈다. 투지만과 마찬가지로 이들은 지역 주민들에 의한 민주적 자치제에 대한 욕구를 실현하는 것이라는 주장을 내세웠다.

✳ ✳ ✳

1991년 슬로베니아 의회와 크로아티아 의회가 연방 탈퇴를 의결하면서 전쟁이 일어났다. 연방군은 두 지역을 공격하여 장학하고 유고슬라비아의 국가적 통합성을 유지한다고 주장했다. 슬로베니아에서의 전투는 1991년 여름 몇 주 동안만 진행되었고, 슬로베니아인이 압도적으로 지역 주민의 다수를 차지했으며, 국가 경계가 인종적 경계와 대부분 일치했다. 2주도 채 안 되는 전투가 벌어진 후 유럽연합의 주재로 휴전이 성립되었고, 연방군은 크로아티아 지역으로 철수했다. 이 전투로 18명의 슬로베니아인이 사망하고, 44명의 연방군이 전사했다.[30]

크로아티아로 진입한 연방군 지휘관들은 세르비아인 분리주의자들이 세르비아인들이 다수를 차지하는 지역, 특히 크라이나와 동부 크로아티아를 통제하도록 도와주었다. 이들은 종종 지역의 의사, 변호사 같은 크로아티아 지도자들을 살해하며 저항자를 위협하며 비세르비아계 주민들로 하여금 이 지역을 탈출하도록 만들었다. '인종청소'라는 말이 일반적 용어로 사용되기 시작했다. 항복하지 않는 지역은 포격을 가해서 복종하도록 만들었다. 87일간 지속된 포위에서 바로크풍의 부코바르는 폐허로 변했고, 크로아티아계 주민들을 탈주하도록 만들었다. 11월 18일 부코바르가 함락된 후 이 도시를 방문한 기자들은 "사람 시신과 동물들 시체가 거리에 여기저기 흩어져 있었고, 건물 잔해들은 아직 불에 타고 있었다. 작은 구역만이 피해를 면했다. 눈에 광기를 띤 세르비아 자원병들이 소리를 지르며 거리를 달렸고, 이들의 주머니는 약탈품으로 가득 찼다"라고 보도했다. 2차 세계대전 후 처음 보는 이러한 잔혹행위가 다반사로 일어났다. 일례로 부코바르 군병원에 입원해 있던 260명의 환자가 즉결 처형당했다.[31] 크로아티아 관점에서 보면 부코바르의 방어자들은 영웅이었다. 왜냐하면 이들은 연방군이 자그레브와 그 서쪽 지역을 공격하는 것을 막았기 때문이다.

부코바르가 함락된 지 5일 후 전 UN 사무총장의 특별 사절로 임명된 전 미국 국무장관 사이러스 밴스가 UN 평화유지군이 강제하는 휴전협상에 나섰다.[32] 이 협상은 세르비아 민족주의자들이 역사적인 크로아티아 영토의 3분의 1을 장악하는 것을 인정했다. 이보다 더 논란이 된 것은 새로 통일된 독일의 압력으로 유럽연합이 슬로베니아와 크로아티아의 독립을 승인하면서 이 지역 분쟁은 '국제화'되었고, 외국의 간섭이 가능해졌으며, 조금 효과를 거둘 수 있게 되었다.[33] 그러나 이러한 움직임은 다민족 지역인 보스니아-헤르체고비나가 유고슬라비아 내에 고립되는 불행한 결과를 가져왔고, 그 지역의 이슬람 주민과 크로아티아인들이 밀로셰비치가 이끄는 공산주의-민족주의 세르비아와 어떻게 연합하여 거주할 것인가와 이것이 가능한가 하는 의문을 제기했다.

보스니아의 정치는 인종에 의해 갈라져서 크로아티아, 세르비아, 이슬람 정당들이 나타났다. 이슬람 주민들이 가장 숫자가 많았기 때문에 이슬람 후보인 변호사 알리야 이제트베고비치가 1990년 의회 선거에 승리를 거두어서 보스니아 대통령이 되었다. 이제트베고비치는 2차 세계대전까지 거슬러 올라가는 정치 활동 경력이 있었다. 그는 당시 '청년 이슬람' 집단의 일원이었고, 독일군이 1943년 구성한 이슬람 청년들로 구성한 사단(SS 한드차르 사단)에서 복무했다. 이 부역으로 그는 전후 3년간 감옥 생활을 했다. 대부분의 이슬람 보스니아인들과 다르게 그는 신앙심이 깊었고, 현대화가 이슬람 사회에 주는 도전에 대한 글을 썼다. 1970년에 쓴 〈이슬람 선언〉으로 그는 다시 한 번 투옥되었다. 그의 죄목은 이슬람 국가를 창설하려고 시도했다는 것이었고, 세르비아 민족주의자들 사이에서는 이슬람 근본주의자라는 명성을 얻었다. 투지만과 마찬가지로 그는 1990년 유고슬라비아의 정치적 유령이 그의 이슬람 정치조직의 구성을 가능하게 만들어주면서 지하에서 부상하여 활동을 시작했다.[34]

서방 국가들이 크로아티아의 독립을 인정한 지 두 달 되는 1992년 2월 이제트베고비치는 보스니아 독립에 대한 국민투표를 실시했고, 그 결과는 투표자의 99퍼센트가 유고슬라비아연방으로부터의 탈퇴를 지지했다. 그러나 보스니아 인구의 3분의 1을 구성하고 있는 세르비아인들은 인구의 44퍼센트를 차지하고 있는 이슬람 주민들에 대항해서 이 투표를 보이콧해서 새로운 국가에서 '소수민족'으로 전락하는 것을 거부했다.[35] 그럼에도 4월 5일 이제트베고비치 정부는 독립을 선언했고, 그 즉시 세르비아인 민병대는 보스니아의 수도 사라예보를 포위하고, 비세르비아 주민들이 사는 지역을 최대한 소탕하기 시작했다. 강제적인 주민 추방, 위협, 살인 등 온갖 방법이 동원되었다. 일례로 4월 세르비아에서 온 민병대는 보스니아 북동부 비엘리이나를 장악하고 자신들의 수중에 떨어진 비세르비아계 주민을 마음대로 살육하기 시작했다. 살인자들은 자신들이 하는 일을 자랑스러워했고, 지휘관들은 당시 현지에 있던 미국 기자 론 하비브를 불러 사진을 찍도록 권유하기도 했다.

일부 생존자들은 추방당했고, 다른 생존자들은 집단수용소에 감금되었다. 남자들은 학대당하고, 종종 기아에 직면했으며 동물보다 못한 대접을 받았다. 여자들은 체계적으로 성폭행을 당했다. 이러한 폭력행위는 이슬람 주민들을 전투에 앞장서게 만들었다. 사실상 모든 곳이 전선이 되었고, 주민들은 도망치거나 무기를 들었다. 가을이 될 때까지 세르비아 병력은 보스니아 영토의 70퍼센트를 장악했고, 엄청난 수의 난민들이 보스니아 정부가 장악한 지역이나 크로아티아로 몰려들었다. 전투는 3개월 이상 계속되었고, 대부분 세르비아인과 이슬람 부대 사이에 전투가 벌어졌다(때로 보스니아 인구의 17퍼센트를 차지하는 크로아티아인들은 이슬람 주민들과 협력했고, 어떤 때는 그렇지 않았다).[36]

최종적으로 보스니아 전쟁으로 10만 명 이상의 사망자가 발생했고, 이들 대부분은 이슬람 주민들이었다. 왜 전투를 중단시키지 못하고, 민간인을 보호하지 못했는가는 그 시점 이후 국제 사회를 따라다니는 질문이었다. 나토는 수십 년 동안 평화와 안전을 유지하기 위해 수십억 달러를 지출했지만, 서방 TV에 매일 밤 방송된 살육이 일어난 3년 후에나 개입했다. 되돌아보아도 어느 시점에 무력 충돌을 무산시킬 수 있었는지 알 수 없었다. 사건은 빠른 속도로 진행되어서 평화수립자들은 계속해서 예측할 수 없고 아무 해결책도 제공할 수 없는 상황을 맞았다.

전투가 시작되기 전에도 유럽연합과 UN은 협상을 시도했었다. 몇 번에 걸쳐 협상자들은 보스니아를 자치주와 같은 형태로 분할하는 방안을 만

바냐루카 인근 마냐차 캠프에 수용된 사람들(1992)

들어냈지만, 마지막 순간에 이것은 무산되었다. 1992년 2월 이슬람 주민들이 먼저 이를 거부했고, 1993년 4월에는 보스니아 세르비아인들이 이를 거부했다. 지금에 와서 보면 캔톤 방식의 해결책은 주민들의 생명을 구할 수 있는 완전하지는 않았지만 합리적인 해결 방법이었지만, 당시에는 인종청소에 '보상'을 해주는 것이라는 비판을 받았다.[37] UN은 자신의 임무를 평화유지라고 생각했고, 평화유지군은 어느 한쪽 편을 들 수 없었다. 세르비아인 측이 인종청소 악행의 대부분을 저지르는 상황에서도 어느 한쪽 편을 들 수 없었다. 이 행위는 전후 헤이그의 전범 재판에서 '인종학살'이라고 불렸다. 만일 이 용어가 전투가 벌어지는 동안 적용되었더라면, UN은 '평화 유지' 이상의 일을 했어야 당연했다.[38] 평화를 유지하려는 UN의 노력은 이슬람 주민들이 피난처를 찾는 도시에서 '안전한 피난처'를 마련하는 일도 포함되었다. 보스니아의 스레브레니차가 대표적인 경우였다. 그러나 보호는 말에 그치고 말았다. 세르비아 측은 소수의 UN평화유지군을 이용하여 미군기가 '안전한 피신처'를 포위한 세르비아 무장 세력을 폭격하는 것을 막았다. 결국 피난처는 쉽게 정복되었다. 스레브레니차에서 세르비아군이 피난처를 점령하는 것을 UN평화유지군은 지켜만 보았다. 그 결과 포로가 된 8000명이 넘는 이슬람 남성들이 냉혹하게 처형당했고, 많은 수의 남성들이 은신하고 있던 숲에 대한 수색이 이루어졌다.[39]

   그러면 이러한 인종학살에 대한 지원은 어디에서 온 것인가? 왜 이전에는 법을 준수하던 수천 명의 보스니아인들이 남성들은 기아에 시달리고 여성들은 성폭행당하는 집단수용소를 유지하는 데 협력한 것인가? 수십 명이 아니라 수만 명이 이러한 범죄에 연루되었다. 1990년까지도 유고슬라비아인 중 상당수가 유고슬라비아연방을 받아들이고 있었다는 것을 고려할 때 이 수수께끼는 더 풀기 어려워진다. 1990년 유고슬라비아 주민 중 7퍼센트만 연방이 해체될 것이라고 예상했고, 62퍼센트는 유고슬라비아 소속 국민이라는 것은 자신들에게 매우 중요하다고 답했다. 직장에서의 인종 간 관계를 묻는 질문에 64퍼센트가 '좋거나', '만족스럽다'고 답했고, 6퍼센트만이 '나쁘거나', '아주 나쁘다'고 답했었다. 이웃과의 인종적 관계에 대한 질문에서는 85퍼센트가 '좋거나', '만족스럽다'고 답했고, 12퍼센트만이 '나쁘거나', '아주 나쁘다'고 답했다.[40] 유고슬라비아인 절대다수는 1991년 자신들에게 닥친 폭력행위에 크게 놀랐다. 폭력행위가 가장 크게 일어난 지역 중 하나인 보스니아 북서부 프리예도르 지역의 경우도 마찬가지였다. 보스니아가 독립 선언을 한 후 이슬람 주민들은 일반 주민들과 분리되어서 살해되거나 악명 높은 오마르스카 수용소로 추방당했다. 이곳에 수감된 사람들은 굶주리거나 고문을 당했다. 프리예도르에서 이슬람 주민들과 세르비아인들은 평화롭게 살았었고, 세르비아인들은 지역 기관에 많이 진출해 있었다. 유고슬라비아연방이 해체되면서 갑자기 폭발한 세르비아인 소수민족의 불타는 인종적 원한은 전에는 보이지 않았었다 (이슬람 주민들도 소수민족이라는 것을 기억해야 한다).

실상은 폭력이 외부에서 투입되었다는 것이다. 1992년 4월 29일 밤 1775명의 무장을 잘 갖춘 세르비아인들이 쿠데타로 프리예도르를 장악하고 공포 행정을 자행하며 비세르비아인을 경찰, 시 행정, 공장 지도부에서 제거했다. 침입자 대부분은 외부에서 온 사람들이었고, 약탈과 갈취 전과자들이었다. 이들은 중부 세르비아에서 온 아르칸이라고 불린(젤리코 라즈나토비치) 같은 악명 높은 갱 두목의 지휘를 받았고, 세르비아 정부로부터 급여와 보급품을 받았다. 아르칸은 1991년에 이미 크로아티아에서, 4월 초에는 비엘리나에서 살인이 포함된 점거를 지휘했다. 이 지역 모두에서는 게릴라들은 2차 세계대전 때 독일국방군이 나치친위대를 지원한 것과 마찬가지로, 유고슬라비아연방군의 지원을 받았다.

이러한 세력들이 2차 세계대전 중 우스타샤가 저지른 인종학살과 유사한, 반복되는 폭력의 고리를 만들어냈다. 희생자들의 친인척들은 때로는 분노로 인해, 때로는 절망으로 인해, 때로는 다른 선택의 여지가 없어서 '자신의' 종족 집단의 무장단체에 가담해서 영토를 확보하는 것을 도왔고, 일부 경우에는 인종청소에 가담했다.[41] 모든 집단에서 다수를 차지한 온건파는 아무 힘을 발휘하지 못했고, 종족 집단이 대량 학살의 위기에 직면한 '민족적 위기'의 순간에 '현실을 파악하지 못하고 있다'고 비난받았다. 평화를 호소하는 사람들은 양측으로부터 공격을 받았다. 1991년 크로아티아에서 전투가 벌어졌을 때, 크로아티아 오시예크 지역(슬라보니아 지방)•

• 크로아티아 동부 지역으로 네 역사적 지역의 하나로 약 1만 2500평방킬로미터의 면적에 크로아티아 인구 18퍼센트 정도가 거주하고 있고, 가장 큰 도시는 오시예크이다.

의 경찰서장 요시프 라일-키르는 상황을 중재하려고 노력했지만 자신의 인종의 극단주의자 총에 맞아 사망했다. 이 도시의 온건파 부시장 집에 화염병이 날아들어 왔다(한 학생은 그녀와 얘기를 나누는 장면을 다른 사람에게 보이는 것도 위험했다고 후에 술회했다). 그녀는 도시를 도망치기 전에 저격수가 쏜 총알에 거의 맞을 뻔했다. 보냐 루카에서는 비극단주의적인 세르비아인들이 도시 지도부에서 제거되었다. "아무도 전쟁이 일어나는 것을 원하지 않았다. 그러나 내가 싸우지 않으면, 우리 측(세르비아)의 누군가가 나를 죽일 것이고, 만일 내 이슬람 친구가 싸우지 않으면 다른 이슬람 주민이 그를 죽일 것이다"라고, 한 세르비아인이 후에 회고했다. UN 특별보고관으로 일한 전 폴란드 총리 타데우시 마조비에츠키는 "온건파이고 폭력행위를 막으려는 선출직 당국자는 해임되거나 세르비아 극단주의자로 대체되었다"라고 말했다.[42]

이렇게 폭력을 행사하는 소수의 집단이 고통의 폭발을 가져왔고, 방관자들을 자신들의 폭력행위에 끌어들였다. 이것은 우스타샤, 나치친위대, 다른 국외자들이 공동체를 폭력에 휩싸이게 하고 수많은 희생자들을 가학자들에게 넘기며 폭력의 동심원이 한 공동체에서 다음 공동체로 확대되도록 만든 것과 유사했다.

그러나 이것이 이야기의 전부가 아니다. 사람들이 자신들의 종족 집단에 일어나고 있는 일을 어떻게 알게 되었는가도 중요하다. 여기에 대한 답은 자신들 인종의 극단적 민족주의자들이 퍼뜨린 가짜뉴스에 영향을 받았고, 이것은 복수의 열망에 불을 지폈으며 잔학행위가 벌어진 가장 중요한 이유가 되었다. 몇 가지 아주 드문 예를 제외하고는 민족주의적 언론은 벌어지고 있는 충돌과 인권 유린에 대한 왜곡된 보도를 했다. 그 결과 "일반 대중은 믿을 만하고, 객관적인 정보를 접할 수 없었다"라고 마조비에츠

키는 결론 내렸다.[43]

새로운 사고방식이 이 지역에 자리 잡으면서 좀 더 평화로웠던 시기의 사고방식을 대체했다. 그것은 인종적 사고방식이었고, 복잡한 자각 능력을 배제하는 인종적 사고방식이었다. 전투와 인종청소가 벌어지는 장소에서 멀리 떨어진 크로아티아의 수도 자그레브에서조차 자신의 교육, 직업, 개인적 취향에 바탕을 둔 정체성을 가진 기자인 슬라벤카 드라쿨리치는 주변 환경이 바뀌면서 단 하나의 정체성만 남는 것을 느끼지 않을 수 없었다. 자신이 크로아티아인이라는 것이 중요하지 않다는 그녀의 주장은 몰상식하고, 초현실적인 것으로 비판받았다. 모든 사람이 '민족성'에 압도당한 것 같았다. 주요 신문들은 그녀와 다른 네 명의 비판적 페미니스트를 크로아티아를 강간하는 '마녀들'이라고 불렀다(드라쿨리치는 얼마 안 있어 스웨덴으로 망명했다).[44]

드라쿨리치는 여행을 많이 했고, 비판적 감각을 가지고 있었다. 다른 유고슬라비아인들은 권위 있는 언론이 만들어낸, 자신의 인종에 가해지는 위험에 대해 자신들이 들은 것을 그대로 받아들였다. 이들은 이전 재난과 전쟁 중에 일반화된 사고방식으로 다시 빠져들었다. 사회학자인 안소니 오버솔은 이들이 '정상적인' 사고틀에서 '위기'의 사고틀로 되돌아갔다고 말했다. 위기의 사고틀은 여러 세대를 거슬러 올라가는 기억에 바탕을 두고 있었다. 1차 세계대전, 2차 세계대전, 1875년 헤르체고비나 봉기와 그 이전의 기억으로까지 거슬러 올라갔다. 이 전쟁 중에는 전투원과 민간인의 구별이 없었고, 아무도 목숨을 보전할 수 없었다. 모든 사람이 자신의 민족소속에 책임을 져야 했고, 잔혹행위가 게임의 법칙이었고, 모든 사람이 복수와 보복의 잠재적 대상이었다.[45] 1990년대 초반 언론은 위기 사고틀을 계속적으로 강화하는 보도를 했다. 인종청소는 유령 같은 존재일 수도 있었지만, 세르비아 민족을 위협하는 우스타샤, 무자헤딘, 튀르크와 다른 적들이 부활하는 것을 막는 '방어적' 조치였다. 각 마을마다 세르비아인들은 이슬람 주민들이 납치해야 할 세르비아 지도자들의 '명단'을 가지고 있었다고 주장했다. 증거를 대라는 말은 아무 의미가 없었다. 왜냐하면 모든 사람들이 이 진실을 '알고 있기' 때문이다.

지식인들도 가짜뉴스를 확산시키는 데 일조했고, 여행을 많이 해서 진실을 더 잘 알고 있는 사람들도 예외는 아니었다. 사라예보대학 생물학 교수이자 사라예보 국립과학아카데미 원장인 빌랴나 플라브시치는 온건한 경향의 신문에 "성폭행은 이슬람과 크로아티아인들이 세르비아인을 상대로 사용하는 전쟁 전략이다. 이슬람인들은 이것을 정상적인 것으로 생각한다"라고 말했다.[46] 또 다른 작가는 국제자본주의, 이슬람, 바티칸은 "유고슬라비아 주민을 아랍 국가들에서 온 이슬람인들로 대체하는 목표를 가지고 있다"고 말하기도 했다.[47] TV(세르비아인들이 다수인 보스니아 지역은 사라예보 방송을 받지 않았다)와 언론 매체를 통제할 힘을 가지고 이러한 메시지의 뒤에 있는 세력들은 비판적 평가를 받지 않았고, 이들이 말하는 것이 유일한 진실이 되었다.

인종과 민족주의가 날조되어 만들어지는 것을 이 분쟁만큼 선명히 보여준 예는 없었다. 중요한 목표는 권력과 영토이며 이로부터 혜택을 받는 집단은 자신들의 입장을 강화해줄 모든 수단을 사용했다. 슬로보단 밀로셰비치는 민족주의가 자신을 유고슬라비아 권력의 정점으로 밀어 올릴 힘이 있다는 것을 깨닫기 전까지는 민족주의에 거의 신경을 쓰지 않았다. 폭력이 밀로셰비치의 권력을 증진시키는 데 도움이 되지 않는 세르비아 본토인 노비 파자르의 산냐크 같은 역사적 지역에서 이슬람 주민들은 평화롭게 살았다. 이와 유사하게 세르비아 내에 거주하는 수천 명의 크로아

티아인, 슬로베니아인, 알바니아인들은 전쟁 동안 아무 박해도 받지 않았다.[48]

기존에 존재하던 예리한 인종적 긴장이 1991년 발생한 분쟁을 예시하지 않았던 데 반해 기존에 존재하던 사회적 긴장이 그런 역할을 했다. 보스니아에서 세르비아인들은 농촌 지역에 많이 거주했고, 교육을 덜 받았으며, 종교와 인종적 유사성에 기초한 오래된 분리성을 의식하며 좀 더 전통적이었다. 사라예보 주민들은 시골에서 올라온 사람들을 '촌놈'이라고 부르며 "이들의 투박성과 거친 언어, 순진한 야망, 상식의 결여를 멸시했다".[49] 도시 주민들은 좀 더 세속적이고, 이동성이 크며, 혼합되었고, 자신의 인종을 덜 의식하고, 인종 간 결혼 비율과 '유고슬라비아인'이라는 의식이 강했다.[50] 소위 '촌놈들'은 전쟁 중 자신들이 받은 멸시를 앙갚음했다. 오랫동안 사라예보를 포위하며 살인을 자행한 보스니아 세르비아인의 지도자 라도반 카라디치는 '촌놈'인 배경을 가졌고 이 집단의 소외와 분노를 대변했다. 미국 사회학자 보그단 데니치는 언덕 위에서 사라예보에 포격을 하는 포대의 병사와 함께 시간을 보냈다. 그는 다른 때 같았으면 정상이었을 동네의 술집 주인이 이 병사에게 50도이치마르크를 쥐어주면 사라예보에 포탄을 퍼부을 특권을 달라고 요청하는 것을 보았다. 데니치가 도시 안에 있는 사람 중 일부는 세르비아인이라는 사실을 그에게 경고하자 그는 "저 아래 있는 사람은 세르비아인이 아니야"라고 답했다.

많은 유고슬라브인들이 이런 편견을 가지고 있었다면 외국 관찰자들, 특히 권력을 가지고 있는 사람들도 더 예리한 판단력을 보여주지는 않았다. 1992년 권위 있는 보고서들(예를 들어 마조비에츠키)은 보스니아의 이슬람 주민들을 '절멸시키려는' 시도가 있다는 것을 알렸지만, 이후로도 전쟁은 3년 더 지속되었다. 서방 지도자들은 자신들의 편견의 희생자가 되었고, 로버트 캐플란이 쓴《발칸의 유령들Balkan Ghosts》같은 책이 그 원인의 하나가 되었다. 1993년 이 책을 읽은 빌 클린턴 대통령은 살육을 유발한 혐오는 너무 깊은 뿌리를 가지고 있어서 어떠한 외국의 간섭도 이를 진정시킬 수 없다고 결론 내렸다. "이 사람들이 서로를 죽이는 데 지칠 때까지는 나쁜 일은 계속 일어날 것이다"라고 그는 기자들에게 말했다.[51] 캐플란의 책을 읽은 것이 클린턴 생각의 전환점이 되었다. 그는 무엇을 해보려고 노력했지만 서로 상반되는 두 가지 선택에 사이에서 명확한 선택을 하기 위해 고심했다. 캐플란 같은 전문가는 아무 행동도 하지 않는 것을 정당화함으로써 이 문제를 해결했다고 주장했다. 이러한 사고의 실패는 양정당에 모두 해당되었다. 부시 행정부도 마찬가지로 보스니아의 종족 집단들은 수백 년을 서로 살육해왔다는 시각이 지배적이었다. 1995년 7월까지도 로렌스 이글버거 전 국무장관(부시 행정부에서 유고슬라비아 문제를 담당한)은 "그들은 그 지역에서 당분간은 어느 정도 신이 나서 서로를 살육할 것이다"라고 말하기도 했다.[52]

행동을 취하지 않은 것에 대한 또 다른 정당화는 미국의 분명한 이익의 부재와 이것은 내전이라는 시각이었다. 미 국무장관 워렌 크리스토퍼는 1993년 5월 18일 하원 외교위원회에서 행한 발언에서 "세 종족 집단이 서로에 대해 잔혹행위를 했다. 혐오의 강도는 믿을 수 없을 정도이다". 이것은 가장 널리 알려진 인종학살 사건인 홀로코스트와 이를 구별시켜주었다. 왜냐하면 "나는 유대인이 독일인을 대상으로 인종학살을 했다는 얘기를 들어본 적이 없기 때문이다"라고 그는 말했다.[53]

베트남전에 참전한 경험이 있는 많은 국방 전문가들은 군사적 행동의 목표에 대해 확신하지 못했다. 만일 나토가 공중폭격을 하면, 세르비아 병력은 포대를 이동시켜 새 거점에서 포격을 할 것이 분명했다. 미 합참부의 장인 데이비드 제레미야 제독은 폭격으로 민간인 사상자가 발생할 것이 분명하지만 세르비아의 위협을 제거할 수는 없다고 말했다. '교착 상태'라 는 단어가 클린턴 참모팀의 대화에 계속 등장했다.[54] 어찌되었건 미국은 단독으로 행동할 수는 없었다.

명분을 따져보아도 행동을 취하지 않은 것은 변명으로 넘길 수 없는 일 이었다. 1948년 헌장에 의하면 UN은 인종학살 범죄를 '방지하고 징벌할' 의무가 있었다. 인종학살은 '민족적·인종적·종교적 집단 전부나 일부를 절멸할 목적으로 행해지는 행동'이라고 정의되었다. 이 기준은 보스니아 이슬람 주민들에게 적용되어야만 했고, 이 문제는 언론에서 거의 매주 지 적한 사안이었다. 그러나 현재 진행되고 있는 범죄를 막기 위해 어떤 수단 이 적절한지는 분명하지 않았다. 유럽연합이 행동에 나서지 말아야 하는 가? 그 지역은 어찌 되었건 유럽 지역이었다. 그러나 유럽연합은 군사력을 가지고 있지 않았다. 나토 헌장은 회원국에 직접적인 위협을 제기하지 않 는 내전처럼 보이는 분쟁에 관여하는 것을 규정하고 있지 않았다. 그리고 UN의 무기 수출 금지 조치는 보스니아 이슬람 주민들에게 무기 공급을 막고 있었던 반면, 세르비아인들은 유고연방군의 무기를 인계받아서 사용 하고 있었다.[55] 1993년 5월 UN은 포위 상태에 있는 주민들을 위해 7곳의 '안전 피난처'를 만들었고, 가볍게 무장한 UN평화유지군은 이를 방어할 수 없었다.[56]

그러나 1995년이 되자 세르비아인들은, UN의 무기 수출 금지 조치를 어기고 미국이 비밀리에 공급한 무기로 무장한 이슬람 주민과 크로아티 아 병력에 의해 밀려나기 시작했다. 미국은 크로아티아를 통해 보스니아 정부에 무기를 공급했고 크로아티아를 구실로 삼았다. 8월 초 크로아티아 군의 대규모 공격으로 세르비아인들이 장악했던 슬라보니아와 크라이나 지역이 크로아티아 수중에 떨어졌다. 이로 인해 약 20만 명의 세르비아인들이 동쪽으로 탈출했다. 미국은 이 작전에 대해 아무런 반대 의사를 표하지 않았다. 크리스토퍼 국무장관은 세르비아인들의 탈출은 "우리에게 유리한 새로운 전략적 상황을 만들어주었고, 협상을 통한 해결의 기반을 마련해주었다"라고 말했다.[57] 보스니아 이슬람 주민들과 보스니아의 크로아티아 병력은 보스니아 내의 세르비아 거점에 압박을 가하면서 우월한 입장을 점하기 시작했다.

9월 보스니아 포대가 처음은 아니지만 사라예보의 야외 시장을 포격하면서 새로운 전기가 마련되었다. 이 포격으로 수십 명이 사망하고 부상당했다. 그러나 이번에는 스레브레니차가 함락되면서 8000명의 민간인이 대량으로 학살된 공포와 결합된 이번 공격은 나토로 하여금 보스니아 세르비아군 거점을 공습하게 만들었다. 영토를 상실할 위험에 처한 세르비아 측은 결국 뒤로 물러났고, 11월에 미국 오하이오주 데이톤에서 만나 분쟁 종결을 위한 협상에 임하도록 만들었다.[58] 수많은 인명의 희생과 모든 당사자에게 줄어든 보상이 분명한 상태에서, 특히 세르비아인들이 몇 세기 동안 거주해왔던 크로아티아에서의 입지를 상실할 위험으로 인해 협상은 여러 번 결렬될 뻔했으나, 미국 측 중재자인 리처드 홀브루크의 3주에 걸친 설득과 고무를 필요로 했다. 홀브루크는 국제 정치 무대가 본 외교관 중 가장 강압적이고, 고집스러우며 결과 지향적이고, 차갑고 흠결이 많은 외교관이었지만 결국 이 일을 해냈다.[59]

데이톤합의Dayton Accords는 상대적으로 적은 규모의 UN평화유지군(약 2만 명의 지상군)의 주둔과 보스니아-헤르체고비나를 두 지역으로 분할하는 것이 골자였다. 한 지역은 이슬람-크로아티아인 지역(보스니아-헤르체고비나연방)이고, 다른 한 지역은 세르비아인 지역(세르비아공화국)이었다.

이 상태에서 보스니아-헤르체고비나가 주권국가 지위를 갖는다는 아이디어는 유지되었다(보스니아-헤르체고비나의 독립은 국제 사회의 승인을 받았다). 평화는 유지되었고, 두 영역은 사실상 독립되었다. 인종청소의 대상이 되었던 주민들은 고향으로 귀환하기 시작했지만, 그 규모는 제한적이었다. 일례로 세르비아공화국의 반야 루카는 1991년 주민의 15퍼센트가 크로아티아인, 15퍼센트가 이슬람 주민, 55퍼센트가 세르비아인이었다. 그러나 2006년에는 이 비율이 각각 4퍼센트, 2퍼센트, 92퍼센트로 바뀌었다.[60] 지속적인 지역 분리와 대규모 부패로 인해 보스니아-헤르체고비나의 실업률은 높았고, 경제 발전 속도는 더디었다.

보스니아 전쟁의 단기적 유산으로 서방, 특히 미국은 인종청소에 대한 인내를 잃었다. 이제 유고슬라비아를 계승한 국가들도 여전히 인종 구성이 다양하다. 다민족 국가인 코소보, 마케도니아, 몬테네그로, 세르비아가 나타났고, 세르비아는 여전히 슬로보단 밀로셰비치가 통치했다. 코소보의 알바니아인들은 여전히 개혁과 자치 지위를 갈망했고, 1996년과 1997년 이를 위한 평화적 시위를 했다. 이와 동시에 이들 사이에서 코소보해방군 Kosovo Liberation Army이라는 소규모 반란 세력이 생겨났다. 세르비아 군대는 이 반군에 대한 작전을 개시하며 이 작전 후 최소한 두 번에 걸쳐 여성과 아동들이 죽은 채로 발견되었다. 미 국무장관 매들린 올브라이트는 미국은 더 이상의 인종청소 행동은 좌시하지 않을 것이라고 선언했다. 체코슬로바키아 이민자 출신인 올브라이트는 보스니아나 뮌헨이 더 이상 반복되는 것을 용납하지 않겠다는 굳은 결심을 했다.[61] 밀로셰비치 정권이 인종청소의 바람을 불어넣은 기록을 고려하면 이러한 우려는 맞는 것으로 드러났다.

1998년 후반 리처드 홀브루크는 코소보 상황을 모니터하는 감시단을 보내는 것에 밀로셰비치가 동의하게 만들었다. 1999년 초 또 한 번의 인종 학살이 벌어진 후에 '접촉 그룹Contact Group'(서방 국가들과 러시아)은 코소보와 세르비아 정부 대표들을 프랑스의 헝부이에로 불러 협상을 시작하도록 만들었다. 협상의 결과로 코소보인들에게 재정과 문화적 자치를 약속하고 코소보가 계속 세르비아에 잔류하는 절충안이 도출되었다. 완전한 독립을 원했던 코소보인들은 마지못해 이 절충안에 동의했다. 그러나 세르비아인들은 이 안을 거부했다. 1999년 3월 24일 세르비아에 대한 나토의 폭격 작전이 시작되었고, 코소보에서는 세르비아 병력에 의한 전면적인 인종청소가 자행되었다. 추정컨대 약 1만 명의 코소보인들의 목숨을 잃었고, 4만 명이 탈출했다. 세르비아 본토에서도 폭격으로 인해 약 1000명의 민간인이 목숨을 잃었다. 4월 23일 나토 미사일이 세르비아 TV방송국에 명중하여 16명의 직원이 목숨을 잃었다. 리처드 홀브루크는 이 사건 소식을 접하고 TV는 세르비아 독재자 권력의 '세 개의 기둥 중 하나'라고 논평했다.[62]

밀로셰비치는 서방에 대항하며 강대국에 모욕을 주는 이전에 사용하던 카드를 사용하는 듯했다. 히틀러의 뮌헨회담 승리에서 배운 바가 있는 그는 의지가 약한 서방 세력을 분열시키는 전술을 썼다. 그러나 6월 나토가 장기적 작전을 펼칠 것이고, 러시아가 자신을 지원하지 않는다는 것을 깨달은 밀로셰비치는 한발 물러나 국제 평화 계획에 동의했다. 유고슬라비아연방군은 코소보를 떠나고 나토가 이끄는 국제연합군(우크라이나 같은 비나토국 부대도 포함됨)이 그 자리를 대신하게 되었다.

밀로셰비치는 마지막으로 한 번 더 무리를 했다. 2000년 9월, 그는 세르비아 선거에서 패배했고, 권좌에서 내려오는 것을 거부하다가 학생들 집단인 옵토르Optor('저항'이라는 의미)가 이끄는 시위에 의해 권좌에서 내려왔다. 3만~4만 명의 회원을 보유한 이 단체는 세르비아 각지에 120개의 지부를 두고 있었다. 이들은 활동에 대한 희생을 치렀다. 2000년 5월부터 9월까지 경찰은 약 1000명의 학생을 체포했고, 이 중 가장 어린 학생은 13세밖에 되지 않았다. 밀로셰비치 통치의 대실패는 명백해 보였다. 세르비아의 경제는 10년 전의 40퍼센트 수준으로 축소되었다. 이러한 경제 침체는 포스트-공산주의 시기 조지아와 몰도바 정도에서만 일어난 일이었다.[63] 밀로셰비치가 벌인 전쟁으로 인해 크로아티아에는 세르비아인이 더 이상 없었고, 코소보도 분리되었으며, 몬테네그로도 분리·독립을 원하게 되었다.[64] 세르비아는 유럽과 단절된 고립된 국가가 되었다. 그러나 미래에 대한 희망은 있었다. 1999년 크로아티아의 절대 권력자 투지만이 자그레브에서 사망했다. 이제 두 나라 모두에게 유럽 통합을 위한 길이 열렸다.

전에 소련 블록에 속했던 북쪽의 국가들에서는 '유럽으로의 복귀'가 지난 10년간 가장 중요한 아젠다였지만, 이러한 모색에는 전에 유고슬라비아에 속했던 슬로베니아공화국도 포함되었다. 법의 지배, 한정된 재정 적자, 낮은 인플레이션을 구가한 슬로베니아는 체제 전환의 모범적 사례로 평가되었다. 그러나 이것은 1991년 유고슬라비아 해체라는 악몽을 촉발시킨 강력한 대중적 감정에 반응한 슬로베니아 정치 엘리트들의 결정이었다. 슬로베니아는 영민하게 한 연방의 보호 우산을 다른 연방과 바꾸는 데 성공했다.

27장

유럽과 통합된 동유럽

포스트-공산주의 유고슬라비아가 폭력을 수반한 해체를 겪은 데 반해 중동부 유럽의 다른 곳의 이야기는 대부분이 평화로운 통합 과정이었다. 1989년 이후 과거 소련 블록에 속했던 국가들은 서유럽과 북대서양 정치적·문화적·경제적·군사적 기구에 가입을 하고 다원적 통치로 이행을 했다. 이 두 과정은 이 지역의 역사에 전례가 없는 것이었다. 그러나 '이행transition'이라는 단어는 회귀 없이 새 장소로 여행하는 것을 의미하지만, 최근의 형가리는 그것이 가능하지 않다는 것을 보여주었다. 2004년 유럽연합에 가입했을 때 많은 관측자들은 이 나라가 민주주의로 완전히 이행하는 길에 들어섰다고 보았다. 그러나 2010년부터 시작하여, 한때 학생 운동 지도자였던 빅토르 오르반이 이끄는 선거로 선출된 우익 정권은 '항구적' 권력이라고 불리는 것을 공고히 하기 위해 반대의견과 민주주의를 불가능하게 만들었다.

그러나 민주적 다원주의로의 이행이 정확히 언제 시작되었는지도 불분명하다. 자유선거와 함께 이 과정이 시작되었다고 말하는 것은 잘못된 정의이다. 크로아티아에서는 선거가 1991년 시작되었지만, 이 나라는 오랜 기간 민주주의에서 멀리 떨어져 있었다. 불가리아와 루마니아에서는 1990년대 말 자유시장경제로의 이행이 시작되었지만, 반자유선거는 이보다 먼저 시작되었고, 시장경제의 중요한 전제조건이 되었다. 법의 지배로의 이행은 폴란드와 헝가리에서 (앞으로 시작될 것으로 기대되는) 좀 더 다원적 정치에 중요한 예비적 입법 개혁이 공산주의자들에 의해 1980년대 중반에 시작되었다. 자유시장경제 관행으로의 이행의 한 흐름은 후기 사회주의에서 기업가적 원초 계급이 생겨난 폴란드와 헝가리의 회색시장 활동에서 기원을 찾을 수 있다. 서유럽과 아시아에서 몰래 컴퓨터를 수입하던 사람들은 이제 공개적으로 회사를 만들어서 거래 물량을 늘렸다. 정권 반대 기자들은 지하의 인쇄소에서 나와 천연색 광고로 가득 찬 멋진 현대적 신문들을 찍어내기 시작했다. 사회주의 대학들은 10여 년 동안 변호사들을 쏟아냈지만, 그들의 일자리는 아직은 급여가 낮은 시 행정기관에 제한되었다. 그러나 1989년 이후 시장경제에 필요한 서류를 작성해야 하는 변호사가 수천 명이 필요하게 되면서 이들은 돈을 벌어들일 수 있었다. 도시의 성장 산업에 종사하는 이들과 다른 젊은이들은 자동차, 주택, 전자제품에 대한 큰 수요를 만들어냈고, 이것은 다른 부차적 산업과 서비스 산업 발전을 촉진했다.

우파 포퓰리즘이 시작되기 전까지 정치학자들은 동유럽에서 두 번의 민주화 물결이 일어났다고 지적했다. 첫 물결은 1989년 직후 토착 정권 반체제 운동이 권력을 잡은 곳에서 일어났고, 두 번째 물결은 토착 공산주의자들이 권력을 유지하며 민주화를 1990년대 말까지 지연시킨 곳에서 일어났다. 첫 번째 경우에 해당하는 나라는 폴란드, 체코공화국, 슬로베니아,

헝가리였고, 두 번째 경우에 속하는 나라는 슬로바키아, 루마니아, 불가리아, 크로아티아, 세르비아였다. 후자의 경우는 민주주의의 일부 특징은 가졌지만 자유주의적 기준에는 도달하지 못한 '혼합' 정권이었다.[1] '두 번째 물결'은 권위주의적이고 반자유주의적인 통치자들의 붕괴를 가져왔다. 슬로바키아의 블라디미르 메치아르(1998), 루마니아의 이온 일리에스쿠(1996/2004), 불가리아의 쟌 비데노프(1997), 크로아티아의 프란조 투지만(1999), 세르비아의 슬로보단 밀로셰비치(2000)가 '두 번째 물결' 때 실각한 지도자였다.[2] 전에 일어난 이행과 후에 일어난 이행은 정치적 다양성에 이어 민주주의, 시장, 유럽 통합을 중심으로 한 수렴이 일어났다.[3]

　이러한 변화가 일어난 두 지역 사이의 차이를 설명하기 위해 일부는 잠재하고 있던 '문명'을 지적했다. 역사적 서방이나 합스부르크제국의 이전 중심부에 가까운 지역은 민주주의의 마구trappings에 좀 더 빠르게 적응했다. 그러나 이러한 일반적 접근법은 특정 케이스에 적용하기가 힘들다. 민족주의는 '합스부르크' 왕가의 지배를 받던 크로아티아에서와 마찬가지로 '오스만'제국의 지배를 받은 세르비아에서 맹위를 떨쳤다. 아마도 체코인들과 폴란드인들은 좀 더 깊은 서구적 '문명'을 공유했지만, 1989년과 1990년에 발생한 어지러운 정치적 투쟁에서 일어난 일이나 후에 집시들의 자산 몰수, 집시에 대한 폭력 같은 사태에서 일어난 일을 거의 설명하지 못한다.[4] 다양화된 경제와 다른 요인들과 같은 좀 더 깊은 전통을 민주주의의 환경을 만드는 유리한 요소로 상상하는 것이 더 정확할 것이다. 권력 분산 사상 같은 일부 역사적 유산은 서구 기독교와 권력 분산 전통의 유산으로까지 거슬러 올라갈 정도로 오래된 것이다. 예를 들어 정치적 문화에 흔적을 남긴 헝가리와 폴란드 귀족들의 자치권 유산 같은 일부 전통은 이 지역에 토착적인 것이었다.

최근에 폴란드와 헝가리가 반자유주의로 이행한 것은 이러한 흔적이 지울 수 없다는 것을 보여준다. 이것은 운명이라기보다는 자원resources이다. 두 경우 모두 헝가리의 오르반, 폴란드의 야로스와프 카친스키 같은 전제적 통치자들은 토착적인 다원주의, 법의 지배, 권력분립의 전통을 무시했다. 대신에 그들은 1882년 린츠선언의 유산에 은밀하면서도 효과적으로 귀를 기울였다. 당시의 신우파와 유사하게 현재의 반자유주의적인 정치인들, 특히 헝가리의 정치인은 헝가리와 폴란드 그리고 유럽연합의 일부 자유주의적 엘리트들이 소홀히 한 인종적 국민이라는 개념을 호의적으로 말했다고 주장해왔다.

2010년 극우 정치로 이동하기 전 관측자들은 헝가리, 폴란드, 체코 땅의 상대적 인종적 동일성이 민주주의를 공고히 하는 데 도움을 줄 것이라고 예측했었다. 민주주의는 민족과 국가의 경계 문제가 해결된 다음에 택할 수 있는 선택인 것처럼 보인다.[5] 그러나 대체적으로 단일 민족인 사회에서도 체코의 밀로시 제만 대통령 같은 무원칙한 정치인들은 존재하지도 않는 외국의 위협에 대한 반감을 고조시킬 수 있었다. 제만은 중동에서 밀려오는 난민들은 보헤미아에 대한 체코의 인종적 주도권을 위협할 수 있다고 선동했다. 2018년 말 기준으로 체코가 받아들인 난민 수는 12명에 불과했다.

그러나 제만이 상대적으로 온건한 사회민주주의였던 1990년 후반만 해도 체코와 같이 첫 물결의 '승리자'처럼 보였던 폴란드와 헝가리에서 권력을 잡고 공산주의 시대를 넘어 국가를 전진시킨 것은 정권 반대파들이었다.[6] 반대파의 크기는 중요하지 않았다. 체코 땅에는 소수의 반대파만 있었지만 새로운 정치 운동을 이끌고 국가 행정을 인수할 지도적 요원들을 제공하기에는 충분했다. 동독에서는 서독 정치인들이 들어와 기존 국가 기구의 통제권을 빠르게 장악했다. 이들은 선거를 통한 합법적 방법으로 이를 이루었고, 서독 모델을 반영하여 제도 이행을 추진했다. 동독은 1990년 10월 서독의 헌법을 채택함으로써 독일연방공화국(서독)과 '통합되었다'. 폴란드와 헝가리에서는 상대적으로 규모가 컸던 시민사회 운동이 정당으로 갈라졌다. 잠시 동안 폴란드 민중은 미흐니크 같은 지식인들이 좀 더 전통적인 인물인 레프 바웬사와 투쟁하는 '정상에서의 전쟁'에 시선을 고정했다. 되돌아보면 정치적 스펙트럼이 이렇게 분화되는 것은 정상으로 보인다.

헌법 개정은 민주주의로의 이행을 시작하는 기본적 기준이다. 그 이유는 이로써 공산당의 특권이 종식되기 때문이다. 그러나 독일에서 일어난 일과 다르게 이 지역 나머지 지역에서는 새로운 헌법을 제정하기보다는 기존의 법체계를 개정하는 과정을 거쳤다. 예를 들어 헝가리에서는 새로운 헌법을 제정하기보다는 스탈린 시대 헌법의 요소들을 개정했다.[7] 헝가리는 1997년이 되어서야 새로운 헌법을 마련했다. 그전 기간 동안 법 제정자들은 1952년 스탈린주의 헌법을 현대화했다. 일례로 권력이 (노동계급뿐만 아니라) 국민으로부터 나오고, (사회주의화된 재산이 아니라) 사적 재산의 보호를 언명하면서 '인민공화국'이 아니라 '공화국' 정체를 선언했다.[8]

1989년 직후에는 민주주의로의 이행에 대한 폭넓은 사회적 동의를 이용하여 덜 '정치화되고' 분열적이지 않은 상황에서 헌법을 개정하는 이익이 있었다. 그러나 시간이 흐르면서 가장 좋았던 합의도 권위주의적이고 반민주적인 세력에 의한 졸속적 헌법 손질로부터 이 국가들을 보호하지 못했고, 이것이 현재 헝가리가 당면한 곤경이다.[9] 폴란드에서도 결함이 많은 포스트-공산주의 제3공화국을 넘어 도덕적으로 재탄생한 제4공화국으로 가는 정치적 권리에 대한 논의가 있었다.[10] 카친스키의 법과정의당PiS

은 1997년 헌법은 '폴란드 국민의 가톨릭 국가'나 '강력한 질서 국가'를 가져 오지 않았다고 불평했다. 이 정당은 정권을 잡고 있던 2005년부터 2007년 사이에 인종적 의미에서 '국가를 형성하는' 새로운 헌법을 제안하고, 포퓰리즘적 노선에서 "국가의 존재 이유는 시민들의 공통의 복지다"라고 약속했다. 그러나 이 헌법안은 폴란드 의회에서 필요한 3분의 2 득표를 하지 못해 통과되지 못했다.[11]

체제 이행에 핵심적인 두 번째 차원이 성공하지 못하면, 즉 법의 지배에 의한 시장경제로의 이행이 성공하지 못하면 비판의 대상이 되는 정치적으로 안정된 폴란드 제3공화국도 있을 수 없었다. 그러나 1990년대 초반의 체제 변혁은 짧은 기간에 너무 큰 고통을 가져왔기 때문에 이것은 민주적 지배가 아직 확립되지 않고, 새로운 정권들이 야당의 도전을 상대적으로 덜 받는 기긴 동안에는 효과적으로 작용하기가 더 쉬웠다. 그래서 제대로 발달하지 않은 민주주의는 '축복'이었다. 그 이유는 좀 더 '책임 있는' 정부는 실각을 염려하지 않고 개혁을 수행할 수 있었기 때문이었다.[12] 1990년대 급격한 긴축 조치들은 모든 곳에서 인기가 없었지만, 조직적인 저항은 아직 나타나지 않았다. 일례로 1995년에 통과된 긴축 조치에 헝가리 국민의 약 55퍼센트는 격앙했지만, 일부 학생 시위를 제외하고는 저항 운동이 일어나지는 않았다.[13]

체제 전환의 선구자였던 폴란드, 헝가리, 체코슬로바키아에서 시장경제로의 이행은 서로 다른 형태와 속도로 진행되었고(폴란드가 가장 속도가 빨랐다), 서로 다른 시점에(폴란드가 가장 빨랐고, 헝가리와 체코슬로바키아는 좀더 뒤에) 시작되었다. 시장경제를 만드는 과정의 일환으로 국가는 세세한 규제와 계획뿐만 아니라 경제에 대한 보조를 중단하고 국가 소유 기업을 민간 투자가에게 매각했다. 통화제도를 안정화시키기 위해 세 나라 모두 화폐를 서방 통화제도에 연동시키고, 통화를 투기에서 보호하기 위해 대규모 차입을 일으켰다. 세 나라 모두에서 체제 이행 과정에서 경제 생산과 일인당 GDP가 감소했고, 그 이유 중 하나는 경쟁력 없는 기업들이 폐쇄되었기 때문이었다. 그런 다음 1993년부터 경제는 반등하기 시작했다. 각나라의 경우 새로운 정부는 반정부 운동 인물들을 스카우트했고, 이들은 각기 다른 탈공산주의 과정에 관여했다.

폴란드의 체제 전환은 헝가리나 체코슬로바키아보다 좀 더 급진적이고 알력이 커서 '충격 요법'이라고 불렸다. 이 프로그램은 갑작스런 정부 지원 중단과 정부의 가격지지 거부에 적응할 시간을 사실상 전혀 주지 않았다. 대신에 정부는 유동적 가격을 통해 상품과 서비스가 '진정한 가치'를 찾게 허용해주었다. 실업률이 치솟고 생산이 저하되면서 가격은 연일 기록을 경신하며 상상을 초월할 정도로 치솟아 올랐다. 어린 아동을 포함해서 폴란드인 모든 세대들은 스마트폰이 있기도 전에도 곧 200배까지 상승해 판매되는 상품 가격을 암산하기 위해 곱셈에 능하게 되었다. 1990년 3월 물가는 1395퍼센트 상승했고(연 기준), 이것은 20세기 폴란드 역사상 가장 큰 폭의 상승이었다. 수요가 통제되지 않는 상황에서 사람들은 더 큰 인플레이션을 염려하며 살 수 있는 것은 모두 사 모았다. 1988년부터 1990년 사이 빵 한 덩어리 가격은 46즐로티에서 2000즐로티까지 올랐고, 소고기 1킬로그램은 560즐로티에서 1만 9431즐로티로 올랐다. 스타킹 한 족은 626즐로티에서 4837즐로티로 올랐다. 폴란드에서 생산되는 피아트 승용차는 110만 즐로티에서 2050만 즐로티로 가격이 뛰었다. 이전의 상품 부족과 대비되게 상점 진열대는 계속 채워지고 상품은 늘어났다. 그러나 소비자들은 새 제품을 사는 것이 어렵다는 것을 깨달았다. 1988년 사람들은 평균 월급으로 1185덩어리의 빵이나 1475리터의 휘발유를 살 수 있었다.

2년 후 이 구매력은 각각 341덩어리의 빵과 565리터의 휘발유로 줄어들었다.[14] 이 숫자가 보여주는 것처럼 급여도 상승하기는 했지만, 물가처럼 급격히 상승하지는 않았다. 정부는 연금도 인상했지만, 물가처럼 극적으로 올리지는 못했다.

폴란드의 국민총생산은 시장의 압력에서 생존할 수 없었던 기업들이 문을 닫으면서 1990년 2.4퍼센트 감소했다. 그러나 1992년 폴란드 경제는 다시 회복하기 시작했고, 그 이후 성장을 멈추지 않았다. 1990년 533퍼센트에 달하던 인플레이션도 꾸준히 감소되어 1997년에는 15퍼센트까지 떨어졌다. 이 숫자는 상대적으로 높았지만, 꾸준한 경제성장에 비하면 너무 높은 것은 아니었다. 1993년 16.4퍼센트였던 실업률도 1997년 10퍼센트로 낮아졌다.[15] 2005년이 되자 폴란드는 인플레이션율, 정부 재정 적자, 장기 이자율, 환율 안정성 등에서 유럽경제통화연합에 정회원이 될 수 있는 기본적 기준을 충족했다.[16]

그러나 가톨릭 반체제 인사이자 작가인 타데우시 마조비에츠키가 권력을 잡은 1989년 여름만 해도 이러한 상대적인 성공은 상상할 수 없었다. 폴란드는 경제적 고난의 오랜 역사를 가지고 있었고, 계속 반복되는 위기의 끝은 보이지 않았다. 새롭고 우려되는 의문들이 제기되었다. 국가는 얼마나 뒤로 물러날 것인가? 문화도 '시장'의 일부가 될 것인가? 국가는 더 이상 책 출판과 극장과 오케스트라의 운영을 지원하지 않을 것인가?

혁명가들은 권력을 잡게 될 것을 예상하지 못했고, 이런 질문에 대한 즉각적인 답을 가지고 있지 못했다. 이들은 '전문가들'의 도움을 구했다. 사회주의가 실패한 지금 자유주의의 엄격한 형태로만 보였던 남아 있던 '이념'은 '신자유주의'라고 불렸다. 이것은 시장이 가치를 결정한다는 기본적 아이디어 이상의 길을 보여주지 않았다. 그러나 시장은 얼마나 규제를 받아야 하는가? 아무도 알지 못했다. 폴란드의 대표적 신문인《선거신문Gazeta Wyborsza》의 발행인인 아담 미흐니크는 대중은 경제 정책을 거의 이해하지 못하고, 최선의 정책은 개혁이 되돌아가도록 만들지 않기 위해서 앞으로 나가는 것이라고 썼다.[17] 전에는 거의 알려지지 않았던 경제학자들이 갑자기 유명해졌다. 폴란드에서는 바르샤바의 중앙계획학교의 교수이자 전 공산당원이었던 레체크 발체로비츠는 재무장관이 되어서 체제이행의 고통이 사회주의 병폐를 치유하는 데 필요한 치료법처럼 보이게 만들었다.[18] 경제의 맥박이 생명을 위협할 정도로 낮은 수준으로 떨어졌지만, 그는 뒤로 물러서지 않았고 체제개혁은 계속되었다.

1991년 이전까지 별로 알려지지 않았던 계량경제학자 바츨라프 클라우스가 체코슬로바키아공화국의 총리로 선출되었다. 자신감이 넘치고 마거릿 대처 숭앙자인 그는 규제에 대한 논의를 조소하고, 신자유주의를 긍정적인 정치로 전환시키는 데 박차를 가했다(이에서 더 나가 생활방식으로).

'충격', '이행', '혁명' 같은 단어를 사용하면서 외부 관측자들이 가장 놀란 것은 그간의 변화가 폴란드인, 체코슬로바키아인, 헝가리인들을 일상생활에 거의 영향을 주지 않았다는 것이었다. 사람들이 혐오하기는 했지만, 수십 년 동안 자신들의 생활의 조건을 만든 제도적 틀을 번복하고 세계관을 해체했는지를 알아보기 위해 1991년 5월 저술가 에바 호프만은 폴란드를 방문했다. 그녀가 발견한 것은 사람들은 깊은 고민 없이 생활을 영위하고 있다는 것이었다. 그녀는《선거 신문》편집진과 저녁식사를 한 후 "나는 사람들이 이 거대한 물결의 변화를 놀라운 일이 아니라 세상에서 가장 자연스러운 일로 받아들이는 것을 이 방에서 아무도 놀라지 않는다는 사실에 계속 놀랐다"라고 말했다.[19] 그녀는 폴란드인들의 '스토아학파 같은 냉정함'은 이들에게 다른 대안이 없었기 때문이라고 해석했다. 새로운 현실은 '정상'이고 이전의 상황은 사람들이 화장실 휴지나 면봉 같은 생활필수품을 물물 교환하는 상품 품귀현상과 감춰진 연줄의 논리가 지배하는 '부조리한' 상황이라고 생각했다.

대안의 부재는 유권자들이 대안 정당을 선택한 것으로 가장 분명하게 드러났다. 1993년과 1994년 폴란드와 헝가리 유권자들은 신자유주의 긴축의 사도들을 몰아내고, 이제는 사회민주주의자로 자신을 재단장한 구공산주의 정당 소속 정치인들로 대체했다. 헝가리에서는 사회민주주의자들이 의회의 절대다수당이 되었다.[20] 폴란드에서는 사회주의자(민주좌파연합SLD)로 변신한 공산주의자들이 체제 전환에 의해 가장 큰 타격을 받은 사회 집단들에게 우호적인 구농민당과 연합했다. 구시대적인 대형 공장에서 일하는 노동자들과 작은 텃밭에서 일하는 생산성이 떨어지는 농민들이 이 정당들을 지지했다.

새로운 좌파 정부는 과거로 되돌아가기보다는 체제 전환의 과정을 온건하게 조정했다. 이것은 자유주의적 반대파가 불러일으킨 공포와 크게 대조되었다. 폴란드에서 발데마르 파울라크 정부는 사유화 과정의 속도를 조금 늦추었을 뿐이다. 1981년 학생 파업에 참여하고 기계공학 학사 학위를 받은 후 1980년대 자영 농장을 경영한 파울라크는 폴란드의 재건된 농민운동을 대표하는 인물이었고, 이 농민운동은 세력이 더 강한 민주좌파연합과 힘을 합쳤다. 그는 체제 이행에 따르는 사회적 비용에 대해 대중들과 소통을 하고, 노사 관계자들과의 파트너십을 통해 지지세를 확보하는 새로운 스타일의 정치를 시도했다.[21] 세세한 부문에 더 신경을 써서 일례로 노동자들이 사유화된 회사의 지분을 소유할 것인지, 그 방법은 어떻게 되어야 하는가에 주의를 기울였다.[22] 전 재무장관이었던 자유주의자 야누슈 레반도프스키는 민주좌파연합 정부의 재무장관들이 "안정된 통화를 유지하고 사유재산과 계약을 보호하고, 책임 있는 거시정책을 폈다"고 높이 평가했다.[23] 자유노조의 비공산주의 포퓰리스트 중에서 공업 분야 노동계급과 소규모 자영농업자들보다 이러한 포스트-공산주의 '자본가'들과 더 밀접한 유대를 레반도프스키는 느꼈다.[24]

'포스트-공산주의자'들이 다시 권좌로 복귀한 것은 당시에는 충격적인 일로 받아들여졌다. 이것은 공산주의가 수십 년 동안 축적한 범죄와 잘못된 경영에 대한 책임을 지고, 정통성도 결여한 채 수치스럽게 권력을 잃은 1989년 시점에는 아무도 예상할 수 없는 일이었다. 공산주의자들은 1989년 경쟁이 허용된 모든 자리를 다 잃은 상태에서 1993년 첫 안정적 정부(연정, 총선에서 20.41퍼센트 득표)와 2001년 두 번째 정부(41.04퍼센트 득표)를 차지하며 위상을 회복했다.

지금 뒤돌아보면 이러한 복귀는 충분히 이유가 있는 일이었다. 한편으로 구공산주의계 정당들은 경험이 있는 개혁파를 소유하고 있었다. 민주좌파연합의 지도자인 크바스니에프스키나 헝가리 총리 줄러 호른은 1989년 이전부터 법적·경제적 제도에서 필요한 변화를 진지하게 모색한 공산주의 개혁주의자들의 다원주의를 대변하는 인물들이었다. 이 국가들에서 자유민주주의로의 이러한 '부드러운' 체제 전환이 진행될 수 있었던 비밀은 체제 전환이 이러한 정당들 내에서 상당 기간 진행되어왔다는 사실에 있었다(이것은 당 밖의 강한 반대파뿐 아니라 당 내부에 개혁파를 갖지 못했던 루마니아와 불가리아와 대비된다).

다른 한편으로 포스트-공산주의자들은 좌파 정치의 공간을 채우며 빈곤하고 혜택을 받지 못하는 사람들을 대변하고 이들을 끌어들였다. 파울라크의 농민당도 간부 요원들은 구체제에서 물려받은 '포스트-공산주의' 조직이었고, 공산당이 지난 40년 이상 요구해온 것에 모두 동의했던 조직이었다. 1991년 조직을 새로 만든 민주좌파연합은 유권자의 관심 사항에 초점을 맞추고 개혁을 계속 추진할 것을 약속했지만, 자유노조 진영(1989년부터 1993년까지 각기 다른 다섯 정부가 통치했다)보다는 훨씬 큰 능력을 보였다. 폴란드 유권자들은 민주좌파연합을 폴란드 정당 중 가장 전문성이 있고 능력 있는 정당으로 평가했다.[25]

좌파, 중도, 우파를 떠나서 각국 정부는 체제 전환의 사회적 비용에 예민하게 신경을 썼다. 이러한 비용, 특히 실업률은 심각했다. 농촌 지역의 상황은 호전되고, 국내총생산은 증가했지만 높은 실업률 추세는 계속 지속되었다. 특히 한 산업에 의존해왔던 소도시의 실업률은 개선되지 않았다. 그 예로서 라돔, 올슈틴, 코잘린은 전국 평균보다 두 배나 높은 실업률에 시달렸고, 젊은층과 여성들이 더 큰 타격을 받았다. 그래서 정부는 실업급여를 지급하고 노동자들이 일자리를 찾고 직무훈련을 받을 수 있는 '근로사무소'를 운영했다. 이 사무소는 일정 수준 이하로 소득이 떨어진 아동이 있는 가정을 재정지원하고, 최저 생활비를 보장했다.[26] 이렇게 '신자유주의'는 혹독했지만, 사회보장을 파괴하지는 않았고, 일부 경우 이것을 증진시켰다. 정부의 행정 개념은 재건이었지 파괴가 아니었다.

결과는 이상과는 거리가 멀었다. 형편없이 기능한 공산당 전임 정부로부터 물려받은 잔재인 폴란드의 보건 제도에는 계속 부패가 만연했고, 의사뿐만 아니라 간호사도 기본적인 치료에 대한 특별한 대가를 요구하고 '사적 시장'에서 돈을 지불할 수 있는 사람들에게는 훨씬 나은 의료서비스를 제공했다. 이러한 문제의 원인의 일부는 보건 분야에서 일하는 사람들에 대한 만성적으로 낮은 급여였다. 1990년대 외래 진료를 하는 의사의 급여는 미용사의 절반에도 못 미쳤다(공산당 통치 시대부터 그랬다).[27]

헝가리의 사회주의자들은 자유주의 전임자들보다 더 혹독한 긴축 정책을 펼쳤다. 가난한 사람들 편이라고 스스로를 내세운 전 공산당원이자 1989년 9월 헝가리의 국경을 개방했던 줄러 호른의 정부는 1995년 아동 수당을 삭감하고, 등록금을 도입하고, 통화가치를 하락시키고(9퍼센트), 공공 부문 근로자들의 생활비 보조를 중지했다.[28] 그러나 폴란드에서와 마찬가지로 처음에는 생산성이 하락했지만(급여 생활자들과 연금 생활자들은 긴급 정책 실시 첫 해에 실질 소득이 10퍼센트 감소), 이후 경제는 꾸준히 성장했다.[29] 개혁 정책은 밀튼 프리드먼이 이끄는 '시카고학파'의 신자유주의 신봉자인 재무장관인 러요시 보그로스의 작품이었다. 기본적 경제 상황이 그로 하여금 행동하지 않을 수 없게 만들었다. 연간 인플레이션은 30퍼센트였고, 재정 적자는 40억 달러에 달했으며 외채도 300억 달러나 되었다. 1995년 당시 경제의 70퍼센트가 여전히 정부 통제를 받고 있었다. 긴축 정책과 가속화된 사유화와 함께 정부는 투자를 끌어들이고, 산업을 더욱 경쟁력 있게 만들 수 있을 것으로 희망했다.[30] 호른과 헝가리 정부는 '서구 기준과 요구조건에 맞추라는' 국제통화기금IMF의 압박을 받고 있었다. 그래서 포스트-공산주의 정부는 자신들의 프로그램을 '카다리즘의 종언'이라고 부르며, 인기는 없지만 경제에 유용하고, 폴란드에서와 마찬가지로 가혹하지만 필요한 약으로 내세웠다.[31]

불가리아와 루마니아의 스토리는 달랐다. 이 두 나라에서는 공산주의자들이 불가리아 사회당과 (루마니아) 민족구국전선이라는 명칭을 가진, 살짝 위장을 한 후계자 조직을 가지고 계속 집권을 했다. 두 정당은 1990년 선거에서 승리하여 옛 정치도구를 계속 유지했다. 두 나라에서 공적 절차의 민주화는 지연되었고, 지도자들은 경쟁력이 없는 기업들을 계속 지원하면서 체제 전환의 고통을 계속 연장시켰다. 이러한 정책이 국가 재정에 부담을 주자, 정부는 기업 경영자들에게 직접 소유권을 부여하거나 경매를 통해 소유권을 부여하는 소위 '경영자 인수'이라는 방식으로 사유화를 진행했다. 내부자 거래와 여러 부패 형태로 인해 소유권 경매는 기대한 만큼의 수입을 가져오지 못했다. 다른 포스트-사회주의 국가들에서와 마찬가지로 새 소유자는 자신의 지위를 이용하여 기업 자산을 탈취했다. 1990년 말 두 나라는 심각한 인플레이션에 시달렸다. 1997년 루마니아는 자국 화폐 가치를 150퍼센트 평가절하해야만 했고, 불가리아도 초인플레이션 시기를 통과해야 했다(화폐가치를 1000퍼센트 절하했다).[32] 사유화, 시장화, 통화 안정을 지연시킨 것은 충격 요법보다 훨씬 나빴던 것으로 드러났다.

이러한 사실은 정치 좌파를 어려운 입장에 처하게 만들었다. 만일 이들에게 일관된 입장이 있었다면 그것은 '신자유주의'에 반대한다는 것이었다. 그러나 당시나 지금이나 근본적으로 차별이 되거나 적용 가능한 대안은 찾아볼 수 없었다. 수십 년이 지난 후에 사회주의와 포스트-사회주의의 대표적 경제학자인 야노스 코르나이도 여전히 '해결책'을 제시하는 것을 거부했다. 역사학자인 이반 베렌드는 체제 전환이 그렇게 빨리 진행될 필요는 없었다고 주장했다. 일례로 화폐가치를 그렇게 급격히 평가절하할 필요가 없었다고 주장했다. 국내 산업이 새로운 환경에 적응할 시간을 좀 더 가질 수 있도록 무역 자유화도 좀 더 서서히 진행되었어야 했다고 평가했다.[33] 그러나 베렌드도 기본적 목표는 자본주의 경제에서 거시경제적 안정을 성취하는 것이었고, 개혁의 기본 요소였던 안정화, 사유화, 시장화 같은 일부 충격 요법은 필요했다고 그는 주장했다.

우리가 본 바와 같이 '신자유주의'도 절대 순수하지 않았다. 포스트-공산주의자들이 사유화를 밀어붙인 데 반해 신자유주의자들은 그것을 지연시킬 수 있었다. 이것은 서유럽에서 사실이었다(영국의 대처 정권에서도). 그러나 발체로비치의 폴란드와 자유주의 성향의 바츨라프 클라우스의 체코슬로바키아에서도 이것은 사실이었다. 클라우스와 발체로비치는 수천 명의 노동자의 실직을 완화하기 위해 일부 정부 소유 산업의 매각을 지연시켰다. 폴란드에서 좌파 정부와 우파 정부는 일자리가 걸린 거대 산업을 구하려고 시도했다. 핵심은 기업이 시장경제의 강풍에 갑자기 내몰리게 하기보다는 사유화에 대한 준비를 하게 만드는 것이었다. 1996년 8월 폴란드 민주화의 상징인 그단스크 조선소는 파산을 선언했지만, 정부 지원 덕분에 고질적인 문제에도 불과하고 계속 운영을 했다. 그러나 근로 인력 수는 2만 명에서 2000명으로 줄어들었다. 체코 지역에서 바츨라프 클라우스는 일자리를 보호하기 위해 국영은행을 통해 중공업을 지원했다. 그는 총리로 있던 기간(1993-1998) 내내 에너지, 교통, 임대업을 크게 지원하면서 거대한 재정 적자를 쌓아나갔다. 이 전략은 기업들이 더 이상 차입금을 상환할 수 없게 된 1996년에 약화되었다. 다음해 클라우스는 많은 스캔들 속에 하야했다.[34]

신자유주의의 순수성을 더 오염시킨 잠재적 힘은 지속적이고 광범위한 공공부문의 부패였다. 일반적인 문제는 새로운 소유자가 공장에 투자하기보다는 공장 자산을 매각한 후 자금을 서방 은행 구좌에 이체하고 싶은 유혹이었다. 1997년 바츨라프 클라우스가 하야했을 때 그를 칭송해오던 《이코노미스트》는 '클라우스 정부의 마지막 날을 오염시키고 외국 투자를 위축시킨 놀라운 부패와 비즈니스에서 투명성 결여'를 비판했다. 클라우스 정권의 특별한 문제는 그의 정치적 친구들이 사유화 과정을 이용하여 자신들의 친구들이 축재를 하게 도와주었다는 것이었다. 1997년 9월 공식보고서는 1996년 한 해 새 소유자에 의해 기업 자산이 외국으로 반출된 1420개의 사례를 적시했고, 1997년 전반기에는 892개의 사례가 있다고 지적했다.[35] 클라우스는 사유화 감독기구(체코의 문제는 투자기금 집행이 형편

없이 감독된 것이었다)를 설치하는 것을 반대하며, 시장이 스스로 경찰 노릇을 할 수 있다고 주장했다.[36] 《뉴욕타임스》는 "그 결과로 배임과 내부자 거래가 프라하의 증권 거래를 뒤흔들었고, 은행들은 엄청난 부실 대출을 떠안았다"라고 평가했다. 외국 투자는 한때 인기 있는 나라였던 체코공화국에서 폴란드와 헝가리로 옮겨갔다.[37]

타협 없는 신자유주의는 기본적 경제학 관점에서도 의심스러운 면이 있었다. 그 이유는 높은 수준의 사회 보장이 경제성장과 양의 상관관계에 있었기 때문이었다. 신자유주의자들은 남동부 유럽 국가들과 옛 소련에 비해 1989년 이후 실업자와 연금생활자들에게 훨씬 많은 재정을 쓰고 있었지만 폴란드와 헝가리는 훨씬 높은 경제성장률을 보였다. 그리고 1998년에 19퍼센트 단일 세율을 도입해 유명해진 슬로바키아에서는 2006년 정권을 잡은 온건한 사회민주당 정권하에서 지속적인 성장을 했다.[38]

민족주의

민족주의는 혁명적 체제 전환이 진행되고 있던 이 시기에 신기하게도 잠들어 있었던 것처럼 보였다. 전 소련 블록에서 한 곳 예외가 있다면 유고슬라비아와 쌍둥이라고 할 수 있는 체코슬로바키아였다. 이런 상황은 1840년까지 거슬러 올라가는 지적 사색의 산물이었다. 1990년대 초반 체코슬로바키아도 국가 분리의 압력을 받고 있었고, 1993년 1월 공식으로 두 개의 나라로 갈라졌다. 유고슬라비아의 경우와 똑같이 이 국가 분립은 시민 절대다수의 바람에 역행해서 일어난 일이었고, 유고슬라비아에서와 마찬가지로 새로운 정당들은 자신들의 권력이 축소될 것을 두려워하여 연방의 장래에 대한 국민투표를 실시하는 것에 반대했다.

유고슬라비아에서와 마찬가지로 체코슬로바키아의 국가분립 가능성은 공산주의 치하에서 만들어진 국가 구조에서 바로 연유했다. 1974년 유고슬라비아는 8개의 구성단위로 구성된 실질적인 연방국가가 되었고, 이보다 6년 전인 1968년 체코슬로바키아는 체코와 슬로바키아 두 공화국으로 나뉘어졌다. 이것은 프라하의 봄에 이은 '개혁'의 하나였다. 체코슬로바키아공화국은 체코 민족과 슬로바키아 민족이 자발적으로 합쳐진 두 공화국 연합에서 자치권을 행사할 수 있는 구조를 가지고 있었다. 상하원으로 구성된 의회가 국가 권력의 최상위 기구였다. 이것이 최소한 개혁 조치에 사용된 언어이자 의도였지만, 이것이 실행된 1969년에는 실제적 자치가 불가능했었다. 1989년 공산당이 독점적 통치를 접자, 체코와 슬로바키아 법률입안자들은 공산주의 시대 헌법 구조 내에서 새로운 민주적 생활을 시작해보려고 시도했다.[39]

규정에 의하면 공동 연방 의회의 구조는 헌법 개정, 전쟁 선포, 대통령 선거와 같은 특별한 입법은 5분의 3 다수결을 필요로 하게 되었다. 이것은 양 하원 중 한 곳의 소수파는 헌법 개정을 막을 수 있다는 것을 의미했다.[40] 1990년 여름, 새로 선출된 대통령 바츨라프 하벨은 헌법 개정을 가장 우선순위로 선포했지만, 부지불식간에 국가 분립에 이르는 과정에 첫발을 내딛었다. 체코의 정치 엘리트들도 하벨의 우선순위에 공감하고 있었지만, 슬로바키아인들은 슬로바키아공화국과 체코공화국의 동등권을 규정하는 국가 조약이 우선이라고 생각했다. 1992년 초 헌법 개정으로 이런 교착 상황을 돌파하려는 시도는 슬로바키아 소수파에 의해 좌절되었다.

6월 치러진 선거로 슬로바키아와 체코의 정치권에 들어온 사람들은 공동 국가의 헌법 개정 가능성을 배제하지 않았지만, 그 형태에 대해서는 아주 다른 생각을 하고 있었다. 슬로바키아 지도자 블라디미르 메치아르는 느슨한 경제·군사 연합을 원했고, 체제 전환의 고통을 경감하기 위해 경제 개혁의 속도를 늦추기를 원했다. 전에 권투 선수였고, 대중적인 포퓰리스트인 메치아르는 권위주의적이고 반자유적인 정치적 관행의 조짐을 보였다. 체코 지도자인 바츨라프 클라우스는 신속한 사유화와 강력한 시장 경제 체제를 주장했다. 두 지도자가 속한 정치기구는 공동 국가의 개혁을 선호하지 않았다. 그 이유는 체코슬로바키아를 무대로 통치하는 것은 각각의 권력을 약하게 만드는 타협을 강요했기 때문이었다. 그래서 양측은 국가분립에 대한 협상을 시작했고, 1993년 1월 1일 두 국가로 분리되었다. 영토나 인구에 대한 논쟁이 없었기 때문에 이 과정은 평화롭게 진행되었다('벨벳 이혼').

그 과정은 민주적이었는가? 여기에 대한 대답은 양가적이다. 한편으로는 1991년 후반부터의 여론조사는 체코인들과 슬로바키아인 절대다수가 단일 국가를 유지하고 싶어 한다는 것을 보여주었다(이 사안에 대한 국민투표는 연방 의회를 통과하지 못했다). 그러나 다른 한편으로 통합 국가가 무엇을 의미하는지는 국민들이 뽑은 대표자들에게 달려 있었다. 1992년 6월 치러진 선거에서 체코인들과 슬로바키아인들은 통합 국가에 대해 서로 다른 의견을 가진 정치인들을 뽑았다. 연방 의회는 기능을 상실했고, 결국 의원들이 합의할 수 있는 유일한 것은 국가분립이었다.

'민족주의적' 열망과 이익은 분명히 실제적이고 강력한 것이었지만, 순수하고 때 묻지 않은 형태로 표현되지는 않았다(이것은 유고슬라비아에서도 마찬가지였다). 양측 모두 연합 국가를 떠나겠다는 의도를 직접적으로 선언하지는 않았지만, 국가라는 이름을 내걸고 '주권'에 대한 애매한 말을 내세우고 상대편은 분열적이고 민족주의적 당파라고 규정했다. 일례로 바츨라프 클라우스는 분리를 원한 것은 슬로바키아인들이라고 내세우며 자신의 국가 분립 시도를 위장했다. 그는 임박한 분립을 슬로바키아인들이 오랫동안 가져온 독립 염원이 실행되는 것으로 묘사하고, 자신의 경제 프로그램, 일례로 새 국가에서 균형 예산은 체코인들에게 경제적 성공을 가져올 것이라는 암시를 주었다.[41] 다른 엘리트들이 등장했거나 공산주의 시대로부터 다른 구조적 유산, 일례로 연합 국가를 이어받았다면 다른 결과가 나올 수도 있었다.

지역 전체에 일반적인 사례와 마찬가지로, 민족적 의제를 아주 중요시한 소수의 극단주의자들은 강력하면서도 감정이 가득한 수사를 사용하여 자신들의 주장을 내세웠다. 이러한 주장을 주민 대부분이 수용했지만, 이 소수파로부터 가장 급진적인 결론이 나왔다. 슬로바키아인 절대다수는 체코와의 연합을 계속 유지하기를 원했지만, 많은 지도적 지식인들을 내세운 조직이 잘된 소수는(이들 중 일부는 크로아티아에서와 마찬가지로 2차 세계대전 중 슬로바키아 국가와 연관을 가지고 있었다) 공공 영역을 주도하며 "체코 식민주의는 더 이상 발붙일 곳이 없다!"와 같은 인종적 민족주의의 가장 극적인 비유법을 이용했다. 이러한 지식인들은 자신들이 슬로바키아 사회를 대표한다고 주장했고, 이들에게 도전하는 사회로부터의 조직적인 대응은 없었다. 그 이유는 주민 대다수의 시각은 온건파에서 '민족적 문제에 무관심'한 집단에 걸쳐 있었기 때문이다. 체코인들과의 관계가 식민주의적이라는 것을 누가 부정하겠는가? 다양성이 없는 산업 구조 때문에 슬로바키아는 초기 탈공산주의 시기에 훨씬 고통스러운 체제 전환 과정을 겪었고, 실업률은 체코 지역보다 몇 배나 높았다. 국가 분립을 원하지 않는 슬로바키아인들조차도 체코인들은 발달이 더딘 자신들의 지역을 값싼 노동력의 공급원으로 생각하고 있다고 믿었다.[42]

체코슬로바키아와 유고슬라비아 경계 너머에서는 민족주의가 분열적 힘을 잃은 것처럼 보였다. 이것은 기회가 없었기 때문이 아니었다. 일례로 폴란드인들이 우크라이나인들을 상대로 주장할 수 있듯이 실지회복 주장을 이용할 잠재력은 늘 도사리고 있었다. 서부 우크라이나는 1939년 나치-소련 비밀협약 전에는 폴란드 영토였지만 책임 있는 폴란드 지식인들(특히 파리에서 발행되는 이민자 잡지《쿨투라》)이 수십 년간 노력한 덕분에, 권위 있는 여론은 지역의 다른 국가들과 협력하는 것이 폴란드의 이익에 도움이 된다는 결론이 내려졌다.[43] 폴란드의 정치 엘리트는 발언의 자유를 얻게 되었을 때《쿨투라》의 노선을 따랐다. 그러나 이것은 수사적 진공 상태에서 이루어진 일이 아니었다. 1989년 이후 폴란드인들은 우크라이나나 리투아니아에서 상실한 영토보다 더 흥미로운 대상이 있었다. 그것은 유럽이었다. '유럽'은 민족적 문제에 마법과 같은 자용을 했다. 처음으로 민족주의자들은 민족이 더 큰 민족들의 단위로 용해되는 것을 선호하게 되었다.

국가 사회주의가 붕괴한 다음 누구도 '유럽'이 어떤 모습이 될지 정확히 확신하지 못했지만, 번영, 밝은 빛, 다양성, 평화, 질서의 대륙이 되고, 새로운 자유와 안전을 제공해줄 것으로 보였다. 아직 분명하지는 않지만 노엘 코워드의 말을 빌리면 인종청소나 상실한 영토의 탈환은 '더 이상 없을 것'이라는 전망도 있었다.[44] 리비우와 빌노 수복을 원하는 폴란드인들은 스스로 반유럽적이라는 것을 보여주는 것이나 마찬가지였다. 이와 동시에 유럽, 즉 유럽연합은 철의 장막 뒤에 있었던 폴란드인들과 다른 나라들 사람들과 통합에 관심이 있는 것으로 보였다. 구정권의 몰락 직후부터 유럽연합과 하위 기구들은 자유민주주의와 자유시장 자본주의 체제를 증진시키기 위해 많은 일을 했다.[45]

1990년대 초반 이전에 공산주의였던 국가들이 유럽으로 어떻게 돌아올 것인가는 분명하지 않았다. 유럽연합 가입 시간표도 없었고, 확정된 기준도 없었다. 가입 의사를 표명하는 것만으로는 충분하지 않았다. 루마니아 정치 지도층은 유럽연합에 가입하고 싶다고 주장했지만, 이들이 행하는 정치적 행동, 즉 인종적 국수주의 조장, 시위자들을 폭행하기 위해 광부들을 수도로 동원하는 것, 광범위한 부패, 의회와 대통령 선거 과정의 문제 등은 브뤼셀에 있는 관측자들을 망설이게 만들었다. 그래서 루마니아는 관계 개선에 관심 있는 중유럽 국가들과의 1라운드 협상에서 배제되었다.[46]

1993년 유럽연합은 코펜하겐평의회를 열어서 새로운 회원국에 대한 기본적 기준을 마련했다. 그것은 첫째, 민주주의를 보장하는 기구들의 안정성, 법의 지배, 인권, 소수민족에 대한 존중과 보존, 둘째, 작동하는 시장경제의 존재, 유럽 내에서 경쟁의 압력과 힘을 다룰 수 있는 능력, 셋째, 정치·경제·화폐 통합의 목표 지향을 포함해서 회원국 의무를 준수할 능력이었다. 마지막 조건은 후보 국가는 고도로 구체적이고 기술적인 유럽연합의 법과 규정들을 수용할 것을 요구했다.[47] 이러한 전제조건 수용은 많은 정치적·사회경제적 이익과 연계되었고, 불수용은 비용과 연계되었다.

1990년대 회원 자격과 연계된 혜택은 대단해 보이지는 않았다. 1990년부터 1998년까지 유럽연합은 10개 동유럽 국가에 '경제 구조조정'(무엇보다도 행정, 사법 개혁)을 위해 89억 유로를 투자했다. 그러나 후보 국가가 회원국에 접근하고 유럽연합에 가입하게 되면 이 투자액은 크게 늘어서, 농업 발전, 도로와 교통망 개선, 직업 훈련, 기업 대출 등을 지원해주었다. 폴란드, 헝가리, 슬로바키아, 슬로베니아와, 체코공화국이 유럽연합에 가입한(2004-2006) 이후 유럽연합은 신규 회원국들에게 155억 유로의 구조조

중동부 유럽(1999-현재)

정 투자를 시행했다. 2007년부터 2013년 사이 투자 금액은 몇 배로 늘어났다(불가리아와 루마니아도 2007년 유럽연합에 가입했다). 2012년까지 폴란드는 총 400억 유로(같은 기간 총 외국인 투자는 500억 유로)의 투자를 받았다.[48] 투자액의 상당 부분은 사회간접자본 향상이 절대적으로 필요한 열악한 부문에 투자되었다.

이러한 지원은 폴란드와 다른 후보 국가들을 1인당 국민소득에서 서유럽에 근접하게 만들었을 뿐 아니라 동유럽 지역 내에서의 소득 격차를 줄이고, 폴란드와 헝가리는 우크라이나나 벨라루스보다 훨씬 앞서나가게 만들었다. 현대화는 폴란드와 헝가리 내에서 사회적 불평등을 증가시키기보다는 도시와 농촌 사이뿐만 아니라 사회 계층 사이에 커지던 격차를 중지시키는 효과를 가져왔다(2005년까지 새 유럽연합 회원국들에서 지니 계수는 증가했지만, 2-3년 이내에 감소하기 시작했다).[49] 농촌 지역의 발전은 중동부 유럽의 성장에 기여했을 뿐만 아니라, 동방 지역에 더 많은 농산물을 수출할 수 있게 된 구舊회원국들에게도 이익을 가져왔다.

＊　＊　＊

유럽연합 가입의 최종적 이익이 분명하지 않았던 1990년대 중반 불가리아, 슬로바키아, 세르비아의 지도자들은 '유럽'으로부터 독립적이거나 거리를 둔 별개의 '민족적' 노선을 택하려고 시도했었다. 1989년 대격변 이후 취약한 여러 연립 정부가 불가리아를 통치했다. 그러다가 1994년 젊은 정치가인 쟌 비데노프가 포스트-공산주의 시기의 가장 큰 대승리를 거머쥐었다. 그는 대자본가가 되려고 노력하는 오리온 그룹이라고 알려진 전

불가리아 보안기관 멤버들이 후원을 받았다.[50] 불가리아에서는 진지한 개혁이 시도된 적이 없지만[51] 비데노프는 자신을 '실패한' 사유화의 대안으로 포장했다. 절대다수를 유지하며 통치를 시작한 비데노프는 시장의 잔혹한 힘으로부터 일반 시민을 보호하겠다고 약속했다. 그는 '자본주의' '시장의 자기중심주의' 국제 재정, 정치기구의 '신식민주의'를 거부했다. 비데노프는 자신의 노선을 '사회적으로 합리적인 좌파 현대화'이자 '불가리아의 제3의 길'이라고 부르며 자신을 민족의 수호자로 내세웠다. 그는 통제가격(1996년이 되자 소비재의 절반 정도가 가격 통제 대상이 되었다)을 부활시켰고, 농촌을 재집단화시켰으며, 외국 기업들이 불가리아에 투자하고 불가리아 기업을 인수하는 것을 막았다. 이것은 '외국 영향력'에 도움이 되도록 불가리아의 국부를 낭비하는 것과 같다고 그는 주장했다.

비데노프의 사유화 프로그램은 바우처를 일반 국민들에게 배분하는 것이었다. 그러나 이 제도가 시행될 시점에는 대부분 기업들이 절망적인 재정적인 곤경에 처해 있었다. 이러한 기업들은 경쟁력이 없는 상태에서도 계속 공장을 풀가동하여 물품을 생산했기 때문에 1995년 발생한 손실은 국내총생산의 15퍼센트에 달했다. 1996년 인위적으로 유지되어오던 환율이 붕괴되면서 인플레이션을 악화시켰다. 1996년 5월 은행제도의 위기로 불가리아 은행의 3분의 1이 파산에 처했고, 화폐제도는 11월 붕괴했다. 국내총생산은 9퍼센트 하락했고, 1996년 1월부터 1997년 1월까지 평균 임금은 118달러에서 12달러로 거의 10배나 감소했다. 정부는 국가를 위해 일하는 것이 아니었다. 츠베타 페트로바가 당시 쓴 것처럼 정부는 '음성적 이익, 눈덩이처럼 불어나는 부패, 정실자본주의'의 인질이 되었다.[52]

비데노프의 통치로 인해 불가리아는 유럽연합 가입 첫 물결에서 제외되었다. 유럽연합 기구들은 부패와 실정이 제거되지 않으면 유럽으로 향하는 '길'은 닫힌다는 것을 보여주었다. 이러한 메시지는 불가리아의 좌파를 겨냥한 것이었다. 이와 동시에 독일의 콘라드 아데나워 재단, 프랑스의 로베르 슈만 재단 같은 서방의 중도우파 성향 NGO는 불가리아 야당 세력인 1989년 부상한 여러 정당의 연합인 민주세력연합UDF이 기독민주당으로 발전하는 것을 도와주었다. 서방 전문가들은 민주세력연합의 대통령 후보자이자 반공산주의 경제학자인 페타르 스토야노프에게 자문을 제공하고, 선거운동의 핵심을 구성하도록 도와주었다. 독일의 사회민주당계인 프리드리히 에베르트 재단은 불가리아 사회당BSP에 자문을 제공했지만, 사회당에 대한 서방 사회주의자들의 실망이 너무 커서, 1996년 대통령 선거에서 사회주의 인터내셔널은 민주연합세력 후보를 지지했다.[53]

1996년 11월 동방과 서방에 대한 국민투표와 같은 선거에서 스토야노프는 대체적으로 의전적 지위에 불과한 대통령에 당선되었다.[54] 나머지 정부는 그대로 권력을 유지했다. 심각한 경제 위기로 인해 젊은층이 주도하고, 노조와 다른 시민단체들이 지원하는 대중운동이 일어나서 수천 명이 몇 주 동안 거리로 나와 시위를 벌이며 비데노프의 사회주의 제3의 길 종식을 요구했다. 이 대중운동은 서방 NGO들이 지원했고, 국제통화기금은 안정적인 새 정부가 선출될 때까지 불가리아에 새로운 대여 공여 협상을 중단한다는 것을 분명히 했다.[55] 1996년 6월 7일 약 85만 명의 시민이 한 시간 파업에 동참했다. 12월에는 약 100만 명이 전국적인 하루 파업에 참여했다. 변화에 대한 압력은 집권당에도 영향을 미쳐서 19명의 사회당 고위 간부들이 지도부의 경질을 요구했고, 비데노프는 사임했다.[56]

스토야노프는 사회당의 새 지도자 니콜라이 돕레프와 함께 새 정부를 구성하려고 노력했고, 영민하게 현실을 파악한 돕레프는 새로운 선거를 실시하는 데 동의했다. 이 선서로 민족좌파연합의 이반 코스토프가 정부

수반이 되었다. 그는 정부 소유 기업들의 사유화를 밀어붙이고, 유럽연합과 가입 협상을 시작하며, 이어서 친나토 노선을 택했다. 1999년 코소보전쟁에서 나토가 불가리아 비행장을 사용하도록 허용하면서 그는 "불가리아공화국은 나토 정회원 가입이 전략적·문명적 선택이라는 것을 확인한다"고 선언했다.[57] 코스토프 정부하에서 불가리아는 지속적인 경제성장을 이루었다.

불가리아 시위자들은 국경 넘어 루마니아의 자유주의 반대파가 친서방후보들을 위해 시위를 조직하는 것을 보고 있었다. 이들은 또한 슬로보단 밀로셰비치가 지방 선거에서 야당의 승리를 인정하지 않으면서 대규모 시위가 발생한 세르비아를 바라보았다. 불가리아 언론은 세르비아 수도인 베오그라드 거리에서 발전한 방법에 독자들을 친숙하게 만들어서, 세르비아에서 일어난 사건을 불가리아에서 일어난 것처럼 묘사하며 정부와 시민의 투쟁이란 것을 부각시켰다. 다원주의와 시장경제로의 이행에서 불가리아가 앞서고 있었지만, 학생들이 주도하는 반反밀로셰비치 거리 동원이 하나의 모델로 부각되었고, 불가리아인들은 세르비아에서 배운 방식으로 사고하며 불가리아를 새로 만들어나갔다. 놀라울 정도의 상호작용으로 세르비아인들은 불가리아의 이행 과정에 영향을 받아 200년 반자유주의적인 지도부를 친개혁적인 엘리트로 교체했다.[58]

이러한 초국가적 격동은 민주 발전을 위한 국제적·국내적 지지가 하나로 수렴할 수 있다는 것을 보여주었다.[59] 그러나 이것은 또한 유럽연합에 대한 광범위한 선망을 반영했다. 이것은 불가리아에서 루마니아, 세르비아로 국경을 넘어 확산된 운동으로서 다양한 국민들은 공동의 갈망으로 연합시켰다.

유럽연합은 처음에는 민주주의를 증진시키기 위해 자신이 가진 지렛대를 사용할 의도가 없었다. 1990년대 중반까지는 자격이 되지 않는 국가를 배제하는 데 주안점이 놓였었다. 그러나 1990년대 말 브뤼셀의 정치가들은 유럽연합이 가입 희망 국가들에게 영향을 미친 것을 자신들의 외교 정책의 가장 성공적인 면으로 꼽았다.[60] 불가리아의 경우는 유럽연합 회원국 약속이 한 국가를 민주주의 방향으로 선회시킬 수 있다는 것을 보여주었다. 한 학자는 1990년대 중반에서 1990년대 후반에 발생한 유럽연합의 정책 변화를 '수동적 지렛대에서 능동적 지렛대로의 전환'이라고 표현했다.[61] 1990년대 초반에는 회원국 가입 협상의 시간표가 없었지만, 1990년대 말이 되면서 유럽연합은 가입을 위한 조건을 구체화하기 시작했고, 가입을 원하는 국가들에게 정확한 중기 정치, 경제적 목표를 제시했다.[62]

유럽연합이 중동부 유럽 국가들에게 가한 압력은 늘 간접적인 것만은 아니었다. 서방 행위자들은 현장에서 지역 NGO와 협력하여 일하며 견해가 일치하지 않는 반대파 지도자들을 현장에서 화해시키고 연합시켰다. 이들은 야당 세력 중 누가 '유럽'에 들어올 수 있는지를 적시했다. 반대파는 통치 엘리트들이 자국이 유럽에 들어갈 수 있는 기회를 낭비하고 있다고 비난했다. 불가리아에서는 서방으로부터의 압력이 통제되지 않던 반공산주의 집단들에게 구심력으로 작용해 국내정치 지형을 단순화시켰다. 그래서 좌파민주연합의 서유럽의 기독민주당과 거의 유사해졌다.

초국가적 '학습' 과정은 북쪽 지역으로도 확대되었다. 슬로바키아에서는 불가리아의 비데노프의 실각이 야당을 자극해서 1998년 블라디미르 메치아르의 반자유주의적 정권을 반대하고 경질하도록 만들었다.[63] 슬로바키아의 체제 변화는 대략 세 단계를 거쳤다. 체코와 슬로바키아 연합의 민주화(1989-1993), 다음으로 독립 초기 메치아르 정권하에서 비민주화(1994-1998), 이어서 미쿨라시 주린다 정권에서의 민주화(1998-2004) 단계를 거쳤다.

메치아르의 과도기는 사실상 체제 전환의 모든 면에서 후퇴를 보여주었다. 법의 지배의 훼손, 반대파 권리의 축소, 소수민족, 특히 헝가리인들의 희생을 대가로 한 슬로바키아 민족 정체성 주장이 주요 양상이었다. 부패는 광범위하게 퍼졌고, 특히 보안기관의 부패가 심했다. 1995년 8월 슬로바키아 대통령(메치아르의 정치적 라이벌) 미할 코바치의 성인 아들이 8명의 괴한에 납치된 후 위스키 한 병을 강제적으로 마신 후 오스트리아 국경너머로 끌려가 자동차 짐칸에 갇힌 채 버려졌다. 전화 제보를 받은 오스트리아 경찰은 그를 발견해서 뮌헨 검찰청이 발부한 체포 영장에 근거해 체포했다(뮌헨 검찰은 슬로바키아 무역회사 테크노폴이 관련된 사기 사건 연류 혐의로 그가 증언을 하기를 원했다). 슬로바키아에서는 정치 라이벌인 얀 차르노구르스키가 코바치의 행방에 대해 문의하자, 메치아르는 "내가 어디에 있었는지 당신 아내에게 왜 물어보지 않느냐?"고 대답했다.[64] 사건 혐의는 메치아르의 동료인 이반 렉사가 이끄는 슬로바키아 정보부에 제기되었지만, 이 사건은 그 전모가 밝혀지지 않은 채 미궁으로 남았다. 이 사건의 한 증인은 타고 있던 차가 폭발하면서 사망했고, 메치아르는 총리직을 그만두기 전 수사를 종결시키는 사면을 했다.[65] 코바치는 슬로바키아로 돌아왔고, 독일 검찰의 기소는 중지되었다.

1995년 유럽의회는 슬로바키아 정권에 대한 비난 결의안을 발표했다. 가입 조건을 이행하지 않으면 슬로바키아는 유럽연합에 가입할 수 없다고 못 박았다.[66] 메치아르는 이에 굴복하지 않았다. '범세계정부mondialism'에 대항하는 민족주의자로 스스로를 내세운 그는 서유럽의 관세 때문에 슬로바키아는 러시아를 실제적 교역 파트너로 보고 있다고 주장했다. "만일 서방이 우리는 원하지 않으면, 우리는 동방으로 돌아설 것이다"라고 그는 말했다. 얼마 후 메치아르 정부는 러시아와 무기 거래를 포함한 군사 협력 조약을 체결했다.

메치아르는 자신을 사회 안전망의 보장자로 내세우고 체제 전환을 두려워하는 슬로바키아인들의 지지를 끌어냈다. 그는 통치 연합 세력에 가까운 집단들이 선호하는 고용자 인수 사유화 제도를 도입하고 외국 투자의 흐름을 제한했다.[67] 성질이 고약한 사람인 메치아르는 종종 세르비아의 밀로셰비치와 비교되었다. 두 사람 모두 민족주의자로 탈바꿈한 공산주의자였다. 그러나 여기서 우리는 1880년대까지 거슬러 올라가는 이 지역의 전통적 포퓰리즘을 볼 수 있다. 경제적 두려움을 이용하고, '유럽'을 포함한 외국인을 민족에 위협을 가하는 존재로 악마화하는 것이 결합된 포퓰리즘이다. 국가 엘리트들의 '벙커 사고방식'(반복되는 외부 공격으로 형성된 방어기제)에서 보면 외부 세계는 슬로바키아에 대한 음모 덩어리로 보였다.[68]

메치아르의 마지막 정부(1994-1998)는 슬로바키아 노동자연맹과 연정을 이루었다. 이 당은 가스, 에너지, 전화, 은행 산업의 사유화를 막은 것을 자랑으로 삼고 있는 좌파 정당이었다.[69] 그러나 1990년대가 끝나갈 무렵 포퓰리즘에 의거한 반서방 민족주의는 그 매력을 잃어가고 있었다. 이것은 국민들에게 아무것도 약속할 수 없었고, 결국 크로아티아의 좌파민족연합과 마찬가지로 반서방 노선을 포기하고 주류 유럽 정당들의 기본적 기대에 적응하기 시작했다. 유럽연합이 보내는 신호는 분명했다.

개혁 실패로 슬로바키아는 1997년 나토의 1차 확장 프로그램에 포함되지 않았다.[70] 곧 있어 메치아르 정권에 대항하는 다양한 반대파가 형성되어 1997년 의회선거에 나섰다. 기독사회당, 사회민주당, 녹색당(스스로는 슬로바키아 민주연합이라고 부름)이 야당세력이었다.[71] 그러나 결정적 역할을 한 것은 NGO들로 구성된 '제3지대'였다. 미국 민주주의 재단과 프리덤하우스 같은 서방 NGO의 지원을 받은 10여 개의 NGO는 1998년 3월부터 통합조직인 OK98 Civic Campaign 98을 중심으로 유권자를 동원했다. 몇 달 전 빈에서 열린 회의에서 서방 기관들은 슬로바키아 NGO 지도자들을 루마니아와 불가리아 동료들에게 소개하며 곧 진행될 선거에 직접 개입할 필요성을 강조했다. 이러한 결과 이 NGO들은 예상 표 획득에 성공했다.

세르비아와 불가리아에서와 마찬가지로 슬로바키아에서 젊은층이 시민 동원의 중심 역할을 했다. 일례로 '슬로바키아 관통 행진' 운동에서 수백 명의 활동가들이 마을과 도시들을 찾아다니며 교육 자료를 배포하고 토론회를 열고 카바레식의 공연을 펼쳤다.[72] 언론 조작에 대한 항의로 OK98그룹은 새로운 유권자를 끌어내기 위한 '투표 흔들기' 운동을 벌여 최종적으로 약 30만 명의 젊은 유권자를 등록시켰다. 젊은층은 일반 국민들에 비해 메치아르의 통치에 불만이 더 많아서, 약 65퍼센트가 통치에 불만을 표시했다.[73] 젊은층을 겨냥한 국내와 해외 스포츠 스타, 배우, 록 음악가가 출연한 라디오와 TV 광고가 나왔다. 투표 중에는 자유주의적 반정부 세력은 야당과 시민사회 집단과 연계를 통해 투표율을 높이고, 출구조사를 실시하며 선거를 감시했다. 메치아르 당은 1998년 9월 선거에서 가장 많은 표(27퍼센트)를 얻었지만, 다른 정당으로부터 배척을 당해, 연정 파트너를 구하지 못하고, 보수파 경제학자인 미쿨라시 주린다와 구성한 연정에 정권을 넘겨야 했다.

메치아르의 후계자들은 잃어버린 시간을 보충하기 위해 속도를 냈다. 이들은 메치아르의 동방 지향 정책을 번복하고 러시아와의 무기 거래를 취소했다. 불가리아와 마찬가지로 1999년 나토가 자국의 영공을 이용하도록 허용했다.[74] 주린다 총리는 유럽연합 가입 협상에 초대된 다른 국가들을 따라잡기 위해 슬로바키아를 서둘러 자유화했다.[75] 그와 동료 정치인들은 '민주 라운드테이블'을 만들어 주요 시민단체 지도자들과 협의를 이어나갔고, 2004년 1라운드 유럽연합 가입 대상인 다른 국가들과 마찬가지로 모든 가입 조건을 충족시킬 것을 약속했다.

이와 유사한 유럽에 대한 사회적 합의가 루마니아에서도 이루어졌다. 루마니아에서는 루마니아 민주회의가 루마니아 헝가리인민주연합과 협력을 했다. 국제기구의 서방 대표자들이 현장에서 다수가 활동하면 자유민주주의 아젠다를 구성하는 것을 직접 제공했다.[76] 이 시기에 반자유주의적인 정당들 스스로 유럽연합 지향 체제 전환의 최고 단계에 올라섰다. 국내 유권자들의 지지를 확보하기 위해 이들은 자유민주주의와 경제 개혁을 수용한다고 주장하며 친유럽적 자세를 취했다. 크로아티아의 HDZ, 불가리아 BSP, 루마니아 사회민주당이 이러한 예에 해당되었다.[77] 몇 년 안에 온건하거나 자유주의적 태도를 취한 기록이 없던 야당 정치인들은 '유럽' 스타일의 정치에 대한 기대에 부응하기 위해 소수민족 권리라든가 경제 개혁 같이 이제까지 사용하지 않던 언어를 사용하기 시작했다.

유럽연합에 가입한 후 해당 국가들은 외국 투자를 끌어들이기에 매력적인 조건을 만들기 위해 서둘렀다. 일례로 체코 정부는 모든 새로운 일자리에 5000달러 보상, 저렴한 토지, 인프라 지원, 생산 설비의 무관세 수입(3년 내 최소한 1000만 달러 투자가 요구 조건) 등의 혜택을 내놓았다. 슬로바키아도 이와 유사한 인센티브를 제공하고, 낮은 세금과 저렴한 노동력을 내세워 서방 회사들과 자동차 공장 설치 계약을 따냈다.[78] 역설적이게도, 유럽연합 가입 열망은 어떻게 하면 외국 기업들을 가장 잘 지원할 수 있을 것인가를 놓고 벌이는 경쟁이 되어서 이러한 움직임은 '신자유주의'의 일관성에 대한 질문을 다시 제기했다.

＊　＊　＊

2007년 구소련 블록 국가들이 유럽연합에 가입하고,• 세계적 경제 위기가 닥치기 전 유럽의 통합에 대한 낙관적 견해가 팽배할 이유가 충분히 있었다. 국제신용평가기관들은 유럽연합 정례보고서를 참고하여 평가 기준을 조정했기 때문에 유럽연합의 전문적 의견은 중요한 가치를 지녔다. 기준을 철회하는 것은 감시되고 징벌이 가해졌기 때문에 일부 사람들은 과거로 되돌아가는 길은 막혔다고 말하기도 했다. 그러나 가혹한 규율은 필요가 없어 보였다. 정책입안자들과 대중은 국제기구와의 협력과 통합의 가속화, 공동화폐 국가들과의 연합의 일부가 되는 것과 공동 규율의 수용을 통해 국익이 가장 잘 보장된다고 확신했다. 국가 주권을 희생하는 것이 국가의 최선의 이익으로 묘사되었다. 1989년부터 2007년까지의 기간은 외부 행위자들이 이 지역의 민주화에 긍정적 영향을 미친 드문 기간이었다.[79] 1차 세계대전 이후 민주화 실패를 고려하면, 이러한 현상은 역사적 차원의 성취였고, 20세기 중동부 유럽 역사의 결말을 이루었다. 이것은 대실패에서 민주주의 건설의 승리로의 전환이었다. 1차 세계대전과 20세기 말 두 종장 사이 기간의 이야기는 유럽 민족 국가들의 비극이었다.

그러나 이러한 주장이 설득력이 강하게 보이기는 하지만 여기서 이야기가 끝난 것이 아니다. '민주적 개혁'에는 끝이 없고, 유럽이 무엇인지, 무엇을 제공할 수 있는지, 누가 거기에 속하는지, 그 이유는 무엇인지에 대한 선명한 설명은 불가능하다. 2015년 초 그리스는 유럽연합을 떠날 듯이 보

• 2004년 사이프러스, 체코공화국, 에스토니아, 헝가리, 라트비아, 리투아니아, 몰타, 폴란드, 슬로바키아, 슬로베니아가 유럽연합에 가입했고, 2007년 불가리아와 루마니아가 가입했다.

였다. 그리스 유권자들에게는 계속 남아 있기에는 유럽이 너무 고통스러운 장소로 보였는지 알 수 없다. 그리스 재무장관은 유럽이 더 이상 자국의 외채를 연장해주지 않으면, 그리스는 러시아나 중국에 기대를 할 것이고, 차관을 공여해줄 채권자를 찾는 데 아무 문제도 없을 것이라고 말하기도 했다. 유럽은 경제적 연합이나 문화적 전통보다 훨씬 많은 것을 뜻한다. 유럽은 지정학적 블록이다. 《뉴욕타임스》는 "미국 관리들은 (그리스 부채 문제에 대한) 협상이 결렬되는 것에 우려를 표명했다. 그 이유는 이로 인해 그리스가 유럽에서 더 멀어질 수 있기 때문이다"라고 보도했었다.[80]

중동부 유럽에서 블라디미르 메치아르를 권좌에서 쫓아낸 것으로 선택이 끝난 것은 아니다. 그도 '러시아 카드'를 사용하겠다고 위협을 했지만, 서방 NGO들의 지원을 받은 사회적 힘에 의해 압도당했다. 그리스가 지원을 기대하며 동방을 바라보는 동안, 체제 전환의 초기 성공 사례로 꼽히는 헝가리에서 민주적으로 선출된 지도자인 빅토르 미할리 오르반[•]은 블라디미르 푸틴을 헝가리로 초청하고, 에너지 협력 협정을 체결했다(헝가리는 자국 소비 천연가스의 약 70퍼센트를 러시아로부터 수입하고 있다). 오르반은 러시아를 '반자유주의적인 민주주의illiberal democracy'라고 칭송했다. 두 사람이 회담을 진행하는 동안, 수천 명의 헝가리 시민들이 "푸틴은 노, 유럽은 예스"라고 적힌 플래카드를 들고 부다페스트 중심부에서 시위를 벌였다. 남녀 한 쌍은 각각 푸틴과 오르반 마스크를 쓰고 "반자유주의에 연합함"이라고 쓴 십자가를 들고 있었다. 정상회담에서 오르반은 푸틴에게 헝가리가 러시아를 필요로 한다는 것을 분명히 밝혔다. 러시아와의 관계에

• 1998년부터 2002년 헝가리 총리를 역임하고, 2010년 다시 총리에 취임해 계속 정권을 유지하고 있고, 2022년 총선에서 승리해 집권을 이어가고 있다.

서 독자적 노선을 취하는 헝가리는 자국의 '국익'을 보호한다고 그는 주장했다.[81]

이러한 변화는 충격적이었지만, 1993년 헝가리와 폴란드에서 포스트-공산주의자들이 다시 권력을 잡은 것은 논리적일 수도 있었다. 오르반은 1988-1989년 헝가리가 소련의 영향력에서 벗어나려고 노력할 때 학생운동 지도자였고, 공산주의로부터 멀어지는 강력한 체제 전환의 지지자였었다. 그는 1989년 6월 임레 나지의 이장 행사에 모인 군중들에게 연설할 때 소련 병력의 철수와 자유선거 실시를 주장했었다. 그러나 그는 이제 자유 언론과 사법부를 탄압하고, 과학과 교육에 큰 정치적 압력을 가하면서 헝가리를 과거로 회귀시키는 듯이 보였고, 다른 독재자들과 마찬가지로 영구적인 정권 유지 가능성에 대해 얘기하고 있다. 독일의 앙겔라 메르켈 총리가 민주주의가 어떻게 반자유주의일 수 있는가에 대해 설명을 하도록 요구받은 오르반은 아무 대답도 하지 못했다. 이에 대한 가장 좋은 해석은 독일 투자를 상실할 가능성 때문에 그는 자신의 생각을 분명히 밝히지 못했을 것이라는 추측이다.

무엇이 헝가리를 이렇게 구별되도록 만들었는가? 주변 국가들은 반자유주의를 수용하지 않았다. 아마도 이에 대한 답은 아직 해결되지 않은 역사 깊은 곳에 있을 수 있다. 그것은 트리아농조약 이후 헝가리 민족이 여러 곳에 흩어져 있는 문제와 연관이 깊다. 2007년 실시된 여론조사에서 응답자의 80퍼센트가 트리아농조약은 역사적 불공정을 만들어 놓았다는 데 찬성했다.[82] 헝가리는 중동부 유럽에서 가장 큰 실지irredenta를 가지고 있고, 아직 해결되지 않은 민족 국가 건설이 다른 모든 문제보다 큰 비중을 차지하고 있는 나라이며, 이것이 러시아와 공동전선을 취하게 만드는 동인이 된다. 2015년 2월 러시아 외무장관 세르게이 라브로프는 뮌헨에서 행한 연설에서 우크라이나에는 러시아인과 우크라이나인만 사는 것이 아니라 '헝가리 소수민족'이 거주하고 있고, 이들에 대한 차별에 러시아가 신경 쓰고 있다고 말함으로써 동부 우크라이나 반군에 대한 러시아의 지원을 정당화했다. '운명'으로 인해 다른 민족들이 우크라이나에 거주하게 되었고, 왜 이들의 '동등한 권리'를 존중하지 않는가라고 라브로프는 물었다. 그는 (증거 없이) 헝가리인들이 우크라이나인보다 군대에 더 많이 징집되고, 단 한 명의 헝가리 의원도 키이우의 의회에 진출하지 못하도록 선거구가 인위적으로 나뉘어졌다고 주장했다.[83]

라브로프는 "우크라이나는 헝가리인을 포함한 소수민족에게 적절한 대우를 하지 않는 한 안정적일 수도 없고 민주적일 수도 없다"라고 TV 방송에서 빅토르 오르반이 한 말에 맞장구를 친 것이다. 헝가리인들은 "이중국적과 집단적 권리와 자치를 부여받아야 한다"고 그는 주장했다.[84] 진보적 추정에 의하면 우크라이나 내에는 약 20만 명의 헝가리인이 거주하는 것으로 추산된다. 오르반은 이 헝가리인들과 다른 나라에 거주하는 헝가리인들도 자신이 대표하는 민족이 일부라고 선언한 것이다. 2002년 헝가리 남부에서 행한 선거 연설에서 그는 '국경을 넘어서는 민족 통합' 프로그램을 선언했다. 이것은 트리아농조약이 정한 국경을 넘어서는 통합 정책을 의미했다.[85] 2010년 오르반은 이들에게 헝가리 시민권을 부여하고 헝가리 선거에 참여할 수 있게 만들었다(이들의 지원을 기대하며).[86]

우크라이나에 거주하는 헝가리인들은 오르반의 '반자유주의적 민주주의'와 러시아식 통치 모델에 매력을 느끼는가? 우크라이나의 헝가리인 마을 거주자들과 진행된 인터뷰를 보면 이들은 헝가리의 번영, 즉 헝가리가 유럽에 가입함으로써 얻은 번영을 부러워했다. 만일 이들이 헝가리를 부러워한다면 이것은 '유럽 기준'의 생활을 열망하기 때문이다.[87]

그러나 유럽연합은 모든 문제를 해결하거나 모든 국가를 번영을 향한 동일한 열차에 태울 수 없다. 유럽연합 회원국으로서 얻는 모든 혜택에도 불구하고, 기대는 실제 가능성과 일치하지 않았다. 불가리아는 1997년 유럽으로 방향을 틀었지만, 여전히 부패가 큰 문제로 남아 있다. 엘리트층은 국가 자원을 계속 탈취하고, 정치인들은 올리가르히(재벌)의 영향력 아래 있다. 일례로 언론 재벌인 델반 페프스키는 불가리아 경제에서 가장 큰 영향력을 행사하고 있다.[88] 현재 불가리아 국민의 20퍼센트는 최저생활선 아래에서 생활하고 있고, 주요 은행에서는 예금 인출 사태가 벌어지고 있는 것으로 보인다.[89] 불가리아가 유럽으로 돌아온 후에도 새로운 세대 학생들은 거리로 나와 시위를 벌이고 역사가 방향을 바꾼 1996-1997년에 선배들이 한 일과 희망을 잊은, 똑같은 옛 경찰로부터 구타를 당했다. 학생들은 플래카드에 불가리아 역사에서 중요했던 연도를 적어 넣었다. 1968, 2007, 2013년(마지막 연도는 아마도 불가리아를 유럽연합에서 가장 빈곤한 나라로 만들었던 부패를 최종적으로 벗어난 시점으로 보였다)이 그 연도였다.[90] 학생들은 잊힌 선배들이 16년 전에 한 일과 정확히 똑같은 일을 한 것이다. 소피아 중심부로 행진하면서 사회주의자들이 장악한 정부가 하야하고 조기 선거를 치를 것을 요구했다. 이 이야기는 아직 결론이 나지 않았다.

결론

트란실바니아, 보스니아, 서부 폴란드에 대한 연구에 의하면 인종적 정체성은 다른 국민들보다 동유럽 거주 주민들에게 더 큰 중요성을 갖는 것으로 나타났다.[1] 그러나 200년이 넘도록 라인강에서 러시아 문턱에 이르기까지 인종민족주의는 대적할 상대가 없는 힘을 가진 이념으로 작용하며, 정상적 상황에서 민족적 정체성이 문제가 되고, 되지 않고를 떠나 다른 모든 정치를 변화시키거나 뒤집는 역할을 했다. 종교, 언어, 음식 취향의 갈림길이자 제국들이 무너진 지역이었던 발트 지역에서 발칸 지역에 이르는 다양한 공간이 하나의 역사적 일관성을 가지고 있다면, 그것은 바로 이곳에서였다.

인종민족주의가 동유럽을 만든 것처럼, 아주 다양한 동유럽이 인종민족주의를 만들어왔다. 체코와 헝가리의 사전 편찬자, 세르비아의 반군, 폴란드 사관학교생도, 비밀언어 과정의 선생님들, 사회조사원, 민족 인프라의 건설자들, 나치 지배와 소련 지배의 부역자들과 반대자들에서부터 슬로바키아나 세르비아 관리들까지도 잠재적인 민족적 메시아로 바뀌었다.

처음에 민족주의 애국자들은 동시대 사람들에게 거의 눈에 띄지 않았다. 프란티셰크 팔라츠키가 1820년대 체코 민족 운동가들 전체를 큰 방 하나에 다 모을 수 있다고 말한 것은 사실을 말한 것이었다. 1840년대가 되어서야 '슬라브족들의' 민족주의는 이 문제에 대한 집착적 관심을 가지고 있던 이탈리아의 귀세페 마치니의 눈에 띄었다. 체코의 저명한 애국자인 카렐 하블리체크-보로프스키가 10년 후 사망해서 장례를 치를 때 조문객들과 체코 지식층 엘리트들은 모두 서로를 알았다.[2] 이 지역 밖에 있던 카를 마르크스와 루이 블랑 같은 진보주의자들은 폴란드가 사라지고, 헝가리의 자유가 압제당한 것을 한탄했지만, 인터뷰를 진행하기 위해 폴란드와 헝가리 평원을 여행하던 사람들은 주민들에게 민족소속을 물었을 때 당황한 모습을 보인, 여러 방언을 사용하는 사람들을 만났다. 이들은 마조비아와 상부 실레시아 지역 도시 거주민이거나 세케이인(루마니아의 세케이 지역에 거주하는 헝가리인들)이거나 다언어를 사용하되 문자해독을 못하거나, 문자해독을 하는 저지대·고지대 거주민들이었다. 이들은 몇 언어를 구사할 줄 알았고, 나이 든 세대는 라틴어 지식도 있었다.

19세기 중반 이전 민족소속을 상당히 의식하고 있던 사람들은 귀족일 가능성이 컸지만, 현대화의 영향과 자신들의 농지가 매각되는 상황에서 구세계는 산산이 와해되었다. 그러나 어찌되었건 이들이 폴란드인이거나 헝가리인이라는 사실은 후에 이것이 의미하는 것과는 너무도 달랐다. 많은 귀족들은 유대인이 폴란드인이거나 헝가리인이 될 수 있다고 생각했고, 정치적 압제가 행해지던 이 시기에 '폴란드'와 '헝가리'는 중동부 유럽 내부뿐 아니라 그 경계 너머에서도 살아 있었고, 파리나 뉴욕에 정착한 이민자의 글과 주장에서 살아 있었다.

민족주의자들은 주민을 대표하지는 못했다. 아무도 이들을 선출해서 사전을 번역하거나 국기를 흔들도록 위임하지 않았다. 그러나 1780년대부터 1840년대까지 기간과 양차 세계대전 이후 시기에 모든 정치적 '전환점'에는 중동부 유럽에서 정치를 하기를 원하는 모든 사람들은 외국의 폭정에서 '자신들의 조국'을 해방시키는 사람으로 자신을 내세웠다. 민족주의자들은 자신들이 쓸 수 있는 모든 수단을 사용했다. 민족적 출판 미디어, 민족 국가의 관료제도, 제국의 학교 등을 이용하여 민중들에게 새로운 소속감을 주입시키려고 했다. 이러한 소속감은 폭넓기도 했고, 좁으면서 배타적이기도 했지만, 역사적 폴란드와 헝가리의 다양한 주민들을 연합시키고 이들에게 자신들 속에 있는 이방인들을 가르쳐주기도 했다. 종종 무관심한 주민들에게 민족적 의식을 확산시키는 이러한 과업은 여러 세대의 에너지를 흡수하다가 2차 세계대전 이후에야 강제적인 인구 교환과 같은 유혈적인 국가 추진 정책에 의해 완성되었다.[3]

애국자들이 민족을 상상했다면 이들이 만들어내는 데 도움을 준 민족은 단순히 '인위적'인 것은 아니었다. 체코 인종에 속하는 사람들은 겔라시우스 도브너나 요세프 융만이 펜을 들기 훨씬 이전부터 독일어 사용자들과의 차이를 강하게 의식하고 있었다.[4] 고대로까지 거슬러가지는 않더라도 아주 오래된 것은 분노의 종족이었다. 당신의 언어를 사용하기에는 너무 '고결하면서' 자신들에게 유리한 가능성을 쌓아놓은 사람들이었다. 19세기 훨씬 이전부터 이러한 느낌은 세르비아인이나 보헤미아의 슬라브인들에게 살아 있었고, 이것이 애국주의자들의 자원이 되었지만 무한정 탄력적인 것은 아니었다. 이 책에서 얻을 수 있는 한 가지 교훈은 역사는 체코슬로바키아인과 유고슬라비아인은 초기 애국주의자들이 상상한 것과는 대비되게 한 민족은 아니라는 것을 보여주었다는 것이다. 궁극적으로 이두 민족적 아이디어는 체코슬로바키아와 유고슬라비아가 사라지는 것을 막기 위해 사람을 죽이거나 자신이 죽을 수 있는 충분한 사람들을 동원하지는 못했다. 사람들을 동원할 수 있는 단위는 크로아티아나 세르비아였고, 북쪽에서는 루마니아, 헝가리, 폴란드였다. 동유럽 민족주의는 역사에서 사라지지 않을까 하는 두려움이었고, 인종학살을 당하지 않을까 하는 두려움이었다.

18세기 후반에 나타난 이런 담론은 기본적 형태에서는 거의 바뀌지 않았고, 서방의 민족주의 담론과 차이를 만들었다. 어느 곳에서나 민족주의는 자신감과 명예다. 그러나 역사에서 사라지지 않을까 하는 두려움은 영국, 프랑스, 이탈리아, 스페인, 러시아, 스칸디나비아, 저지대 국가들에서는 찾아볼 수 없는 것이었다. 대부분의 시기 모두가 이러한 시각을 가지고 있었다는 것이 아니라 정치가, 특히 결정적인 순간에(1849년 트란실바니아, 1875년 헤르체고비나, 1919년 동부 갈리시아) 민족주의적 진수로 녹아들었다. 노동자들을 파업하도록 유도하거나 민병대가 공격을 하는 것을 떠나서 사람들의 에너지를 동원하는 데 다른 어떤 힘도 이것과 경쟁할 수 없었다. 1849년 합스부르크제국의 운명이 백척간두에 달렸을 때 제국을 구한 것은 제국주의자들이 아니라 크로아티아, 독일, 루마니아, 세르비아 민족주의자들이었다.

최근에 공세적인 세르비아 민족주의가 부상하는 데 이정표가 된 것은 세르비아 아카데미가 악명 높은 1986년 비망록에서 인종학살을 인용한 사건이었다. 이것은 코소보의 알바니아 민족주의의 가상적 위협과 연결되었다. 세르비아 민병대가 보스니아의 이슬람 주민들을 '청소'하고 살육하는 동안 인종학살 담론은 계속 힘을 발휘했고, 역으로 보스니아 이슬람 주민들의 인종적 정체감을 선명하게 만들어주었다. 그 이전까지 '보스니아'라는 수식어는 지역적 의미의 단어였지만, 이제는 의심의 여지없이 민족적 의미를 갖게 되었고, 보스니아인들은 역사에서 사라지는 것을 막는다고 말함으로써 국가 형성의 주장을 정당화하는 중동부 유럽의 '작은 민족' 중 하나가 되었다. 민족주의는 고정된 기준점referent points에서는 기회주의적이다. 다른 잠재적으로 기회주의적인 세계관인 자유주의, 사회주의, 기독교와 다르게 이것은 새로운 외피를 입을 때 성장한다.

✳ ✳ ✳

민족주의는 정말 발생해야만 했는가? 동유럽인들은 다른 형태의 비민족적인 소속 원칙을 만들어낼 수는 없었는가? 이러한 대안에 대한 의문은 최근의 동유럽 연구에서 진지한 가능성으로 고려되고 있다. 그러나 2세기 이상의 기간을 연구한 사람이라면 다른 변화는 상상할 수 있지만 다른 이야기는 상상할 수 없다. 이 지역 전체를 보면 발칸 지역부터 북쪽으로 민족주의화의 역사가 크게 다른 형태로 진행될 수 있었던 순간이 대여섯 번 있었다. 요제프 2세 황제가 라틴어를 독일어로 대체하려고 시도하지 않았다면(1784), 가브릴로 프린치프가 자신의 목표물을 총알 한 방으로 맞추었다면(1914), 미국의 윌슨 대통령이 유럽의 민족자결의 사도가 되지 않았다면(1919), 아니면 아돌프 히틀러가 권좌에 오르게 만든 여러 사건들이 일어나지 않았다면(1933년 1월) 등이 그런 순간이다.[5] 이런 사건들은 개인의 행동에 좌우된 우연한 순간들이었지만 우리가 다른 식으로 영향을 미칠 수 있고, 역사가 다른 진로를 택하게 만들 수도 있었다고 상상할 수 있는 사건들이다.[6] 이러한 사실과 반대되는 상상은 중요하다. 왜냐하면 그러지 않으면 역사학자들은 결정주의를 상대해야 되기 때문이다.[7]

그러나 이러한 경우를 넘어서면 다른 그럴듯한 시나리오는 별로 보이지 않는다. 1848-1849년 민족들의 봄을 진압한 반동 세력이 없다고 상상할 수는 없다. 마찬가지로 1860년대의 주요 인물들과 사건들을 재구성하여 합스부르크제국 엘리트들이 체코의 정치 계층을 진정시킬 타협을 이루었다고 상상할 수도 없다. 폴란드에서는 폴란드 정치 엘리트의 여러 분파가 러시아식 지배의 모든 형태를 반대하여 부역자들을 처음부터 끝까지 실망시켰을 수 있다고 상상할 수 없다. 가장 순종적인 폴란드 정치인들이 제공한 어떠한 양보도 러시아화의 강도를 약화시키지는 못했을 것이다. 1918-1919년 다른 모습의 유고슬라비아를 상상하고 싶은 유혹도 생긴다. 좀 더 연방적이고 아니면 50년 후 크로아티아의 봄에 다른 결과를 가져왔을 형태도 상상할 수 있지만, 두 경우 실제적·역사적 세부상황에서 나왔을 결과를 분명하게 상상해볼 수는 없다.[8]

이러한 경우들에 대한 환상적 시나리오를 부지런히 만들어낸다 해도 대안적인 결과는 좀 더 유혈이 적거나 그렇지 않은 다른 민족적 해결을 가져올 뿐이다. 일부 학자들이 주장한 것과는 대비되고 민족적 정체성은 생겨나거나 생겨나지 않을 수 있는 것이 아니라, 인간 공동체가 공통의 운명을 공유하도록 가장 가깝게 가도록 만드는 것이다. 초기 민족주의자들은 자신들이 '자신들의' 집단을 계몽시키지 않으면, 예를 들어 북부 헝가리의 슬로바키아어 사용자들을 계몽시키지 않으면 이 집단은 무해한 비민족적인 존재로 계속 있는 것이 아니라 다른 종류의 민족이 된다고 생각했다. 이 책에서 보여준 분석은 민족주의는 임시적인 것이 아니라 오히려 상황적이라는 것이다. 그 힘은 다른 무엇보다도 특정 인종에 대한 인식적 위협의 수준에 달려 있다.[9]

민족주의의 학생들은, 학교를 만들고 언어사용 권리를 주장한 19세기 행동가들은 완전히 독립적인 민족 국가 요구에는 미치지 못했다는 사실을 강조한다. 그러나 중요한 점은 애국자들은 제국의 영역 안이나 심지어 왕국의 영역 안에서는 충족될 수 없는 민족적 권리를 주장했다는 것이다. 1930년대의 헝가리 민족 운동 초기를 예로 생각해볼 수 있다. 헝가리는 영국이나 프랑스가 아니었다. 헝가리는 언어 집단, 종교 집단들의 형형색색 조각보였다. 이러한 '소수민족들'이 인구의 절반 이상을 채우고 있었다. 크로아티아 엘리트처럼 이들 중 일부는 스스로의 권리를 향유한 역사를 가지고 있었다. 프랑스도 만일 인구의 3분의 1이 브리튼인이고, 3분의 1이 알사스인이고, 단지 3분의 1만이 프랑스어를 사용하는 사람들이었다면 엄청난 어려움에 직면했을 것이다. 그래서 헝가리나 후에 체코 엘리트들은 제국의 균형을 뒤집으려고 의도한 것은 아니라고 말하는 것은 맞지 않는 주장이다. 그들은 객관적으로 그리고 피할 수 없는 방법으로 제국을 동요시키는 방식으로 행동했다. 이들은 자신들의 집단에 우위나 우선권을 줄 것을 요구하고 다른 소수민족들의 언어를 즉각적으로 말살하지는 않는다 하더라도 문화적으로 복종시키고자 하는 바람이 있었다.

국가성에 대한 담론이 제어할 수 없는 동력을 가지고 이 지역 전체에 퍼져나가기도 했지만, 이 담론은 19세기 말 급진화를 겪었다. 전반적으로 민족 운동에 대한 비관주의가 클수록, 국수주의적 경향도 컸다. 비관주의가 다른 모든 대안적 비전을 덮어버릴 때 그 결과는 파시즘이었다. 비관주의는 인구학적 공포와 다음으로 트리아농조약의 재앙으로 인해 헝가리에서 가장 강했다. 이것이 1930년대 헝가리 모든 계층의 반동이 극단주의적이었는지를 설명해주는 이유가 된다. 이들은 여러 세기에 걸친 개종과 인종 간 결혼으로 개인이 민족으로 흡수된 것을 잘 알고 있었다. 파시스트들은 종종 외국계 후손인 경우가 많았지만, 이것이 유대인 혈통이 아닌 경우에는 아무도 이에 반대를 하지 않았다.

모든 민족주의 중에 유대인성이 다른 민족들과 다른 '타자성'과 더 강하고 선명한 차별 수준을 만들어낸다고 생각하는 사고가 있다. 20세기가 되자 "유대인은 생물학적이나 정의에서 폴란드인과 다르고 이질적이다"라는 시각이 폴란드에서 나타났다. 반유대주의자들은 유대인이 백인이기 때문에 이러한 '사실'이 쉽게 인정되지 않는다고 주장했다.[10] 그러나 이러한 시각은 반유대주의를 넘어선다. 일부 유대인은 유대인이 인종적으로 다르기 때문에 자신들을 보호할 초치를 취해야 한다고 주장했다.[11]

＊ ＊ ＊

경계가 정해지지 않은 지역인 동유럽은 인종주의와 민족주의를 넘어서는 지적 경향에 열려 있다. 이것은 이 지역의 민족들이 대제국에서 살아온 경향이 있다는 것을 고려하면 특히 더 사실이 된다. 오스트리아-헝가리제국에서의 민주화 운동과 사회주의 운동은 인종주의에 의해 추동되었지만, 자유주의와 사회주의에 대한 사상은 아무런 장애 없이 모든 영역, 전 유럽에서 확산되었다. 1차 세계대전 후의 조정은 지도를 많은 민족 국가로 나누어왔지만 오랜 제국적 경향은 1930년 독일이 보헤미아와 폴란드를 점령하고 중동부 유럽을 자국의 영향권으로 복속시키면서 다시 살아났다. 그래서 동유럽은 이제까지 보지 못했던 새로운 것의 중심 지역이 되었다. 이것은 전체주의적 이념에 의해 지배되는 두 제국 체제였다.

1918년의 제국주의에서도 그랬지만 외세 지배는 어느 정도 길들여졌다. 인종학살의 이론과 실행은 나치 독일에서 수입되었지만, 이것은 지역 민족주의 내부에서도 형태를 갖추었다. 전에는 적은 다른 군복을 입은 사람이었지만, 이제는 군복을 입었건 아니건을 떠나 인종적으로 다른 사람이었다. 어떠한 동유럽 사회도 나치 독일이 시작한 것과 같은 전면적인 인종 전쟁을 일으켰거나 일으킬 수 없었다. 그러나 각 사회는 적에 대한 이러한 새로운 이해에 적응했고, 그 이유는 이것이 지역 전통에 부합되었기 때문이다. 대체적으로 폴란드 사회는 유대인은 이질적인 존재로 여겼기 때문에 자신들 사이에서 유대인이 차별되고 제거되는 것을 불평 없이 받아들였다. 2차 세계대전 후 유대인들이 갑자기 사라진 것을 애도할 수 있는 것이 안전해진 후에도 그렇게 하는 사람은 거의 없었다. 이것은 보헤미아와 모라비아 보호령, 헝가리, 보스니아에서도 마찬가지였다. 나치가 점령한 대부분의 지역에서 비유대인들은 유대인들을 자신들 민족의 일부로 간주하지 않았고, 따라서 자신들이 책임져야 하는 세계의 일부가 아니라는 것을 드러냈다.[12] 그러나 대부분의 사회는 동족의 상실은 깊게 애도했다.[13] 오늘날까지 우리는 1945년 짧았던 프라하 봉기에서 목숨을 잃은 수십 명의 체코인들을 추모하는 장소를 볼 수 있다. 이러한 기념비는 봉기 얼마 후 세워졌다. 그러나 독일 조각가 군터 뎀니크의 첫 기념비가 세워진 후 체코인들은 비교할 수 없이 더 규모가 큰 유대인들의 희생을 기리는 추념비를 자국 내의 유명한 장소에 세우기 시작했다.[14]

지역 인종의 안전에 대한 염려는 2차 세계대전 후 소련이 도입한 두 번째 전체주의 질서에 대한 적응을 훨씬 쉽게 만들었다. 소련군은 폴란드와 체코슬로바키아를 독일의 지배에서 해방시켰고, 이 국가들의 장래에 없어서는 안 되는 존재가 되었다. 공산주의자들은 열렬한 민족주의자들이었다. 이들은 어떤 면에서는 이전 사람들이 한 일을 넘어서서 국민에 대한 사회적 관념과 인종적 관념을 연결시켰다. 이들은 나치 제국으로부터 보호를 하지 못하고, 일반 국민들의 지위를 고양시키지 못한 구부르주아 질서를 타파하기 위해 이렇게 했다. 수백만 명의 폴란드인들과 보스니아인들은 아직도 전기가 들어오지 않고 진흙 밭의 시골 마을에 살면서 계몽과는 거리가 먼 생활을 하며, 조상들이 먼 옛날부터 이어온 존재 방식을 이어가고 있었다. 인민민주주의는 중동부 유럽을 현대적이고 유럽적으로 만들었다.[15]

그러나 레닌주의자 아방가르드의 기본적 사고는 토종 동유럽 마르크스주의 사회주의에게도 이국적이었다. 마차시 라코시가 적과 '우리'를 극단적으로 대립시킨 것은 그 안에 절대적인 과학적·도덕적 확실성을 가지고 있는 듯 보였지만, 이것은 그가 모스크바에서 훈련을 받고 수입해온 것이었다. 중유럽 정치적 별자리는 뒤죽박죽인 상태라 어떠한 절대적 통제 욕망을 가지고 있지 못했고, 이것은 과거 사회민주주의자들도 마찬가지였다. 스탈린은 1920년대 동유럽에서 공산당이 나타나자 고집이 센 동유럽 공산당을 숙청하고 재구성해야만 했다. 온건한 체코 공산당은 특별한 문젯거리였다. 스탈린이 대변하는 소련 체제는 1917년 이전 러시아를 지배한 사회·정치 불공정의 극단성에서부터 나온 것이었기 때문에 오직 완벽하고 극단적인 사회 변형만이 부르주아 사회의 불공정에 대한 적절한 대응이라는 확신을 갖게 되었다.[16]

현재, 과거에 대한 지역적 담론은 동유럽인들이 서방과 동방에서 수입된 전체주의를 저항했다는 것을 강조한다. 1944년 폴란드의 바르샤바 봉기나 헝가리의 좀 더 구조적인 저항도 모두 이러한 예라고 보았다. 야노스 카다르의 NEM은 대응이었고, 이것은 1848-1849년 헝가리 봉기의 실패에서 1867년 타협이 나온 것과 유사하게 1956년의 '실패한' 봉기의 열매라고 볼 수 있었다. 두 경우 모두 제국 지배자들과 지역 관리들은 현실에 적응을 해야 했다. 그러나 1848-1849년, 1953년 동독, 1968년 체코슬로바키아, 1980년 폴란드 봉기의 광의의 진실은 이들이 진압되었다는 것이 아니라 이것이 다시 일어나지 않아야 한다는 것이었다.[17] 그 결과 각국 정부들은 주민들을 진정시키려고 노력하게 되었다. 1867년 타협으로 프란츠 요제프 황제는 헝가리인들에게 유화정책을 펼쳤고, 1세기 후 야노스 카다르는 집권 30년 기간을 1956년이 다시 일어나지 않도록 하는 데 집중했다. 그러나 1956년을 잊는 것은 불가능했고, 이것은 그가 무덤까지 가지고 간 고통이었다.

한 역사학자는 폴란드의 저항 전통, 특히 1944년 봉기로 인해 소련 정치인들은 폴란드를 좀 더 조심스럽게 다루게 만들었다고 주장했다.[18] 궁극적으로 폴란드 공산당은 각 저항 운동으로 인해 견제되고 절제하게 되었다. 2차 세계대전 직후 반공산주의 봉기나 1956년, 1968년, 1970년, 1976년 노동자와 지식인들의 행동이 모두 이러한 역할을 했다. 1970년대가 되자 공산당은 너무 많은 기반을 내주어서 수입된 레닌주의 이념은 껍데기뿐인 말로만 남게 되었다. 그런 다음 자유노조 혁명이 일어났고, 이것은 사회주의에 적대적이지 않다고 주장했지만 실제로는 사회주의의 기본적 계산을 뒤집어버렸다.

체코슬로바키아 공산당은 다른 길을 택했다. 1969년 '정상화Normalization' 운동에는 두 가지 목표가 있었다. 하나는 프라하의 봄이 다시 일어나지 않게 하는 것이었고, 다른 하나는 이것이 망각되도록 만드는 것이었다. 이후 20년 동안 개방, 비판 또는 합리적 경영에 대한 가장 작은 요구도 발본색원해야 했다. 그래서 구스타프 후사크 정권은 인간의 얼굴을 한 사회주의의 정확한 반대 모습이 되었다. 다시 말해 최상부에 있는 몇 사람이 주도하는 스탈린주의자 명령 체제로 되돌아갔다. 정상화는 공적 영역에서 영혼 없는 레닌주의만 남도록 끊임없는 의식 점검을 강요했다. 이와 동시에 정상화를 추진하는 지도자들은 좀 더 높은 생활수준과 사람들이 개인적인 생활에 쏟을 시간과 에너지를 마련하고 보호하려고 노력했다. 이들은 특히 노동자들에게 큰 신경을 썼다. 프라하의 봄 때 노동자들의 지원은 미미했었다. 지도부는 극단적인 사회 평준화를 강행하고, 높은 교육이 더 나은 생활을 영위할 수 있게 만든다는 '부르주아' 기대를 거부했다. 이것이 체코슬로바키아의 지니 계수가 특별한 수준에 달한 이유였다.

✳ ✳ ✳

자유주의자, 파시스트, 공산주의 또는 신자유주의 등 정권의 변이형은 다양했지만 동유럽 민족주의는 핵심적 의미를 잃은 적이 없었다. 여기에서는 우선순위와 전례가 중요했다. 때로 여기에 대한 주장은 단도직입적이었다. 많지 않은 자료는 슬라브인들이 독일인보다 보헤미아에 먼저 거주했다는 것을 보여주기 때문에 체코 애국자들은 이 땅이 자신들의 땅이라는 것을 굳게 믿었다. 헝가리 애국자들은 좀 더 창의적이 되어야 했다. 이들은 마자르인들이 880년대 판노니아 평원으로 몰려오기 전에 켈트인들과 슬라브인들이 이 지역에 거주하고 있었다는 것을 알고 있었다. 그래서 헝가리 민족의 주류는 단순히 판노니아가 아니라 유라시아 전체에 먼저 거주했었다는 이론이 나오게 되었다. 라틴 민족은 마자르족의 후손이라고 주장한다. 그러나 귀족들은 더욱 특별했다. 이들은 '귀족 스키타이인의 잔재'라고 주장한다.[19] 폴란드 귀족들은 고대 왕족인 사르마티아족의 후손이라는 신화를 만들어냈다.[20]

　루마니아 대귀족 신화는 현대 시대에 더 잘 맞아떨어진다. 대귀족 가족의 하인들로부터 새로운 피를 공급받는 데 개방적인 대귀족 계급은 프랑스혁명의 민주주의를 기대해왔다. 이러한 믿음은 대귀족이 땅과 특권을 유지하는 것이 단순히 세습적이 아니라는 것을 정당화시켜준다. 대귀족들이 인간적이고 평등한 제도를 바탕으로 루마니아 대공국을 건설했기 때문에 이들은 유럽 귀족들을 휩쓴 프랑스공화국의 아이디어에 대한 두려움을 가질 이유가 전혀 없었다.[21]

모든 곳에서 민족 정체성에 대한 생각은 민족성과 연계되었다. 사람들은 이에 반응하고, '그들의' 성격을 잘못 해석한 사람들에 대항하여 동원될 수 있었기 때문에 이것은 아주 중요한 허구였다. 허구에 대한 저항은 학문적 영역 외의 모든 환경에서 결정적 역할을 하는 강력한 진실을 만들어낼 수 있다. 〈수중의 적The Enemy Below〉(1957)이라는 영화에서 자신의 임무를 수행하는 U보트 함장 역할을 연기한 쿠르트 유르겐스의 예를 들어보자. 그는 나치의 '신독일'이라는 잘못된 군대 소속의 함장 역할을 연기했다. 후에 유르겐스는 이렇게 회고했다. "이것은 나에게 중요한 영화였다. 이것은 2차 세계대전 후 독일군 장교를 괴물로 해석하지 않은 첫 영화였다."[22] 유르겐스는 독일 장교도 아니고, 병사도 아니고, 독일인도 분명히 아니었다. 그의 어머니는 프랑스 여성이고, 아버지는 합스부르크제국 출신이었으며, 그는 1930년대 빈에서 연기 생활을 하고 오스트리아 시민권을 얻었다. 1944년 가을 나치 당국은 그를 '정치적으로 신뢰할 수 없는 분자'로 몰아 집단수용소에 수감했었다. 그럼에도 그는 독일 군대에 대한 비판으로부터 자유롭지 못하다고 느꼈다.[23]

* * *

다른 담론도 있다. 사회, 경제, 제국주의적 담론도 있는 것이다. 그러나 각 경우에 흥미로운 것은 민족주의가 어떻게 각 담론에 녹아 들어가서 다양하게 바뀌며, 때로는 반제국주의와 민족 국가주의, 때로는 다민족주의

(체코슬로바키아, 유고슬라비아), 때로는 이런저런 제국 세력과의 협력으로 나타났는가이다. 민족주의자들에 민족적 권리는, 인권과 같이 다른 여러 권리 중 한 종류가 아니었다. 민족적 권리는 다른 모든 권리가 흘러나오는 근원이고, 인간 자유의 전제조건이었다. 이슈트반 세체니는 1845년에 이 논리를 인정하고 다음과 같이 물었다. "만일 당신이 자유를 얻기 원한다면, 어느 민족의 바탕에서 이를 성취하려고 하는가? 슬라브인으로서 아니면 독일인으로서?"[24]

세체니는 위대한 헝가리 애국자였지만, 그는 더 위대한 다른 애국자들을 막아내기에 바빴다. 그와 다른 동유럽 민족주의자들은 국경이 없이 변화하는 전선에서 적을 만나 싸우는 동유럽 지역 자체였다. 이들의 정치는 도전을 전제하고 급진화되었다. C. A. 매카트니는 1890년대 트란실바니아의 루마니아인들 중 온건파는 점점 사라져버리고, "민족 운동 전체가 도전받지 않는 극단적 민족주의자들의 통제하에 들어갔고, 정부는 더 압제를 하는 것 외에는 이들에 대한 대응 방법을 찾을 수 없었다"고 평가했다.[25] 다른 말로 하면 한 편의 극단주의는 다른 편의 급진화를 기대하고 있었다. 트란실바니아의 다른 편인 헝가리 엘리트층에서는 세체니와 저명한 요세프 에오트보스 같은 온건파가 사라졌다.[26] 이들이 주장하는 것은 헝가리인들이 통치하는 헝가리이고, 다른 모든 민족들은 자신들 국가의 기구의 통제를 받는 한에서 권리를 누릴 수 있었다.

19세기 후반 민족 건설자들은 다른 경쟁은 살아남을 수 없는 헝가리에 미래에 대한 단결된 비전을 가졌다. 보헤미아에서도 상황은 똑같이 전개되어 체코 민족 운동은 사적 수단을 동원해 각 학교를 장악하기 위해 싸웠고, 보헤미아의 운명을 체코여야 한다는 것을 의심하는 사람은 합스부르크왕가가 허용한 자유선거에서 승리할 가능성이 전혀 없었다. 보헤미아에서 독일 측과 체코 측은 아주 제한된 지역 안에서 문화적 생사를 건 투쟁이라는 것을 알아차렸다.

민족주의로의 경도는 민족에 대해 큰 신경을 쓰지 않는 정치인들도 극단주의자로 만들었다. 도시화된 국제은행가이자 관료인 슬로보단 밀로셰비치나 기이한 과학자인 라도반 카라지치 두 사람 모두 후에 전쟁범죄자로 기소된 것은 잘 알려진 사실이다. 신문의 헤드라인을 장식하기 전 스레브레니차에서 다양한 민족들이 오랜 기간 평화롭게 거주해왔었다. 그러나 1990년대 초 온건한 정치인들은 자신의 정당 내에서도 강경파에게 밀려났다.[27] 이와 유사한 과정은 보스니아와 크로아티아 다른 지역에서도 진행되었고, 그 한 예가 크닌이다.[28] 우리 시대에 우리는 스릅스카공화국*의 밀로라드 도디크 같은 '온건파'를 가지고 있다. 섬세한 미국 외교관인 리처드 홀부르크는 그에 대해 이렇게 쓰기도 했다. "만일 도디크 같은 지도자가 더 많이 나타나서 살아남으면 보스니아는 단일 국가로 살아남을 것이다." 이것이 1998년 상황이었다. 그러나 지금 엘리자베스 제로프스키는 도디크가 "가장 호전적인 세르비아 민족주의자 중 한 사람이다"라고 쓰고 있다. 2015년 6월 그는 스레브레니차를 '20세기의 가장 위대한 사기'라고 선언했다. 10여 년의 세월 동안 그는 체제가 무엇을 보상해줄지를 알아차린 것이다.[29]

서방에도 이러한 역동성이 없었던 것은 아니다. 일례로 독일 지도자 헬

---

* 보스니아-헤르체코비나는 현재 스릅스카공화국과 보스니아-헤르체고비나연방으로 구성되어 있다. 보스니아-헤르체코비나의 북부와 동부 지역을 차지하고 있고, 중심 도시는 바냐루카이다. 스릅스카공화국은 보스니아-헤르체코비나 내 세르비아인들의 이익을 보호한다는 명분으로 발생한 1992년 보스니아 내전으로 탄생했다. 밀로라드 도디크는 현재 연방국가인 보스니아-헤르체고비나의 대통령은 맡고 있고, 1998년 이후 두 차례 스릅스카공화국 총리를 역임했으며, 2010년부터 2018년까지 대통령을 맡았다.

무트 콜은 1990년 독일 통일 전 우파의 민족주의 세력과 싸우기 위해 폴란드에 대한 자신을 말을 수정하여 폴란드와의 국경을 보장하지 않았다. 그러나 이러한 언사는 궁극적인 위험이 아니었고, 그렇게 될 수도 없었다. 이것은 강대국에서 발현한 정치적 기회주의였을 뿐이다. 좀 더 극단적인 주장은 크로아티아의 세르비아인이나, 보스니아의 크로아티아인들이 '자신들의' 땅을 사수하려는 코소보 알바니아인이나 크로아티아인, 슬로바키아인을 대상으로 사용했다. 아니면 자신이 정치적 중도파로서 자신이 겪는 곤경을 콜에게 제대로 전달하지 못한 폴란드의 마조비에츠키에게 사용되었다.[30]

위협을 받고 있는 '국민'이 사회적이면서 인종적이라는 사실은 사회적·인종-민족적 주장이 서로 분리될 수 없고, 상호 강화작용을 하도록 만들었다. 1940년대 극단적 민족주의에 대항하기 위해 만들어진 반파시스트 담론은 인종적·사회적 우려를 중첩해서 민족해방의 관점에서 설파되어야 했다. 이때 좌파는 진정한 '국민'은 다른 계층에게 배신당한 농민이라고 주장했다. 2차 세계대전 후 사회질서에서 두 기독교 분파가 자신들을 합법화할 때도 '국민'의 관점에서 그렇게 했다.[31] 폴란드에서는 소련 당국이 1944년 이 나라를 통치하기 위해 만든 위원회가 '민족해방위원회'라는 명칭을 채택했다. 더 남쪽 유고슬라비아 공산주의자들은 '유고슬라비아 민족해방 반파시스트위원회'라는 명칭을 사용했다.

폴란드에서는 1950년대와 1960년대 국가와 교회가 민족주의적 담론을 좀 더 진정으로 대표한다고 내세우며 서로 경쟁했다. 양측 모두 기독교 전파 천 년과 국가 수립 천 년을 기념했다. 교회의 더 강력한 정통성 주장은 초상화가 없는 검은 성모 마리아 그림으로 나타났다. 동유럽 지역에서 민족주의 공산주의자들 사이의 경쟁이 진행되었다. 폴란드의 브와디스와프 고무우카와 헝가리의 야노스 카다르의 경쟁이 그 한 예였다. 카다르는 주민들의 필요에 주의를 기울이고, 국가 경축일에 국기 색깔로 장식된 상점 유리를 상품으로 채우며 권력을 유지했다. 고무우카는 학생들과 궁극적으로 노동자들이 거리에 나와 반정부 시위를 하도록 만든 정책으로 인해 실패했다. 학생과 노동자들은 애국적 노래를 부르고 피에 물든 붉은색-흰색의 폴란드 국기 같은 강력한 이미지를 담은 깃발을 흔들며 시위를 했다.

＊　＊　＊

유럽을 비교 관점에서 보면 국기를 흔드는 이러한 노동자들은 이국적으로 보였고, 제대로 이해되지 않았다. 중유럽 출신의 에른스트 겔너와 에릭 홉스봄을 포함한 저자들의 잘 알려진 치료법은 분별하기 어려운 중동부 유럽 민족주의의 특수성을 깎아내고, 이것을 이 용어의 세계적 정의에 맞추어 끼워 넣는 것이었다. 홉스봄의 민족이라는 아이디어는 지구 모든 곳에 적용되어야 하지만, 이 책에서 우리는 지구의 한구석에서 이 용어가 무엇을 뜻하는지에 주의를 기울였다. 이 구석에서 겔너가《민족과 민족주의Nations and Nationalism》에서 말한 세계적 담론은 맥락에 맞지 않거나 2차적 의미만 가지고 있다. 민족 국가는 '실현 가능해야' 한다는 존 스튜어트 밀의 생각이나 민족주의는 제대로 출발하기 전에 특정한 크기의 한계를 넘어야 한다는 말도 논점을 벗어난다. 체코인들과 슬로베니아인들은 이러한 척도를 전혀 알지 못한 상태에서 이런 요건 없이도 이를 거슬러서 자신들의 역사를 만들어왔다. 언어와 역사는 결정적 기준이 아니라는 홉스봄의 생각도 지구상에서 높이 뜬 위성에서 관측한 민족주의 현상에는 적용

될 수 있기는 하지만, 중동부 유럽의 거의 모든 사람에게 상식에 맞지 않는 말로 들린다.[32]

여기에 이런 말을 첨가할 수 있다. 이것은 서유럽이라는 궤도에 고정된 위성에서 바라본 결과이다. 민족주의에 대한 가장 영향력이 있는 책은 민족주의의 확산을 촉진하는 '구어 출판 자본주의'의 핵심적 역할을 상정했다. 그러나 헝가리, 세르비아, 폴란드에서 민족주의 운동이 일어났을 때 그곳에는 자본주의는 없었고, 20세기에 들어서서도 이 지역들은 문맹에 시달렸다. 사람들이 문자해독을 하는 곳에서도 구어는 자주 탄압되었다. 민족주의가 일어나면 그것은 감정, 사상, 우리가 지적한 사람들의 격렬한 행동에서 일어났다. 이 사람들 중 일부는 사제나 학자고, 다른 일부는 도적떼이다.

이 문제에 대한 연구서를 낸 인류학자 베네딕트 앤더슨은 자신의 책을 읽은 몇 사람의 이름, 즉 도브로프스키, 융만, 카진스키를 언급했지만, 이들의 노역을 자극한 열정에 대해서는 전혀 언급하지 않았다. 그는 이들이 속하지 않은 유럽 사상의 계보에 이들을 연결하고, 미주대륙이나 아시아의 착취에 관심이 쏠린 서구의 상상에 이들을 연결시켰다. 그러나 도브로프스키와 융만은 자신들 지역 주민들에게 관심이 많았다. 이들은 에드워드 사이드가 서술한 '다른 것, 이상한 것, 먼 것'을 보고자 하는 욕구가 넘치는 학자–역사학자는 아니었다. 대신에 이들은 보헤미아나 헝가리에서 다르고 이상한 것이 사라지지 않도록 하는 데 모든 관심을 쏟았다.[33]

이들은 조용한 '질풍노도'의 투쟁을 하는 낭만주의자들이었고, 사회과학자들의 체계와 제대로 조화하지 못하는 모순적 삶을 살았다. 베네딕트 앤더슨은 세르비아와 폴란드의 학살의 들판은 고사하고, 트란실바니아, 남부 보헤미아의 대중 모임에 운집한 수십만 명의 사람들에 대해서는 아무 언급도 하지 않았다.[34] 앤더슨이나 홉스봄 모두 사회적 탄압과 민족적 탄압의 모욕이 중첩되는 제국의 그늘진 부분으로 독자들을 안내하지 않았고, 아직 존재하지 않은 민족주의자들을 동원하려는 애국자들이나 오래된 것을 새로 포장해 새로운 것을 만들어내는 민족주의자들의 모순에 대해서도 시간을 할애하지 않았다. 현대화(꼭 '자본주의'일 필요는 없더라도)는 민족을 만들어내는 힘이 아니라 이에 반응하면서 민족이 일어나는 힘으로서는 핵심적이었다. 1784년이 탄생한 계기는 중앙화와 이성화에 대한 반란이었다. 후에 현대화는 민족 공동체를 지원했지만, 근대 민족들은 전체적으로 전근대적인 환경에서 자라났고, 그 단적이 예가 세르비아이다.

자본주의는 동유럽에서 민족주의를 탄생시키지는 않았고, 대신에 이미 존재하고 있던 민족 사상과 민족 정체성을 재형성하고 확산시키는 도구가 되었다.[35] 이러한 사상과 정체성을 만들어내고, 이것을 위해 살도록 작정하게 만든 것은 망각에 대한 강렬한 두려움, 자신이 비하되는 것에 대한 깊은 반감, 복종에 대한 불같은 혐오였다. 18세기 말에 이러한 감정들이 동유럽 전역에서 나타난 것은 제국 세력들이 스스로 한 행위와 관련이 깊었다(그것은 서로 권력과 영예에서 앞서려고 경쟁한 것이다). 오스트리아의 요제프 2세는 프랑스와 영국이 동시에 되고자 했다. 다시 말해 민족 국가와 거대한 제국이 동시에 되고자 했다. 캐서린 여제는 유럽의 주도적인 육상 강국이 되려고 했고, 오스만튀르크의 술탄들은 자신들이 전혀 유럽에서 나오지 않았다는 것을 분명히 하려고 했다. 그래서 그들은 그리스와 세르비아 땅에서 부패를 뿌리 뽑는다는 위험한 행동이 나왔다.

제국의 변방에 있는 이 광대한 공간에서 새로운 민족주의가 자라나고 있다는 것을 보여주는 첫 가시적 실체는 언어였고, 언어는 가장 잘 알려진 이론가들의 분석에서 가장 치명적인 맹점이다. 앤더슨의 분석틀에서 구어는 단지 문자로 표시되기만을 기다리는 주어진 조건으로 제시되었다. 그러나 실제로는 구어는 애국자들 간의 내부적 이견과 엄격한 검열관의 감시에도 불구하고 이것에 생명을 불어넣으려는 수십 년간의 논쟁 많은 '상상하기'에 의해 나타난 것이다.[36] 체코어의 경우가 전형적인 예이다. 체코 신문의 모든 작은 공간과 체코 연극 공연의 매 순간, 새로운 체코어 교실은 모두 인간 노력의 대상이었다. 이러한 노력은 일반적인 것이 아니었기 때문에 앤더슨이나 다른 이론가들이 연구에 시간을 쏟지 않은 노력이었다.

앤더슨은 민족주의는 프랑스에서 시작되어 연쇄작용으로 국경을 넘어 이동한 것으로 보았다. 기본적인 요약에서 이러한 주장은 논란의 여지가 없다. 민족은 정해진 경계 안에서 자신의 운명을 통제해야 한다는 것은 유럽 내부와 경계 밖의 사람들이 프랑스에서 얻은 교훈이었다. 그러나 동유럽에서는 이러한 이전의 현실은 좀 더 역설적이었다. 이 프랑스 모델을 가장 먼저 흡수한 독일인들은 동시에 이것을 거부하고 프랑스인들이 피해간 것들, 즉 프랑스인들이 당연하게 여긴 언어, 문화를 중심으로 자신들의 국가성을 형성해나갔다. 그런 다음 동유럽인들은 문화와 언어에 집중하면서도 독일에 대항하는 민족성에 대한 자신들의 아이디어를 형성했다.[37] 1860년 프라하를 방문한 외지인은 체코인들의 반세계성을 현지 독일인들의 관념과 구별할 수 없었다. 체코인들도 같은 음식을 먹고, 같은 옷을 입고, 비슷한 음악과 이야기를 좋아하고, 같은 지역 성인을 가지고 숭앙하고, 같은 직업적 야망과 좋은 삶에 대한 갈망을 품고 있었다. 이것은 그 방문자가 체코인들이 분명히 구별되고, 소중하고, 독일인들에게는 너무 알아듣기 힘든 구어를 사용하는 것을 들을 때까지만 갖게 되는 인상이다.

체코인들은 식민지처럼 통제받고, 영국이나 프랑스처럼 오랫동안 존재한 강력한 국가의 시민들은 이해할 수 없는 방법으로 안전한 국경을 간절하게 필요로 하는 작은 민족의 운명에 말했다. 외부인에서 내부인이 된 토마시 마사리크는 체코슬로바키아 민족 국가를 건설하기 위해 그 언어를 완전히 습득해야만 했다. 이것은 동유럽도 자신들의 유럽 공간의 단순한 연장에 불과하다고 주장하는 서방 관측자들이 충분히 이상할 정도로 간과하는 메시지이다(유럽에 다시 가담하는 것이 반체제 운동의 첫 번째 목표였다). 냉전 시대의 언어로 말한다면 1989년 이후에 발생한 일은 역사의 마지막 장으로서 제1세계가 제2세계를 끌어안고 흡수하는 것으로 보였다.

그러나 대략 2010년부터 시작하여 중동부 유럽이 자신들의 과거를 고집스럽게 계속 짊어지고 나가는 것을 보아왔다. 이 글을 쓰는 2019년 1월 4일 아침에도 《뉴욕타임스》는 트리아농조약의 부당성에 대한 기사를 실었다![38] 실상은 중동부 유럽에는 제1세계, 제2세계, 제3세계가 계속 유지되고 서로 중첩되며 각각이 같거나 다른 과거에 대한 주장을 펴고 있는 곳이다. 일례로 1989년 이후 체코 땅은 결연한 신자유주의자이자 지방 민족주의자였던 바츨라프 클라우스의 영향력 아래 있었지만, 그 이전에 그들은 반자본주의인 제2세계의 중심이었고, 그 이전에는 18세기까지 거슬러 올라가는 식민지 피지배 주민이면서 민족해방 투쟁 아이디어의 공동 창안자였다.

그먼 시기의 학자-애국자들은 1968년, 1989년의 체코 학생들과 1956년, 1988년의 폴란드 노동자들, 1960년대 또는 1980년대의 유고슬라비아 지식인들과 함께 자유주의적·사회적·민족적 권리를 위한 세 갈래의 투쟁에 모두 뒤섞여 참여했다. 또한 책임 있는 정치적 대의, 궁핍이 없는 존엄의 삶, 자신들의 민족 문화의 보호를 위한 투쟁에도 참여했다. 1938년, 1948년, 1968년의 이야기는 외국 지배에 대한 자아 주장의 오래된 이야기와의 급진적 결별이 아니라 새로 단장된 이야기였다. 여러 면에서 1919년의 대변 동이나 부다페스트의 1956년, 프라하의 1968년은 1948-1949년의 열정의 재상연이었다. 기적과도 같았던 1989년은 민족해방 투쟁이었고 동시에 수세기를 거슬러 올라가는 동유럽의 민주주의, 기본적 민권, 전통의 깊은 전통을 다시 내세운 것이었다. 1791년 폴란드 헌법이나 헝가리의 유서 깊은 지역 자치 전통을 그러한 예로 들 수 있다.

이 책이 서술한 이야기에서 얻을 수 있는 교훈이 있다면, 이러한 세 세계에 대한 요구가 경멸적인 응답을 만나면, 모든 일을 제대로 바로 잡겠다고 주장하는 힘이 나타나고, 이 힘은 자유주의적인 경우는 드물다는 것이다. 자유주의적이건 아니건 많은 권리주장자들이 합스부르크왕조를 장악하면서 1860년대 대의 정부의 판도라 상자가 열렸고, 다음에 나타난 것, 특히 1879년 이후 나타난 것은 다양한 형태의 포퓰리즘이었고, 좌파나 우파 포퓰리즘은 1882년 린츠에서 잠시 서로 연합했었다. 그 사이에 긴 세대들은 일시적인 자유민족주의, 민족사회주의, 사회주의 민족주의의 승리를 목격했고, 가장 최근에는 '유럽으로의 회귀' 이후에 트리아농 같은 과거뿐만 아니라 아직 이름을 찾지 못한 정치와 연결된 집중적인 민족주의가 나타났다.

감사의 말

나는 먼저 동유럽에 대한 나의 교육을 지원해준 기관들에 큰 빚을 졌다. 조지타운대학과 그 대학 내 외교대학, 하이델베르크대학, 크라쿠프의 야겔로니아대학 그리고 바단 폴로이니치연구소. 다음으로 미시간대학, 하버드대학, 버클리대학의 역사학과가 그러한 교육을 제공해주었다. 버클리대학은 인문연구기금으로 이 책을 쓰는 데 도움을 주었다. 나는 예나대학의 임레 케르테츠대학과 부다페스트의 중유럽대학의 세미나에서 나의 연구를 발표할 소중한 기회를 가졌다. 중유럽대학은 대학교들이 우리의 문화를 유지하는 데 얼마나 중요한지 또한 이것이 두려움과 무지로부터 보호를 받지 않은 경우 얼마나 연약한지를 가슴 저미게 보여주었다.

나는 이 지역에 대해 내가 공부할 수 있게 해준 선생님들에게 지속적인 감사를 드린다. 리처드 스타이츠, 제임스 셰델, 쿠르트 얀코프스키, 로널드 머피, SJ, 얀 카르스키(조지타운), 안드제이 브로제크, 브와디스와프 미오둔카(크라쿠프), 보그다나 카펜터, 로만 슈포를리크, 즈비 기텔만, 지오프 엘레이, 롬 수니(미시간대학)가 그분들이다. 나는 카를대학의 과목을 수강한 적은 없지만, 한없는 너그러움을 베풀어주신 작고하신 얀 하브라네크에게 특별히 감사드린다. 하버드대학에서 나는 나의 선생님인 스타니스와프 바란차크, 찰리 마이어, 로만 슈포를리크 교수님과 수시로 대화를 나누는 큰 행운을 누렸다. 이 세 분은 진정으로 인간적인 천재성의 축복을 받은 분들이다. 나는 깊은 사고와 활동의 환경을 제공해준 하버드대학의 두 기관에 감사드린다. 로웰하우스와 그곳의 너그럽고 자상한 사감장인 윌리엄 보서트와 메리 리 보서트에게 감사드리고, 동유럽연구소와 애비 콜린스, 귀도 골드만, 스탠리 호프만, 찰리 마이어는 (세계 역사에서 아주 흥분되는 시기에) 지적 발견을 할 수 있는 아주 뛰어난 환경을 제공해주었다.

수십 년 동안 나는 많은 친구와 동료들 덕분에 동유럽 지역에 대한 엄청난 혜안을 축적할 수 있었다. 매뉴엘라 그레트코브카, 토니 레비타스, 베틀드 로드키예비츠, 얀-크리스토프 조엘스, 이고르 루케스, 베벨 볼테스, 마르크 피타웨이, 피드라이크 게네이, 마이클 데이비드-폭스, 가차 데이비드-폭스, 앨런 테일러, 킬리 스타우터-헬스테드, 이슈트반 레브, 폴 해너브린크, 즈레고르즈 에키어트, 노머 필드만, 발라스 트렌츠세니, 이반 버렌드, 저스틴 얌폴, 스테판 윌레, 토마스 린드버거, 자흐 쇼레, 크리스토프 클레스만, 카메론 문터, 마틴 군타우, 우워데크 보로지에이, 에벨리나 얀추르, 티모시 가톤 애쉬, 이보 골드스테인, 파웨우 마크체비츠, 우르슐라 파와즈, 래리 월프, 데이비드 월프, 멜리사 파인버그, 트브르트코 야코비나, 아그네쉬카 루드니츠카, 마리아 부구르, 홀리 케이스, 애너 마흐체비츠, 크리쉬티 페헤바리, 캘빈 맥캐론, 짐 게라흐, 아루투르 모두초프스키, 제프 콥스타인, 피오트르 휘브너, 아냐 마츠체비츠, 제임스 펠라크, 페테르 볼드윈, 개리 코헨, 페테르 하슬링거, 에릭 바이츠, 스타셰크 오비레크, 랠프 엔센, 위르게 코츠카, 오메르 바르토프, 얀 그라보프스키, 팀 스나이더, 토마스 퀴틀러, 스티스 물, 루츠 니에셈너, 애너 루드비크 스피소이, 미할 코페체크, 마틴 푸트나, 마우고샤 마주렉, 토마스 게틀러, 피터 루반, 마르치 소레, 보흐단 야코프, 블라디미르 티스마네아누, 고샤 피델리스, 캐서린 졸류크, 스코트 스미스, 저스틴 스타크, 말스가 스바슈코바, 브루스 베러글룬트, 이크 아브램스, 벤 프롬머, 아르파드 폰 클리모, 마르크 에츠크-자이벨에게 감사한다.

대학원생들 중에는 다음 학생들로부터 배우는 즐거움을 누렸다. 차드 브라이언트, 제임스 크라플, 윈슨 추, 에디스 셰퍼, 스페탄 그로스, 브라이언 맥쿠크, 마이클 딘, 테리 레노드, 앤드루 크램지, 스테판 그로스, 스몰키, 니콜 이튼, 안드레이 밀리보예비치, 새러 크램지, 엘레인 브루멘탈, 클라라 레온, 엘리자베트 웨그너, 제이콘 미하노프스키, 블레즈 조엘, 일 젠킨스, 헤킨, 파웰 코시엘니, 톰 슬라우코프스키, 올라 마에디-크루피츠키, 해리슨 킹, 알렉스 소로스, 아그니슈카 스웨코브스카가 그 학생들이다.

버클리대학에서 나는 수십 명이 동료들과 대화를 나누며 혜택을 받았다. 그중 이 책과 관련된 토론을 한 동료로는 페기 앤더슨, 비키 보넬, 딕 부흐바움, 존 에프론, 게리 펠드만, 빅토리아 프레데, 그리샤 프라이딘, 조지 브레슬라우, 스테판 루드비크 호프만, 데이비드 홀링커, 앤드루 야노스, 톰 라쿠에르, 체스와프 미워시, 에릭 사전트, 유리 슬레크킨, 네드 워커, 제이슨 위텐베르그, 레기 젤니크, 스티브 피시, 피터 지노만이 있다. 나는 공동 강의의 즐거움을 제공해준 로넬 알렉산더, 앤드루 발샤이, 데이비드 프리크에게 특별한 감사를 드린다. 또한 슬라브-동유럽-유라시아 연구소의 제프 페닝톤, 바바라 보이테크, 루안나 컬리, 자하 켈리에게 감사드린다. 이 사람들의 도움이 없었다면 이 책은 생각할 수 없었다.

프린스턴대학 출판부에서는 에릭 그라한, 팜례라 와드만, 나담 카가 이 책이 출간되도록 뛰어난 길잡이 역할을 해주었다. 브리기타 반 라인버그는 책의 주제를 제안하고, 저술과 사고에 대한 자신의 지혜를 나와 공유해 주었다.

몇몇 동료들은 이 책의 일부를 읽고 조언을 해주는 수고를 떠맡았다. 빌 헤이건, 테사 바비, 콘래드 야라우취, 노만 나이마크, 규리 테테리, 브라이언 프로테르-쉬크, 조아킴 폰 푸트카메르, 브리기타 반 라인버그, 짐 쉬한, 필립 테르, 제이슨 위텐버그가 그런 수고를 해주었다. 나의 문체 편집 담당자인 존 팔라텔라와 쉬드 웨스트모얼랜드는 원고를 세심히 읽고 문장스타일을 개선하고 큰 실수를 바로 잡아 주었다(모든 큰 실수는 당연히 나의 책임이다).

지도와 도표, 목록을 만들어준 데이비드 콕스, 안드레이 밀로보예비츠, 파웰 코쉬첼니에게 특별한 감사를 드린다.

마지막으로 니의 부모와 형제, 나와 함께 가정을 만들고 공유한 부인 피오나와 나의 자녀인 니코, 휴고, 샤로테와 이리나에게 감사한다.

앞에 언급한 이름들이 명단처럼 보이는 것을 사과한다. 여기에 포함된 각 이름은 내가 그 관용과 영감을 소중히 여기는 사람들이고, 또 다른 책이 왜 필요한지를 정확히 말해준 사람들이다.

옮긴이의 말

러시아-우크라이나 전쟁 이후 동유럽에 대한 국내의 관심이 크게 높아졌
다. 서방과 러시아의 대결 전선이 우크라이나에서 폴란드, 루마니아 등 동
유럽으로 옮겨가는 것은 아닌가 하는 불안과 무기 수출을 비롯한 한국과
동유럽 국가들의 무역 활성화도 이런 경향에 큰 영향을 미쳤다. 그간 국
내에는 폴란드, 체코, 헝가리, 세르비아 등 개별 동유럽 국가의 역사를 다
룬 책이 출간되었고, 동유럽 역사 전체를 다룬 책으로는 이정희 교수가 쓴
《동유럽사》(1987년 출간, 2005년 개정, 대한교과서)가 거의 유일했다. 15개국
이상의 국가가 포함된 동유럽 지역의 역사를 한 권의 책으로 서술한다는
것은 쉬운 일이 아니지만, 영어권에서는 그간 몇 권의 책이 출간되었다.
　약 5년 전부터 이 주제를 다룬 책을 번역하겠다는 생각으로 여러 책을
검토했고, 최종적으로 이 번역서의 저본인《민족에서 국가로: 동유럽사
From Peoples Into Nations: A History of Eastern Europe》(2020년 출간)과《동유럽사: 위기
와 변화*A History of Eastern Europe: Crisis and Change*》(2007년 출간)를 번역 대상으로
고려하게 되었다. 버클리대학 교수인 저자가 쓴 앞의 책이 대학 및 대학원
수업용으로 쓸 수 있고 일반 독자가 소화하기에도 무난한 책이면서도, 전

문 학자가 참고할 사항도 많고 두 번째 책보다 깊이가 있다는 판단이 들었다. 원본이 1000쪽에 이르는 이 책을 선정하고서 원래는 1차 세계대전을 경계로 전반부는 다른 전문가에게 번역을 맡기고, 관심 분야인 1차 세계대전 이후를 다룬 후반부만 번역하는 것이 내 의도였으나, 전체적 번역 흐름의 일관성, 번역 문체, 공역인 경우 각기 다른 작업 속도 등을 고려하여 단독으로 번역하는 길을 택했다.

그간 나는 우크라이나, 러시아, 조지아 등의 역사, 문화, 외교사 등을 다룬 책을 여러 권 번역하기는 했지만, 동유럽까지 대상을 확장하는 것은 '전선'을 너무 넓히는 것이 아닌가 하는 생각도 들었다. 그러나 우크라이나 다음으로 연구할 대상은 동유럽이란 생각을 오래전부터 하고 있었고, 그간 각국 개별 역사책을 거의 다 읽은 상태에서, 쉽지 않은 작업이기는 하지만 동유럽 전체 역사를 다루는 책을 번역하겠다는 마음은 계속 가지고 있었다. 이 책을 번역하는 데 큰 도움이 된 것은 미국에서 슬라브어학 석·박사 과정을 밟으면서 익힌 동유럽 언어 지식이었다. 미국 대학원은 한국처럼 러시아어문학 관련 학과가 노어노문과가 아니라 슬라브어문학과로 편성되어 있어서 러시아 전공자라도 동유럽어 한두 개는 더 배우게 되어 있다. 슬라브어학 전공으로 러시아어 외에 두 개의 슬라브어를 배우는 것이 박사 과정 필수였지만, 두 대학에서 박사 과정 공부를 하고, 연구교수 생활을 하면서 폴란드어, 세르보-크로아티아어, 불가리아어, 우크라이나어를 정식으로 배우게 되었고, 지도교수가 2차 세계대전 때 체코에서 미국으로 오신 분이라 자연스럽게 체코어도 익히게 되었다. 유고슬라비아가 단일 국가를 이루고 있던 당시 세르보-크로아티아어라고 불린 언어는 지금은 세르비아어, 크로아티아어, 보스니아어가 되었다. 브라운대학 첫 학기에 택한 폴란드어 수업 시간에 나 말고 12-13명의 미국 학생들이 수업에 들어온 것을 보고 학생들 사이에 폴란드어에 대한 관심이 크다고 생각했는데, 수업이 조금 진행되면서 이 학생 모두가 폴란드계 학생들이고, 전원 다 상당한 회화 실력을 가지고 있어서 크게 당황했던 기억이 새롭다. 좋은 학점은 받아야겠기에 절치부심하여 폴란드어 공부에 시간을 많이 투자했고, 회화는 좀 떨어져도 문법에서 실수를 하지 않는 동양 학생을 교수님은 나름 높이 평가해주셨다. 브라운대학에서 금요일 오후에 수업이 있었던 불가리아어 수업에는 나와 미국인 학생 단 둘이 교수님 연구실에서 수업을 들었는데, 연세가 팔십이 넘었지만 지금도 자주 연락을 하는 케리Claude Carey 교수님은 치즈를 곁들여 불가리아 와인을 책상에 올려놓으시고 수업 중 몇 문장을 끝내고 나면 와인 잔을 부딪치며 수업을 진행하셨다. 버클리로 가서도 폴란드어 중급 과정 수업을 계속했고, 세르보-크로아티아어 수업을 들었는데, 첫해에는 세르비아 출신 선생님이 키릴 문자로 쓰인 교재를 사용하셨고, 두 번째 해에는 크로아티아 출신 교수님이 라틴 문자로 쓰인 교재를 사용하여 이미 당시에 복잡다단한 남슬라브 지역의 언어 상황을 직접 경험하게 되었다. 표기 문자 외에는 두 언어의 문법은 거의 대동소이하여 공부 자체에는 큰 어려움이 없었다.

이 책의 번역 과정에서는 우랄어족에 들어가는 헝가리어와 로망스어족에 들어가는 루마니아어, 남슬라브 지역을 오래 지배했던 오스만제국의 튀르크어 지식이 없는 것이 핸디캡으로 작용했다. 세 언어로 된 용어나 고유명사의 표기와 번역에 혹시 있을지 모를 실수는 해당 언어 전문가들이 잡아주기를 바라는 마음이다. 번역하면서 느낀 바로는 저자는 독일어, 체코어 지식은 깊지만 다른 언어는 깊이 공부하지 않은 것 같았다. 슬라브어족에 속하는 여러 언어 외에 헝가리어, 루마니아어, 튀르크어를 깊이 있게 공부한 학자가 아닌 이상 이러한 언어적 한계는 극복하기가 쉬워 보이지 않는다.

역사의 여러 시기에 동유럽 역사에 포함되었던 우크라이나, 벨라루스를 이 책의 서술 대상에서 제외한 것도 아쉬움으로 남는다. 이 책은 동유럽 국가들이 여러 차례 주권 상실과 전쟁의 참화를 겪은 국제정치적 상황을 서술하는 데에서도 다소 아쉬움을 보여주지만, 저자가 외교사나 국제정치사를 전공으로 한 학자가 아니라 전통적 역사학자라는 점에서 이는 이해할 수 있는 부분이다. 반면 이 책의 장점은 민족주의 역사의 관점에서 동유럽 지역의 여러 주민들이 다양한 민족적 자각의 단계를 거쳐 민족 국가를 이룬 과정을 서술한 점이다. 또한 2000개가 넘는 저자의 주석은 책의 깊이와 기초 학술 자료로서의 가치를 잘 보여준다.

이 책의 여러 부분이 공부 대상이고 흥미로운 읽을거리였지만, 특히 23장(실제 존재하는 사회주의: 소련 블록의 생활)을 번역하면서 이보다 훨씬 가혹한 북한의 현실이 자연스레 떠올랐다. 동유럽은 전체주의의 굴레에서 벗어났지만, 한반도는 언제 그 멍에를 벗어버릴 수 있을지 가슴이 무거웠다. 이전에는 유고슬라비아의 티토와 함께 서방으로부터 탈소련화 기대를 어느 정도 받았던 루마니아의 차우셰스쿠가 북한을 방문한 후 주민들의 압제를 크게 강화하고, 결국은 부부가 총살을 당하는 비극을 맞은 것은 동양적 전제주의와 한반도 공산주의의 영향을 심하게 잘못 받은 슬픈 역사적 전개였다.

소련이 붕괴되고, 동유럽 여러 국가들이 1990대 후반 나토와 유럽연합에 가입하며 서유럽과 통합이 강화되면서 이 지역의 고질적 정체성, 민족주의 문제가 해결된 것처럼 보일 수도 있었다. 그러나 최근 진행 중인 러시아-우크라이나 전쟁과 벨라루스와 폴란드 국경 사이에 조성되는 긴장은 소위 '동유럽 문제'는 아직 해결되지 않았다는 것을 잘 보여준다. 냉전 종식 이후 유럽 지역에 새로운 현상 유지status quo가 정착되었다는 환상도 이번 전쟁으로 산산조각이 났다. 나토 확장 책임을 미국의 팽창주의 탓으로만 돌리는 사람들은 약 반세기에 걸친 소련의 지배에 철저한 혐오감을 느낀 동유럽 국가들이 이 역사를 반복하지 않기 위해 서둘러 나토 가입을 비롯한 서유럽과의 연계를 강화했다는 사실을 간과해서는 안 될 것이다. 동유럽 국가 주민들에게는 여전히 국가 생존, 주권 유지, 외세 지배 예방에 대한 예민한 감각이 강력하게 작용하고 있다. 중유럽 또는 동유럽 지역에는 강대국 주도 제국주의와 국력이 강하지 않은 여러 민족 국가들 사이의 긴장이 여전히 지속되고 있다. 저자는 이 상황과, 최근 코소보 사태에서 보는 바와 같이 남유럽의 꺼지지 않은 인종 분규의 불씨에 대해 서문에 다음과 같이 기술했다.

중유럽은 가장 작은 공간에서 가장 큰 서로 다름이 있는 지역이고, 러시아는 그 반대 원칙을 따른다. 그곳은 가장 큰 공간에서 가장 적은 다름이 있는 곳이다. 이 책은 작은 민족들이 반제국주의 투쟁을 벌인 공간이라는 것이라고 말하는 것 외에 동유럽에 어떠한 고정관념도 적용하지 않는다. 정치적 악몽의 구석에는 더 큰 국가에 흡수될 수도 있다는 희미한 두려움이 자리 잡고 있다. 반제국 투쟁은 민족 문화를 살아남게 만들었지만, 인종주의가 될 수 있는 배타적 이념도 촉진했다.

또한 저자는 중동부 유럽 연구는 결국 합스부르크제국 연구가 중심이 되어야 한다는 사실도 "구제국들, 특히 합스부르크제국은 향수를 불러일으킨다. 그 이유는 이 제국은 후에 나타난 많은 민족 국가들보다 인권과 민족과 주민들을 더 잘 보호했기 때문이다"라는 말로 지적했다.

동유럽은 탈소비에트 이후 아직도 정체성을 찾는 지역으로 보아야 하고, 대부분 국가들의 유럽연합 가입으로 단번에 서유럽과 같은 선상에 선 것은 아니며, 여전히 역사를 통해 경험한 불안감을 느끼고 있는 상황에 처해 있고, 이번 우크라이나 전쟁으로 그것이 허구적 우려가 아니라 안보 불안이 매우 크다는 것이 잘 드러났다. 타 지역에 대한 역사, 지역학을 공부하는 이유 중 하나가 결국 우리가 처한 상황에 타산지석이 되는 교훈을 얻어내는 것이라고 한다면, 미-중 대결로 대변되는 해양 세력과 대륙 세력의 갈등의 최전선이 된 한반도의 운명은 동유럽 국가들의 운명과 크게 다르지 않다는 것을 잊지 말고, 이 지역 역사 공부에 좀 더 노력을 기울일 필요가 있다.

깊이 있는 대작을 번역하는 것은 고된 일이지만, 한 문장 한 문장을 옮기면서 저자와 개인 토론을 하듯 대화를 나누는 것은 큰 공부가 된다. 1년여의 작업 끝에 이 책이 독자들에게 모습을 보이는 것은 큰 숙제를 마무리한 것과 같은 성취감도 주지만, 부족한 지식으로 인해 번역이 잘못된 부분이 나오지 않을까 하는 불안감도 벗어버리기 어렵다. 이 책을 번역하기에 부족한 사람에게 번역을 의뢰하고, 무게 있는 역사서를 연이어 내는 도서출판 책과함께의 류종필 대표와 이정우 팀장, 그리고 이 책을 깔끔하게 매만져준 김현대 편집자에게 깊은 감사를 드린다.

2023년 9월
허승철